FRANCIS HOWELL SCHOOL DISTRICT
ROUTE #2
ST. CHARLES, MISSOURI   63301

el español al día

BOOK 2

el español al día

BOOK 2 fifth edition

LAUREL HERBERT TURK
DePauw University

EDITH MARION ALLEN
Indianapolis Public Schools

D. C. HEATH AND COMPANY
Lexington, Massachusetts   Toronto

COVER

Note: The cover shows a photographic reproduction of an original mola, a type of needlework practiced by the Cuna Indians of the San Blas Islands of Panama. Molas are constructed from two or more layers of fabric, allowing for many variations of cuttings and colors. The motifs include birds, demons, monsters, hunters, medicine men, and dancers, as well as complicated geometric patterns. The result is a sturdy fabric similar to a quilt, which was originally used for the lower front and back sections of women's blouses. Today molas have many decorative uses.

Book Design by Joseph Weiler

Drawings by David Zerbe

Maps by James Lewicki

Published simultaneously in Canada.

Printed in the United States of America.

International Standard Book Number: 0-669-01657-8

Library of Congress Catalog Card Number: 78-63160

ACKNOWLEDGMENTS

Sincere appreciation is expressed for the valuable suggestions offered by many teachers who have used the earlier editions of *El español al día.* Special thanks are extended to Ms. Carmenza Fonstad and Ms. Clara Inés Olaya for their contributions to the *Preguntas culturales* sections, and to the members of the Modern Language Department of D. C. Heath and Company, School Division, whose constructive criticism and sound observations have been most helpful at every stage in the preparation of this edition.

L. H. T.

PHOTOGRAPH CREDITS

CONTENTS

CARTAS ESPAÑOLAS

Address on the envelope. Heading of the letter. Salutations and conclusions for familiar letters. Salutations for business letters or those addressed to strangers. Conclusions for informal social and business letters. Body of business letters. Sample letters

PREGUNTAS CULTURALES 4

Compras: la ropa; la comida

SELECCIONES

APPENDICES

LECCIÓN 1

In this lesson you will review and practice:

1. a number of words and expressions used in *El español al día*, *Book 1*, as well as learn a few new ones
2. American-Spanish pronunciation of the sounds of *c, z,* and *ll*
3. forms of regular verbs of the three conjugations in Spanish in the present indicative tense; forms of four common irregular verbs
4. uses of *estar* and *ser*

You will also review the definite article, forms of nouns, and *tú* vs. *usted* in the "Do you remember?" section.

Bogotá, Colombia

PALABRAS Y EXPRESIONES[1]

el abogado   lawyer, attorney
el artículo   article
colombiano, -a   Colombian, from (of) Colombia
como siempre   as always, as usual
distinguido, -a   distinguished, famous

la escritora   writer *(f.)* [2]
el médico   doctor, physician
la oficina   office
Pepe   Joe
perfectamente   perfectly

[1]Words and expressions not used in the active vocabularies of *El español al día, Book 1,* are listed in this section of Lecciones 1-3. [2]See Appendix A, page 402, for all abbreviations in the text.

En la escuela

(Es lunes. Son las ocho menos cuarto de la mañana.)

María. ¡Hola, Pepe! Buenos días.

Pepe. Buenos días, María. ¿Cómo estás?

María. Muy bien, gracias. ¿Y tú?

Pepe. Como siempre, gracias. ¿Qué hay de nuevo?

María. Nada en particular. ¿Sabes si la señorita Valdés está en su oficina?

Pepe. Todavía no. Llega a las ocho.

María. Pues, voy a esperar unos minutos. Necesito hablar con ella. Carmen está enferma hoy y no viene a clase.

Pepe. María, ¿sabes de dónde es Felipe Gómez?

María. Sí, es colombiano. Es de Bogotá, la capital del país.

Pepe. ¿Qué es su padre? ¿Es abogado?

María. No, es un médico muy distinguido. La madre de Felipe es norteamericana.

Pepe. Felipe habla bien el[1] español, ¿no es verdad?

María. ¡Ah, sí! Lo habla perfectamente. ¿Sabes que su madre es escritora y que escribe artículos sobre Colombia? Están escritos en inglés y en español, y son muy interesantes.

Pepe. ¡Qué bueno! Pues, allí viene la señorita Valdés con dos alumnas. Voy a clase ahora. Adiós. Hasta luego.

María. Hasta luego.

Preguntas

Answer in Spanish these questions based on the first part of the dialogue:

1. ¿Qué día de la semana es?   2. ¿Qué hora es?   3. ¿Quiénes están hablando?
4. ¿Cómo está María? ¿Y Pepe?   5. ¿A quién busca María?   6. ¿Está en su oficina la señorita Valdés?   7. ¿A qué hora llega la señorita Valdés?   8. ¿Por qué va a esperar María unos minutos?

Preguntas generales

1. ¿De dónde es un colombiano?   2. ¿Cuál es la capital de Colombia?   3. ¿De dónde es un norteamericano?   4. ¿Qué eres tú?   5. ¿Qué soy yo?   6. ¿Dónde está San Francisco?   7. ¿Cuál es otra ciudad grande de California?   8. ¿Dónde está San Antonio?

[1]Recall that when any word other than the subject pronoun comes between forms of **hablar** (and a few other verbs) and the name of a language, the article is used (see Appendix C, page 408).

3

para conversar

Carlos. Buenas tardes, Roberto. ¿Qué tal?

Roberto. Así, así, gracias. ¿Adónde vas a esta hora?

Carlos. Voy a casa de Pablo. Queremos escuchar discos ahora. Y tú, ¿qué vas a hacer?

Roberto. Voy al café a tomar un refresco con Teresa. Hasta la vista.

Carlos. Adiós. Te veo más tarde.

Study the conversation until you can repeat it with a classmate. Expressions used in the active vocabularies of *El español al día, Book 1,* then used in the various parts of this lesson, are listed here for review. Many of these expressions may be used to vary the dialogue above and to make new conversations.

a las (ocho)   at (eight) o'clock

a esta hora   at this time *(of day)*

así, así   so-so

buenas tardes   good afternoon

buenos días   good morning (day)

de la mañana   A.M., in the morning

de la tarde   P.M., in the afternoon

detrás de *prep.*   behind

en casa   at home

en el centro   downtown

en la escuela   in (at) school

es la una   it's one o'clock

hasta la vista   until (I'll see you) later, so long

hasta luego   (I'll) see you later, until later

(ir) a casa   (to go) home

(ir) a casa de (Pablo)   (to go) to (Paul's)

(ir) a clase   (to go) to class

(ir) a la escuela   (to go) to school

nada en particular   nothing special, nothing in particular

¿(no es) verdad?   isn't it (true)? isn't he? etc.

¿por qué?   why? for what reason?

¡qué bueno!   how fine (nice)! (that's) great!

¿qué hay de nuevo?   what's new? what do you know?

¿qué hora es?   what time is it?

¿qué tal?   how are you? how goes it? how's everything?

son las ocho menos cuarto   it's a quarter to eight

te veo más tarde   I'll see you later

todavía no   not yet

trabajar mucho   to work hard (much)

unos, -as   some, a few

PRONUNCIACIÓN

American-Spanish pronunciation. There are a few differences in pronunciation between American Spanish and Castilian, the dialect most widely used in Spain. Since Spanish is spoken in so many different areas, it is natural that variations exist from country to country. In general, however, pronunciation differs in only two important respects:

a. In American Spanish (and also in Southern Spain) **c** before **e** or **i** and **z** in all positions are pronounced somewhat like English *s* in *sent*, while in Castilian Spanish (in northern and central Spain) they are pronounced like English *th* in *thin*.

b. In some parts of Spain, and generally in Spanish America, **ll** is pronounced like English *y* in *yes*; in other parts of Spain the sound is somewhat like *lli* in *million*.

In both cases the two sounds are accepted as standard forms of pronunciation. Since our country is situated in the Western Hemisphere, it seems natural to use the so-called American-Spanish pronunciation of these sounds in this course.

c. In Appendix A, review the vowel sounds (page 396), all the sounds of **c** plus that of **k** and **qu** (pages 396-397), and the sound of **ll** (page 397), then pronounce after your teacher:

1. casa	discos	como	cine	cena
2. centro	hacer	oficina	zapato	lápiz
3. qué	quedaste	aquí	parque	kilómetro
4. ella	calle	llega	allí	amarillo
5. gracias	hasta	minuto	gusto	mucho
6. esperar	necesito	artículo	mañana	capital

Repaso de verbos

To help you to understand and to use the language more readily, you may need to review some of the verbs used in your earlier study of Spanish.

A. Present indicative tense of regular verbs

In Appendix D, page 412, review the forms of the present indicative tense of regular verbs. The subject pronoun **vosotros, -as** (familiar plural for *you*) is not ordinarily used in Spanish America; it is replaced by **ustedes**, which then has both a formal and familiar plural meaning. The verb form to accompany **vosotros, -as** is included in this book for recognition, but it is not used in drill exercises.

Some common regular verbs are:

comprar to buy
esperar to wait (for); to hope
estudiar to study
hablar to speak, talk
llevar to take, carry
mirar to look (at), watch
necesitar to need
tomar · to take, drink, eat
trabajar to work

aprender to learn
comer to eat
comprender to understand
vender to sell

abrir to open
escribir to write
recibir to receive
vivir to live

Ejercicios

a. Say after your teacher. When you hear a new subject, substitute it in the sentence, making the verb agree with it in person and number:

1. *Los alumnos* esperan el autobús.
   (Yo, Tú, Ud., Anita y yo, Carlos y Luis)
2. *José* no comprende la pregunta.
   (Los muchachos, Nosotros, Yo, Uds., Tú)
3. ¿Abres *tú* el libro?
   (Ud., Uds., Carolina, ellos, yo)

b. Answer in the affirmative in Spanish:[1]

1. ¿Hablas español?
2. ¿Compras zapatos en el centro?
3. ¿Aprendes a leer?
4. ¿Escribes las composiciones?

5. ¿Toman Uds. refrescos?
6. ¿Trabajan Uds. mucho?
7. ¿Comen Uds. en casa?
8. ¿Viven Uds. en la ciudad?

B. Four common verbs which have irregular forms in the present indicative tense

estar to be   **estoy estás está** estamos estáis **están**
ir to go   **voy vas va vamos vais van**
ser to be   **soy eres es somos sois son**
venir to come   **vengo vienes viene** venimos venís **vienen**

Ejercicio

Read, supplying the correct form of the present indicative tense of the verb in parentheses:

1. (ser) —¿Qué _____ usted? —Yo _____ profesora. 2. (estar) —¿Dónde _____ usted ahora? —Yo _____ detrás de la mesa. 3. (ir) —¿A qué hora _____ tú a casa? —Yo _____ a casa a las cinco de la tarde. 4. (ir) —¿_____ ustedes a la escuela esta mañana? —No, no _____ hoy porque es sábado. 5. (venir) —¿_____ usted conmigo esta tarde? —No, no _____ con usted porque estoy ocupado. 6. (venir) —¿_____ ustedes al café? —Sí, Juan y yo _____ pronto. 7. (estar) —¿Sabes si la señorita Valdés _____ en su oficina? —No, no _____ aquí todavía. 8. (ser) El señor Ramos _____ abogado y sus dos hermanos _____ médicos, ¿no _____ verdad?

---

[1] Begin your answers in affirmative sentences with **Sí, señor (señora, señorita).**

NOTAS *Uses of* estar *and* ser

A. Estar is used:

1. To express location, whether temporary or permanent:

Ellos están en casa.   They are at home.
¿Está ella en su oficina?   Is she in (at) her office?
Bogotá está en Colombia.   Bogotá is in Colombia.

2. With an adjective to indicate a state or condition of the subject, when the state or condition is relatively temporary, accidental, or variable:

La línea está ocupada.   The line is busy.
Carmen está enferma.   Carmen is ill.
Las puertas están cerradas.   The doors are closed.
Los artículos están escritos en español.   The articles are written in Spanish.

Special Note: As indicated in the last two examples, a past participle may be used as an adjective, agreeing with the noun or pronoun in gender and number.

3. With the present participle to express an action in progress:

Estoy estudiando la lección.   I am studying the lesson.
¿Qué estás escribiendo?   What are you writing?

Special Note: Recall that the present participle of **-ar** regular verbs ends in **-ando**, and that of **-er** and **-ir** regular verbs ends in **-iendo.**

B. Ser is used:

1. With a predicate noun, pronoun, or adjective used as a noun:

Su padre es abogado (médico).   His father is a lawyer (doctor).
Ella es norteamericana.   She is an American *(of the U.S.A.).*

Special Note: Recall that the indefinite article is omitted with an unmodified predicate noun, as in the two examples above, but it is normally used when the noun is modified: **Es un abogado distinguido,** *He is a famous lawyer.*

2. With an adjective to express an essential quality or characteristic of the subject that is relatively permanent. Adjectives of color, size, shape, nationality, and the like are included in this category, as well as adjectives which describe personal qualities, including **joven, viejo, rico, pobre,** and **feliz,** *happy:*

Los artículos son cortos.   The articles are short.
Esas casas son blancas (grandes).   Those houses are white (large).
Carlos es colombiano.   Charles is a Colombian.
Aquellas personas no son ricas (pobres).   Those persons are not rich (poor).

3. With the preposition **de** to show origin, ownership, or material, and with the preposition **para** to indicate for whom or for what a thing is intended:

¿De dónde es Felipe?   Where is Philip from?
Este coche es de Esteban.   This car is Stephen's.
La pulsera no es de plata.   The bracelet is not (of) silver.
Este regalo es para mi madre.   This gift is for my mother.

4. In impersonal expressions (*it* + verb + adjective):

Es fácil (necesario) comprender eso.   It is easy (necessary) to understand that.

5. To express time of day:

—¿Qué hora es? —Es la una.   "What time is it?" "It is one o'clock."
Son las ocho menos cuarto.   It is a quarter of eight.

Special Note: The verb is always plural in expressing time of day, except when followed by the Spanish for *one o'clock.*

Ejercicios

a.   Read, completing with the correct form of the present indicative tense of **estar** or **ser:**

1. ¿Cómo _____ tú hoy?   2. ¿De dónde _____ tú?   3. Enrique _____ de Colombia; _____ colombiano.   4. Buenos Aires, que _____ una ciudad grande, _____ en la Argentina.   5. —¿Qué hora _____? —Creo que _____ las diez y cinco.   6. La amiga de Ricardo _____ rubia; sabemos que también _____ muy simpática.   7. ¿Dónde _____ tu papá? ¿_____ en la oficina?   8. No _____ difícil aprender el diálogo porque _____ muy corto.   9. ¿Cuál _____ la fecha de hoy? Y, ¿_____ jueves o viernes?   10. ¿Para quién _____ esta carta que _____ escrita en español?   11. Hoy _____ un día hermoso y muchos muchachos _____ jugando en el parque.   12. Mis padres _____ muy cansados.

b.   After hearing two groups of words, combine them into a single sentence by using the correct form of **estar** or **ser** in the present indicative tense.

Model: mi padre—abogado   Mi padre es abogado.

1. la tía de Luis—simpática
2. el nuevo alumno—mexicano
3. el padre de Marta—en México
4. la ventana no—cerrada ahora
5. de dónde—las dos muchachas

6. el artículo—escrito en inglés
7. el señor Díaz—de la Argentina
8. este café—muy frío
9. tú no—hablando en español
10. este reloj no—de plata

C. Give in Spanish:

1. It is eleven o'clock. 2. Mr. López is going to be here this afternoon. 3. He is a lawyer, isn't he? 4. No, he is a very distinguished doctor. 5. Where is he from? 6. The gifts are for our mother. 7. My father is still at (in) his office. 8. The boys are talking *(progressive)* in the patio. 9. It is necessary to leave now. 10. The coffee is very cold. 11. Our teacher *(f.)* is seated behind the desk. 12. My friend *(f.)* is young.

Do you remember?

Before continuing the review of verbs and certain grammatical items, let's refresh your memory concerning basic points.

a. Gender

1. The four forms of the definite article are **el** *(pl.* **los**), masculine, and **la** *(pl.* **las**), feminine.

2. Most nouns ending in **-o** are masculine and those ending in **-a** are feminine: **el minuto, la oficina.**

3. You must learn the gender of nouns with other endings: **el cine, el coche, la tarde, el avión,** but **el día, el programa, el mapa; la mano, la radio.**

b. Number

1. To form the plural of nouns and adjectives, **-s** is added to those ending in a vowel and **-es** to those ending in a consonant: **el minuto, los minutos; el árbol alto, los árboles altos.**

2. Nouns ending in **-z** change the **z** to **c** before **-es**, and those ending in **-ión** drop the accent mark in the plural: **el lápiz, los lápices; la lección, las lecciones.**

3. Nouns ending in unaccented **-as, -es, -is,** or **-os** do not change in the plural: **el (los) paraguas, el (los) lunes, el (los) tocadiscos.**

c. Tú vs. usted

The familiar **tú**, *you*, is used in speaking to children, relatives, or to persons who call one another by their first names, and the formal **usted** and **ustedes** (often abbreviated in writing to **Ud., Uds.,** or **Vd., Vds.**) should normally be used in other instances. **Ustedes** is used for plural *you*, both familiar and formal.

LECCIÓN

In this lesson you will review and practice:

1. more words and expressions used in Book 1, as well as learn a few new ones
2. sounds of Spanish *b*, *v*, and *d*
3. forms of additional common irregular verbs and of stem-changing verbs, Class I, in the present indicative tense
4. certain uses of the infinitive

In the "Do you remember?" section you will review the personal *a*, negation, and the position of object pronouns.

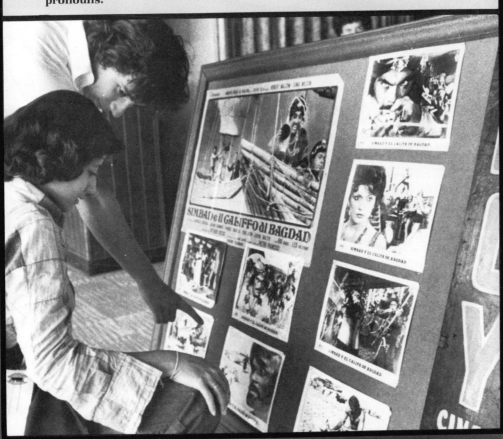

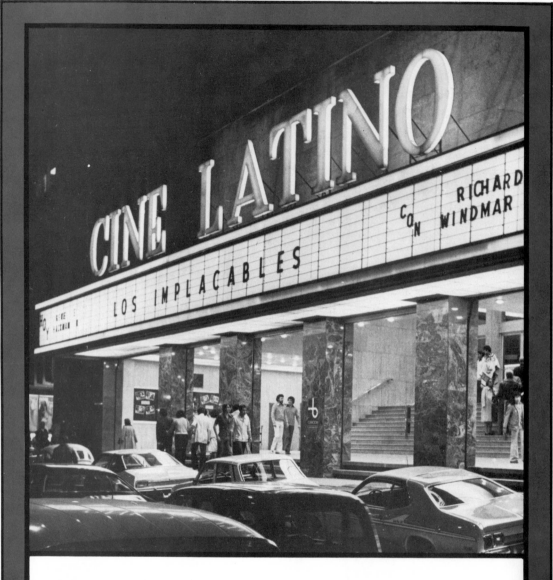

PALABRAS Y EXPRESIONES

allá there *(often after verbs of motion)*

buscar a uno to come (go) for one, pick one up

la cinta tape

dar una película to give (present, show) a film

enfrente de *prep.* in front of

estacionar to park

la guitarra guitar

listo, -a ready

¡oye! listen! hey!

el placer pleasure

probablemente probably

El viernes por la tarde

(Es el viernes por la tarde. Marta y Pablo se encuentran[1] enfrente de la escuela después de las clases.)

Pablo. ¡Oye, Marta! ¿Puedes esperar un momento?

Marta. ¡Ah, sí! ¡Cómo no! ¿Adónde vas ahora?

Pablo. Voy a casa de Tomás a escuchar cintas. Él probablemente va a tocar la guitarra también. Pero tú, ¿adónde vas?

Marta. Voy al café a tomar un refresco.

Pablo. ¿Vas sola?

Marta. ¡Hombre! Varios alumnos piensan estar allí esta tarde, como siempre. ¿Por qué no nos acompañas?

Pablo. Gracias, pero Tomás me espera ahora mismo; por eso, no puedo.

Pablo. Pues, Marta, ¿estás ocupada esta noche? ¿Quieres[2] ir al cine conmigo?

Marta. Sí, con mucho gusto, gracias. Creo que dan una película muy buena.

Pablo. Carlos y Anita Solís me dicen que quieren ir también. Los conoces, ¿no?

Marta. Sí, los conozco bien y va a ser un placer verlos otra vez. ¿A qué hora vienes por mi casa?

Pablo. A las siete si puedes estar lista entonces. La película empieza a las siete y media y antes de ir al centro tenemos que buscar a Carlos y a Anita. También, después de llegar allá, tengo que estacionar el coche.

Marta. Está bien. Voy a estar lista. Te veo entonces.

Pablo. Adiós. Hasta luego.

Preguntas

Answer in Spanish these questions based on the first part of the dialogue:

1. ¿Qué día es? 2. ¿Dónde se encuentran Marta y Pablo? 3. ¿Adónde va Pablo? 4. ¿Qué van a hacer Pablo y Tomás? 5. ¿Adónde va Marta? 6. ¿Va a estar sola en el café? 7. ¿Qué le pregunta Marta a Pablo? 8. ¿Por qué no puede acompañar él a Marta?

---

[1]**se encuentran,** *are, are found.* (**Encontrarse, hallarse, verse** often mean approximately the same as **estar,** although they retain something of their original meaning.) [2]When *will* means *be willing to,* the present tense of **querer** is used. In the negative, the expression may mean *be unwilling to:* **Ella no quiere ir,** *She won't (is unwilling to) go.*

13

Preguntas generales

1. ¿Qué día de la semana es hoy? 2. ¿Qué vas a hacer después de las clases? 3. ¿Vas al café todas las tardes? 4. ¿Qué tomas en el café generalmente? 5. ¿Vienes a la escuela en coche? ¿En autobús? 6. ¿Dónde estacionan los coches aquí? 7. ¿Piensas ir al cine esta noche? ¿Dan una película buena? 8. ¿A qué hora empieza la película?

para conversar

Luisa. ¡Oye, María! Inés me dice que vas de compras. ¿Vas al centro todos los sábados?

María. ¡Claro que no! Solamente cuando necesito buscar algo. ¿Puedes acompañarme hoy?

Luisa. No, gracias. Siempre trabajo mucho en casa el sábado por la mañana. ¿Vas en autobús?

María. No, en coche. Mi mamá dice que puedo usarlo esta mañana.

Luisa. Muy bien. Pues, te llamo esta tarde. Adiós.

María. Hasta luego.

Study the conversation until you can repeat it with a classmate. The following expressions are reviewed in various parts of this lesson. Many of these expressions may be used to vary the dialogue above and to make new conversations.

a tiempo   on time
a veces   at times
ahora mismo   right now, right away
al + *inf.*   on (upon) + *pres. part.*
antes de *prep.*   before
cerca de *prep.*   near
¡claro que no!   of course not! certainly not!
¡cómo no!   of course! certainly!
con mucho gusto   gladly, with much (great) pleasure
dar un paseo   to take a walk *or* ride
después de *prep.*   after
en autobús (coche, avión)   by *or* in a bus (car, plane)
en casa de (Tomás)   at (Thomas's)
está bien   that's fine, excellent, very well, all right, O.K.

esta noche   tonight
¡hombre!   man! hey!
(ir) al centro   (to go) downtown
ir de compras   to go shopping
jugar (ue) al fútbol   to play football
otra vez   again, another time
partir (de + *obj.*)   to depart, leave
partir *or* **salir para**   to leave for
por eso   because of that, for that reason, that's why
por la mañana   in the morning
por la noche   in the evening, at night
por la tarde   in the afternoon
el sábado *or* **mañana por la mañana**   (on) Saturday *or* tomorrow morning
salir de casa   to leave home

tener que + *inf.*   to have to, must
todas las tardes (noches)   every
  afternoon (evening, night)
todos los días   every day

tratar de + *inf.*   to try to
el viernes por la tarde   (on) Friday
  afternoon

PRONUNCIACIÓN

a. Spanish **b, v,** and **d.** Each of these consonants (**b** and **v** are pronounced exactly alike) has two different sounds.

At the beginning of a breath group,[1] and after **m** or **n** (also pronounced **m** in this case), whether within a word or between words, Spanish **b** and **v** are pronounced like English *b* in *boy*, but somewhat weaker. In other cases the lips do not close completely, and they allow air to pass between them through a narrow passage. When between vowels the sound is quite weak. Avoid the English *v* sound. Pronounce after your teacher:

1. buenos	Bárbara	vamos	viernes	también
2. saber	muy bien	autobús	te veo	nuevos

3. Bárbara baila bien, pero no va a bailar con Vicente.

At the beginning of a breath group and after **n** or **l,** Spanish **d** is like a weak English *d,* pronounced with the tip of the tongue touching the back of the upper teeth (rather than the ridge above the teeth, as in English). In all other cases the tongue drops even lower against the upper teeth, and the **d** is pronounced like a weak English *th* in *this.* The sound is especially weak in the ending **-ado** and when final before a pause. Pronounce after your teacher:

4. donde	el día	el dinero	aprender	disco
5. Madrid	usted	tardes	pasado	verdad

6. La verdad es que Dorotea ha estudiado con Eduardo.

b. In Appendix A, pages 395-396, review the division of words into syllables and word stress, then copy the last three exchanges of the dialogue in this lesson, dividing the words into syllables and underlining the stressed syllable in words of more than one syllable.

---

[1]In speaking or reading Spanish, words are linked together, as in English, so that two or more may sound like one long word. These groups are called breath groups.

Repaso de verbos

A. Additional common verbs which have irregular forms in the present indicative

decir to say, tell	**digo**	**dices**	**dice**	decimos	decís	**dicen**
haber to have *(auxiliary)*	**he**	**has**	**ha**	**hemos**	habéis	**han**
oír[1] to hear	**oigo**	**oyes**	**oye**	oímos	oís	**oyen**
poder to be able, can	**puedo**	**puedes**	**puede**	podemos	podéis	**pueden**
querer to wish, want	**quiero**	**quieres**	**quiere**	queremos	queréis	**quieren**
tener to have, possess	**tengo**	**tienes**	**tiene**	tenemos	tenéis	**tienen**

A number of irregular verbs have regular forms in the present indicative tense, except in the first person singular: **dar,** *to give* (**doy**); **hacer,** *to do, make* (**hago**); **poner,** *to put, place* (**pongo**); **saber,** *to know, know how* (**sé**); **salir,** *to go out, leave* (**salgo**); **traer,** *to bring* (**traigo**); **ver,** *to see* (**veo**). Also irregular in the first person singular is **conocer,** *to know, be acquainted with* (**conozco**).

See Appendix D, pages 424-425, for accented forms in the present indicative tense of **enviar,** *to send,* and of **continuar,** *to continue;* also see page 424 for forms of verbs ending in **-uir: construir,** *to construct, build.*

Ejercicios

a. Read, supplying the correct form of the present indicative tense of the verb in parentheses:

1. (decir) —¿Qué le _____ tú a Marta? —Yo no le _____ nada.   2. (querer) —¿_____ ustedes ir al café conmigo? —No, nosotros no _____ ir esta tarde.   3. (tener) —¿_____ ustedes bastante tiempo para terminar la lección? —Sí, _____ bastante tiempo.   4. (salir) —¿A qué hora _____ tú de casa todos los días? —Yo _____ a las ocho.   5. (conocer) —¿_____ tú a aquella muchacha? —Sí, la _____ muy bien.   6. (oír) —¿_____ ustedes la música? —Sí, la _____ bien.   7. (enviar) —¿Le _____ tú algo a Carolina? —Sí, le _____ un regalo a veces.   8. (continuar) —¿_____ Pablo trabajando en el jardín? —Sí, _____ trabajando allí.   9. (poner) —¿Dónde _____ yo el lápiz? —Usted lo _____ sobre la mesa.   10. (traer) —¿Siempre _____ tú el libro a clase? —Sí, lo _____ casi siempre.

[1]Note the present indicative forms of **oír,** which are not used in exercises of *El español al día, Book 1.* Other irregular forms will be given later.

b. Give in Spanish:

1. I know that Paul is not coming today.   2. Will you *(fam.)*[1] (Are you willing to) wait a few minutes?   3. The boys say that the film is very good.   4. Do you *(pl.)* have to go to school by bus?   5. I am going to Thomas's tonight.   6. At what time do you *(fam.)* leave home?   7. Does Joe know whether Mary is at home?   8. We want to go shopping tomorrow.   9. Are you *(fam.)* a student *(f.)* of this school?   10. Can you *(pl.)* look at the photographs right now?

X B. Stem-changing verbs, Class I

almorzar (ue) to eat (have) lunch
cerrar (ie) to close
comenzar (ie) to commence, begin
contar (ue) to count; to relate, tell
empezar (ie) to begin
encontrar (ue) to encounter, find

jugar (ue) to play *(a game)*
pensar (ie) to think; + *inf.* to intend, plan
perder (ie) to lose; to miss
recordar (ue) to recall, remember
sentarse (ie) to sit down
volver (ue) to return, come back

cerrar: **cierro cierras cierra** cerramos cerráis **cierran**
volver: **vuelvo vuelves vuelve** volvemos volvéis **vuelven**
jugar: **juego juegas juega** jugamos jugáis **juegan**

Ejercicios

a. Say after your teacher. When you hear a new subject, substitute it in the sentence, making the verb form agree:

1. *Yo* empiezo a leer el periódico.
   (Marta, Tú, Juan y yo, Los alumnos, Ustedes)
2. *Anita* vuelve a casa.
   (Yo, Tú, Ellos, Usted y yo, Ella)
3. ¿Juegan *ustedes* al fútbol?
   (usted, tú, Ramón y Luis, yo, nosotros)

b. Give in Spanish:

1. He has lunch, sits down in his room, and begins to write a letter.   2. They close the door, return home, and play in the patio.   3. Martha loses her handbag, finds it in the street, and counts the money.   4. Do you *(fam.)* remember the dialogue? Do you intend to eat now? Do you play football this fall?

---

[1]In this book the abbreviation *fam.* refers to familiar singular forms.

NOTAS *Uses of the infinitive*

A. Verbs which do not require a preposition before an infinitive

A few of the many verbs which do not require a preposition before an infinitive are: **deber, decidir, desear, esperar, necesitar, pensar (ie), poder, querer, saber:**

Espero (Pienso) comprar una guitarra.   I hope (intend) to buy a guitar.
Quieren poder pronunciar bien.   They want to be able to pronounce well.

An infinitive may be used as the subject of a verb or after an impersonal expression, in which case it is also actually the subject:

Nos gusta viajar.   We like to travel (To travel *or* Traveling pleases us).
Es necesario hacer esto.   It is necessary to do this (To do *or* Doing this is necessary).

B. Verbs which require a preposition before an infinitive

1. All verbs expressing motion or movement toward a place, such as **ir, llegar,** and **venir,** the verbs **empezar (ie)** and **comenzar (ie),** and certain others such as **aprender, ayudar,** *to help, aid,* **enseñar,** *to teach, show,* and **invitar,** *to invite,* require the preposition **a** before an infinitive:

Carlos viene a verme.   Charles is coming to see me.
Marta empieza a hablar en español.   Martha begins to talk in Spanish.
Pepe va (aprende) a cantar la canción.   Joe is going (learning) to sing the song.
Luisa la ayuda a limpiar la casa.   Louise helps her to clean the house.
Me invitan a visitarlos.   They invite me to visit them.

2. Certain verbs and expressions are followed by other prepositions before an infinitive. Among them are **alegrarse de,** *to be glad to,* **tener la oportunidad de,** *to have the opportunity to,* and **tener tiempo para,** *to have time to:*

Me alegro de poder hablar español.   I am glad to be able to talk Spanish.
Tienen la oportunidad de verlos.   They have the opportunity to see them.
Tenemos tiempo para visitarla.   We have time to visit her.

C. The infinitive after prepositions and other expressions

In Spanish the infinitive is the verb form used after a preposition; in English the present participle is often used. **Al** plus the infinitive is the Spanish equivalent of the English *On (Upon)* plus the present participle. This construction may also replace a *when*-clause:

Antes de (Después de) partir para México . . .   Before (After) leaving for México . . .
Al entrar, la señorita Valles empieza a hablar.   On (Upon) entering *or* When she enters, Miss Valles begins to talk.

Ejercicios

a. Read, supplying the correct preposition wherever necessary:

1. Vamos _____ salir ahora.   2. Necesito _____ comprar un par de zapatos.   3. ¿Quieres _____ ir con nosotros mañana por la mañana?   4. Esperamos _____ volver a casa antes de las cuatro y media.   5. Pensamos _____ tomar un autobús.   6. Hoy voy _____ ayudar a mi padre _____ limpiar el coche.   7. Va _____ ser fácil _____ hacer eso.   8. Pepe y Carlos están tratando _____ encontrar a Tomás.   9. Debemos _____ esperar un rato en casa de Tomás.   10. Carolina aprende _____ jugar al tenis.   11. Nos gusta _____ tocar discos.   12. Nos alegramos _____ ir al parque cuando no llueve.   13. ¿Te invitan _____ comer a veces?   14. ¿Sabes _____ tocar la guitarra?   15. ¿Tienen Uds. tiempo _____ terminar las composiciones?

b. Answer in the affirmative in Spanish:

1. ¿Deseas dar un paseo hoy?
2. ¿Sabes pronunciar bien?
3. ¿Te gusta viajar en avión?
4. ¿Puedes practicar un rato?
5. ¿Quieres ir a México?
6. ¿Tienes la oportunidad de ir?
7. ¿Esperan Uds. ver la película?
8. ¿Piensan Uds. estudiar esta noche?
9. ¿Tienen Uds. tiempo para esperar?
10. ¿Deben Uds. llegar a tiempo?
11. ¿Empiezan Uds. a descansar?
12. ¿La ayudan Uds. a preparar la cena?

c. Give in Spanish:

1. It is necessary to rest a while.   2. Upon arriving downtown they have to park the car.   3. Before returning home my father buys a newspaper.   4. Joe's parents hope to go to California by plane soon.   5. Thomas wants to learn to play golf.   6. He and his friends do not have time to play today.   7. Mary and I want to go shopping tomorrow.   8. It is beginning to rain.   9. My aunt intends to invite me to go to Mexico.   10. Can you *(pl.)* come to see us tonight?

Do you remember?

Let's refresh your memory concerning other basic points.

a. The personal *a*

When the direct object of a verb is a definite person (or persons), the personal **a** (not translated in English) normally precedes the object, except after **tener.** It is not used with direct object pronouns. (Also see pages 44, 67 footnote 18, and page 95).

Busco a Carlos.   I am looking for Charles.
Yo no lo veo.   I don't see him.

b. Negation

To make a sentence negative, **no** or some other negative word is placed before the verb, with only an object pronoun permitted between the negative and the verb:

Mis amigas no vienen.   My (girl)friends aren't coming.
Yo no los tengo.   I don't have them.

c. Position of object pronouns with respect to the verb

Object pronouns come immediately before the verb, except when used as the object of an infinitive or present participle. (See Lección 6 for position with commands.)

Carlos les habla en español.   Charles talks to them in Spanish.
Tratan de llamarte.   They are trying to call you.
Estoy mirándolo.   I am looking at it.

LECCIÓN 3

In this lesson you will review and practice:

1. more words and expressions used in Book 1, as well as learn a few additional ones
2. sounds of Spanish diphthongs
3. forms of the preterit tense of regular verbs and of stem-changing verbs, Class I
4. common verbs which have irregular forms in the preterit
5. forms of regular verbs and of the three verbs irregular in the imperfect tense
6. use of the preterit indicative tense
7. uses of the imperfect indicative tense

In the "Do you remember?" section you will review agreement and position of adjectives and two uses of *se*.

Mission of San Carlos Borromeo, Carmel

(top) California style house; *(bottom)* Dolores Mission, San Francisco

PALABRAS Y EXPRESIONES

el abuelo grandfather; *pl.* grandparents

el almacén (*pl.* **almacenes**) department store

¡cuánto, -a, -os, -as . . .! how much (many). . .!

Diana Diana, Diane

evidente evident

había there was, there were

el interés (*pl.* **intereses**) interest

el nombre name

nos queda (poco tiempo) we have (little time) left

el pueblo town, village

útil useful, profitable

las vacaciones (de verano) (summer) vacation

¿Dónde pasaron ustedes sus vacaciones?

(Era la una de la tarde cuando la señorita Valles entró en la sala de clase. Empezó a hablar en español y les dijo a los alumnos que por fin podían hablar de las vacaciones de verano.)

Srta. Valles. Eduardo, ¿cómo pasaste el verano?

Eduardo. Trabajé en el almacén de mi tío. Los sábados y los domingos generalmente iba a nadar.

Srta. Valles. Está bien. ¿Y tú, Margarita? ¿Dónde pasaste tus vacaciones?

Margarita. Hice un viaje a California con mi familia.

Srta. Valles. ¿Fueron ustedes en avión?

Margarita. No, señorita, en coche. Mi papá tuvo cuatro semanas de vacaciones; así es que tuvimos tiempo para visitar muchos sitios de interés. ¡Cuántos nombres españoles se encuentran allí! Había ríos, montañas, pueblos, ciudades, calles . . .

Srta. Valles. ¡Muy bien! Tú aprendiste mucho en el viaje.

Srta. Valles. Diana, ¿te quedaste aquí todo el verano?

Diana. En julio y agosto, sí, pero en junio mis abuelos me invitaron a visitarlos en la Florida. Allí se oye mucho el español, como usted sabe, y tuve la oportunidad de hablarlo con muchas personas.

Srta. Valles. ¡Qué bueno! Pues, ahora nos queda poco tiempo . . . solamente una persona más puede hablar. *(Marta levanta la mano.)* ¿Marta?

Marta. Aunque no pude hacer una excursión, pasé un verano muy útil. Casi todos los días yo limpiaba la casa y preparaba muchas comidas. También leía libros, periódicos y revistas en español . . .

Srta. Valles. ¡Magnífico! Es evidente que ustedes han pasado un verano muy agradable. Otro día debemos hablar más de lo que hicieron ustedes.

Preguntas

Answer in Spanish these questions based on the first part of the dialogue:

1. ¿Qué hora era?   2. ¿Quién entró en la sala de clase?   3. ¿Qué les dijo ella a los alumnos?   4. ¿Dónde trabajó Eduardo?   5. ¿Qué hacía él generalmente los sábados

23

y los domingos?   6. ¿Qué hizo Margarita?   7. ¿Cuántas semanas de vacaciones tuvo el papá de Margarita?   8. ¿Se encuentran muchos nombres españoles en California? ¿De qué son?

Preguntas generales

1. ¿Cómo pasaste tú las vacaciones?   2. ¿Pasaste un verano agradable?   3. ¿Te quedaste aquí en la ciudad?   4. ¿Trabajaste aquí?   5. ¿Visitaste un parque?   6. ¿Tuviste la oportunidad de hablar español? ¿Con quiénes?   7. ¿Hiciste un viaje o una excursión?   8. ¿Qué hiciste los sábados? ¿Los domingos?

para conversar

Teresa.   Carmen, ¿qué hiciste ayer por la tarde? ¿Saliste a la calle?

Carmen.   Sí. Fui al centro. ¿Pasaste por mi casa?

Teresa.   No, pero traté de llamarte por teléfono varias veces.

Carmen.   Bueno, Elena y yo fuimos a la biblioteca. Buscábamos informes sobre la influencia española en los Estados Unidos, especialmente en el oeste y en el suroeste.

Teresa.   ¿Para qué necesitan ustedes esos informes?

Carmen.   Tenemos que escribir composiciones para nuestra clase de inglés y vamos a escribir sobre ese tema.

Teresa.   ¡Qué bueno! Sé que ustedes van a aprender mucho mientras que buscan los informes.

Study the conversation until you can repeat it with a classmate. New words and expressions used in the dialogue are marked with a dot; others are given for review. Many of these words and expressions may be used to vary the dialogue above and to make new conversations.

a menudo   often, frequently

el año (mes) pasado   last year (month)

así es que   so (that), thus, and so

ayer por la tarde   yesterday afternoon

la biblioteca   library

la clase de inglés   English class

entrar (en + *obj.*)   to enter, go in(to)

hacer un (el) viaje   to make *or* take a (the) trip

hacer una excursión   to make (take) an excursion (a trip)

•**la influencia**   influence

•**los informes**   information

ir a nadar   to go swimming

llamar por teléfono   to telephone, call by telephone

•**mientras (que)** *conj.*   while, as long as

¡muy bien!   very well! (that's) fine!

•**el oeste**   west

¿para qué? why? for what purpose?

pasar por to pass (come, go) by *or* along

por fin finally, at last

la sala de clase classroom

salir a la calle to go (come) out into the street

•el tema theme, subject, topic

todo el verano all summer, the whole (entire) summer

PRONUNCIACIÓN

Diphthongs. In Appendix A, page 399, review the sounds of the diphthongs. Remember that when the weak vowels **i** (**y**) and **u** combine with the strong vowels **a, e,** and **o,** or with each other, they form diphthongs and are part of the same syllable. As the first letter of a diphthong, unstressed **i** is pronounced like a weak English *y* in *yes* and unstressed **u** is pronounced like *w* in *wet.* Pronounce after your teacher:

gracias	viaje	siempre	nuevo	escuela
pueblo	cuarto	tu amiga	Eduardo	vacaciones
adiós	también	periódico	limpiar	diálogo

See page 399 for a review of sounds when unstressed **i** or **u** appears as the second letter of a diphthong. Pronounce after your teacher:

traigo	seis	autobús	¿ve usted?	hay
oigo	soy	Europa	lo usamos	muy

Also recall that two adjacent strong vowels are in separate syllables and do not form diphthongs: **le-o;** if a weak vowel adjacent to a strong vowel has a written accent, separate syllables result: **dí-a.** An accent on a strong vowel merely indicates stress: **lec-ción.** Pronounce after your teacher:

paseo	cree	caen	Dorotea	oímos
María	hacía	ríos	todavía	país

Dictation

The teacher will select some lines from the dialogue as an exercise in dictation. When you are writing, remember the meaning of these punctuation marks (for others, see Appendix A, page 401).

,	coma	¿ ?	signo(s) de interrogación
.	punto	¡ !	signo(s) de admiración
...	puntos suspensivos	´	acento escrito

Repaso de verbos

A. Preterit tense of regular verbs

In Appendix D, page 413, review the forms of the preterit tense of regular verbs. Stem-changing verbs, Class I, are regular in the preterit.

Ejercicio

Say after your teacher. When you hear a new subject, substitute it in the sentence, making the verb form agree:

1. *Yo* los llevé allá en coche.
   (Tú, Carlos y yo, Felipe, Mis padres, Ellos)
2. *Elena y yo* aprendimos bien la canción.
   (Yo, Elena, Tú, Ud., Luis y Pablo)
3. *Carlota* volvió a casa ayer.
   (Las muchachas, Ella y yo, Yo, Tú, Uds.)
4. *Yo* cerré las puertas anoche.
   (La profesora, Tú, Nosotros, Ud., Uds.)

B. Common verbs which have irregular forms in the preterit

decir: **dije   dijiste   dijo   dijimos   dijisteis   dijeron**
hacer: **hice   hiciste   hizo   hicimos   hicisteis   hicieron**
querer: **quise   quisiste   quiso   quisimos   quisisteis   quisieron**
venir: **vine   viniste   vino   vinimos   vinisteis   vinieron**

estar: **estuve   estuviste   estuvo   estuvimos   estuvisteis   estuvieron**
poder: **pude   pudiste   pudo   pudimos   pudisteis   pudieron**
poner: **puse   pusiste   puso   pusimos   pusisteis   pusieron**
saber: **supe   supiste   supo   supimos   supisteis   supieron**
tener: **tuve   tuviste   tuvo   tuvimos   tuvisteis   tuvieron**

traer: **traje   trajiste   trajo   trajimos   trajisteis   trajeron**

dar: **di   diste   dio   dimos   disteis   dieron**
ir, ser: **fui   fuiste   fue   fuimos   fuisteis   fueron**
ver: **vi**   viste   **vio**   vimos   visteis   vieron

In the forms listed note that four verbs have **i**-stems and five have **u**-stems. There are no written accents on any of the forms, and in the first ten verbs the first person singular ends in **-e** and the third person singular ends in **-o.**

Also note that the third person singular of **hacer** is **hizo,** and the third person plural ending of **decir** and **traer** is **-eron.**

See Notas A, pages 42-43, for a discussion of the special meanings which a few verbs have in the preterit tense.

Ejercicios

a. Answer in the affirmative in Spanish:

1. ¿Estuviste en el centro?
2. ¿Les dijiste la verdad?
3. ¿Diste un paseo ayer?
4. ¿Viste la película mexicana?
5. ¿Hizo José un viaje a México?

6. ¿Fueron Uds. de compras?
7. ¿Pudieron Uds. salir a la calle?
8. ¿Estuvieron Uds. en el pueblo?
9. ¿Tuvieron Uds. que ir en autobús?
10. ¿Trajeron Uds. las revistas?

b. Say after your teacher; then repeat, changing the present tense of the verb to the preterit:

1. Elena no hace nada.
2. Yo no le digo eso.
3. ¿Qué pones en el coche?
4. ¿Qué ves en el almacén?
5. Mi papá no me da mucho dinero.

6. Me traen muchos regalos.
7. Ellos van a México en avión.
8. ¿Quiénes vienen contigo?
9. Los muchachos no pueden esperar.
10. Vamos a nadar en la piscina.

c. Give the Spanish for:

1. I was (**ser**), brought, came, placed. 2. Teresa had, made, gave, was (**estar**).
3. Mary and I could, had, were (**ser**), gave. 4. You (*pl.*) said, went, brought, saw.
5. You (*fam.*) went, came, could, had. 6. My brother gave, placed, said, went.

C. Imperfect indicative tense

In Appendix D, page 412, review the forms of the imperfect indicative tense of regular verbs. All verbs in Spanish have regular forms in this tense except **ir, ser,** and **ver.** Their forms are:

ir: **iba ibas iba íbamos ibais iban**
ser: **era eras era éramos erais eran**
ver: **veía veías veía veíamos veíais veían**

Ejercicio

Read, then repeat, changing the present tense of the verb to the imperfect:

1. Yo no sé nada en particular.
2. Ramón está en su cuarto.
3. Queremos llegar a tiempo.
4. A veces los visitamos.
5. Juan piensa ir a España.

6. Es un día muy hermoso.
7. Ellos van al parque todos los días.
8. Las flores son muy bonitas.
9. Nosotros los vemos a menudo.
10. Siempre vamos en autobús.

NOTAS

A. Use of the preterit indicative tense

The preterit indicates that an action began or ended or that a past action or state was completed within a definite period of time:

Ella empezó a hablar en español.   She began to speak in Spanish.
Hice un viaje a California el año pasado.   I made a trip to California last year.
Mi papá tuvo cuatro semanas de vacaciones.   My father had four weeks (of) vacation.
¿Te quedaste aquí todo el verano?   Did you stay here all summer?

B. Uses of the imperfect indicative tense

The imperfect describes past actions, situations, or conditions which were continuing for an indefinite time in the past without reference to the beginning or the end of the action or situation described. Review carefully the following sentences in which the imperfect is used:

1. To describe past actions and conditions or what was happening at a certain time:

Era un día hermoso.   It was a beautiful day.
Trabajábamos en el jardín.   We were working in the garden.
Charlaban (Estaban charlando) mientras esperaban a sus amigos.   They were chatting while they waited (were waiting) for their friends.

2. To indicate that an action was customary, habitual, or indefinitely repeated, equivalent to English *used to* plus the infinitive and *was (were)* plus the present participle:

Yo ayudaba a mis padres todos los días.   I helped (used to help) my parents every day.
Ellos siempre daban un paseo cuando tenían tiempo.   They always took a walk when they had time.

3. To describe the background or setting in which an action took place, or to indicate that an action was going on when something happened (the preterit indicates what happened):

Anita leía cuando yo entré en su cuarto.   Ann was reading when I entered her room.

Llovía cuando volvimos a casa.   It was raining when we returned home.

4. To describe a mental or physical state in the past; thus, Spanish verbs such as **creer, desear, querer, poder, saber,** etc., are usually in the imperfect:

Sabíamos (Creíamos) que Pepe quería hacer una excursión.   We knew (believed) that Joe wanted to make an excursion.

Juan me preguntó si yo podía ir al cine.   John asked me if (whether) I could (was able to) go to the movies.

5. To express time of day in the past:

¿Qué hora era?   What time was it?

Era la una de la tarde.   It was one P.M.

Eran las ocho cuando me desperté.   It was eight o'clock when I woke up.

Ejercicios

a. Read, then repeat, changing the first verb in the present tense to the preterit and the second to the imperfect:

1. Roberto dice que va a hablar con María.   2. Yo veo al muchacho que quiere comprar un coche.   3. ¿Ven Uds. al señor que espera venderlo?   4. Yo no trato de comprarlo porque es demasiado caro.   5. Mis amigos no me dicen que necesitan más dinero.   6. Mi primo escribe que puede venir a visitarnos.   7. Luisa contesta que no sabe bien la lección.   8. Yo sé que la amiga de Marta no vive aquí.

b. Read in Spanish, using the correct preterit or imperfect form of the verb in parentheses:

1. (Ser) la una cuando la profesora (entrar) en la sala de clase.   2. Les (decir) a los alumnos que (poder) hablar de sus vacaciones de verano.   3. Eduardo (decir) que (trabajar) todo el verano en el almacén de su tío.   4. Generalmente él (ir) a nadar los sábados.   5. Margarita (hacer) un viaje a California con su familia; ellos (ir) en coche.   6. Su papá (tener) cuatro semanas de vacaciones; así es que ellos (visitar) muchos sitios de interés.   7. (Haber) ríos, montañas, pueblos y ciudades que (tener) nombres españoles.   8. Los abuelos de Diana la (invitar) a pasar un mes con ellos en

la Florida.   9. A menudo ella (poder) hablar español allí.   10. Marta (ayudar) a sus padres todos los días.   11. Casi siempre ella (preparar) las comidas y (limpiar) la casa; también (leer) libros y revistas en español.   12. Como los otros alumnos, Marta (pasar) un verano muy agradable.

C.   Write in Spanish:

1. What time was it when Edward entered the room?   2. It was a quarter after ten and Miss Valles was talking in Spanish about her summer vacation.   3. She asked Edward how (**cómo**) he spent the summer.   4. He answered that he worked in his uncle's store.   5. Since Philip lived in the country, he worked there with his father every day.   6. Margaret made a trip to California with her parents and with her brother.   7. They spent three weeks there and they were able to visit many places of interest.   8. She had the opportunity to see and hear many Spanish names.   9. Martha did not take a trip, but she spent a very profitable summer.   10. Every day she cleaned her room and prepared many meals.   11. When she was not reading books and magazines, she worked in the garden.   12. Also, she watched television at times, or she went to the movies with her friends.

Repaso de expresiones

Review the expressions used in Lecciones 1-3, then write in Spanish:

1. finally   2. often   3. right now   4. tonight   5. again   6. not yet   7. at times 8. gladly   9. Friday afternoon   10. Thomas went out into the street.   11. They went downtown by bus.   12. They came to see me every evening.   13. We were going shopping.   14. What time is it?   15. It's a quarter after nine.   16. It's half past one.   17. It's two P.M.   18. They took a walk, didn't they?   19. I had to park the car.   20. Will you (*fam.*) go to the movie with me?   21. My parents left for San Francisco.   22. What's new?   23. How fine (nice)!   24. They are at Paul's.   25. Are you (*fam.*) going to Mary's?

Do you remember?

Let's refresh your memory once more concerning further basic points.

a.   Agreement and position of adjectives

Adjectives must have the same gender and number as the nouns they modify. In general, limiting adjectives precede the noun and descriptive adjectives follow it:

este coche blanco   this white car
sus zapatos nuevos   his (her, your, their) new shoes
algunas piezas mexicanas   some Mexican selections
Nuestra casa es amarilla.   Our house is yellow.

b. *Se* used to express passive voice and the indefinite subject

Se is used to substitute for the passive voice if the subject is a thing and the agent is not expressed. The verb is in the third person singular or plural, depending on whether the subject is singular or plural:

Aquí se habla español.   Spanish is spoken here.
Allí se oye mucho el español.   Spanish is heard a lot there.
¡Cuántos nombres españoles se encuentran allí!   How many Spanish names are found there!
Se celebran muchas fiestas en España.   Many festivals are celebrated in Spain.

When the subject is singular, as in the first two examples, the construction may also be considered as a sentence containing an indefinite subject: *People speak (They speak, One speaks) Spanish here; People hear (One hears, You hear) Spanish a lot there.*

Lectura 1

Estudio de palabras

Spanish cognates are words whose forms are alike in Spanish and in English. The ability to recognize cognates is of enormous value in learning to read a foreign language. Only a few suggestions for recognizing cognates can be given here; others will be given in this section of subsequent Lecturas. The examples listed below are taken from the reading selection of Lectura 1.

a. Exact cognates. Many Spanish and English words are identical in form and meaning, although the pronunciation is different: altar, animal, burro.

b. Approximate cognates. Many Spanish and English words are similar in form.

1. Many Spanish words have a written accent and/or lack a double consonant: excursión, patrón, procesión.

2. Many Spanish words have a final **-a, -e,** or **-o** (and sometimes a written accent) which is lacking in English: elegante, elemento, forma, héroe, importante, mexicano, república, solemne.

3. Certain Spanish nouns ending in **-(an)cia** or **-(en)cia** end in -(an)ce or -(en)ce in English: independencia.

4. Certain nouns ending in **-ia (ía)** or **-io** end in y in English: aniversario, ceremonia, julio.

5. Most Spanish nouns ending in **-(c)ión** are feminine and end in -(t)ion in English (sometimes the Spanish word lacks a double consonant found in the English word): pasión, procesión.

6. Certain Spanish nouns ending in **-dad** end in -ty in English: sociedad.

c. Other words with miscellaneous differences which should be recognized easily, especially in context or when pronounced in Spanish, are: carnaval, *carnival*; católico, *Catholic*; confeti, *confetti*; Cristo, *Christ*; ejemplo, *example*; espléndido, *splendid*; gobierno, *government*; grotesco, *grotesque*; hispanoamericano, *Spanish-American*; manera, *manner*; máscara, *mask*; movimiento, *movement*; mula, *mule*; nacional, *national*; religioso, *religious*; revolucionaro (*adj.*), *revolutionary*; santo, *saint*; serpentina, *serpentine*; típico, *typical.*

d. Comments concerning recognition of Spanish verbs will be given in Lectura 2, page 66. *Pronounce and observe the meanings of certain verbs used in the following Lectura*: adornar, *to adorn, decorate*; bautizar, *to baptize*; celebrar, *to celebrate, hold*; combinar, *to combine*; conmemorar, *to commemorate*; considerar, *to consider*; dedicar, *to dedicate*; formar, *to form*; honrar, *to honor*; iniciar, *to initiate, start*; marcar, *to mark*; observar, *to observe*; reinar, *to reign*.

MODISMOS[1] Y FRASES ÚTILES

al día siguiente (on) the following (next) day
consistir en to consist of
lejos de far from
muchas veces often, many times

parecerse a to resemble, seem like
por ejemplo for example
por todas partes everywhere
todo el mundo everybody, the whole (entire) world

Se celebran muchas fiestas en los países de habla española. Algunas son nacionales; otras son religiosas. En los Estados Unidos celebramos el aniversario de nuestra independencia el cuatro de julio; los mexicanos celebran el suyo[2] el diez y seis de septiembre. En México esa fecha no conmemora el fin de la guerra de la independencia, sino el principio[3] de una larga lucha[4] contra lo que muchos mexicanos consideraban el mal gobierno español en su país. Honran a Miguel Hidalgo, un sacerdote[5] católico que el día quince de septiembre de 1810 pronunció las palabras que al día siguiente iniciaron el movimiento revolucionario. Todas las repúblicas hispanoamericanas honran a sus héroes nacionales y celebran el aniversario de su independencia. Muchas veces estas fiestas duran dos o tres días.

El mundo católico dedica cada día del año a uno o a varios santos. Cuando bautizan a un niño, éste[6] recibe el nombre de un santo y cada año celebra ese día más bien que[7] el aniversario de su nacimiento. Es un día de mucha alegría[8] en que hay regalos, tertulias y comidas.

En España hay muchas fiestas típicas que combinan elementos religiosos y festivos. Por ejemplo, la verbena, que se celebra la víspera[9] del santo patrón, generalmente en verano, es una feria semejante a los carnavales de nuestro país. La romería, que honra también a algún santo, consiste en una excursión a la capilla[10] del santo, que a veces está lejos del pueblo. Después de las ceremonias religiosas en la capilla, se celebra una fiesta que se parece a un *picnic*. Todos comen y cantan y bailan hasta la hora de volver al pueblo.

El día de San Antón es interesante porque este santo es el patrón de los burros, de las mulas y de los caballos. El diez y siete de enero adornan a los animales y los llevan a recibir la bendición[11] de San Antón.

---

[1]**Modismos,** *Idioms.* (Many of the new idioms and phrases listed in this section of each Lectura, as well as many individual words, will appear later in active vocabularies.) [2]**el suyo,** *theirs.* [3]**principio,** *beginning.* [4]**lucha,** *struggle.* [5]**sacerdote,** *priest.* [6]**éste,** *the latter.* [7]**más bien que,** *rather than.* [8]**alegría,** *joy, gaiety.* [9]**víspera,** *eve.* [10]**capilla,** *chapel.* [11]**bendición,** *blessing.*

El veinte y ocho de diciembre, Día de los Inocentes,[1] es para los españoles lo que el primero de abril es para nosotros. Todos tratan de hacerles bromas a sus amigos[2] y se divierten mucho.[3]

Otras fiestas importantes son el Carnaval y la Pascua Florida.[4] El Miércoles de Ceniza[5] marca el fin del Carnaval y el principio de los cuarenta días de la Cuaresma.[6] El Carnaval se parece a la fiesta de *Mardi Gras*, que en este país se celebra en la ciudad de Nueva Orleáns. En las fiestas de Carnaval casi todo el mundo se pone una máscara y un traje grotesco y sale a la calle para tirar[7] confeti y serpentinas. Por la noche hay bailes, y reina la alegría por todas partes.

Durante la Cuaresma se celebran las procesiones de la Semana Santa, que empieza el Domingo de Ramos[8] y termina el Domingo de Resurrección.[9] En Sevilla, España, se observa esta semana de[10] una manera solemne y espléndida. Muchas sociedades religiosas forman procesiones que pasan por las calles llevando grandes pasos[11] que representan la Pasión de Cristo en forma impresionante y hermosa.[12] Las procesiones terminan el Viernes Santo. Con el Sábado de Gloria[13] vuelve la alegría. Por la noche se tocan las campanas[14] de todas las iglesias. El Domingo de Resurrección se llama la Pascua Florida porque en todas las iglesias adornan los altares de flores. Igual que[15] en nuestro país, la gente se pone la ropa más elegante para ir a la iglesia. Por la tarde generalmente hay corridas de toros.[16]

Preguntas

1. ¿En qué día celebramos el aniversario de nuestra independencia? 2. ¿Cuándo lo celebran en México? 3. ¿A quién honran los mexicanos? 4. ¿Quién fue Hidalgo?

5. ¿A quién dedica el mundo católico cada día? 6. Cuando bautizan a un niño español, ¿qué recibe? 7. ¿Qué celebran cada año? 8. ¿Qué hay en ese día?

9. ¿Cuándo se celebra una verbena? 10. ¿A quién honra la romería? 11. ¿En qué consiste la romería? 12. ¿Qué hacen todos después de las ceremonias religiosas?

13. ¿De qué es patrón San Antón? 14. ¿Cuál es el día de San Antón? 15. ¿Qué día es el veinte y ocho de diciembre? 16. ¿Qué tratan de hacer todos?

17. ¿Qué marca el Miércoles de Ceniza? 18. ¿Qué hace casi todo el mundo en las fiestas de Carnaval? 19. ¿Qué hay por la noche? 20. ¿Cuándo empieza la Semana

---

[1]**Día de los Inocentes,** equivalent to April Fool's Day. (An **inocente** is a gullible person or one easily duped.) [2]**hacerles . . . amigos,** *to play tricks on their friends.* [3]**se divierten mucho,** *they have a very good time.* [4]**Pascua Florida,** *Easter.* [5]**Miércoles de Ceniza,** *Ash Wednesday.* [6]**Cuaresma,** *Lent.* [7]**tirar,** *to throw.* [8]**Domingo de Ramos,** *Palm Sunday.* [9]**Domingo de Resurrección,** *Easter Sunday.* [10]**de,** *in.* [11]**pasos,** *floats.* (**Pasos** are the heavy platforms on which life-sized figures representing Christ, the Virgin, and other persons who figured in the Passion of Christ are carried through the streets of Seville during Holy Week by members of the churches and religious societies.) [12]**en forma impresionante y hermosa,** *in an impressive and beautiful form.* [13]**Sábado de Gloria,** *Holy Saturday.* [14]**campanas,** *bells.* [15]**Igual que,** *The same as.* [16]**corridas de toros,** *bullfights.*

Santa?   21. ¿Cuándo termina?   22. ¿Qué llevan en las procesiones de Sevilla?
23. ¿Qué se toca el Sábado de Gloria por la noche?   24. ¿Qué hace todo el mundo el Domingo de Resurrección?

Comprensión *(Comprehension)*

Listen carefully to each partial sentence. Repeat what you hear, then add in Spanish what is needed to complete each one accurately:

1. Se celebran muchas fiestas en _____.
2. En los Estados Unidos celebramos el aniversario de nuestra independencia _____.
3. Los mexicanos celebran el suyo _____.
4. Los mexicanos honran a _____.
5. En España la verbena se celebra la víspera _____.
6. La romería consiste en una excursión a _____.
7. La fecha del día de San Antón es el _____.
8. El veinte y ocho de diciembre es el _____.
9. El Miércoles de Ceniza marca el fin _____.
10. Durante la Cuaresma se celebran _____.
11. El Domingo de Resurrección se llama _____.
12. Ese día la gente se pone la ropa más elegante para _____.

LECCIÓN 4

In this lesson you will review and practice:

1. a number of words and expressions used in Book 1, as well as learn a few new ones
2. the sounds of Spanish *r, rr; y* as a consonant; *ch* and *ñ*
3. additional verbs with irregular forms in the preterit
4. five verbs with special meanings in the preterit
5. indefinite and negative words
6. ordinal numerals

Students in Monterrey, Mexico

Monterrey, Mexico

PALABRAS Y EXPRESIONES[1]

al mediodía at noon

el avión (de las siete) the (seven-o'clock) plane

darse (mucha) prisa to hurry (a great deal, a lot)

despacio slowly

el despertador alarm clock

el empleado employee, salesperson, attendant *(m.)*

*__en el desayuno__ at (for) breakfast

*__en seguida__ at once, immediately

funcionar to function, work, run *(said of something mechanical)*

la importancia importance

industrial industrial

el jugo de naranja orange juice

*__el libro de español__ Spanish book

llegar tarde to arrive (be) late

más vale *or* **vale más** (it) is better

la naranja orange

no . . . más que only, no(t) . . . more than

*__poco después__ a little later, shortly afterward(s)

la prisa haste, hurry

*__¿qué pasó?__ what happened?

*__sacar fotos (fotografías)__ to take photos (photographs)

según *prep.* according to

*__ser hora de__ to be time to

sonar (ue) to sound, ring

*__tener muchos deseos de__ to be very eager (wish very much) to

*__tener razón__ to be right

*__tomar el desayuno__ to take (eat, have) breakfast

*__un poco__ a little *(quantity)*

*__valer[2]__ to be worth

*__vámonos__ let's go (be going), let's be on our way

[1]Beginning with this lesson expressions introduced in *El español al día, Book 1,* and indicated with an asterisk, are listed along with new words and expressions. An occasional new word listed here appears in the following examples and exercises. [2]See Appendix D, page 420, for the forms of **valer.**

Más vale tarde que nunca[1]

(Eran las ocho de la mañana. Diana y Luisa estaban charlando enfrente de la escuela con algunas amigas mientras esperaban a Carlos y a Felipe Ortega. Poco después llegó Carlos y las saludó a todas.)

Diana. Carlos, ¿sabes dónde está Felipe? Anoche cuando lo conocí en casa de Pepe, supe que iba a hablar un poco sobre México en nuestra clase hoy. Y me dijo que iba a llegar temprano.

Carlos. Al pasar despacio por la casa de los tíos de Felipe, no vi a nadie. Creí que ya estaba aquí; por eso, no llamé a la puerta.

Luisa. Tengo muchos deseos de oír lo que va a contarnos sobre Monterrey, donde vive. Es la tercera ciudad de México y algún día quiero ir allá.

Diana. Y yo también. Es una ciudad industrial de mucha importancia . . . Pero, ya es hora de entrar, ¿no?

Carlos. Podemos esperar dos o tres minutos más . . . ¡Ah! Allí viene corriendo.

Diana. ¡Hola, Felipe! ¿Qué pasó?

Felipe. Un momento—puedo explicar. Mis tíos tuvieron que tomar el avión de las siete y nadie me llamó. Ya eran las ocho menos cuarto cuando me desperté. Tuve que darme mucha prisa. Empecé a correr para llegar a esta hora.

Diana. Pero, ¿no tienes despertador?

Felipe. Sí, tengo uno, pero no funciona bien y no sonó. Aunque me levanté en seguida, no tuve tiempo para tomar el desayuno. No tomé más que un vaso de jugo de naranja y un panecillo.

Carlos. Bueno, como se dice en español «Más vale tarde que nunca.»

Diana. Según mi reloj nos queda solamente un minuto más si queremos entrar a tiempo.

Felipe. Tienes razón. Vámonos. Podemos charlar más al mediodía.

Preguntas

Answer in Spanish these questions based on the first part of the dialogue:

1. ¿Qué hora era? 2. ¿Dónde estaban Diana y Luisa? 3. ¿A quiénes esperaban? 4. ¿Quién llegó primero? 5. ¿Qué le preguntó Diana a Carlos? 6. ¿Qué supo

[1] This proverb means *Better late than never.*

39

Diana anoche en casa de Pepe?   7. ¿Qué tuvieron que hacer los tíos de Felipe?
8. ¿Qué hora era cuando Felipe se despertó?

Preguntas generales

1. ¿Tienes despertador? ¿Lo usas mucho?   2. ¿A qué hora suena tu despertador?   3. ¿Siempre te levantas en seguida?   4. Generalmente, ¿a qué hora te
levantas?   5. ¿Tomas jugo de naranja en el desayuno?   6. ¿Siempre llegas a la
escuela a tiempo?   7. ¿Llegas tarde a veces?   8. ¿Cómo se dice en español "Better
late than never"?

para conversar

Prepare an original conversation of six to eight exchanges for presentation in
class, giving different reasons for not arriving home, at a café, or at some other place
at a time you had promised to be there.

PRONUNCIACIÓN

a.   The Spanish sounds of **r** and **rr.** Single **r,** except at the beginning of a word or
after **l, n,** or **s,** is pronounced with a single trill with the tip of the tongue against the
gums and close to the upper teeth. Pronounce after your teacher:

1. carta   tarde   eran   esperar   despertador

Initial single **r** (also **r** after **l, n,** or **s**) and **rr** are strongly trilled in a series of rapid
vibrations. Pronounce after your teacher:

2. razón   reloj   rico   regalo   Enrique
   correr   cerrar   Monterrey   alrededor   es rojo

3. El perro de San Roque
   no tiene rabo
   porque Ramón Ramírez
   se lo ha cortado.

4. Erre con erre cigarro,
   erre con erre barril,
   rápidos corren los carros
   del ferrocarril.

b. The sound of Spanish **y** as a consonant. Spanish **y** as a consonant, or the conjunction **y**, *and*, when combined with the initial vowel of a following word, is pronounced like a strong English *y* in *you*. Pronounce after your teacher:

ya	yo	desayuno	mayo	y usted
ayer	y Anita	Yucatán	oyen	y amor

c. The sounds of Spanish **ch** and **ñ**. Spanish **ch** is pronounced like English *ch* in *church*. Pronounce after your teacher:

ocho	coche	Chile	escuchan	charlar

Spanish **ñ** is pronounced like English *ny* in *canyon*. Pronounce after your teacher:

señorita	señor	señora	español	España

Repaso de verbos

Other types of verbs which have irregular forms in the preterit

Certain **-ar** verbs have changes in the first person singular preterit:

buscar to look for	**busqué** buscaste buscó, *etc.*
llegar to arrive	**llegué** llegaste llegó, *etc.*
empezar (**ie**) to begin	**empecé** empezaste empezó, *etc.*

Verbs ending in **-car** change **c** to **qu**, those ending in **-gar** change **g** to **gu**, and those ending in **-zar** change **z** to **c** before the ending **-e** (**-é**). **Empezar** is also a stem-changing verb, Class I, as are three of the following verbs:

acercarse to approach	**pagar** to pay (for)
almorzar (**ue**) to eat lunch	**practicar** to practice
comenzar (**ie**) to commence	**sacar** to take (out)
entregar to hand (over)	**tocar** to play *(music)*
jugar (**ue**) to play *(a game)*	

Certain verbs ending in **-er** and **-ir** preceded by a vowel replace the unaccented **i** with **y** in the third person singular and plural of the preterit. Accents must be written on the other four forms. **Caer,** *to fall,* and **leer,** *to read,* have the same changes as **creer,** *to believe,* and **oír,** *to hear:*

creer: creí **creíste** **creyó** **creímos** **creísteis** **creyeron**
oír: oí **oíste** **oyó** **oímos** **oísteis** **oyeron**

Ejercicios

a.   Write each sentence, changing the present tense of the verb to the preterit; then read aloud:

1. Yo no almuerzo hasta la una.   2. Llego tarde al cine.   3. Me acerco despacio.   4. Le entrego dos dólares al empleado.   5. Entro, me siento y empiezo a mirar la película.   6. Me quedo allí casi dos horas.   7. Antes de volver a casa, saco unos libros de la biblioteca central.   8. Yo leo uno de ellos y más tarde mi hermana lo lee también.   9. Yo no toco muchos discos para mis amigos.   10. Juan no me oye.

b.   Answer in the affirmative in Spanish:

1. ¿Buscaste el libro de español?   5. ¿Oyeron Uds. la orquesta?
2. ¿Tocaste bien el número?   6. ¿Creyeron Uds. lo que dijo Juan?
3. ¿Jugaste al fútbol el sábado?   7. ¿Leyeron Uds. el libro?
4. ¿Sacaste algunas fotografías?   8. ¿Almorzaron Uds. temprano?

c.   Give in Spanish:

1. I took two books from (out of) the library.   2. I approached the house slowly.   3. I arrived home at three o'clock.   4. I began to read one of the books.   5. Afterwards, I practiced a dialogue for tomorrow.   6. I also played several Mexican records.   7. When my sister Louise heard the music, she came to my room.   8. Since it was *(use imperfect)* a beautiful day, we took a walk before eating.

NOTAS

A.   Verbs with special meanings in the preterit

A few verbs, such as **saber, conocer, tener, querer, poder,** often have special meanings when used in the preterit. In general, the imperfect tense is used to describe a situation, knowledge, desire, ability, etc., while the preterit indicates that the act was or was not accomplished. Note the differences in the uses of the two tenses in the following examples:

Yo sabía que Felipe venía.   I knew that Philip was coming.
Anoche supe eso.   Last night I learned that (found that out).

Carlos conocía bien a Elena.   Charles knew Helen well.
La conoció el año pasado.   He met her (made her acquaintance) last year.

Pepe tenía una carta cuando lo vi.   Joe had a letter when I saw him.
Tuvo dos cartas ayer.   He received (got) two letters yesterday.

Luis quería llamar a Inés.   Louis wanted to call Inez.

Quiso llamarla.   He tried to call her.

No quiso llamarla otra vez.   He refused to (would not) call her again.

Le dije que podía buscar el libro.   I told him that I could look for the book (i.e., I was able to look, capable of looking, for the book).

Lo busqué, pero no pude encontrarlo.   I looked for it, but couldn't find it (i.e., I did not succeed in finding it).

Ejercicio

Read in Spanish, supplying the preterit or imperfect indicative tense of the verb in parentheses, as required:

1. Anoche yo (conocer) a Felipe Ortega. 2. Él me (decir) que (vivir) en México. 3. Esta mañana yo (tratar) de llamarlo, pero nadie (contestar) el teléfono. 4. Después, yo (saber) que el teléfono no (funcionar) bien. 5. Carlos y yo (querer) ir al parque con Felipe, pero nosotros no (poder) hacerlo. 6. (Ser) las cinco de la tarde cuando Felipe (pasar) por nuestra casa. 7. Nosotros (poder) hablar un rato, pero no (tener) tiempo para ir al parque. 8. ¿(Ver) Carlos al muchacho que (querer) vender su coche? 9. Carlos no (querer) comprarlo porque (ser) demasiado caro. 10. Él me (buscar) en el centro, pero no (poder) encontrarme.

B.   Indefinite and negative words

PRONOUNS	
algo something, anything	**nada** nothing, (not) . . . anything
alguien someone, somebody, anyone, anybody	**nadie** no one, nobody, (not) . . . anyone (anybody)

PRONOUN OR ADJECTIVE	
alguno some, (some)one, any; *(pl.)* some, any, several	**ninguno** no, no one, none, (not) . . . any (anybody)

ADVERBS	
siempre always	**nunca** } never, (not) . . . ever **jamás** }
también also, too	**tampoco** neither, (nor *or* not) . . . either

---

CONJUNCTIONS

o or

ni neither, nor, (not) . . . or

ni . . . ni neither . . . nor, (not) . . . either . . . or

---

1. Simple negation is expressed by placing **no** immediately before the verb (or before the auxiliary in compound tenses and in progressive forms of the tenses).

If a negative word such as **nada, nadie,** etc., follows the verb, **no** or another negative must precede the verb; if it comes before the verb or stands alone, **no** is not used. If a negative precedes the verb, all the expressions in the Spanish sentence are negative. After **que,** *than,* the negatives are used:

Roberto tiene algo.   Robert has something.

No tiene nada *or* **Nada tiene.**   He has nothing (He doesn't have anything).

Diana nunca (jamás) dijo nada.   Diane never said anything.

No lo he hecho tampoco *or* **Tampoco lo he hecho.**   I haven't done it either.

—¿Qué sabes? —Nada (en particular).   "What do you know?" "Nothing (special)."

No veo ni a Anita ni a Marta.   I don't see either Ann or Martha.

Carmen lee más que nadie (nunca).   Carmen reads more than anyone (ever).

If the verb is not expressed, **no** follows nouns, pronouns, and adverbs: **Yo no,** *Not I;* **todavía no,** *not yet.*

2. The pronouns **alguien** and **nadie** refer only to persons, unknown or not mentioned before, and the personal **a** is required when they are used as objects of the verb:

¿Vieron Uds. a alguien?   Did you see anyone?

No vimos a nadie.   We did not see anyone (We saw nobody).

3. **Alguno** and **ninguno,** used as adjectives or pronouns, refer to persons or things already thought of or mentioned. The plural **algunos, -as** means *some, any, several.* Before a masculine singular noun **alguno** is shortened to **algún** and **ninguno** to **ningún. Ninguno, -a** is used only in the singular:

Alguno de los niños llamó.   (Some) one of the children called.

Quiero ir a Monterrey algún día.   I want to go to Monterrey some day.

Ningún hombre puede hacer eso.   No man can do that.

The personal **a** is also used when the direct object is **alguno, -a** or **ninguno, -a** when referring to persons:

—¿Conoces a alguna de las muchachas?   Do you know any (one) of the girls?

—No conozco a ninguna de ellas.   I don't know any (one) of them.

4. Both **nunca** and **jamás** mean *never*, but in a question **jamás** means *ever*, and a negative answer is expected. When neither an affirmative nor negative answer is implied, **alguna vez**, *ever, sometimes, (at) any time*, is used:

Carlota nunca (jamás) nos llama.   Charlotte never calls us.
—¿Has visto jamás tal cosa? —No, nunca.   "Have you ever seen such a thing?"
  "No, never."
¿Has estado alguna vez en México?   Have you ever (at any time) been in
  Mexico?

5. The plural **algunos, -as** means *some, several, a few*; **unos, -as** has the same meanings but is more indefinite and expresses indifference as to the exact number. In some instances **unos, -as** means *a pair of, two*; **algunos, -as** replaces it when followed by a **de**-phrase:

Luisa compró algunas cosas aquí.   Louise bought some things here.
Unos niños están en el patio.   Some (A few) children are in the patio.
Algunos de ellos están jugando allí.   Some of them are playing there.
Mi mamá me dio unos guantes.   My mother gave me some (a pair of) gloves.

Remember that unemphatic *some* and *any* are not usually translated in Spanish:

¿Tienes dinero hoy?   Do you have any money today?
Ella necesitaba papel y lápices.   She needed some paper and pencils.

Ejercicios

a. Say after your teacher, then repeat, making each sentence affirmative.

Models: Nadie lo toca ahora.   Nadie lo toca ahora.
                                           Alguien lo toca ahora.

       Nunca me dan nada.   Nunca me dan nada.
                                   Siempre me dan algo.

1. Ayer no compré nada.   5. Ninguno de ellos nos vio.
2. Luis nunca juega en la calle.   6. Nadie le llevó nada a ella.
3. Nadie nos llamó anoche.   7. Elena no fue con nadie.
4. No vimos a nadie en el cine.   8. José no vino tampoco.

b. Say after your teacher, then repeat, making each sentence negative.

Models: Veo algo.   Veo algo. No veo nada.
       Alguien viene.   Alguien viene. Nadie viene.
       Hay alguien allí.   Hay alguien allí. No hay nadie allí.

1. Tengo algo en la mano.
2. Estoy haciendo algo ahora.
3. Veo a alguien en ese mercado.
4. Están hablando de alguien.
5. Siempre le digo algo a alguien.
6. Alguien viene esta tarde.
7. Hay algo sobre la silla.
8. Algún muchacho sabe hacer eso.
9. Tú hablaste con alguien.
10. Yo le llevé algo a Marta.
11. Ayer compramos algo allí.
12. Alguien buscó a la niña.
13. Invité a alguno de los niños.
14. Alguna de ellas ha llamado.
15. Uds. siempre han llegado a tiempo.
16. Roberto ha salido también.

C. Give in Spanish:

1. Do you (*fam.*) have anything in your hand?   2. I haven't anything (I have nothing).   3. Do you (*pl.*) know anyone here?   4. We do not know anyone.   5. We never buy anything in that market.   6. Helen has more friends than anyone.   7. Some boy brought the magazines.   8. Is there anything on the table?   9. There is nothing of importance there.   10. He never gives anything to anyone.

C.   Ordinal numerals

In Appendix B, pages 404-405, review the ordinal numerals and their uses. Remember that ordinal numerals, which usually precede the nouns they modify, agree with them in gender and number. They are normally used only through *tenth*. **Primero** and **tercero** are shortened to **primer** and **tercer,** respectively, before masculine singular nouns; in other cases their regular forms are used:

el primer (tercer) viaje   the first (third) trip
la cuarta (segunda) frase   the fourth (second) sentence
las primeras cintas   the first tapes

Ejercicio

Give the Spanish for:

1. the first lesson   2. the first days   3. the first book   4. the first hours   5. the third city   6. the third boy   7. the fourth car   8. the fifth street   9. the tenth month   10. the sixth sentence   11. the second girl   12. the seventh week

LECCIÓN 5

In this lesson you will review and practice:

1. a number of words and expressions used in Book 1, as well as learn a few new ones
2. sounds of Spanish *g (gu)* and *j*, and of Spanish *x*
3. the present perfect indicative tense
4. forms of the present participle
5. the cardinal numerals, their uses, and how to express dates

You will also learn the formation of the pluperfect indicative tense and certain uses of *haber.*

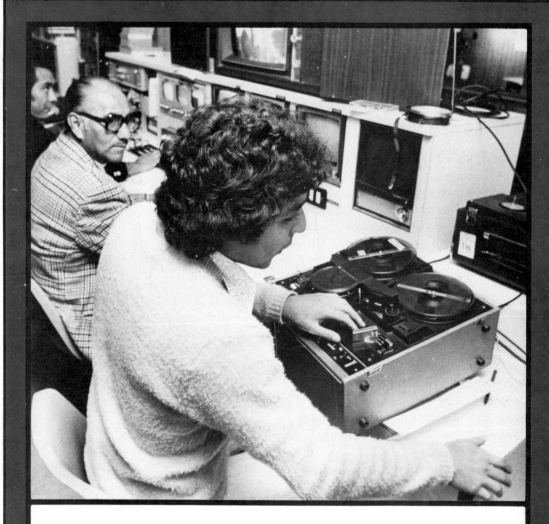

PALABRAS Y EXPRESIONES

*a eso de   at about (time)

antes adv.   before, formerly

el anuncio   ad(vertisement)

el bolígrafo   ballpoint pen

el concierto   concert

*en este (ese) momento   at this
(that) moment

en estos días   these days

¡encantado, -a!   (I'll be) delighted
(to)!

*es verdad   it is true, that's right

la grabadora (de cinta)   (tape)
recorder

grabar   to tape, record

la librería   bookstore

el papel de escribir   writing paper

la pieza   piece, selection

presentar   to present, give; to
introduce

regalar   to give (as a gift)

La grabadora de Miguel

(Tomás y Ricardo están hablando en la calle.)

Tomás. Ricardo, ¿qué has estado haciendo? He pasado por tu casa antes y nadie estaba allí.

Ricardo. En este momento no estoy haciendo nada, pero he estado en casa de Miguel. Él estaba enseñándome su grabadora de cinta.

Tomás. ¡Qué bueno! Alguien me dijo esta mañana que sus padres le habían regalado una. Parece que casi nunca lo veo en la escuela porque está en otra sala de clase este año.

Ricardo. Pues, hemos escuchado varias cintas de música y de diálogos en español. Y esta noche pensamos grabar algunas piezas de música que nuestra orquesta va a presentar en el concierto. ¿Puedes ir con nosotros?

Tomás. ¡Encantado! Yo he leído un anuncio sobre el concierto en el periódico. La orquesta va a tocar algunas piezas mexicanas.

Ricardo. Es verdad. Miguel ha dicho que quiere salir temprano—a eso de las siete.

Tomás. Muy bien. Puedo estar listo un poco antes de esa hora.

Ricardo. Pues, como no me encontraste en casa, ¿qué has hecho tú?

Tomás. Fui a la librería con Jorge. Él necesitaba lápices y un bolígrafo. Y yo compré papel de escribir; estoy usando mucho en estos días.

Ricardo. Bueno, te veo a las siete. Podemos hablar más entonces.

Tomás. Hasta luego.

Preguntas

Answer in Spanish these questions based on the first two thirds of the dialogue:

1. ¿Quiénes están hablando?   2. ¿Por dónde ha pasado Tomás?   3. ¿Estaba alguien en casa?   4. ¿Dónde ha estado Ricardo?   5. ¿Qué le habían regalado a Miguel sus padres?   6. ¿Qué han escuchado Miguel y Ricardo?   7. Qué piensan hacer esa noche?   8. Qué va a tocar la orquesta?

Preguntas generales

1. ¿Con qué grabamos cintas?   2. ¿Tienes grabadora de cinta?   3. ¿Usamos grabadora de cinta en esta escuela?   4. ¿Hay una orquesta en la escuela?   5. ¿Toca

piezas de música mexicana a veces?   6. ¿Adónde vamos a comprar papel de escribir y lápices?   7. ¿Usas mucho papel en estos días?   8. ¿Qué usas para escribir?

para conversar

Prepare an original conversation of six to eight exchanges for presentation in class, telling how you have spent some time earlier in the day. Use the present perfect tense whenever possible.

PRONUNCIACIÓN

a.   The sounds of Spanish **g** (**gu**) and **j**. At the beginning of a breath group or after **n**, Spanish **g** (written **gu** before **e** or **i**) is pronounced like a weak English g in *go*. Pronounce after your teacher:

1. gusto   tengo   grabar   grabadora   gracias

In all other cases, except before **e** or **i** (in the groups **ge**, **gi**), Spanish **g** is much weaker; that is, the breath continues to pass between the back of the tongue and the palate. Pronounce after your teacher:

2. Miguel   luego   traigo   regalar   alegro
   diálogo   amigo   contigo   me gusta   mucho gusto

Spanish **g** before **e** and **i**, and **j** in all positions, have no English equivalent but are pronounced approximately like a strongly exaggerated h in *halt*. Pronounce after your teacher:

3. gente   general   original   origen   la Argentina
   José   Jorge   junio   jugo   naranja

b.   The sounds of Spanish **x**. Before a consonant, the letter **x** is pronounced like English s in *sent*:

1. extranjero   expresión   excursión   explorar

Between vowels, Spanish **x** is pronounced like a weak English gs:

2. examen   examinar

However, in **México**, **mexicano**, and **Texas**—spelled **Méjico**, **mejicano**, and **Tejas** in Spain—the letter **x** is pronounced like Spanish **j**. (Note also that **j** is silent in **reloj** but pronounced in the plural **relojes**.) Pronounce after your teacher:

muchos programas mexicanos
Miguel juega en México.

Viajan por Texas.
Generalmente trabajan poco.

Dictation

The teacher will select some lines from the latter part of the dialogue as an exercise in dictation.

Repaso de verbos

A. The present perfect indicative tense

The present perfect indicative tense is formed by the present indicative tense of the auxiliary verb **haber**, *to have*, plus the past participle. See Appendix D, page 415, for forms of the present perfect tense. The past participle of most **-ar** verbs end in **-ado**, while that of most **-er** and **-ir** verbs end in **-ido**.

The following verbs have irregular past participles:

abrir:	**abierto**	opened		hacer:	**hecho**	made, done
decir:	**dicho**	said		ir:	**ido**	gone
devolver:	**devuelto**	given back		poner:	**puesto**	put, placed
envolver:	**envuelto**	wrapped up		ver:	**visto**	seen
escribir:	**escrito**	written		volver:	**vuelto**	returned

There is a written accent on the following past participles:

caer:	**caído**	fallen		oír:	**oído**	heard
creer:	**creído**	believed		traer:	**traído**	brought
leer:	**leído**	read				

Ejercicios

a. Say after your teacher, observing the position of the pronoun used as object of the verb and keeping in mind the meaning of the sentence:

1. Ellos lo han devuelto.
2. Yo los he envuelto bien.
3. ¿Los has visto hoy?
4. Ella nos ha dicho eso.
5. ¿Quién lo ha hecho?
6. ¿No la has abierto tú?
7. No les hemos traído nada a Uds.
8. Él no la ha leído todavía.

b.   Read, then repeat each sentence three times, changing the verb to the preterit, then to the imperfect, and finally to the present perfect:

1. Mi mamá hace un vestido.   2. Ella pone las cosas sobre la mesa.   3. ¿Vas tú al concierto?   4. Él y yo abrimos las ventanas.   5. Uds. vuelven temprano, ¿verdad? 6. Marta escribe una carta larga en español.

c.   Answer in the affirmative in Spanish:

1. ¿Has abierto la puerta?
2. ¿Has escrito la composición?
3. ¿Ha puesto ella el libro aquí?
4. ¿Ha vuelto Luisa del centro?

5. ¿Han visto Uds. la película?
6. ¿Han hecho Uds. el viaje?
7. ¿Han oído Uds. la orquesta?
8. ¿Han ido Uds. al cine?

d.   Give in Spanish:

1. Where have you *(fam.)* been?   2. We have been at Robert's.   3. Have you *(pl.)* heard the tape?   4. Have you *(pl.)* seen the tape recorder?   5. Thomas has recorded several programs.   6. My parents have gone to Mexico.   7. Barbara has not written the composition.   8. I have not returned the book yet.

B.   Forms of the present participle

Remember that the present participle of **-ar** verbs ends in **-ando** and that of most **-er** and **-ir** verbs ends in **-iendo:** tomar, **tomando,** *taking;* comer, **comiendo,** *eating;* vivir, **viviendo,** *living.* A few verbs have irregular present participles:

caer:	**cayendo**	falling		oír:	**oyendo**	hearing
creer:	**creyendo**	believing		poder:	**pudiendo**	being able
decir:	**diciendo**	saying, telling		traer:	**trayendo**	bringing
ir:	**yendo**	going		venir:	**viniendo**	coming
leer:	**leyendo**	reading				

Ejercicios

a.   Read, then repeat, changing the present tense of the verb to the present progressive form (**estar** plus the present participle).

Model: Comemos demasiado.   Comemos demasiado.
                                        Estamos comiendo demasiado.

1. Los alumnos miran el mapa.   2. Nosotros estudiamos la lección.   3. Ricardo aprende el diálogo.   4. Elena come con sus amigas.   5. Yo escribo una carta en español.   6. Tú lees las frases, ¿verdad?   7. Marta trae un regalo para su mamá.   8. Ustedes oyen los discos.

Change the imperfect tense of the verb to the imperfect progressive form.

Model: Hablábamos con él.   Hablábamos con él.

Estábamos hablando con él.

9. Ellos llevaban algo a casa. 10. Inés ponía flores sobre la mesa. 11. ¿Leías tú el libro? 12. ¿Hacían Uds. planes para la fiesta?

 Give in Spanish, using the progressive form of the present and imperfect tenses:

1. We are listening to a record. 2. The boys are taping some songs. 3. Martha is bringing her (tape) recorder. 4. My mother is reading a long book. 5. John and Paul are having a cold drink. 6. Henry is closing all the windows.

7. We were speaking Spanish with the teacher *(m.)* 8. My friends were waiting for the bus. 9. Caroline was working in the garden. 10. You *(fam.)* were washing the car, weren't you?

NOTAS

A. The pluperfect indicative tense

The pluperfect or past perfect tense, not given in *El español al día, Book 1,* will be used occasionally in the dialogues and exercises, but more often in the Lecturas. This tense is formed by the imperfect indicative tense of **haber** plus the past participle.

SINGULAR				
había habías había Ud. había	tomado comido vivido	I had you *(fam.)* had he, she had you *(formal)* had	taken eaten lived
PLURAL				
habíamos habíais habían Uds. habían	tomado comido vivido	we had you *(fam.)* had they had you had	taken eaten lived

Carlos lo había escrito.   Charles had written it.

¿No los habías visto tú?   Hadn't you seen them?

For practice in the use of this tense: (1) substitute the correct form of the imperfect tense of **haber** for the present tense of **haber** in Exercise *a*, page 51, thus forming the pluperfect tense; (2) change each verb in Exercise *b*, page 52, to the pluperfect tense; (3) change *have* and *has* to *had* in Exercise *d*, page 52, then give in Spanish.

B. Uses of **haber**

1. In addition to its use as an auxiliary to form the compound or perfect tenses (see Appendix D, pages 414-415) **haber** is used impersonally (i.e., without a definite person as subject): **hay,** *there is (are);* **había,** *there was (were);* **ha habido,** *there has (have) been;* **habrá,** *there will be;* **habría,** *there would be:*

Hay (Había, Ha habido, Habrá) mucha gente allí.   There are (were, have been, will be) many people there.

2. The expression **hay que** plus an infinitive means *it is necessary to* or the indefinite subject *one, we, you, people, etc., must;* **había que** plus an infinitive means *it was necessary to.* **Es (Era, Fue) necesario** also means *It is (was) necessary (to).*

Hay que mirarlos.   It is necessary to (One must) look at them.
Había que leerlo.   It was necessary to read it.

3. **Haber de** (with a definite personal subject) plus an infinitive is sometimes used to express commitment or mild obligation and means *to be to, be supposed to.* (This expression is more common in literary Spanish than in everyday speech. Watch for its use in the Lecturas.)

He de ir a casa de Carolina.   I am to (am supposed to) go to Caroline's.
Habíamos de aprender el diálogo.   We were (supposed) to learn the dialogue.

When the subject is a definite person, **tener que** plus an infinitive is used to express a strong obligation or necessity, and **deber** is used to express a moral obligation, duty, or customary action:

Ella tuvo que ir al supermercado.   She had to go to the supermarket.
Debo ayudar a mis padres.   I must (should, ought to) help my parents.

Ejercicios

a.   Read, then repeat, changing the imperfect or preterit tense of the verb to the present:

1. No había nada en la mesa.   2. Había mucha gente en el supermercado.   3. A veces había que esperar el autobús.   4. Había que leer mucho en español.   5. Fue

necesario esperar media hora. 6. Tuvimos que escribir una composición.
7. Siempre teníamos que practicar mucho. 8. Habíamos de aprender la canción
para mañana. 9. Ellos habían de venir temprano. 10. Yo debía ayudar a mis padres todos los días. 11. Ellos tenían que levantarse temprano. 12. Uds. habían
de pronunciar las frases varias veces.

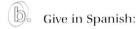 Give in Spanish:

1. I am to help Charles today. 2. They are to call us. 3. We were to go to the
supermarket. 4. It is necessary to *(two ways)* take the bus. 5. It was necessary to
buy some pencils and writing paper. 6. We had to go to the bookstore. 7. John
has to (must) write to his brother, who is in Spain. 8. We have had to work hard.

C. Cardinal numerals

In Appendix B, pages 403-405, review the cardinal numerals and their uses, the
names of the months, and how to express dates.

Ejercicios

a. Read in Spanish:

1. 15 meses 2. 21 países 3. 51 muchachas 4. 99 años 5. 100 preguntas 6. 116
alumnos 7. 500 casas 8. 1,000 árboles 9. 1,000,000 de dólares 10. 5,000,000 de
personas 11. 150,000 hombres 12. 200,000 coches

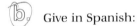 Give in Spanish:

1. January 1, 1973 2. May 2, 1979 3. October 12, 1492 4. September 29, 1547
5. July 4, 1775 6. February 22, 1789 7. December 10, 1810 8. June 29, 1903

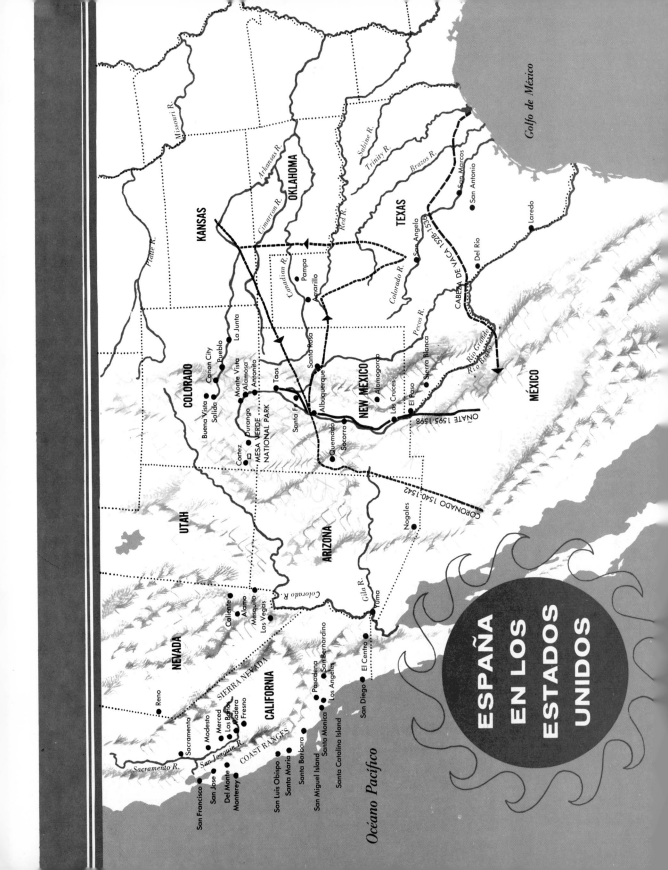

ESPAÑA EN LOS ESTADOS UNIDOS

Golfo de México

MÉXICO

Océano Pacífico

KANSAS

OKLAHOMA

TEXAS

COLORADO

NEW MEXICO

UTAH

ARIZONA

NEVADA

CALIFORNIA

Missouri R.
Platte R.
Arkansas R.
Cimarron R.
Canadian R.
Red R.
Sabine R.
Trinity R.
Brazos R.
Colorado R.
Pecos R.
Rio Grande
Río Bravo
Gila R.
Colorado R.
Sacramento R.
San Joaquin R.
SIERRA NEVADA
COAST RANGES
MESA VERDE NATIONAL PARK

CABEZA DE VACA 1528-1536
OÑATE 1595-1598
CORONADO 1540-1542

La Junta
Cañon City
Pueblo
Buena Vista
Salida
Monte Vista
Alamosa
Antonito
Durango
Cortez
Taos
Santa Fe
Albuquerque
Santa Rosa
Pampa
Amarillo
San Angelo
San Marcos
San Antonio
Laredo
Del Rio
El Paso
Las Cruces
Sierra Blanca
Alamogordo
Quemado
Socorro
Nogales
Caliente
Alamo
Mesquita
Las Vegas
Reno
Yuma
El Centro
San Diego
San Bernardino
Pasadena
Los Angeles
Santa Monica
Santa Catalina Island
San Miguel Island
Santa Barbara
Santa Maria
San Luis Obispo
Fresno
Madera
Los Baños
Del Monte
Monterey
Merced
Modesto
San Jose
San Francisco
Sacramento

LECCIÓN 6

In this lesson you will review and practice:

1. a number of words and expressions used in Book 1, as well as learn a few new ones
2. sounds of Spanish *m, n, c (qu* and *k),* and *z*
3. familiar command forms of regular and stem-changing verbs, Class I
4. short forms of the possessive adjectives

You will also study and practice the formal commands which are used with *usted* and *ustedes.*

El Mercado.

Nowhere else but San Antonio

One of America's four unique cities

San Antonio Convention and Visitors Bureau.

PALABRAS Y EXPRESIONES

*__acabar de__ + *inf.* to have just + *p.p.*

__con permiso__ excuse me, with your
  permission

__dejar__ to let, allow, permit; to leave
  (behind)

__el discurso__ speech, talk

*__¿está (ella)?__ = __¿está (ella) en
  casa?__ is (she) at home?

__¡oh!__ oh! ah!

__pasen ustedes__ come in *(pl.)*

__pasen (ustedes) por aquí__ pass
  (come) this way (around here)

__permítanme__ *or* __déjenme (ustedes)__
  + *inf.* permit (let, allow) me + *verb*

__permitir__ to permit, let, allow

__poner__ to turn on *(radio)*

*__por favor__ please *(used at end of a
  request)*

__portátil__ portable

__todo el día__ all day, the whole (entire)
  day

*__usted lo tiene__ you have it, certainly

En casa de Carlota

(Es sábado. Inés y su amiga Luisa llaman a la puerta y la señora Martín la abre. Saluda a las dos muchachas; luego las invita a entrar.)

Luisa. ¿Está Carlota?

Sra. Martín. Sí, está en su cuarto. Creo que está preparando un discurso. Pasen ustedes. Voy a llamarla.

Luisa. ¡Oh, no, señora! No la llame usted. Podemos venir otro día.

Inés. No la moleste, por favor. Ella no sabía que veníamos.

Sra. Martín. Pues, permítanme[1] ustedes ver si va a terminar pronto. Pasen por aquí hasta la sala … Inés, siéntate tú aquí, por favor, donde es más cómodo … Con permiso.

Inés. Usted lo tiene, señora.

(La señora Martín sale, pero vuelve en seguida y se sienta.)

Sra. Martín. Carlota dice que viene ahora mismo y que deben ustedes esperar. Luisa, ¿qué puedes decirme de tu mamá? ¿Todavía está en Texas?

Luisa. Creo que está muy bien; piensa volver el lunes.

Sra. Martín. Me alegro mucho de saber eso.[2] Quiero hablar con ella pronto. Y tú, Inés, ¿está bien tu mamá también?

Inés. Está bien, gracias. Está en casa de mis tíos hoy.

Carlota. *(Entrando en la sala.)* ¡Hola! ¿Qué tal?

Luisa. Muy bien, gracias. Tu mamá dice que has estado trabajando mucho.

Carlota. Sí, he pasado casi todo el día preparando un discurso, pero ya he terminado. Acabo de poner el radio para escuchar un programa mexicano.

Inés. Yo no sabía que tenías un radio en tu cuarto. ¿Es nuevo?

Carlota. Sí, es un radio portátil que mis padres acaban de regalarme. ¿No quieren ustedes oírlo?

Luisa. Con mucho gusto. Pero es tarde y podemos escuchar solamente unos momentos.

---

[1] **Déjenme** may also be used with the same meaning. [2] **Me alegro mucho de saber eso,** *I am very glad to know that.* (See section B, 2, page 18.)

Preguntas

Answer in Spanish these questions based on the first part of the dialogue:

1. ¿Qué día es?   2. ¿Quiénes llaman a la puerta?   3. ¿Quién abre la puerta?   4. ¿Qué hace la señora Martín cuando ve a las dos muchachas?   5. ¿Qué pregunta Luisa?   6. ¿Qué está haciendo Carlota?   7. ¿Hasta dónde pasan las tres?   8. ¿Qué dice la señora Martín antes de ir a llamar a Carlota? ¿Y qué contesta Inés?

Preguntas generales

1. ¿Es domingo hoy?   2. ¿Qué día de la semana es?   3. ¿Generalmente estudias el sábado?   4. ¿Preparas un discurso a veces?   5. ¿Tienes un radio portátil en tu cuarto?   6. ¿Escuchas programas en español?   7. ¿Podemos oír muchos programas en español aquí?   8. ¿Escuchas programas todos los días?

para conversar

Prepare an original conversation of six to eight exchanges for presentation in class. Assume that you arrive unexpectedly at the home of a friend, whose mother or father opens the door and talks with you briefly before calling the daughter or son.

PRONUNCIACIÓN

a. The sounds of Spanish **m** and **n**. Spanish **m** is pronounced like English *m*. Spanish **n** is usually pronounced like English *n*, except before **b, v, m**, and **p**, whether in the same word or in a following word, in which case it is pronounced like **m**. Pronounce after your teacher:

1. momento	molestar	permiso	mamá	mismo
2. nota	pronto	lunes	poner	también
3. invitar	con Pablo	con permiso	un vaso	tan bien

b. Spanish **c** (**qu** and **k**) and **z**. In Lección 1, page 5, you found that Spanish **c** before **e** or **i** and **z** in all positions are pronounced like the English hissed *s* in *sent* in Spanish America and in southern Spain. In northern and central Spain this sound is like *th* in *thin*. Pronounce after your teacher:

1. dice	cine	ciudad	gracias	centro
almacén	lápiz	zapato	empieza	pizarra

Spanish **c** before other letters, **qu,** and **k** (used only in words of foreign origin), are like English *c* in *cat,* but without the *h* sound that often follows the *c* in English (*c^hat*). Pronounce after your teacher:

2. Carlota   cuarto   creo   discurso   acabo
   aquí   quedar   parque   porque   kilómetro

3. cinco   lección   vacaciones   colección   cocina

Ⓒ. Pronounce after your teacher as one breath group, paying attention to the linking of vowels between words (see Appendix A, pages 399-400):

la casa de Isabel   a la Argentina   Inés y su amiga
¿Qué estás haciendo?   ¿Qué hiciste?   Hay que escribir.
La invita a pasar.   He estado hablando.   Vuelve en seguida.

Repaso de verbos

Familiar singular commands

Remember that the affirmative familiar singular command, often called the singular imperative, of regular and stem-changing verbs, Class I, has the same form as the third person singular of the present indicative tense. Exceptions will be given later.

Also recall that the negative familiar singular command of **-ar** verbs ends in **-es** and that of **-er** and **-ir** verbs ends in **-as.** The subject pronoun **tú** is omitted in both affirmative and negative commands, except for emphasis.

INFINITIVE	AFFIRMATIVE		NEGATIVE	
tomar	**toma** (tú)	take	**no tomes** (tú)	don't take
comer	**come** (tú)	eat	**no comas** (tú)	don't eat
abrir	**abre** (tú)	open	**no abras** (tú)	don't open
cerrar (ie)	**cierra** (tú)	close	**no cierres** (tú)	don't close
volver (ue)	**vuelve** (tú)	return	**no vuelvas** (tú)	don't return

Object pronouns (direct, indirect, or reflexive) are attached to the verb in affirmative commands and precede the verb in negative commands. When an object pronoun is attached to an affirmative command in writing, an accent mark must be placed over the syllable of the verb which is stressed when the form stands alone:

Tómalo (tú).	Take it.	**No lo tomes** (tú).	Don't take it.
Cómelo (tú).	Eat it.	**No lo comas** (tú).	Don't eat it.
Ciérralos (tú).	Close them.	**No los cierres** (tú).	Don't close them.
Lávate (tú).	Wash (yourself).	**No te laves** (tú).	Don't wash (yourself).
Siéntate (tú).	Sit down.	**No te sientes** (tú).	Don't sit down.

Ejercicios

a. Read aloud, keeping the meaning in mind:

1. Deja[1] tú abierta la ventana. Déjala abierta. No la dejes abierta.   2. Cierra tú el libro. Ciérralo. No lo cierres.   3. ¿Me acuesto ahora? Sí, acuéstate ahora. No, no te acuestes todavía.   4. Tú escribes la carta. Escríbela tú. No la escribas aquí.   5. ¿Quieres llamarlos? Llámalos. No los llames en este momento.

b. Say after your teacher, then change to an affirmative familiar singular command, following the model.

Model: Juan abre el libro.   Juan abre el libro.
                                      Juan, abre el libro, por favor.

1. Anita toma el cuaderno.   4. Pablo cierra la puerta.
2. Felipe aprende la canción.   5. Inés vuelve a la tienda.
3. Luisa lee los artículos.   6. Jorge deja la revista allí.

When you hear the sentences again, change each one to a negative command.

Model: Juan abre el libro.   Juan, no abras el libro.

c. Say after your teacher, then repeat, making each sentence negative.

Model: Escríbelo tú.   Escríbelo tú. No lo escribas.

1. Cómpralos tú.   4. Lávate tú la cara.
2. Apréndelo tú.   5. Lávalo tú esta tarde.
3. Ábrela tú.   6. Quédate tú aquí.

NOTAS

A. Commands with **usted** and **ustedes**

To the stem of **-ar** verbs add the ending **-e** for the affirmative formal singular command, used with **usted,** and add **-en** for familiar and formal plural commands, used with **ustedes.** For **-er** and **-ir** verbs the endings are **-a,** singular, and **-an,** plural.

[1]Used with a direct object, **dejar** means *to leave* (behind); with a personal object (usually plus a verb), it means *to let, allow, permit* (see footnote 1, page 59).

To the stem of the third person singular present indicative of stem-changing verbs, Class I, the respective endings are added. The command forms of some irregular verbs will be given later.

Usted and **ustedes** are usually expressed in commands and are placed after the verb; in a series of commands, however, it is not necessary to repeat **Ud.** or **Uds.** with each one. Following the practice which is common in Spanish America, **ustedes** is used in this text for all plural commands, affirmative and negative.[1]

INFINITIVE	STEM	SINGULAR	PLURAL	
tomar	tom-	**tome** Ud.	**tomen** Uds.	take
comer	com-	**coma** Ud.	**coman** Uds.	eat
abrir	abr-	**abra** Ud.	**abran** Uds.	open
cerrar (ie)	cierr-	**cierre** Ud.	**cierren** Uds.	close
volver (ue)	vuelv-	**vuelva** Ud.	**vuelvan** Uds.	return

Note the position of the object pronoun in each of the following examples:

Ciérrelo Ud.	Close it.	**No lo cierre Ud.**	Don't close it.
Ábranlos Uds.	Open them.	**No los abran Uds.**	Don't open them.
Siéntese Ud.	Sit down.	**No se siente Ud.**	Don't sit down.
Levántense Uds.	Get up.	**No se levanten Uds.**	Don't get up.

Ejercicios

a. Say after your teacher, then change to singular and plural commands with **Ud.** and **Uds.**

Model: Carlos toma el papel.

Carlos toma el papel.
Tome Ud. el papel. Tomen Uds. el papel.

1. Felipe abre el libro.
2. Marta saluda a Pablo.
3. José prepara un discurso.
4. Ella aprende la canción.
5. Él mira los cuadros.

6. Carlos cierra las ventanas.
7. Ricardo escribe la carta.
8. Él se levanta.
9. Carmen se sienta.
10. Inés se lava las manos.

[1]Since the familiar plural command forms, with **vosotros, -as** as subject, are used in much of Spain, they are included in Lección 23 for recognition in reading and in conversation.

b. Say after your teacher, then repeat, making each command negative.

Model: Déjelo Ud. aquí.   Déjelo Ud. aquí. No lo deje Ud. aquí.

1. Enséñeles Ud. el vestido.   5. Levántense Uds. temprano.
2. Escríbale Ud. pronto.   6. Prepárenlo Uds. para mañana.
3. Ábralas Ud. esta tarde.   7. Lávenlo Uds. hoy.
4. Siéntese Ud. en esta silla.   8. Apréndanla Uds. esta noche.

c. Listen to each question, then give formal singular affirmative and negative commands.

Model: ¿Tomo el libro?   Sí, tome Ud. el libro.
          No, no tome Ud. el libro.

1. ¿Abro el cuaderno?   4. ¿Compro el lápiz?
2. ¿Cierro la ventana?   5. ¿Escucho la grabadora?
3. ¿Espero a las muchachas?   6. ¿Preparo el discurso?

Listen to each question, then give formal plural affirmative and negative commands.

Model: ¿Tomamos el papel?   Sí, tomen Uds. el papel.
          No, no tomen Uds. el papel.

7. ¿Escuchamos la cinta?   10. ¿Leemos las frases?
8. ¿Aprendemos el diálogo?   11. ¿Saludamos al señor Gómez?
9. ¿Entramos en la sala?   12. ¿Nos sentamos aquí?

d. Give in Spanish, using the singular command form with **Ud.** in sentences 1-5 and the plural with **Uds.** in sentences 6-10:

1. Open the window.   2. Buy the car.   3. Close the doors.   4. Look at the map.
5. Write the letters.

6. Enter the house.   7. Pass this way.   8. Listen to the record.   9. Learn the song.   10. Sell the things.

B. Possessive adjectives

SINGULAR	PLURAL	
mi	mis	my
tu	tus	your *(fam.)*
su	sus	his, her, its, your *(formal)*
nuestro, -a	nuestros, -as	our
vuestro, -a	vuestros, -as	your *(fam.)*
su	sus	their, your *(pl.)*

A possessive adjective has the same gender and number as the noun it modifies. The short (unstressed) forms precede the noun, and they are repeated before each noun in a series:

mi madre y mi tío   my mother and uncle
nuestra prima y sus amigos   our cousin and her friends
Pepe trajo sus cuadernos.   Joe brought his notebooks.
Anita dejó sus ejercicios en casa.   Ann left her exercises at home.

Ejercicios

a. Answer in the affirmative in Spanish:

1. ¿Trajiste tu composición?
2. ¿Llamaste a tus amigas?
3. ¿Charló Roberto con su amiga?
4. ¿Vendieron ellos su coche?

5. ¿Llevaron Uds. sus libros a casa?
6. ¿Esperaron Uds. a sus padres?
7. ¿Miro yo mi reloj?
8. ¿Tengo yo mis libros?

b. Give in Spanish:

1. my friend *(m.)*, my friends   2. my aunt, my aunts   3. our school, our schools
4. our teacher *(f.)*, our teachers   5. Martha has her notebook.   6. Joe doesn't have his pencil.   7. Do you *(fam.)* look at your maps?   8. They study their lessons.   9. Are you *(pl.)* going to the park with my sister?   10. The boys listen to their new radio.

Repaso de expresiones

Review the expressions used in Lecciones 4-6, then write in Spanish:

1. at noon   2. orange juice   3. all day   4. at once   5. the five-o'clock plane   6. at this moment   7. at about one o'clock   8. shortly afterwards   9. It is true.   10. Let's be going.   11. Come in *(pl.)*.   12. Come *(pl.)* this way.   13. The boys have just left.   14. I turned on the radio.   15. Is Charlotte at home?   16. Let *(pl.)* me see whether she is busy.   17. It is time to eat breakfast.   18. Excuse me.   19. I took several photos.   20. They are very eager to hear the records.   21. Return *(pl.)* early, please.   22. You *(fam.)* are right.   23. What happened?   24. John hurried a great deal.

Lectura 2

La España antigua

Estudio de palabras

a. Verb cognates

1. The ending of the Spanish infinitive is lacking in the English infinitive (and sometimes there is an additional change in spelling): abandonar; formar; fundar, *to found*; presentar.

2. The ending of the Spanish infinitive is replaced by *-e* in English: conservar, *to conserve, keep, preserve*; realizar, *to realize, carry out*.

3. Certain infinitive endings in **-ar** in Spanish end in *-ate* in English: dominar, predominar.

4. Infinitives which are similar but not identical to the English are: construir, *to construct, build*; establecer, *to establish, settle*; interesarse, *to be interested*; ocupar, *to occupy*.

b. Spanish words in this section with other differences which should be recognized easily, especially in context or when pronounced in Spanish, are: acueducto, *aqueduct*; agricultura, *agriculture*; cantidad, *quantity*; castillo, *castle*; catedral, *cathedral*; comerciante, *merchant*; conquista, *conquest*; costa, *coast*; cristiana, *Christian*; cueva, *cave*; decisivo, *decisive*; defensa, *defense*; época, *epoch*; esfuerzo, *effort*; espiritual, *spiritual*; famoso, *famous*; frontera, *frontier*; germánico, *Germanic*; gótico, *Gothic*; imperio, *empire*; influencia, *influence*; literatura, *literature*; maravilla, *marvel*; Mediterráneo, *Mediterranean*; moro, *Moor*; origen, *origin*; político, *political*; provincia, *province*; reconquista, *reconquest*; teatro, *theater*; título, *title*; tribu, *tribe*; tumba, *tomb*.

MODISMOS Y FRASES ÚTILES

a causa de   because of
a principios de   at the beginning of
con el tiempo   in time, eventually
desde . . . hasta   from . . . to (up to, until)
hace (unos veinte mil años)   (about 20,000 years) ago
interesarse en   to be (become) interested in, be concerned with

lejos de   far from
llegar a ser   to come to be, become
ni . . . ni   neither . . . nor, (not) . . . either . . . or
tener fama de   to have the (a) reputation of (as)

66

La historia de España presenta muchos contrastes. Los primeros pobladores[1] de la península fueron los iberos,[2] pero no se sabe ni su origen ni la época en que se establecieron allí. Cerca de Santander, en el norte, se conservan en las cuevas de Altamira dibujos[3] de animales pintados hace unos veinte o treinta mil años. Los fenicios,[4] considerados como los primeros comerciantes del mundo, llegaron a la península hacia el siglo XI antes de Jesucristo[5] y fundaron la ciudad de Cádiz. Otros invasores fueron los celtas,[6] en el norte, principalmente en Galicia; los griegos,[7] que se establecieron en la costa del Mar Mediterráneo; los cartagineses,[8] del norte de África, que dominaron la península desde el siglo VI hasta el siglo III antes de Jesucristo; y los romanos que estuvieron allí unos seis siglos. Durante esa época la península llegó a ser una de las provincias más importantes del imperio romano. En España los romanos dejaron su lengua, sus costumbres, su religión, sus leyes[9] y sus ideas sobre el gobierno; construyeron teatros, caminos, acueductos, puentes[10] y otras obras públicas.

Buen ejemplo de la obra de los romanos es el acueducto de Segovia, que todavía está en uso. Está construido de piedras grandes, sin argamasa de ninguna clase.[11] Otras obras romanas son el teatro de Sagunto, que está al norte de Valencia, y el[12] de Mérida, en Extremadura, cerca de la frontera portuguesa.

A la caída[13] del imperio romano, a principios del siglo VI después de Jesucristo,[14] ocuparon la península los visigodos[15] y otras tribus germánicas. Los últimos invasores fueron los moros o musulmanes,[16] que entraron en España en 711 y no fueron expulsados[17] hasta 1492. Córdoba fue el centro de la civilización de los moros, considerada en el siglo X como la más avanzada de Europa. No lejos de Córdoba está Granada, que fue la última capital de los moros. Allí se encuentra la famosa Alhambra con sus magníficos patios, sus bellos jardines y sus alegres fuentes. Al abandonar a[18] España, los moros dejaron en ella influencias decisivas en la lengua, la literatura, el arte, la música, el comercio y la agricultura.

Durante la guerra[19] de la reconquista, que duró casi ocho siglos, se formaron los reinos[20] de León, Galicia, Navarra, Aragón y Castilla. Castilla, llamada así por la gran cantidad de castillos que se construyeron para la defensa contra los moros, llegó a ser el reino principal del país. En el siglo XI el castellano empezó a predominar sobre los demás dialectos romanos en la península. En ese mismo siglo vivió el Cid, el gran héroe nacional de España, cuya tumba está en la catedral de Burgos, una de las más hermosas de Europa.

Para ver la más grande de todas las catedrales góticas de Europa hay que ir a Sevilla. La torre de la catedral, la Giralda, construida por los moros, tiene fama de ser

---

[1]**pobladores,** *settlers.* [2]**iberos,** *Iberians.* [3]**dibujos,** *drawings.* [4]**fenicios,** *Phoenicians.* [5]**antes de Jesucristo,** *B.C.* [6]**celtas,** *Celts.* [7]**griegos,** *Greeks.* [8]**cartagineses,** *Carthaginians.* [9]**leyes,** *laws.* [10]**puentes,** *bridges.* [11]**sin argamasa de ninguna clase,** *without mortar of any kind.* [12]**el,** *that.* [13]**caída,** *fall.* [14]**después de Jesucristo,** *A.D.* [15]**visigodos,** *Visigoths.* [16]**moros o musulmanes,** *Moors or Moslems.* [17]**no fueron expulsados,** *were not driven out.* [18]The personal **a** is often used before unmodified place names. [19]**guerra,** *war.* [20]**reinos,** *kingdoms.*

una de las más hermosas del mundo. Hay un refrán[1] español que dice: «Quien no ha visto a Sevilla, no ha visto maravilla.» Hay otro que dice: «Quien no ha visto a Granada, no ha visto nada.»

Con el matrimonio de Fernando de Aragón con Isabel de Castilla, en 1469, España logró[2] la unidad política bajo un gobierno central. Con el tiempo, a causa de sus esfuerzos por la fe cristiana, Fernando e[3] Isabel recibieron del Papa[4] el título de «Reyes Católicos.» Realizaron la unidad espiritual con la conquista de Granada en 1492. Poco después, comenzaron a interesarse en la expansión—primero en el Mediterráneo y en Europa, y más tarde en el Nuevo Mundo. En el siglo XVI España llegó a ser la nación más poderosa[5] del mundo.

Preguntas

1. ¿Quiénes fueron los primeros pobladores de la península?   2. ¿Qué se conserva cerca de Santander?   3. ¿Quiénes fueron los fenicios?   4. ¿Cuándo llegaron a la península?   5. ¿Qué ciudad fundaron ellos?   6. ¿Quiénes fueron otros invasores?   7. ¿Cuántos siglos estuvieron en España los romanos?   8. ¿Qué dejaron allí? 9. ¿Qué construyeron los romanos?   10. ¿Cuáles son algunos ejemplos de la obra de los romanos?

11. ¿Quiénes ocuparon la península después de los romanos?   12. ¿Quiénes fueron los últimos invasores?   13. ¿En qué año entraron en España?   14. ¿Hasta cuándo vivieron allí?   15. ¿Qué ciudad fue el centro de la civilización de los moros? 16. ¿Cuál fue la última capital de los moros?   17. ¿Qué se encuentra allí?

18. ¿Cuántos siglos duró la reconquista?   19. ¿Cuál es el origen del nombre de Castilla?   20. ¿Quién fue el Cid y en qué siglo vivió?   21. ¿Dónde está su tumba? 22. ¿Cuál es la catedral gótica más grande de Europa?   23. ¿Qué es la Giralda? 24. ¿Qué refrán hay sobre Sevilla?   25. ¿Sobre Granada?

26. ¿Cómo logró España la unidad política?   27. ¿Qué título recibieron Fernando e Isabel del Papa?   28. Después de la conquista de Granada, ¿en qué comenzaron a interesarse los Reyes Católicos?

---

[1]**refrán,** *proverb.* [2]**logró,** *attained.* [3]**e,** *and* (used for **y** before words beginning with **i-** and **hi-**, but not **hie-**). [4]**Papa,** *Pope.* [5]**poderosa,** *powerful.*

Comprensión

Listen carefully to each partial sentence. Repeat what you hear, then add in Spanish what is needed to complete each one accurately:

1. Los primeros pobladores de España fueron _____.
2. Cerca de Santander se encuentran las _____.
3. Los fenicios llegaron a la península hacia el siglo XI _____.
4. Los romanos se quedaron en la península unos _____.
5. Buen ejemplo de la obra de los romanos es el acueducto _____.
6. Los últimos invasores fueron _____.
7. Los moros fueron expulsados por Fernando e Isabel en el año _____.
8. En Granada, la última capital de los moros, se encuentra _____.
9. La guerra de la reconquista duró casi _____.
10. En el siglo XI el castellano empezó a predominar sobre los demás _____.
11. En ese mismo siglo vivió el gran héroe nacional de España, _____.
12. Para ver la más grande de todas las catedrales góticas de Europa hay que ir a _____.
13. Con el matrimonio de Fernando de Aragón con Isabel de Castilla, España logró _____.
14. Fernando e Isabel recibieron del Papa el título de _____.
15. Fernando e Isabel realizaron la unidad espiritual con la _____.
16. En el siglo XVI España llegó a ser la _____.

Small town near Málaga, Spain

En las familias hispánicas las expresiones de cariño son importantes.

PREGUNTAS CULTURALES 1
La juventud hispánica

LA FAMILIA. ¿POR QUÉ ES TAN IMPORTANTE PARA LOS JÓVENES?

En la cultura hispánica tradicional los jóvenes no son un grupo casi independiente con un diferente estilo de vida, como lo[1] son los jóvenes de la sociedad norteamericana. La mayoría de los muchachos y las muchachas viven con sus padres hasta cuando se casan,[2] y algunos continúan viviendo con la familia hasta después de casados. Muy pocos jóvenes trabajan mientras estudian, y por eso dependen económicamente de sus padres por mucho tiempo.

Cuando un joven hispano dice «mi familia» se refiere al padre, a la madre, a los hermanos, a los abuelos, a los tíos, a los sobrinos,[3] a los primos, a los cuñados.[4] Para los jóvenes es muy importante esta gran familia. Por ejemplo, se van a la casa de los tíos frecuentemente a pasar vacaciones o fines de semana.[5] Los tíos les permiten hacer las fiestas[6] que los padres no permiten, y la tía les regala dinero extra a los sobrinos para ir al cine o a la fuente de soda. Los primos son a veces los mejores amigos y con ellos se comparten secretos y amistades.[7] Para los jóvenes es muy importante recordar cuál era el pasado de su familia. Es por ello[8] que muchos chicos hispanos, al preguntárseles cuáles son sus apellidos completos[9] pueden enumerar tres o cuatro generaciones: «José Santos Rodríguez López Alcalá.» En la vida de un joven hispano hay siempre un abuelo o un tío que cuenta con gran detalle las

Una familia de «picnic» en el Parque de Chapultepec, México, D. F.

aventuras fascinantes (reales o imaginarias) de los diferentes personajes que llevan esos apellidos y que hicieron la historia de la familia.

En las familias hispánicas las expresiones de cariño son importantes. Desde muy jóvenes,[10] los niños aprenden a expresar cariño hacia los familiares,[11] amigos y otros chicos de su misma edad. En la familia la gente se besa y se abraza[12] frecuentemente y no es extraño ver a dos amigas saludarse de beso[13] o a dos jóvenes darse un abrazo en la calle. Para expresar cariño, los

hispanos también usan los diminutivos en los nombres. Si una chica se llama Adela, los familiares y amigos la llaman «Adelita,» o si un chico se llama Juan, algunos lo llaman «Juanito.»

En las áreas rurales y en algunos países, los padrinos[14] dan regalos y ayudan a pagar la educación de los ahijados.[15] Por ello los padres del muchacho o de la muchacha llaman «compadre» o «comadre» a los padrinos de sus hijos, es decir,[16] los padrinos comparten la responsabilidad de ser padre o madre de los jóvenes.

[1]The neuter pronoun **lo** is used to refer to the predicate of the preceding clause. [2]hasta cuando se casan, *until they get married.* [3]sobrinos, *nephews and nieces.* [4]cuñados, *brothers-in-law and sisters-in-law.* [5]fines de semana, *weekends.* [6]les permiten hacer las fiestas, *permit them to have (the) parties.* [7]con ellos ... amistades, *with them they share secrets and friendships.* [8]por ello, *because of that (it).* [9]al ... completos, *upon being asked what their complete family names are.* [10]Desde muy jóvenes,

From their very early years. [11]familiares, *members of the family.* [12]la gente se besa y se abraza, *people kiss and embrace one another.* (In Spanish the plural reflexive pronoun **se** may express mutual or reciprocal action, that is, one subject acts upon another. Note similar uses of **se** in footnote 13, in **darse un abrazo**, in other sentences of this section and later in the text.) [13]saludarse de beso, *greet one another with a kiss.* [14]padrinos, *godparents.* [15]ahijados, *godchildren.* [16]es decir, *that is (to say).*

71

Muchos estudiantes todavía asisten a escuelas que son únicamente para muchachos o para muchachas.

¿CÓMO ES LA EDUCACIÓN DE LOS JÓVENES HISPANOS?

A los doce o trece años,[1] los jóvenes hispanos que terminan la escuela primaria tienen en general tres posibilidades de estudios:[2] el bachillerato[3] clásico, la escuela normal y el bachillerato comercial. En el bachillerato clásico el joven estudia de cuatro a seis años, recibe un título de bachiller y está preparado para comenzar sus estudios universitarios. En la escuela normal el (la) joven se entrena[4] durante cuatro o cinco años preparándose para ser maestro o maestra de escuela primaria. En el bachillerato técnico o comercial, los estudiantes reciben entrenamiento durante dos o tres años y es en estas escuelas donde se preparan los electricistas, las secretarias, los contadores,[5] etcétera. Desafortunadamente,[6] estas posibilidades de educación no están abiertas a todos los jóvenes. En muchos países hispanos, aunque los gobiernos están haciendo esfuerzos por educar a los jóvenes, ni las escuelas ni los maestros son suficientes para educar tanta gente joven, y la educación en escuelas privadas es muy cara. Además, por problemas económicos, muy pocos niños que empiezan la escuela primaria pasan a la escuela secundaria, y son mucho menos los jóvenes que pueden ir a la universidad.

Un programa de estudios de bachillerato clásico sigue en general

(a la izquierda) En muchos países hispanos se usan uniformes para asistir a la escuela.
(a la derecha) Escuela secundaria, México, D. F.

modelos europeos, y los estudiantes deben tomar cada año cierto número de asignaturas[7] que no son electivas. El programa para estudiantes de bachillerato en el año correspondiente a *sophomore* de las escuelas norteamericanas incluye las siguientes asignaturas: Trigonometria, Anatomía, Historia, Geografía, Castellano,[8] Inglés, Francés, Urbanidad,[9] Educación Física, Artes o Artesanías.[10] Los estudiantes tienen seis o siete clases al día, pero en cada país hay variaciones. Cuando un estudiante hispano ha terminado su bachillerato, su educación corresponde a la de un *sophomore* de las universidades norteamericanas.

En la mayoría de los países hispanos, los alumnos de las escuelas primarias y secundarias usan uniformes para asistir a[11] la escuela. También es común asistir a escuelas separadas por sexos; hay varias escuelas mixtas, pero la mayoria de los estudiantes todavía asisten a las escuelas que son únicamente para muchachos o para muchachas.

[1]A los doce o trece años, *At the age of 12 or 13.* [2]estudios, *curricula.* [3]bachillerato, *diploma given at the end of secondary school.* [4]se entrena, *studies, takes training.* [5]contadores, *accountants.* [6]Desafortunadamente, *Unfortunately.* [7]asignaturas, *subjects (of study).* [8]Castellano, *Castilian, Spanish.* [9]Urbanidad, *etiquette, social behavior.* [10]Artesanías, *craftsmanship.* [11]para asistir a, *to attend.*

73

«¿Con quién vas al baile?» página de enfrente: (arriba) Las familias organizan la vida social de los jóvenes. (abajo) Muchos jóvenes se encuentran después de salir de las escuelas. (a la derecha) Las escuelas organizan festividades especiales.

SI LOS MUCHACHOS Y LAS MUCHACHAS VAN A ESCUELAS SEPARADAS, ¿CÓMO SE CONOCEN?

Parece difícil conocer a personas de otro sexo en estas circunstancias, pero en realidad no lo es. Las familias organizan la vida social de los jóvenes en la mayoría de los casos. Cuando un chico o una chica llega a los doce o trece años, comienza a ser invitado por sus familiares y vecinos a bailes o a paseos al campo. En estas reuniones casi siempre hay adultos, porque es costumbre vigilar, cuidar[1] y acompañar a las muchachas. También las escuelas organizan festividades especiales dos o tres veces al año, en donde hay baile, comida, juegos y música. Éstas son buenas ocasiones para conocer gente nueva, dentro de un grupo conocido y vigilado.[2] En general, un muchacho y una muchacha no tienen citas solos. Los jóvenes hispanos salen en grupos al cine, a caminar por la calle, en excursiones o a las fiestas.

Muchos jóvenes se encuentran después de salir de las escuelas en la heladería o en casa de otros amigos. Los chicos pasan largas horas hablando de los paseos de la semana anterior o del baile de la próxima semana.

[1]es costumbre vigilar, cuidar, *it is customary (a custom) to watch over, care for.*
[2]dentro de un grupo conocido y vigilado, *(with)in a group that is known to one another and is under supervision (watched over).*

CINEMA CENTRO

1	RICARDO CUCCIOLA **LAS GARRAS DEL PODER** 235 500 725 955	3	ALAIN DELON **BIG GUNS** 2 30 4 55 7 20 9 50	5	**GARRAS Y COLMILLOS** 2 45 5 00 7 15 9 30
2	**BESTIAS HUMANAS** 2 30 4 50 7 15 9 45	4	RICHARD STOUD **EL LADRON DEL SIGLO** 3 00 5 15 7 30 9 40	6	DUSTIN HOFFMAN **ALFREDO ALFREDO** 3 00 5 15 7 30 9 45

página de enfrente: Los jóvenes conocen a los ídolos de la canción y del cine que están de moda en América y Europa.

¿ESTÁ CAMBIANDO LA VIDA DE LA GENTE JOVEN EN LOS PAÍSES HISPANOS?

Sí, como en casi todo el mundo. La influencia norteamericana está creando una cultura con su propia[1] música, con su propia ropa, con su propio lenguaje. Los jóvenes conocen no solamente los bailes y las canciones hispánicos, sino que conocen también a los ídolos juveniles de la canción, de la radio y del cine que están de moda en toda América o en Europa.

Los grandes mercados internacionales les permiten a los jóvenes comprar los mismos discos, la misma ropa, las mismas revistas, y es por esto que Tarzán, Carlitos (Peanuts), o Batman son tan populares en los países hispanos como en Norteamérica. La televisión y el cine que se ven en los países hispanos presentan modelos de vida norteamericana; los chicos siempre quieren imitar la libertad de los jóvenes norteamericanos. Frecuentemente esto es causa de muchos conflictos entre padres e hijos. Hay jóvenes que se quejan de[2] la rigidez y de las ideas anticuadas de sus padres y hay padres que se quejan del poco respeto por la autoridad que tienen los jóvenes de hoy día.

[1]su propia, *its own.* [2]se quejan de, *complain of.*

77

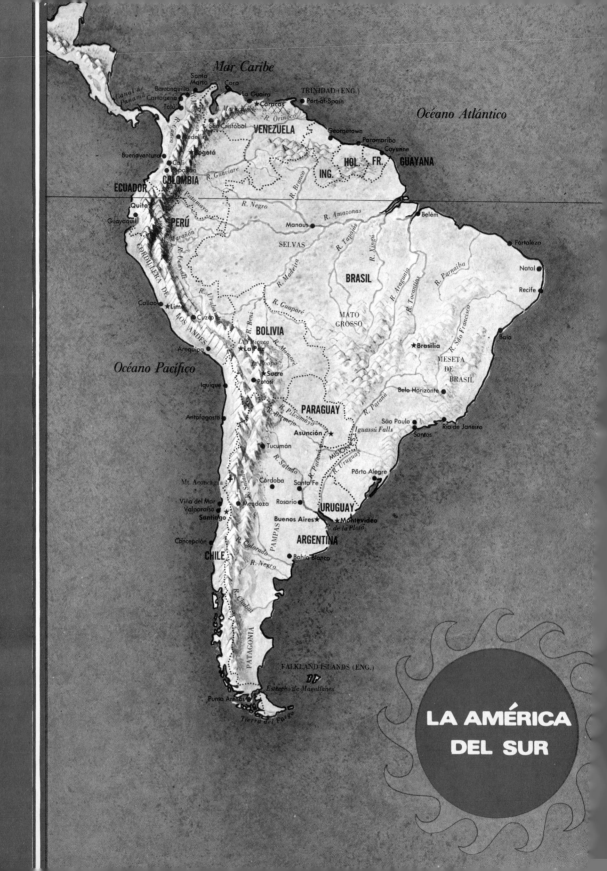

Mar Caribe

Océano Atlántico

Océano Pacífico

LA AMÉRICA DEL SUR

LECCIÓN

In this lesson you will review and practice:

1. a number of words and expressions used in Book 1, as well as learn a few new ones
2. sounds of Spanish *s*; *b* and *v*
3. forms of personal pronouns
4. uses of subject pronouns
5. pronouns used as objects of prepositions
6. position of pronouns used as objects of the verb

PALABRAS Y EXPRESIONES

*a propósito   by the way
al lado de *prep.*   beside, at the side of
el banco   bench; bank
el Canadá   Canada
cobrar   to cash
la conversación (*pl.* conversaciones)
   conversation
delante de *prep.*   in front of
*dos veces   two times, twice
la fuente   fountain
mucha gente   many people
muchas veces   many times, often

ni a mí tampoco   nor I either,
   neither do I
la ocasión (*pl.* ocasiones)   occasion
perfectamente bien   fine, very well
*la profesora de francés   French
   teacher
tanta gente   so many people
telefonear   to telephone
*todo el mundo   everybody, the
   whole (entire) world

Conversación entre Teresa y Marta

(Teresa está dando un paseo por un parque pequeño que está cerca de su casa. Se detiene al lado de una fuente y luego se sienta en un banco. Pronto se acerca Marta. Teresa la saluda y la invita a sentarse también.)

Teresa. ¡Hola, Marta! ¿Cómo estás?

Marta. Muy bien, gracias. ¿Y tú?

Teresa. Perfectamente bien. ¿No quieres sentarte un rato?

Marta. Sí, pero tengo solamente un momento. A propósito, el jueves te vi en la escuela. Estabas charlando con una señorita extranjera, pero no pude hablar contigo. ¿Quién fue ella?

Teresa. Fue la señorita Smith, que es la nueva[1] profesora de francés. ¿No la conoces?

Marta. Todavía no, pero espero tener la oportunidad de conocerla pronto. La había visto solamente dos o tres veces.

Teresa. Pues, ella es del Canadá. Es muy simpática, y sabe hablar bien el español.

Marta. ¡Qué bueno! Pero, Teresa, ¿qué hiciste esta mañana? Traté de telefonearte a eso de las diez y no contestó nadie.

Teresa. Primero, llevé a mi mamá al banco en coche. Ella tuvo que cobrar un cheque antes de ir al supermercado a comprar algunas cosas.

Marta. ¿Había mucha gente allí? Según los anuncios, tenían precios especiales para muchas cosas hoy.

Teresa. Nunca he visto tanta gente a esa hora. Parecía que todo el mundo había visto los anuncios. A mí no me gusta ir de compras en tales ocasiones.

Marta. Ni a mí tampoco, pero muchas veces hay que hacerlo ... Bueno, debo ir a casa de mi tía ahora porque mamá me espera allí. Adiós. Hasta luego.

Teresa. Hasta la vista.

Preguntas

Answer in Spanish these questions based on the first part of the dialogue:

1. ¿Qué está haciendo Teresa? 2. ¿Dónde se detiene ella? 3. ¿Quién se acerca pronto? 4. ¿Se sienta Marta al lado de Teresa? 5. ¿Dónde vio Marta a Teresa el

[1]Before a noun the adjective **nuevo, -a** means *new* in the sense of *another, different,* and after the noun, *new, brand-new.*

jueves?   6. ¿Con quién estaba charlando Teresa?   7. ¿Qué es la señorita Smith?   8. ¿De dónde es ella?

Preguntas generales

1. ¿Adónde vamos generalmente a cobrar un cheque?   2. ¿Hay bancos cerca de aquí?   3. ¿Hay supermercados cerca de aquí?   4. ¿Vas al supermercado muchas veces?   5. ¿Va allá tu mamá a menudo?   6. ¿Hay anuncios de precios especiales en los supermercados?   7. ¿Hay un parque cerca de la escuela?   8. ¿Por dónde das paseos a veces?

para conversar

Study the second part of the dialogue so that you can take part in a similar conversation with your teacher or with one of your classmates.

PRONUNCIACIÓN

a.   The sounds of Spanish **s**. Spanish **s** is pronounced somewhat like the English *s* in *sent*. Before **b, d, g, l, ll, m, n, r, v,** and **y,** however, the sound is like English *s* in *rose*. Pronounce after your teacher:

1. sábado	casa	semana	se sienta	paseo
2. mismo	es verdad	buenos días	las manos	dos veces
los dos	los libros	los bancos	los llama	las rosas

b.   Review the sounds of **b** and **v** in Lección 2, page 15, then pronounce after your teacher:

1. banco	veces	bien	ver	invita
viene	viaje	blanco	busco	hablar
2. nueva	llevé	la vista	te vi	jueves
debo	sobre	favor	saber	yo vengo

Dictation: The teacher will read the italicized setting for the dialogue as an exercise in dictation.

NOTAS

A. Forms of personal pronouns

PERSONAL PRONOUNS			
Singular			
Subject of Verb	*Object of Preposition*	*Direct Object of Verb*	
yo I **tú** you **él** he **ella** she **usted** you	**mí** me **ti** you **él** him, it (*m.*) **ella** her, it (*f.*) **usted** you	**me** me **te** you **lo**[1] him, it (*m.*) **la** her, it (*f.*) { **lo** you (*m.*) { **la** you (*f.*) **lo** it (*neuter*)	
Plural			
nosotros, -as we **vosotros, -as** you **ellos** they **ellas** they (*f.*) **ustedes** you	**nosotros, -as** us **vosotros, -as** you **ellos** them **ellas** them (*f.*) **ustedes** you	**nos** us **os** you **los** them **las** them (*f.*) { **los** you { **las** you (*f.*)	

B. Subject pronouns

Recall that the subject pronouns, except for the formal forms for *you* (**usted** and **ustedes**, abbreviated to **Ud.** and **Uds.**, or **Vd.** and **Vds.**), are omitted unless they are needed for clearness or emphasis, or when two are combined as the subject. **Usted** and **ustedes** require the third person of the verb and are usually expressed, although excessive repetition should be avoided. The English subjects *it* and *they*, referring to things, are rarely expressed in Spanish, and the impersonal subject *it* is always omitted.

In general, the familiar singular form **tú** is used when the given name is used in English (in speaking to children, relatives, or close friends). In most of Spanish America **ustedes** is used for the familiar and formal plural of *you*. This practice is followed in the dialogues and exercises of this text.

[1]In Spain **le** is regularly used instead of **lo** for *him, you* (formal sing.). The **lo** form is used in the regular lessons of this text.

PERSONAL PRONOUNS	
Singular	
Indirect Object of Verb	*Reflexive Object of Verb*
me (to) me **te** (to) you	**me** (to) myself **te** (to) yourself
le (se) { (to) him, it (to) her, it (to) you	**se** { (to) himself, itself (to) herself, itself (to) yourself
Plural	
nos (to us) **os** (to) you	**nos** (to) ourselves **os** (to) yourselves
les (se) { (to) them (to) you	**se** { (to) themselves (to) yourselves

In Spain the plural of **tú** is **vosotros, -as**, used with the second person plural form of the verb. See Lección 1, page 5, for comments concerning this form of address.

Abrí la puerta.   I opened the door.

Ella hablaba y él leía.   She was talking and he was reading.

Jorge y yo nos detuvimos.   George and I stopped.

Yo (Él) estaba escuchándolo.   I (He) was listening to it.

C.   Pronouns used as objects of prepositions

The pronouns used as objects of prepositions are the same as the subject pronouns, except for **mí** and **ti**. Note the difference in meanings.

Used with **con**, the first and second persons singular have the special forms **conmigo** and **contigo**.

La cinta no es para mí.   The tape is not for me.

Ella no va conmigo (contigo).   She is not going with me (with you, *fam.*).

The prepositional forms with **a** are often used in addition to the direct and indirect object pronouns for emphasis and, in the third person, for clearness. In the case of **usted(es)** it is more polite to use the prepositional form in addition to the object pronoun:

Él me enseñó a mí su radio.   He showed <u>me</u> his radio.
Yo les di a ellas los regalos.   I gave them (f.) the gifts.
Señor Díaz, ¿le trajeron a Ud. el dinero?   Mr. Díaz, did they bring you the money?
A él le gusta el libro. Y a mí también.   He likes the book. And I (do), too.
Le di el disco a Marta, no a él.   I gave the record to Martha, not to him.

When the verb is not expressed, the prepositional form of the pronoun is used alone (last two examples).

The prepositional forms are also used with **de** to clarify the meaning of **su(s)**, *his, her, your* (formal sing.), *their, your* (pl.):

Sr. López, vi a su hija y al amigo de ella.   Mr. López, I saw your daughter and her (boy)friend.

Ejercicios

a.   Say after your teacher, then repeat, substituting the correct object pronoun for the words following the preposition.

Model.   Anita habla con *Juan*.

Anita habla con Juan.
Anita habla con él.

1. Yo traje el lápiz para *Juanita*.
2. Charlaron un rato con *José*.
3. ¿Quieres ir con *los hombres?*
4. ¿Vives cerca de *mis primas?*
5. Aquella muchacha hizo el vestido para *Luisa*.
6. Estuvieron delante de *la casa*.
7. Ella trabaja en *aquella tienda*.
8. Hay muchos cuadros en *estos cuartos*.
9. Corrieron hasta *los árboles*.
10. No pudieron salir sin *el dinero*.

b.   Give in Spanish:

1. We were talking (*progressive form*) with her.   2. Can you (*fam.*) go to the store with me?   3. Did they go to the movies with you (*fam.*)?   4. Who wants to listen to the tapes with you (*pl.*)?   5. They can chat a while with us.   6. We gave her the flowers.   7. We showed the picture to Michael, not to her.   8. We took the gift to Helen, but not to him.

D. Position of pronouns used as objects of the verb

1. Object pronouns (direct, indirect, and reflexive) are usually placed immediately before the verb, including the auxiliary **haber** in the compound tenses.

When two object pronouns are used together, the indirect pronoun always precedes the direct. When both are in the third person, the indirect (**le, les**) becomes **se**. Since **se** may then mean *to him, to her, to you* (formal), *to it,* or *to them,* the prepositional forms are often required in addition to **se** for clarity.

A reflexive pronoun precedes any other object pronoun:

Él nos lo vendió.　　He sold it to us.
Ella no me llamó.　　She did not call me.
Carlos se los ha llevado a ella.　　Charles has taken them to her.
Bárbara se lo puso.　　Barbara put it on.

2. Remember that object pronouns are placed after, and are attached to, affirmative commands.

In negative commands, object pronouns precede the verb and are placed between the negative and the verb. (See Lección 6, pages 61-63.)

Tómalo (tú).　　Take it.　　　　**No lo tomes.**　　Don't take it.
Siéntese Ud.　　Sit down.　　　**No se siente Ud.**　　Don't sit down.
Lávenselas Uds.　Wash them (f.).　**No se las laven Uds.**　Don't wash them.

3. Object pronouns are usually attached to an infinitive. An accent mark must be written over the last syllable of an infinitive if two pronouns are added:

Yo empecé a escucharlo.　　I began to listen to it.
Vamos a sentarnos.　　We are going to (Let's) sit down.
Ella puede leérselo a Uds.　　She can read it to you (*pl.*).

However, object pronouns may precede conjugated forms of certain verbs and verbal expressions, such as **ir a, querer, poder,** and **saber,** followed by an infinitive, but in the exercises of this text they will be attached to the infinitive:

Voy a leerlo *or* **Lo voy a leer.**　　I am going to read it.
Ud. puede sentarse *or* **Ud. se puede sentar.**　　You may (can) sit down.

4. Object pronouns are usually attached to the present participle, except in the progressive forms of the tenses, when they may be placed before **estar** (or other auxiliaries). An accent mark must be written when one or two pronouns are attached to the present participle:

Estoy mirándolo *or* **Lo estoy mirando.**　　I am looking at it (him).
Juan no está cantándola *or* **Juan no la está cantando.**　　John is not singing it.
Dándomelos, Felipe salió.　　Giving them to me, Philip left.

5. When a noun is expressed as the indirect object of the verb in Spanish, the corresponding indirect object pronoun is normally added. For greater emphasis the indirect object may precede the verb:

Le dimos a Miguel la corbata.   We gave Michael the necktie.
A Carlos le gusta (Le gusta a Carlos) el radio.   Charles likes the radio.

Ejercicios

a. Read, placing the object pronoun in the proper position:

1. (nos) Ella escribe. Puede escribir. Está escribiendo.   2. (le) Yo compré un regalo. Fui a comprar un regalo. No compres tú un regalo.   3. (lo) ¿No quieres ver? ¿Vieron Uds. anoche? ¿Han visto Uds.?   4. (las) Abre tú. No abras todavía. ¿Quieren Uds. abrir?   5. (te) Tú levantas. ¿Piensas levantar? ¿Estaś levantando?

b. Say after your teacher, then repeat, substituting the correct object pronoun for the noun object.

Model: Carlos trajo *el libro*.   Carlos trajo el libro. Carlos lo trajo.

1. ¿Dónde pasaste *el verano?*   5. ¿No ha hecho ella *la blusa?*
2. Han visitado *a sus tíos.*   6. Anoche conocimos *a Luisa.*
3. Yo no había oído *el programa.*   7. Yo llevé *a mis padres* al aeropuerto.
4. Pablo no cobró *el cheque.*   8. No hemos visto *al señor Díaz.*

Model: Voy a hacer *el viaje.*   Voy a hacer el viaje. Voy a hacerlo.

9. Fueron a ver *la película.*   11. Acaban de poner *el radio.*
10. ¿Vas a pasar *el otoño* aquí?   12. Traté de llamar *a mis primos.*

c. Listen to each sentence, then repeat it twice, following the model.

Model: Estoy mirando *el mapa.*   Estoy mirándolo. Lo estoy mirando.

1. Estamos escuchando *la cinta.*   4. Yo estaba buscando *a Carlos.*
2. Están escribiendo *las frases.*   5. Estábamos esperando *a los niños.*
3. ¿Estás leyendo *el artículo?*   6. No estás aprendiendo *los diálogos.*

d. Answer each question, following the model.

Model: ¿Estás buscando *el disco?*   No, no estoy buscándolo, pero
                                        voy a buscarlo pronto.

1. ¿Estás preparando *la cena?*   4. ¿Están Uds. mirando *los mapas?*
2. ¿Estás escribiendo *la carta?*   5. ¿Están Uds. limpiando *su cuarto?*
3. ¿Estás aprendiendo *el discurso?*   6. ¿Están Uds. escuchando *la cinta?*

e. Answer, using both affirmative and negative familiar singular command forms of the verb and substituting the correct object pronoun for the article and noun.

Model: ¿Leo *la frase?*   Sí, léela. No, no la leas.

1. ¿Compro *el bolígrafo?*   4. ¿Cierro *el libro?*
2. ¿Escribo *la composición?*   5. ¿Lavo *el coche* hoy?
3. ¿Aprendo *las canciones?*   6. ¿Miro *los mapas?*

f. Read, then repeat, substituting the correct object pronouns for the words in italics and placing them in the proper position.

Models. Yo le di *el libro a Marta.*   Yo le di el libro a Marta.
                                                    Yo se lo di a ella.

           Él va a ponerse *los guantes.*   Él va a ponerse los guantes.
                                                    Él va a ponérselos.

1. Hay que traerles *las cosas.*   5. ¿Vas a ponerte *los zapatos?*
2. Querían enseñarnos *el televisor.*   6. Están lavándose *las manos.*
3. Le llevé *los discos a Marta.*   7. Estoy llevándole *la cinta a José.*
4. No le escribí *la carta a Luis.*   8. No le vendas *el libro a tu amigo.*

g. Give in Spanish, using the singular command forms with **Ud.** in the sentence groups 1-3 and the plural with **Uds.** in the sentence groups 4-6:

1. I open the door. I open it. Open it. Don't open it yet.   2. He washes the car. He washes it. Wash it. Don't wash it today.   3. She learns the songs. She learns them. Learn them. Don't learn them now.

4. They close the doors. They close them. Close them. Don't close them this morning.   5. They sit down. They want to sit down. Sit down. Don't sit down near the window.   6. They leave the books here. They leave them here. Leave them here. Don't leave them here.

h. Write in Spanish:

1. Teresa stops in front of the fountain.   2. Then she sits down on a bench. 3. Soon Martha approaches and Teresa greets her.   4. Teresa invites her to sit down. 5. Do you (*fam.*) know the new French teacher (*f.*)?   6. No, I do not know her yet, but I hope to meet her soon.   7. I tried to telephone you (*fam.*), but no one answered.   8. Mother went to the bank because she had to cash a check.   9. I took her there in our new car.   10. I have never seen so many people in the supermarket.   11. I don't like to go shopping on such occasions.   12. "Nor I either," says Martha.

LECCIÓN 8

In this lesson you will review and practice:

1. a number of words and expressions used in Book 1, as well as learn a few new ones
2. the sounds of diphthongs
3. the division of words into syllables and word stress
4. interrogatives
5. *se* to express an indefinite subject and to substitute for the passive voice
6. some uses of *para*

Old San Juan, Puerto Rico

New San Juan, Puerto Rico

PALABRAS Y EXPRESIONES

al año yearly, per year

alcanzar to reach, attain

ancho, -a wide, broad, large

el arroz con pollo rice and (with) chicken

el clima climate

la costa coast

cruzar to cross

*__¿cuánto tiempo?__ how long? how much time?

cultural cultural

la educación education

en todas partes everywhere

el grado degree

el habitante inhabitant

*__hacer (mucho) frío__ to be (very) cold *(weather)*

*__hacerle una pregunta a uno__ to ask a question of one

la isla island

lujoso, -a luxurious, lush

la lluvia rain

la mayor parte de the majority of, most (of)

medio, -a average, median

la milla mile

la natación swimming

oficial official

la población population

el pollo chicken

por ejemplo for example

prestar to lend

prestar (mucha) atención a to pay (a lot of) attention to

el puerto port

puertorriqueño, -a *(also noun)* Puerto Rican

la pulgada inch

sobre todo above all, especially

el tamaño size

la temperatura temperature

tener . . . de largo (ancho) to be . . . long (wide)

*__todo clase de__ every kind (all kinds) of

turístico, -a tourist

la vegetación vegetation

¿Quién quiere ir a Puerto Rico?

(La señorita Valles les dice a los alumnos que por fin pueden hablar más sobre las vacaciones de verano. Ella continúa: «Como saben ustedes, Carlos pasó unas semanas con sus abuelos en Puerto Rico y hoy vamos a hacerle algunas preguntas.»

Srta. Valles. ¿Quién quiere hacerle a Carlos la primera pregunta? *(Juan levanta la mano.)* ¿Juan?

Juan. Carlos, ¿cuál es el tamaño de Puerto Rico y cuántos habitantes tiene?

Carlos. La isla tiene unas cien millas[1] de largo por treinta y cinco[2] de ancho. Y tiene unos tres millones de habitantes.

María. ¿Cómo es el clima de la isla?

Carlos. Se dice que tiene doce meses de verano, con una temperatura media de setenta y ocho grados.[3] Nunca hace frío allí y la vegetación es lujosa. Llueve mucho, especialmente en las montañas, que cruzan el centro de la isla. En «El Yunque»,[4] por ejemplo, las lluvias han alcanzado hasta trescientas pulgadas[5] al año.

Luisa. ¿Se habla español en todas partes?

Carlos. Sí, el español es la lengua oficial, pero en San Juan y en las otras ciudades puertorriqueñas, especialmente en los centros turísticos, la mayor parte de la población habla inglés.

Felipe. He leído que los puertorriqueños prestan mucha atención a la educación.

Carlos. Es verdad. También a la vida cultural, sobre todo la música y el baile.

Carmen. ¿Hay mucho interés en los deportes?

Carlos. ¡Cómo no! Especialmente en el béisbol, el básquetbol, el tenis, el golf, la natación . . . ¡En todas las costas las playas son magníficas!

Srta. Valles. Pues, tenemos tiempo para solamente una pregunta más. ¿Cuáles son algunas comidas típicas?

Carlos. Creo que el arroz con pollo y el asopao[6] son las más típicas. También tienen toda clase de frutas.

Srta. Valles. Muchas gracias, Carlos. Sé que ahora todos quieren ir a Puerto Rico.

---

[1] o 162 kilómetros. [2] o 56 kilómetros. [3] 78°F o 26°C. [4] **El Yunque** is a rain forest in the mountains southeast of San Juan, the capital. [5] o 762 centímetros. [6] **asopao**, a dish containing rice, chicken, asparagus, peas, and peppers.

Preguntas

Answer in Spanish these questions based on the first half of the dialogue:

1. ¿Con quiénes pasó Carlos unas semanas el verano pasado?   2. ¿Dónde viven sus abuelos?   3. ¿Cuál es el tamaño de Puerto Rico?   4. ¿Cuántos habitantes tiene? 5. ¿Qué se dice sobre el clima?   6. ¿Hace frío en Puerto Rico a veces?   7. ¿Llueve mucho allí?   8. ¿Cuál es la lengua oficial de Puerto Rico?

Preguntas generales

1. ¿Has estado tú alguna vez en Puerto Rico?   2. ¿Has estado en otra isla?   3. ¿Hay playas cerca de aquí?   4. ¿Tienes mucho interés en los deportes?   5. ¿En qué deporte tienes más interés?   6. ¿Juegas al béisbol? ¿Al tenis?   7. ¿Te gustan mucho las frutas?   8. ¿Tomas jugo de naranja en el desayuno?

para conversar

Summarize in your own words in Spanish the information which Charles gives the class concerning the island of Puerto Rico.

PRONUNCIACIÓN

a. Review again the sounds of diphthongs (see Lección 3, page 25, and Appendix A, page 399). Pronounce after your teacher:

1. quien	viernes	oficial	viaje	radio
tiempo	lluvia	gracias	Luisa	ciudad
2. ¿cuál?	¿cuántos?	puerto	lengua	abuelos

b. See also page 399 for a review of sounds when unstressed **i** or **u** appears as the second letter of a diphthong. Pronounce after your teacher:

1. baile	béisbol	traigo	oigo	la unión
2. Europa	autobús	aunque	lo usamos	¿pone usted?

c. Also recall that if a weak vowel adjacent to a strong vowel has a written accent, separate syllables result. An accent on a strong vowel merely indicates stress. Pronounce after your teacher:

1. librería	frío	oímos	traído	leído
2. educación	también	diálogo	después	ocasión

d. In Appendix A, pages 395-396, review again the division of words into syllables and word stress, then copy the last three exchanges of the dialogue in this lesson, dividing them into syllables and underlining the stressed syllable in words of more than one syllable.

NOTAS

A. Interrogatives

1. **¿Quién?** *(pl. ¿Quiénes?) Who? Whom?* refers only to persons and requires the personal **a** when used as the object of a verb:

¿Quién llamó? Who called?
¿A quiénes viste anoche? Whom *(pl.)* did you see last night?

Whose? can only be expressed by **¿De quién(es)?** and the verb **ser:**

¿De quién es esta casa? Whose house is this?
¿De quiénes eran esos dos coches? Whose two cars were those?

All interrogative words bear the written accent in both direct and indirect questions:

No sé quién trajo la revista. I don't know who brought the magazine.

2. **¿Qué?** *What? Which?* is both a pronoun and an adjective; as an adjective it may mean *Which?* In asking for a definition, **¿Qué?** is used with **ser:**

¿Qué libro tienes? What (Which) book do you have?
¿Qué parque te gusta? What (Which) park do you like?
¿Qué compró Marta en aquel almacén? What did Martha buy in that department store?
—¿Qué es el señor López? —Es profesor. "What is Mr. López?" "He is a teacher."
¿Qué es el asopao? What is *asopao?*

3. **¿Cuál?** *(pl. ¿Cuáles?) Which (one, ones)? What?* asks for a choice of one or more things or persons from among several and is normally used only as a pronoun. (In Spanish America **¿Cuál?** is sometimes used as an adjective, but not in this text.) With **ser,** use **¿Cuál(es)?** for *What?* unless a definition or identification is asked for:

¿Cuál de las pulseras tienes? Which (one) of the bracelets do you have?
¿Cuál de las muchachas es tu hermana? Which (one) of the girls is your sister?
¿Cuál es la fecha de hoy? What is the date today?
¿Cuál es la capital de Puerto Rico? What (i.e., Which city) is the capital of Puerto Rico?
¿Cuáles quieres vender? Which ones do you want to sell?

4. Other interrogative words are:

¿cuánto, -a? how much?	**¿cómo?** how? (in what way?)
¿cuántos, -as? how many?	**¿cuándo?** when?
¿dónde? where?	**¿por qué?** why? (for what reason?)
¿adónde? where? *(with verbs of motion)*	**¿para qué?** why? (for what purpose?)

Ejercicios

a. Read, supplying **¿qué?** or **¿cuál(es)?**

1. ¿A _____ hora volvió Anita del concierto?
2. ¿_____ de los libros has leído tú?
3. ¿_____ cuadro te gusta?
4. ¿_____ clases tienes esta tarde?
5. ¿_____ de tus amigos puertorriqueños pasaron por aquí?
6. ¿A _____ de los cafés quieres ir?
7. Allí vienen dos jóvenes. ¿_____ es Carlos Sierra?
8. ¿_____ de ellos encontró el dinero?
9. ¿_____ de Uds. han estado en Puerto Rico?
10. ¿_____ es él, mexicano o español?

b. When you hear the command, ask a direct question, following the model.

Model: Pablo, pregúntale a Luis dóndo vive.   Luis, ¿dónde vives?

1. (Pablo), pregúntale a (Marta) adónde va.
2.   cuántos hermanos tiene.
3.   por qué no habla más.
4.   de quién es este cuaderno.
5.   cuál de las revistas quiere.
6.   a quién le prestó el dinero.
7.   qué compró ayer por la tarde.
8.   cuánto tiempo pasó en el parque.
9.   con quién hablaba esta mañana.
10.   cuándo dio un paseo.
11.   a quién invitó a comer.
12.   quién cruzó la calle.

c. Give in Spanish:

1. What (Which) house did he buy?   2. Which one of the cars do you *(fam.)* like?   3. How many students have seen the film?   4. Whose tape is this?   5. Why (For what reason) do they have to leave now?   6. Do you *(pl.)* know what he lost?   7. When did they leave for Mexico?   8. What is John's father?   9. Where do you *(pl.)* intend to spend the day?   10. We do not know what (**cómo**) his name is.   11. Where did Margaret go last night?   12. Ask *(fam.)* Diane what she has to do now.   13. How much time can they spend in Colombia?   14. With whom did you *(fam.)* play tennis today?   15. Which ones of your *(fam.)* friends went swimming?

B. Uses of **se**

1. To express an indefinite subject (*one, people, we, you,* etc.) **se** is used with the third person singular form of the verb. Occasionally **uno** is used, particularly with reflexive verbs:

Se dice que Puerto Rico tiene doce meses de verano.   They say (People say, It is said) that Puerto Rico has twelve months of summer.

No se (Uno no) puede entrar por aquí.   One (People, You) cannot enter through here.

Uno se levanta tarde los domingos.   One gets up late on Sundays.

As in English, the third person plural may also be used to indicate an indefinite subject:

Dicen que la vegetación es lujosa.   They say (that) the vegetation is lush.

2. In the active voice the subject acts upon an object: *The man opens the doors at ten,* **El hombre abre las puertas a las diez.** In the passive voice the subject is acted upon: *The doors are opened at ten,* **Se abren las puertas a las diez.**

If the subject of a passive sentence is a thing and the agent (person or thing) is not expressed, **se** is used to substitute for the passive voice. In this case the verb is in the third person singular or plural, depending on whether the subject is singular or plural. The reflexive verb normally precedes the subject in this construction:

¿Se habla español en todas partes?   Is Spanish spoken everywhere?

Aquí no se cobran cheques.   Checks are not cashed here.

When the subject is singular, the construction may be considered as a sentence containing an indefinite subject or as a passive sentence:

Se habla español en Puerto Rico.   People (They) speak Spanish in Puerto Rico *or* Spanish is spoken in Puerto Rico.

Road through El Yunque, Puerto Rico

Ejercicios

a. Give in Spanish, using **se** as an indefinite subject:

1. They believe that Mr. Solís is a doctor. 2. People know that Mrs. Sierra is in Puerto Rico. 3. One leaves through this door. 4. How do you (does one) say that in Spanish? 5. How do they do that in Mexico? 6. One cannot learn this in one day.

b. Read, then repeat, changing the verb to the reflexive construction.

Models: Cierran la puerta a las seis.   Se cierra la puerta a las seis.
           Aquí no venden zapatos.   Aquí no se venden zapatos.

1. En Puerto Rico hablan español.
2. No abren la oficina del señor Díaz hasta las diez.
3. Cierran las oficinas a las cinco.
4. Ven un avión grande en el aeropuerto.
5. Escriben muchos artículos largos para esta revista.
6. No venden libros en la biblioteca.

c. Some uses of **para**

Para is used:

1. To express the purpose, use, person, or place for which someone or something is intended or destined:

Las flores son para Luisa.   The flowers are for Louise.
Salió (Partió) para San Juan.   He left for San Juan.
¿Tienes planes para las vacaciones?   Do you have plans for vacation?

2. To express a point or farthest limit of time in the future, often meaning *by*, as well as *for:*

Tenemos tiempo para una pregunta más.   We have time for one more question.
Esta lección es para mañana.   This lesson is for tomorrow.
¿Van a estar aquí para las cinco?   Are they going to be here by five o'clock?

3. With an infinitive to express purpose, meaning *to, in order to:*

Me prestó el dinero para hacer el viaje.   He lent me the money (in order) to take the trip.

Church in Ponce, Puerto Rico

Ejercicios

a. Your teacher will read each sentence. When you hear the question based on the sentence, answer in Spanish, omitting any noun subject.

Model: El libro es para Luis. ¿Para quién es el libro? Es para Luis.

1. Comemos para vivir. ¿Para qué comemos?
2. El señor Gómez parte mañana para España. ¿Para dónde parte mañana el señor Gómez?
3. Juan compró una camisa para su hermano. ¿Para quién compró Juan una camisa?
4. La falda era para Dorotea. ¿Para quién era la falda?
5. Todas las revistas eran para ella. ¿Para quién eran todas las revistas?
6. Ellos van a volver para las cuatro. ¿Para qué hora van a volver ellos?
7. Esteban salió para Puerto Rico. ¿Para dónde salió Esteban?
8. Ella hizo un vestido para su hija. ¿Para quién hizo ella un vestido?

b. Give in Spanish:

1. This gift is for Diane. 2. This composition is for Monday. 3. Do you (*fam.*) have time to play golf today? 4. Can you (*pl.*) be here by four o'clock? 5. We do not have any plans for vacation. 6. Mr. López has left for San Juan, the capital of Puerto Rico. 7. This chair is for Miss Valles, isn't it? 8. For whom are these yellow flowers?

LECCIÓN 9

In this lesson you will review and practice:

1. a number of words and expressions used in Book 1, as well as learn a few new ones
2. sounds of Spanish *t*, *g*, and *j*
3. forms and agreement of adjectives
4. position of adjectives
5. shortened forms of adjectives
6. use of *hace*, meaning "ago, since"
7. uses of the definite article

PALABRAS Y EXPRESIONES

acá   here *(with verbs of motion)*
aéreo, -a   air
la calidad   quality
la casa de correos   post office
la cinta   ribbon
***¡claro que sí!**   of course! certainly!
***la clase de español**   Spanish class
el correo aéreo   airmail
la cultura   culture
echar (al correo)   to mail
***en el centro**   downtown
enviar   to send
***hace (dos semanas)**   (two weeks)
   ago
el informe   report
la máquina de escribir   typewriter

olvidar   to forget
el paquete   package
por correo aéreo   by airmail
precisamente   precisely, exactly,
   just
¿qué clase de . . .?   what kind of . . .?
recientemente   recently
el sello   (postage) stamp
el sello de correo aéreo   airmail
   stamp
el sobre   envelope
tardar (mucho) en   to delay (much)
   in, be (very) long in, take (very) long
   to
la tarjeta (postal)   (post)card
***una vez**   once, one time

¿Qué haces en el centro?

(Miguel sale de un almacén y ve a su amigo Felipe.)

Miguel. ¡Hola, Felipe! ¿Qué haces aquí en el centro? Yo no sabía que venías hoy.

Felipe. Yo no lo sabía tampoco hasta esta mañana. Había de trabajar en el jardín del señor Gómez pero, como sabes, llovió demasiado anoche. Así es que decidí venir a buscar algunas cosas.

Miguel. ¿Qué has encontrado? ¿Qué tienes en el paquete?

Felipe. Una camisa amarilla y un suéter rojo. Ahora voy a buscar un par de zapatos.

Miguel. ¿A cuál de las zapaterías vas?

Felipe. A la Zapatería Moderna, donde se habla español. Es una buena tienda, ¿no?

Miguel. ¡Claro que sí! Estuve allí hace dos semanas. Tienen muchos estilos nuevos y las marcas de zapatos que se venden allí son de buena calidad.

Felipe. Miguel, no me has dicho tú por qué has venido acá esta mañana.

Miguel. Primero, tuve que ir a la casa de correos para comprar unos sellos.[1] Tenía que echar al correo dos cartas y algunas tarjetas.

Felipe. ¿Le has escrito recientemente a tu primo que está estudiando en Madrid?

Miguel. Precisamente por eso yo necesitaba un sello de correo aéreo—para la carta que acabo de echarle[2] a mi primo.

Felipe. Yo sé que hay que enviar[3] cartas por correo aéreo o tardan mucho en llegar a países extranjeros. Una vez olvidé ponerle un sello de correo aéreo en el sobre de una carta que envié a la Argentina y tardó tres o cuatro semanas en llegar.

Miguel. Pues, ya es tarde. Tengo que ir a buscar una cinta para mi máquina de escribir.

Felipe. Y después de comprar los zapatos, necesito buscar un buen libro sobre la cultura española. Pronto tengo que preparar un informe para mi clase de español. Adiós.

Miguel. Adiós. Hasta la vista.

---

[1] In Spanish America **la estampilla** and **el timbre** are also used for *(postage) stamp.* [2] Note the indirect object pronoun **le (echarle)**, which is normally added in Spanish when a noun is expressed as the indirect object of a verb; also note its use in line 21 **(ponerle)**. For the explanation see Lección 7, section D 5, page 88. [3] For forms of **enviar**, see Appendix D, page 424.

103

Preguntas

Answer in Spanish these questions based on the first part of the dialogue:

1. ¿De dónde sale Miguel?   2. ¿A quién ve?   3. Al verlo, ¿qué dice Miguel?
4. ¿Dónde había de trabajar Felipe aquel día?   5. ¿Por qué no pudo hacerlo?
6. ¿Qué ha encontrado Felipe?   7. ¿Por qué va a la Zapatería Moderna?
8. ¿Cómo son las marcas de zapatos que se venden allí?

Preguntas generales

1. ¿Adónde vamos para comprar sellos?   2. Generalmente, ¿qué echamos al correo?
3. Antes de echar una carta, ¿qué hay que ponerle en el sobre?   4. Cuando
enviamos una carta a un país extranjero, ¿qué clase de sello ponemos?   5. ¿Escribes
muchas tarjetas postales?   6. ¿Envías cartas o tarjetas postales a países extranjeros?   7. ¿Has enviado alguna vez una carta a España?   8. ¿Envías cartas cada
semana?

para conversar

Prepare an original conversation of six to eight exchanges in Spanish telling why
you went, or need to go, to the post office for stamps.

PRONUNCIACIÓN

a. The sound of Spanish **t**. In the pronunciation of Spanish **t** the tip of the tongue
touches the back of the upper front teeth, and not the ridge above the teeth, as in
English; also the sound is never followed by a puff of air, as in English *task (thask)*.
Pronounce after your teacher:

| carta | paquete | zapato | tienda | tampoco |

b. Review the sounds of Spanish **g** before **e** and **i**, of Spanish **j**, and of Spanish **g** in
other positions, including **gue** and **gui** (see Lección 5, page 50). In the combinations
gua and **guo** the **u** is pronounced like English *w* in *wet*: **agua, lengua, antigua.**
Pronounce after your teacher:

| 1. gente | generalmente | Argentina | giro | Jorge |
| trabajar | extranjero | jardín | jugar | tarjeta |

2. Gómez   grande   vengo   guante   guapo
3. llegar   amigo   regalo   contigo   Miguel

C. Pronounce after your teacher as one breath group:

una camisa amarilla   ve a su amigo   ¿qué estás estudiando?
mi máquina de escribir   mi clase de español   ¿qué has encontrado?
un par de zapatos   hace dos semanas   sale de un almacén

NOTAS

A. Adjectives

1. Forms and agreements of adjectives

An adjective must agree with the noun it modifies in gender and number, whether it modifies the noun directly or is in the predicate.

Adjectives ending in **-o** in the masculine singular change the **-o** to **-a** in the feminine singular, while adjectives of nationality which end in a consonant add **-a** for the feminine. Most other adjectives have the same form for the masculine and feminine.

In general, to form the plural of adjectives add **-s** to those ending in an unaccented vowel and **-es** to those ending in a consonant, just as in forming the plural of nouns.

SINGULAR		PLURAL	
Masculine	**Feminine**	**Masculine**	**Feminine**
rojo	**roja**	**rojos**	**rojas**
grande	**grande**	**grandes**	**grandes**
joven	**joven**	**jóvenes**	**jóvenes**
mexicano	**mexicana**	**mexicanos**	**mexicanas**
inglés	**inglesa**	**ingleses**	**inglesas**
español	**española**	**españoles**	**españolas**

Note the addition of the written accent: **joven—jóvenes**; and the dropping of the accent: **inglés—inglesa, ingleses, inglesas.**

2. Position of adjectives

Limiting adjectives (articles, numerals, possessives, demonstratives, indefinites, and other adjectives which show quantity) usually precede the noun.

Adjectives which describe a noun or differentiate it from others of the same class (adjectives of color, size, shape, nationality, and the like) usually follow the noun.

una (la) camisa amarilla   a (the) yellow shirt
varios (cuatro) alumnos mexicanos   several (four) Mexican students
muchas (pocas) cosas interesantes   many (few) interesting things

Certain common adjectives (**bueno, malo**, and others to be given later) often precede the noun, but they may follow it to place more emphasis on the adjective than on the noun.

una buena persona *or* **una persona buena**   a good person

A few adjectives have different meanings, depending on whether they precede or follow a noun. Examples are:

el nuevo alumno   the new student (*another, different student*)
un traje nuevo   a new suit (*brand-new suit*)

el hombre pobre   the poor man (*not rich*)
el pobre hombre   the poor man (*a man to be pitied*)

For **grande**, see section 4 (1). Other cases will appear later in the text, especially in the Lecturas.

3. Phrases with **de** plus a noun used for adjectives

un sello de correo aéreo   an airmail stamp
un programa de televisión   a television program
las vacaciones de verano   the summer vacations

Nouns cannot be used as adjectives in Spanish as they often are in English. When an English noun used as an adjective is put into Spanish, use **de** plus the noun.

Compare **el periódico español,** *the Spanish newspaper*, with **el profesor de español,** *the Spanish teacher* (teacher of Spanish). A native Spaniard who teaches Spanish would be **un profesor español**, as well as **un profesor de español**. Also recall the expressions **la lección (la clase, el libro) de español.**

4. Shortened forms of adjectives

A few adjectives drop the final **-o** when they precede a masculine singular noun: **bueno, malo, uno, primero, tercero, alguno, ninguno. Alguno** and **ninguno** become **algún** and **ningún**, respectively:

el primer año   the first year   **ningún muchacho**   no boy
algún alumno   some student   **un buen coche**   a good car

But: **los primeros días**   the first days   **una buena escuela**   a good school

Three common adjectives drop the last syllable under certain conditions:

(1) **Grande,** which means *large* when it follows a noun, becomes **gran** before either a masculine or feminine singular noun and usually means *great:*

un gran hombre   a great man   **una gran mujer**   a great woman

But: **dos grandes países (ciudades)**   two great countries (cities)

(2) **Santo,** not **Santa,** becomes **San** before all names of masculine saints, except those beginning with **Do-** or **To-**:

San Luis   St. Louis   **San Pablo**   St. Paul

But: **Santo Tomás**   St. Thomas   **Santa María**   St. Mary

(3) **Ciento** becomes **cien** before all nouns, including **millones,** and before the adjective **mil**, but it is not shortened before numerals less than one hundred:

cien muchachas   100 girls

But: **ciento cincuenta alumnos**   150 students

Ejercicios

a. Read, then repeat, making each phrase singular:

1. sus buenos amigos 2. nuestras buenas amigas 3. algunos cuadros españoles
4. otras señoritas españolas 5. aquellas mujeres mexicanas 6. estos profeso-
res jóvenes 7. esos malos caminos 8. algunas grandes ciudades 9. estos pobres
muchachos 10. los nuevos alumnos 11. otros parques muy pequeños 12. los
primeros buenos días 13. unos aviones ingleses 14. aquellos grandes libros
15. los países extranjeros 16. algunas tarjetas postales 17. unos sellos de correo
aéreo 18. estos estilos nuevos

b. Say after your teacher; then, upon hearing a new noun, form a new sentence, making any necessary changes in agreement.

Model: Es un lápiz rojo.   Es un lápiz rojo.
          plumas   Son plumas (*or* unas plumas) rojas.

1. Es un día hermoso.   2. El hombre es español.
     tarde   La mujer
     flores   Mis amigos
     árboles   Las señoritas
     parque   El profesor

C. Answer in the affirmative, following the models.

Models: ¿Es larga la calle?   Sí, es una calle larga.
          ¿Son buenos los caminos?   Sí, son caminos buenos.

1. ¿Es nueva la camisa?   6. ¿Son fáciles los ejercicios?
2. ¿Es grande el almacén?   7. ¿Son pequeños los paquetes?
3. ¿Es hermoso el parque?   8. ¿Son mexicanas las mujeres?
4. ¿Es española la señorita?   9. ¿Son interesantes los libros?
5. ¿Es amarilla la casa?   10. ¿Son extranjeros los alumnos?

d. Give in Spanish:

1. this large park 2. these pretty trees 3. several Puerto Rican cities 4. some black shoes 5. many very good teachers (*m.*) 6. some special prices 7. two large countries 8. our red car 9. my Spanish records 10. these airmail stamps 11. every Saturday 12. this good opportunity 13. many new styles 14. his summer vacation 15. two Spanish teachers (*f.*) 16. no Spanish newspaper 17. my typewriter 18. our post office 19. the first small package 20. St. Mary and St. Paul

e. Review the cardinal numerals, Appendix B, pages 403-404, then give in Spanish:

1. 1492 2. 1810 3. 1508 4. 1541 5. 1980 6. 1776

B. **Hace**, meaning *ago, since*

When **hace** is used with an expression of time in a sentence which is in the past tense, it normally means *ago* or *since*. If the **hace**-clause comes first in the sentence, **que** usually (not always) introduces the main clause, but **que** is omitted if **hace** and the time expression follow the verb:

Estuve allí hace dos semanas *or* **Hace dos semanas que estuve allí.**   I was
    there two weeks ago (It is two weeks since I was there).
Carlos volvió hace media hora *or* **Hace media hora que Carlos volvió.**
    Charles returned half an hour ago (It is a half hour since Charles returned).

Ejercicios

a. After hearing a question, you will hear an expression of time. Use it to answer the question in two ways, following the model.

Model: ¿Cuándo salió él?   Él salió hace una hora.
          (hace una hora)   Hace una hora que él salió.

1. ¿Cuándo llegaste a la escuela? (hace media hora)
2. ¿Cuándo fueron Uds. al centro? (hace varios días)
3. ¿Cuándo estuvo tu padre en Texas? (hace un año)
4. ¿Cuándo llovió aquí? (hace dos semanas)
5. ¿Cuándo entré yo en la sala de clase? (hace veinte minutos)

b. Give in Spanish:

1 My father left for Puerto Rico a week ago. 2. Betty and Robert sent me a postcard several days ago. 3. I met Louise a month ago. 4. My uncle and aunt came to the United States twenty years ago. 5. We tried to call Charles fifteen minutes ago. 6. I began to study an hour ago. 7. I bought a ribbon for my typewriter half an hour ago. 8. I wrapped the package five minutes ago.

c. Summary of uses of the definite article

In Appendix C, pages 407-410, review the uses of the definite article in Spanish. (Some of these uses have occurred in this text, and others will be taken up later.)

Ejercicio

Read, supplying the definite article wherever necessary:

1. Nos gusta __la__ música mexicana. 2. El artículo está escrito en _____ español. 3. __El__ español es una lengua interesante. 4. Generalmente hablamos _____ español en nuestra clase. 5. Los niños se lavan __las__ manos. 6. Eran _____ siete de la mañana. 7. Buenos días, _____ señora Pidal. 8. Mis amigos salieron _____ domingo. 9. Vivían en __la__ Argentina. 10. Mi tía volvió __la__ semana pasada. 11. __El__ señor López ya ha entrado. 12. Hoy es _____ miércoles. 13. Bogotá, __el__ capital de Colombia, es una ciudad grande. 14. Ellos no están en __el__ centro. 15. Juanita se puso __el__ zapatos. 16. ¿No vas a __la__ escuela hoy? 17. ¿A qué hora tomas __el__ almuerzo? 18. A mí me gustan _____ rosas.

Repaso de expresiones

Review the expressions used in Lecciones 7-9, then write in Spanish:

1. everybody   2. a typewriter   3. the airmail stamp   4. yesterday afternoon
5. yearly   6. often   7. twice   8. so many people   9. a year ago   10. for example
11. every kind of fruit   12. most of the students   13. Of course!   14. It is not very
cold.   15. It is necessary to call them.   16. They pay a lot of attention to education.   17. Jane mailed the cards.   18. It took me (I took) an hour (*use* **tardar en**) to write the letter.   19. "I don't like the report." "Nor I either."   20. I want to ask Michael a question.

Post Office, Mexico City, Mexico

Lectura 3

Cristóbal Colón

Estudio de palabras

a. Spanish nouns ending in **-ador, -edor,** and **-idor.** The Spanish endings **-ador, -edor,** and **-idor** applied to the stem of a Spanish infinitive often indicate one who performs or participates in an action. Compare: descubrir, *to discover,* and descubridor, *discoverer;* explorar, *to explore,* and explorador, *explorer,* which you will encounter later.

Also note the relation to these words in the following nouns: descubrimiento, *discovery,* and exploración, *exploration.*

Similarly, added to nouns, the ending **-ero** indicates a person involved or affiliated with what is expressed by the root of the word: obra, *work,* and obrero, *workman, worker;* aventura (a word you have not had), *adventure,* and aventurero, *adventurer.*

b. *Compare the meanings of these infinitives and nouns:* navegar, *to navigate, sail*—navegante, *sailor;* ayudar—ayuda *(noun);* buscar—busca *(noun);* llegar—llegada, *arrival;* nombrar *to name*—nombre *(noun).*

c. *Pronounce the following words and note the English meanings:* confesor, *confessor;* corte, *court;* duque, *duke;* enemigo, *enemy;* enérgico, *energetic;* importancia, *importance;* posesión, *possession;* proyecto, *project;* oeste, *west;* suroeste, *southwest;* valiente, *valiant, brave;* desembarcar, *to disembark, land;* iniciar, *to initiate;* organizar, *to organize.*

MODISMOS Y FRASES ÚTILES

a pesar de   in spite of
carta de presentación   letter of introduction
dar el grito (de)   to shout, cry out
en aquel tiempo   at that time
en busca de   in search of
en nombre de   in the name of
en realidad   in reality, in fact
es decir   that is (to say)
gracias a   thanks to

mandar llamar a uno   to send for one, have one called (summoned)
mientras tanto   meanwhile, in the meantime
por segunda (tercera, última) vez   for the second (third, last) time
referirse (ie, i) a   to refer to
sin embargo   nevertheless
tener lugar   to take place
volver (ue) a (explicar)   (to explain) again

111

En 1492, el año de la conquista de Granada, tuvo lugar uno de los acontecimientos[1] de más importancia en la historia del mundo. Nos referimos al descubrimiento de América por Cristóbal Colón y unos navegantes españoles.

Poco se sabe de la juventud de Colón, pero generalmente se cree que era
italiano, de la ciudad de Génova. Hacia el año 1485, después de pasar unos años en
Portugal, llegó al puerto de Palos, en el suroeste de España. Allí fue al Monasterio de
la Rábida, donde los frailes franciscanos le ofrecieron pan y hospitalidad. Creyendo
que la tierra era redonda y no llana,[2] Colón les explicó a los frailes que esperaba
navegar hacia el oeste en busca de un camino corto y rápido a las Indias. También
les explicó que había venido a España para buscar la ayuda de Fernando e Isabel.
Entre los frailes se encontraba Fray Antonio de Marchena, quien le dio a Colón cartas
de presentación para algunas personas de la corte de los Reyes Católicos.

Gracias a estas cartas y a otras del duque de Medinaceli, Fernando e Isabel
recibieron a Colón en Córdoba. Lo escucharon con mucha atención, pero en aquel
tiempo estaban tan ocupados con la guerra contra los moros que no podían
ayudarlo.

Durante los próximos cinco años Colón pasó de un sitio a otro sin hallar la
ayuda que necesitaba para realizar su proyecto, a pesar de los esfuerzos del fraile
Juan Pérez, el antiguo confesor de la reina Isabel. En 1492 Colón visitó a los Reyes
Católicos en Santa Fe, cerca de Granada, y volvió a explicarles sus planes, pero por
segunda vez no los aceptaron. Por fin la reina mandó llamar a Colón y prometió
ayudarlo. Hay una leyenda que dice que la reina vendió sus alhajas[3] para obtener
dinero, pero parece dudoso.

Colón volvió inmediatamente a Palos a organizar su expedición. Después de
esperar siete largos años, partió de aquel puerto con sus tres pequeñas naves,[4] la
Pinta, la Niña y la Santa María, el tres de agosto de 1492. Navegaron dos meses y,
como no se descubría nada, algunos de los navegantes querían volver a España. Sin
embargo, Colón pudo apaciguarlos[5] y continuaron hacia el oeste. Por fin, el día doce
de octubre uno de los hombres dio el grito de «¡Tierra! ¡Tierra!» Desembarcaron en la
isla de Guanahaní y tomaron posesión de ella en nombre de los reyes de España. La
llamaron San Salvador. La llegada de Colón todavía se celebra en el Nuevo Mundo. En
los países de habla española esa fecha se llama el Día de la Raza[6] y en los Estados
Unidos, *Columbus Day.*

Antes de volver a España Colón exploró otras islas, entre ellas Cuba y la
Española.[7] Estableció en la Española el primer pueblo español del Nuevo Mundo el
veinticinco de diciembre, por lo cual[8] lo nombró la Navidad.[9] Como Colón creía que
había llegado a las Indias, les dio el nombre de «indios» a los habitantes de las islas.

---

[1]**acontecimientos,** *events.* [2]**redonda y no llana,** *round and not flat.* [3]**alhajas,** *jewels.* [4]**naves,** *boats.*
[5]**apaciguarlos,** *to pacify them.* [6]**Día de la Raza,** *Day of the Race.* [7]**la Española,** *Hispaniola* (the name given
to the island on which Haiti and the Dominican Republic are now situated). [8]**por lo cual,** *as a result of
which.* [9]**Navidad,** *Christmas, Nativity.*

Reproduction of the "Carabela Santa María" used by Columbus on his first voyage (Barcelona, Spain)

Unos días después el explorador partió para España, llevando unos catorce «indios» y toda clase de productos y plantas de la isla. Al llegar a España en el mes de mayo de 1493, los Reyes Católicos lo recibieron con gran entusiasmo y prometieron ayudarlo en otras expediciones.

En el otoño del mismo año Colón emprendió[1] su segundo viaje a América. Lo acompañaron unas 1500 personas que representaban todas las clases sociales de España: frailes católicos, obreros, agricultores, médicos, aventureros, es decir personas que podían llevar al Nuevo Mundo la civilización de España. Trajeron semillas,[2] plantas, árboles frutales, caballos, vacas,[3] cerdos,[4] en realidad todo lo necesario[5] para iniciar la gran obra de la exploración y la colonización del Nuevo Mundo. En este viaje Colón descubrió las islas de Puerto Rico, de Jamaica y algunas de las pequeñas Antillas. Antes de volver a España para enterar[6] a los reyes de sus nuevos descubrimientos, estableció otro pueblo, Isabela, que llegó a ser la primera colonia permanente de América.

En su tercer viaje, en 1498, Colón descubrió la isla de Trinidad y la boca del Orinoco en la costa de Venezuela. Mientras tanto algunos enemigos suyos[7] fueron a España para presentar quejas[8] ante los reyes, y éstos, creyendo las mentiras,[9]

[1]**emprendió,** *undertook.* [2]**semillas,** *seeds.* [3]**vacas,** *cows.* [4]**cerdos,** *pigs.* [5]**todo lo necesario,** *everything necessary.* [6]**enterar,** *to inform.* [7]**suyos,** *of his.* [8]**quejas,** *complaints,* [9]**mentiras,** *lies.*

Both Spain and the Dominican Republic claim to have the remains of Columbus in the magnificent monuments built for that purpose in Santo Domingo, Dominican Republic (left), and in Seville, Spain (right).

enviaron a Bobadilla a América. Inmediatamente Bobadilla encadenó [1] a Colón y a sus dos hermanos y los mandó a España. Fernando e Isabel recibieron al descubridor por tercera vez y, al saber la verdad, lamentaron mucho lo que había hecho Bobadilla.

En su cuarto viaje Colón navegó por las costas de la América Central y de Yucatán. Por última vez volvió a España en 1504 y dos años más tarde murió [2] allí, pobre y triste.

No se sabe dónde están los restos del gran descubridor. Algunas personas creen que están en la catedral de Santo Domingo, y otras que están en España. En la catedral de Sevilla hay una tumba magnífica que lo honra y en el patio de la misma catedral se encuentra la Biblioteca Colombina, fundada por el hijo de Colón. Esta biblioteca contiene algunos libros que usó el descubridor.

La América española ha dado el nombre del descubridor a una nación, Colombia, y a dos ciudades de Panamá, Cristóbal y Colón. En los Estados Unidos también hay ciudades que llevan el nombre de *Columbia* o *Columbus.* El mundo le debe mucho a Cristóbal Colón. Este hombre fuerte, enérgico y valiente sentó [3] un buen ejemplo para los hombres que vinieron a América durante las épocas siguientes.

[1] **encadenó,** *chained, put in chains.* [2] **murió,** *he died.* [3] **sentó,** *set.*

Preguntas

1. ¿Qué acontecimiento tuvo lugar en 1492?   2. ¿De dónde era Colón?   3. ¿Adónde llegó hacia 1485?   4. ¿Qué les explicó Colón a los frailes franciscanos?   5. ¿Dónde recibieron a Colón los Reyes Católicos?   6. ¿Por qué no lo ayudaron en aquel tiempo?   7. ¿Cuántos años tuvo que esperar Colón antes de recibir la ayuda de los reyes?   8. ¿Cómo se llamaban las tres naves de Colón?   9. ¿En qué fecha partieron los españoles de Palos?   10. ¿En qué fecha descubrieron la isla de Guanahaní?   11. ¿Qué nombre dieron a la isla?   12. ¿Cómo se llama la fecha del doce de octubre hoy?

13. ¿En qué día estableció Colón el primer pueblo español del Nuevo Mundo?   14. ¿Qué nombre les dio Colón a los habitantes de las islas?   15. ¿Quiénes acompañaron a Colón en su segundo viaje?   16. ¿Qué trajeron ellos?

17. ¿Qué descubrió Colón en su tercer viaje?   18. Mientras tanto, ¿qué hicieron algunos enemigos de Colón?   19. Más tarde, ¿quién encadenó a Colón y a sus dos hermanos?   20. ¿Por dónde navegó Colón en su cuarto viaje?

21. ¿Se sabe dónde están los restos de Colón?   22. ¿Qué hay en la catedral de Sevilla?   23. ¿A qué ha dado la América española el nombre de Cristóbal Colón?   24. ¿Le debe mucho el mundo a Colón?

Comprensión

Listen carefully to each partial sentence. Repeat what you hear, then add in Spanish what is needed to complete each one accurately:

1. En 1492 tuvo lugar uno de los acontecimientos de más importancia en _____.
2. Poco se sabe de la juventud de Colón, pero generalmente se cree que _____.
3. Hacia el año 1485, Colón llegó al puerto de Palos, en _____.
4. En el Monasterio de la Rábida, Colón les explicó a los frailes que esperaba navegar _____.
5. Colón también les explicó que había venido a España para buscar _____.
6. Después de esperar siete largos años, Colón partió de Palos con sus tres pequeñas naves, _____.
7. Por fin, el día doce de octubre uno de los hombres _____.
8. Colón estableció en la Española el primer pueblo español del Nuevo Mundo el _____.
9. Como Colón creía que había llegado a las Indias, les dio a los habitantes el nombre de _____.
10. En su segundo viaje Colón descubrió las islas de _____.

11. En su tercer viaje, en 1498, Colón descubrió _____.

12. Al llegar a América, Bobadilla encadenó a Colón y a sus dos hermanos y los mandó _____.

13. Después de su cuarto viaje Colón volvió a España, donde dos años más tarde murió _____.

14. Algunas personas creen que los restos de Colón están _____.

15. En la catedral de Sevilla hay _____.

16. La América española ha dado el nombre del descubridor a _____.

LECCIÓN 10

In this lesson you will learn and practice:

1. some useful words and expressions
2. regular and irregular verb forms of the future and conditional indicative tenses
3. uses of the future tense
4. uses of the conditional tense
5. the irregular comparison of adjectives and the comparison of adverbs
6. forms of the future perfect and conditional perfect indicative tenses

Plaza de las Tres Culturas, Mexico City, Mexico

Monterrey, Mexico

PALABRAS Y EXPRESIONES

SUBSTANTIVOS

la conferencia lecture
la duda doubt
el estado state, condition
la fila row
el pie foot
el trabajo work, task

ADJETIVOS

panamericano, -a Pan-American
seguro, -a sure, certain

ADVERBIOS

fácilmente easily
rápidamente rapidly, fast

VERBOS

asegurar to assure
probar (ue) to try, test

recoger to pick up
reparar to repair, fix

EXPRESIONES

*****asistir a** + *obj.* to attend
*****creer que sí (no)** to believe *or*
  think so (not)
en buen (mal) estado in good (bad)
  condition
estar de pie to be standing
estar seguro, -a (de que) to be sure
  (that)
*****la América española** Spanish
  America
la segunda the second one *(f.)*
me gustaría (mucho) I should like
  (very much) to
miles (de ellas) thousands *or* many (of
  them) *(f.)*
*****sin duda** doubtless, without a
  doubt

La segunda conferencia del señor Solís

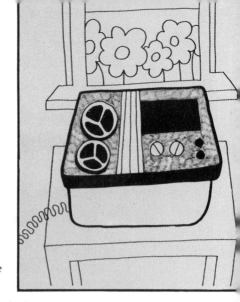

(Ricardo pasa por la calle y se detiene para saludar a Pablo que en ese momento está de pie al lado de su casa.)

Ricardo. ¡Hola, Pablo! ¿Sabes que por fin Felipe pudo recoger su grabadora de cinta ayer por la tarde? Tardaron casi dos semanas en repararla.

Pablo. Yo no sabía que no funcionaba bien. Ahora Felipe podrá preparar mejor sus lecciones si está en buen estado. Me gustaría probarla.

Ricardo. Te aseguro que funciona bien ahora. Anoche acompañé a Felipe cuando grabó la primera conferencia del señor Solís. Esta noche iremos a grabar la segunda. ¿Podrás acompañarnos?

Pablo. ¡Claro que sí! Sería un gran placer. Sin duda habrá mucha gente allí.

Ricardo. Creo que sí. Estoy seguro de que la mayor parte de los alumnos de mi clase asistirán a la conferencia.

Ricardo. El señor Solís dijo que esta noche nos enseñaría algunas fotos también. Como sabes, ha sacado miles de ellas en sus viajes por la América española.

Pablo. ¡Magnífico! ¿Dónde va a dar la conferencia?

Ricardo. En el Club Panamericano.

Pablo. ¿A qué hora será necesario pasar por la casa de Felipe?

Ricardo. Tendremos que salir de allí a las siete o a las siete y cuarto.

Pablo. Pues, antes de cenar, mi hermano menor y yo tendremos tiempo para terminar el trabajo que estamos haciendo en el jardín. Podremos trabajar un poco más rápidamente, yo creo.

Ricardo. Podremos grabar la conferencia más fácilmente si estamos sentados en la primera fila.

Pablo. Muy bien. Estaré listo.

Ricardo. Le diré a Felipe que tú vendrás con nosotros. Él se alegrará de saber eso.

119

Preguntas

Answer in Spanish these questions based on the first part of the dialogue:

1. ¿A quién saluda Ricardo? 2. ¿Qué pudo hacer Felipe ayer por la tarde? 3. ¿Qué podrá hacer Felipe con la grabadora? 4. ¿Qué grabó Felipe anoche? 5. ¿Quién lo acompañó? 6. ¿Cuándo irán a grabar la segunda conferencia? 7. ¿Podrá acompañarlos Pablo? 8. ¿Asistirán a la conferencia muchos alumnos de la clase de Ricardo?

Preguntas generales

1. ¿Qué se usa para grabar conferencias? 2. ¿Tenemos grabadora en esta clase? 3. ¿Escuchan Uds. cintas de los diálogos de las lecciones? 4. ¿Sacas muchas fotos? 5. ¿Has visto muchas fotos de la América española? 6. ¿Sacas fotos de tus amigos? 7. ¿Te gustaría ir a la América española? 8. ¿A qué país te gustaría ir? 9. ¿Asistirás a una conferencia pronto? 10. ¿A qué hora llegarás a casa hoy?

para conversar

Study the second part of the dialogue so that you can repeat it with your teacher or with one of your classmates.

Write an original conversation between students consisting of six exchanges about something they will do the next day, using the future tense when possible. Keep in mind the meaning of the conversation and be ready to read it in class.

NOTAS

A. Forms of the future indicative tense

FUTURE ENDINGS		tomar	
-é	-emos	tomaré	tomaremos
-ás	-éis	tomarás	tomaréis
-á	-án	tomará	tomarán

The future endings are regularly attached to the full infinitive, and there is only one set of future endings for all verbs in Spanish. (1) Did you notice that the endings of the future are those of the present indicative of **haber** (**he, has, ha, hemos, habéis, han)?** (2) Which ending does not have a written accent? (3) In pronouncing the forms, did you notice that the stress is always on the ending?

B. Forms of the conditional indicative tense.

CONDITIONAL ENDINGS		comer	
-ía	-íamos	comería	comeríamos
-ías	-íais	comerías	comeríais
-ía	-ían	comería	comerían

As in the case of the future tense, there is only one set of conditional endings for all verbs, and they are regularly attached to the full infinitive. (4) Did you notice that the conditional endings are those of the imperfect tense of **haber**? (5) Which two forms in this tense are identical? (6) Is there any form on which a written accent is not required?

C. Verbs irregular in the future and conditional tenses

INFINITIVE	FUTURE	CONDITIONAL
(1) haber	**habré, -ás, -á,** etc.	**habría, -ías, -ía,** etc.
poder	**podré, -ás, -á,** etc.	**podría, -ías, -ía,** etc.
querer	**querré, -ás, -á,** etc.	**querría, -ías, -ía,** etc.
saber	**sabré, -ás, -á,** etc.	**sabría, -ías, -ía,** etc.
(2) poner	**pondré,** etc.	**pondría,** etc.
salir	**saldré,** etc.	**saldría,** etc.
tener	**tendré,** etc.	**tendría,** etc.
valer	**valdré,** etc.	**valdría,** etc.
venir	**vendré,** etc.	**vendría,** etc.
(3) decir	**diré,** etc.	**diría,** etc.
hacer	**haré,** etc.	**haría,** etc.

The future and conditional tenses of irregular verbs have the same stem, and the endings are the same as for regular verbs. The irregularity is in the stem used.

D. Uses of the future tense

Estaré listo.   I shall be ready.
Pablo dice que vendrá.   Paul says that he will come.
Tendremos tiempo para terminar el trabajo.   We will have time to finish the work.
Saben que lo haremos.   They know that we shall do it.

The meaning of the future tense is *shall* or *will* in English, and it expresses future actions or conditions.

Up to this point substitutions have been used for the future, as is commonly done in English:

Voy a ver a Juan esta noche.   I'm going to see John tonight.
Yo sé que Marta viene mañana.   I know that Martha is coming tomorrow.
Hemos de ir a la conferencia.   We are (supposed) to go to the lecture.

When *will* means *be willing to,* it is translated by the present tense of **querer.** In the negative it may mean *be unwilling to:*

¿Quieres ir con nosotros?   Will you go with us?
Ellos no quieren esperar.   They won't (are unwilling to) wait.

E. Uses of the conditional tense

Sería un gran placer.   It would be a great pleasure.
Pablo dijo que vendría.   Paul said that he would come.
Me gustaría probarla.   I should like to try it.

The conditional tense is translated by *should* or *would.* When *should* means *ought to* (moral obligation), it is expressed by the verb **deber:**

Debo escribirle a Enrique.   I should (ought to, must) write to Henry.

The future and conditional tenses are used after **si** when it means *whether,* but never in a condition when **si** means *if:*

Yo no sé (sabía) si ella saldrá (saldría).   I do not know (did not know) whether she will (would) go out.

The impersonal form **habrá** means *there will be;* the conditional **habría** means *there would be:* **Habrá (Habría) mucha gente allí,** *There will be (There would be) many people there.*

F. Irregular comparison of adjectives and comparison of adverbs

1. Irregular comparison of adjectives

grande	large	{(el) **más grande**	(the) larger, largest
		(el) **mayor**	(the) greater, older, greatest, oldest
pequeño	small	{(el) **más pequeño**	(the) smaller, smallest
		(el) **menor**	(the) smaller, younger, smallest, youngest
bueno	good	(el) **mejor**	(the) better, best
malo	bad	(el) **peor**	(the) worse, worst

Remember that adjectives are regularly compared by using **más,** *more, most,* and **menos,** *less, least,* before them. The definite article is used when *the* is a part of the meaning, and the adjective must agree with the noun in gender and number. After a superlative, English *in* is translated by **de: Esta calle es la más larga de la ciudad,** *This street is the longest in the city.*

Grande and **pequeño, -a** have regular forms which refer to size; the irregular forms **mayor** and **menor** usually refer to persons and mean *older* and *younger,* respectively. **Mejor** and **peor** precede a noun, just as **bueno, -a** and **malo, -a** usually precede it.

Most (of), the greater part of, is translated **la mayor parte de: la mayor parte del día,** *most (the greater part) of the day.*

(1) When does **grande** become **gran** (see Lección 9, page 107)? (2) What is its meaning then? (3) What form is used before plural nouns?

2. Comparison of adverbs

pronto quickly	**más pronto** more quickly
bien well	**mejor** better, best
mal badly	**peor** worse, worst
mucho much	**más** more, most
poco little	**menos** less, least

Adverbs are normally compared the same way as adjectives. The only ones compared irregularly are **bien, mal, mucho,** and **poco.**

APLICACIÓN. Read, keeping the meaning in mind:

1. La mayor parte de los muchachos asistirán a la conferencia. 2. Juan todavía tiene la mayor parte del dinero. 3. Mi hermano mayor llevó a mi hermana menor al cine. 4. Ellos viven en la casa más grande de la ciudad. 5. Este parque es el más pequeño de todos. 6. Aquellas flores son las más bonitas del jardín. 7. Creo que este camino es el peor de nuestro país. 8. ¿Pronunciamos mejor o peor que ayer?

G. Forms of the future perfect and conditional perfect indicative tenses

Special Note: Even though the future perfect and conditional perfect tenses will not be used until later, the forms of the two tenses are included in this lesson with the future and conditional tenses for purposes of recognition.

FUTURE PERFECT		CONDITIONAL PERFECT	
habré		habría	
habrás		habrías	
habrá		habría	
habremos	} tomado	habríamos	} comido
habréis		habríais	
habrán		habrían	

These tenses are generally used as in English and are translated: (**yo**) **habré tomado,** *I shall* or *will have taken:* (**yo**) **habría comido,** *I should* or *would have eaten.*

Creo que ellos habrán vuelto.   I believe that they will have returned.
Yo sabía que él lo habría visto.   I knew that he would have seen it.

APLICACIÓN.   Read, keeping the meaning in mind:

1. Yo estoy seguro de que Elena ya habrá comido.   2. Yo sé que la mayor parte de los alumnos habrán ido al concierto.   3. Creemos que Carlos ya habrá sacado muchas fotos.   4. Sin duda los muchachos habrán terminado el trabajo.

5. Habría sido un gran placer ver la película.   6. Con una grabadora Juan habría podido preparar mejor sus lecciones de español.   7. Nos habría gustado ir al parque.   8. Yo creía que Eduardo habría asistido a la conferencia.

EJERCICIOS ORALES

A. Substitution exercises:

1. *Yo* tomaré café a las cuatro.
   (Él y yo, Nosotros, Ud., Uds., Tú)
2. *Uds.* aprenderán la canción.
   (Ella, Tú, Yo, Nosotros, Carlos y Pablo)
3. *La muchacha* saldrá muy pronto.
   (Las muchachas, Nosotros, Yo, Tú, Inés)

4. ¿Lo harán *ellos?*
   (tú, ella, Uds., yo, nosotros)
5. *Él* les escribiría mañana.
   (Yo, Nosotros, Tú, Juan y José, Uds.)
6. *Yo* no podría hacer eso rápidamente.
   (Luisa y yo, Luisa, Tú, Ellos, Uds.)

B. Answer in the affirmative in Spanish:

1. ¿Comprarás un lápiz?
2. ¿Recogerá Juan la revista?
3. ¿Comerán Uds. a las seis?
4. ¿Podrás ir al concierto?
5. ¿Estarán listas las muchachas?
6. ¿Saldremos antes de la una?
7. ¿Querrás esperar un rato?
8. ¿Les dirá Ud. eso a ellos?
9. ¿Irán Uds. al aeropuerto?
10. ¿Vendrá Anita a ver la película?
11. ¿Haremos el trabajo hoy?
12. ¿Tendrán Uds. bastante tiempo?

13. ¿Dijo José que vendría hoy?
14. ¿Podrían Uds. jugar con José?
15. ¿Te gustaría oír la conferencia?
16. ¿Tendrían Uds. tiempo para verlos?

C. Read, changing the infinitive in parentheses to the future and keeping the meaning in mind:

1. Nosotros (ir) al parque mañana. 2. Muchas personas (estar) allí. 3. Sin duda (haber) muchos niños. 4. ¿(Poder) tú acompañarnos? 5. Bárbara dice que (tener) que ayudar a su madre. 6. Elena y yo (salir) de casa a eso de las dos. 7. Creo que nosotros (tomar) algo en el café. 8. Elena (querer) sacar algunas fotos. 9. Uds. (venir) también, ¿verdad? 10. (Ser) necesario estar en casa antes de las cinco. 11. ¿(Ir) tú conmigo a la conferencia? 12. ¿Le (decir) tú a Bárbara lo que hemos decidido?

D. Read, changing the infinitive in parentheses to the conditional and keeping the meaning in mind:

1. Marta me dijo que ella (ir) a la fiesta. 2. Yo le dije a ella que yo (llevar) varias cosas. 3. Yo sabía que algunos amigos no (poder) estar allí. 4. ¿Te (gustar) ir con nosotros? 5. Sí, (ser) un gran placer hacerlo. 6. Enrique creía que no (llegar) hasta las nueve. 7. Sabíamos que Tomás (tener) que esperar. 8. Yo estaba seguro de que Vicente no (hacer) el trabajo esta tarde.

EJERCICIOS ESCRITOS

A. Write each sentence, substituting a word opposite in meaning to the word in italics:

1. Les aseguro a Uds. que este camino es *bueno*. 2. Aquel camino es *peor;* está en *mal* estado. 3. Estos discos son los *peores* de todos. 4. Marta es mi hermana *menor*. 5. ¿Tienes dos hermanos *mayores?* 6. María recibe *menos* cartas que nadie. 7. Felipe tiene *poco* interés en el fútbol. 8. Este parque es el más *grande* de la ciudad.

B. Write in Spanish:

1. We shall be at Paul's tonight.   2. He will show us some photos that he has taken.   3. We shall not have time to finish this work.   4. It will be necessary to eat supper early.   5. We shall be able to spend the evening there.   6. Also, there will be other students at his house.   7. I know that they will be glad to see the photos.   8. Will you *(fam.)* call Philip before leaving home?   9. I said that I would not be able to go to the café.   10. I should like to hear the lecture this afternoon.   11. John knew that we would not come to his house tonight.   12. Mary said that she would not have to leave before eating supper.   13. "Is this tape good?" "Yes, it is the best of all *(pl.)*."   14. "Is the coffee bad?" "Yes, it is worse than ever."   15. "Is Mary older than Charles?" "No, she is his younger sister."   16. John dances well, but Philip dances better.   17. Martha studies much; Jane studies less.   18. They talk more rapidly than I.

PRÁCTICA

—¡Hola, Pablo! Pasa tú y siéntate.

—Gracias, Tomás. Me han dicho que tienes una grabadora nueva. Me gustaría verla.

—Te la enseñaré con mucho gusto. Pasa por aquí . . .

—¡Qué bonita es!

—Muchas gracias. Carlos y yo hemos estado grabando cintas toda la tarde. ¿No quieres probarla?

—Es difícil hacerlo, ¿no?

—No, es muy fácil. Acércate al micrófono. ¿De qué vas a hablar? Voy a apretar el botón.

acercarse al micrófono   to approach (get close to) the microphone
apretar (ie) el botón   to push the button
parar la máquina   to stop the machine
pasa (tú)   come in

pasar por aquí   to pass (come) this way
poner (la máquina) en marcha   to start (the machine)
tomar el micrófono   to take the microphone
toda la tarde   all afternoon, the whole (entire) afternoon

The Prácticas which are included in the lessons from this point on offer additional conversational practice. Prepare them so that you can repeat them with your classmates or with your teacher. All new words and expressions are listed, and, in some cases, alternate words and expressions are included. An occasional construction used in the Prácticas is listed with its meaning and is explained later.

LECCIÓN 11

In this lesson you will learn and practice:

1. some new words and expressions
2. forms of stem-changing verbs, Class II and Class III
3. uses of *preguntar* and *pedir*
4. long forms of possessive adjectives which follow the noun

SOSTENIDA *en* PARTE CON LA AYUDA DE ADMINISTRACION CIUDAD MODELO DE NEW YORK

PALABRAS Y EXPRESIONES

SUBSTANTIVOS

la cama bed
Dios God
la joyería jewelry store (shop)
el novio boyfriend, sweetheart, fiancé
el resfriado cold *(disease)*
la siesta siesta, nap
el timbre doorbell
el vecino neighbor

ADJETIVOS

contento, -a happy, contented, glad
querido, -a dear

VERBOS

divertir (ie, i) to amuse, divert; *reflex.* to amuse oneself, have a good time
dormir (ue, u) to sleep; *reflex.* to fall asleep, go to sleep
enamorarse (de) to fall in love (with)
pedir (i, i) to ask, ask for, request, beg
prometer to promise
sentir (ie, i) to regret, be sorry; *reflex.* to feel
tocar to ring
vestir (i, i) to dress; *reflex.* to dress (oneself), get dressed

EXPRESIONES

de pronto quickly, suddenly
¡Dios mío! heavens! my goodness (gracious)!
divertirse (ie, i) mucho to have a very good time
dormir (ue, u) la siesta to take a nap
en la cama in (the) bed
*__hasta mañana__ until (see you) tomorrow
lo siento (mucho) I'm (very) sorry
muy buenas good afternoon (evening) *(used in reply to* **buenas tardes** *or* **buenas noches**)
*__pasa (tú)__ come in
pedir (i, i) permiso para to ask permission to

Juanita no se siente bien

(Son las cinco de la tarde. Isabel sale de la oficina y pasa por la casa de su amiga Juanita. Toca el timbre, y Juanita abre la puerta.)

Juanita. Buenas tardes, Isabel. Pasa, por favor. ¡Me alegro de verte!

Isabel. Muy buenas. ¿Has estado enferma? No te he visto en la oficina.

Juanita. No me siento muy bien y pedí permiso para quedarme en casa. Tengo un resfriado.

Isabel. ¡Lo siento mucho, querida! ¿Por qué no te acuestas?

Juanita. Ayer pasé la mayor parte del día en la cama y esta mañana me levanté tarde. Me vestí, pero después de almorzar, dormí la siesta. Ahora me siento un poco mejor.

Isabel. ¿Dormiste mucho?

Juanita. Muy poco. Mi hermano menor estaba jugando en el patio con unos niños, que son vecinos nuestros, y no pude dormir bien . . .

Juanita. A propósito, ¿has visto a Bárbara hoy?

Isabel. Al mediodía la vi en el centro, donde buscaba un regalo para una tía suya. La acompañé a una joyería donde encontró una pulsera muy bonita.

Juanita. ¿Qué te contó Bárbara de su excursión a Nueva York?

Isabel. Se divirtió mucho y quiere volver pronto. Allí conoció a Ricardo Díaz, el hermano mayor del novio de Carmen, y se enamoró de él. Ella dice que es guapo y muy simpático. Bárbara está muy contenta.

Juanita. ¡Dios mío![1] ¿Se ha enamorado tan de pronto? Tengo muchos deseos de charlar con ella.

Isabel. Prometí llamarla por teléfono a eso de las seis y se lo diré.

Juanita. Muchas gracias. *(Isabel se levanta.)* Pero, ¿ya tienes que irte?

Isabel. Sí, ya es tarde, y tú debes descansar más. Esperamos verte en la oficina mañana. Adiós.

Juanita. Adiós. Hasta mañana.

---

[1]The use of sacred words such as **Dios** in exclamations is common in Spanish and is not considered strong language as the English equivalents might be.

Preguntas

Answer in Spanish these questions based on the first part of the dialogue:

1. ¿Quién toca el timbre?   2. ¿Se siente bien Juanita?   3. ¿Qué tiene ella?   4. ¿Se levantó tarde o temprano esa mañana?   5. ¿Se vistió ella?   6. Después de almorzar, ¿durmió Juanita la siesta?   7. ¿Durmió mucho?   8. ¿Por qué no durmió bien?

Preguntas generales

1. ¿Te sientes bien hoy?   2. ¿Tienes un resfriado?   3. ¿Duermes la siesta a veces?   4. ¿Dormiste bien anoche?   5. ¿Siempre duermes bien?   6. ¿Te vistes después de levantarte?   7. ¿Siempre te vistes antes de tomar el desayuno?   8. Generalmente ¿te diviertes mucho en un baile?   9. ¿Adónde se va para buscar una pulsera?   10. ¿Qué hace uno cuando llega a la puerta de la casa de alguien?

para conversar

Study the second part of the dialogue so that you can repeat it, or a large part of it, with a classmate.

For further practice, your teacher may ask you to prepare a conversation of six to eight exchanges telling how you spent a day when you had a cold or did not feel well enough to go to school or to work on Saturday.

NOTAS

A. Stem-changing verbs

CLASS II		CLASS III
sentir, *to regret*	**dormir,** *to sleep*	**pedir,** *to ask (for)*
PRESENT INDICATIVE		
siento	**duermo**	**pido**
sientes	**duermes**	**pides**
siente	**duerme**	**pide**
sentimos	dormimos	pedimos
sentís	dormís	pedís
sienten	**duermen**	**piden**
PRETERIT		
sentí	dormí	pedí
sentiste	dormiste	pediste
sintió	**durmió**	**pidió**
sentimos	dormimos	pedimos
sentisteis	dormisteis	pedisteis
sintieron	**durmieron**	**pidieron**
PRESENT PARTICIPLES		
sintiendo	**durmiendo**	**pidiendo**

When the stem of certain **-ir** verbs is stressed, **e** becomes **ie** and **o** becomes **ue.**
(1) In which forms of the present indicative tense of Class II verbs does this change occur? (2) What are the two infinitive endings of Class I verbs, and what changes occur in the present indicative tense? (See Lección 2, page 17.)

(3) In which forms of the preterit tense of Class II verbs does **e** change to **i** and **o** to **u**? (4) Do Class I verbs have changes in the preterit? Class II verbs are designated: **sentir (ie, i), dormir (ue, u).**

(5) What is the infinitive ending of Class III verbs? (6) What change occurs in the present indicative of Class III verbs? (7) In which forms does **e** become **i**? (8) In which forms of the preterit does the same change occur? These verbs are designated: **pedir (i, i).**

(9) Do any changes occur in the present participles of Class II and Class III verbs? (10) What are they?

The command forms of Class II and Class III verbs will be taken up later.

B. Uses of **preguntar** and **pedir**

Le preguntaré si está ocupado. I shall ask him if (whether) he is busy.
¿Preguntaron ellos por mí? Did they ask (inquire) about me?
Nos pidieron varias cosas. They asked us for several things.
Ella me pidió el libro. She asked me for the book.

  Preguntar means *to ask* (a question); **preguntar por** means *to ask for (about)*, *inquire about.*

  Pedir means *to ask* (a favor), *ask for* (something), *to request* (something of someone). The use of **pedir,** *to ask, request* (someone to do something) will be discussed later.

Le pedí a Juan el lápiz. I asked John for the pencil.
—¿Pueden ir también? —Se lo preguntaré (a ellos). "Can they go too?" "I shall ask them (lit., I shall ask it of them)."

  With both **preguntar** and **pedir**, the person of whom something is asked is the indirect object. The neuter pronoun **lo** is used to complete the sentence if a direct object is not expressed. In addition to the last example given, note the phrase **se lo diré,** *I shall tell her (it),* in line 26, page 129.

C. Possessive adjectives which follow the noun

SINGULAR		**PLURAL**
mío, mía	my, (of) mine	**míos, mías**
tuyo, tuya	your *(fam.),* (of) yours	**tuyos, tuyas**
suyo, suya	his, her, your *(formal)*, its, (of) his, hers, yours, its	**suyos, suyas**
nuestro, nuestra	our, (of) ours	**nuestros, nuestras**
vuestro, vuestra	your *(fam. pl.),* (of) yours	**vuestros, vuestras**
suyo, suya	their, your *(formal pl.),* (of) theirs, yours	**suyos, suyas**

(a) **un amigo mío** a friend of mine
 unos vecinos nuestros some neighbors of ours
 Carolina y un tío suyo Caroline and an uncle of hers
 Los libros son míos (nuestros). The books are mine (ours).

(b) **querida (amiga) mía**   my dear (friend)

(c) **¡Dios mío!**   heavens!

You already know the short forms of the possessive adjectives. (1) What are they? (See Lección 6, pages 64-65.) (2) Do the short forms precede or follow the noun? (3) Where are the long forms placed with respect to the noun? (4) How do they agree with the noun?

The long forms are most commonly used (a) to translate *of mine, of his, of yours*, etc., and *mine, his, yours*, etc., after **ser;** (b) in direct address; and (c) in certain set phrases.

Since **suyo (-a, -os, -as)** has several meanings, the forms **de él**, etc., may be substituted to make the meaning clear: **dos hermanos suyos = dos hermanos de él (de ella, de ellos, de ellas, de Ud., de Uds.),** *two brothers of his (hers, theirs, yours).*

APLICACIÓN. Read, then repeat, making singular words plural and keeping the meaning in mind:

1. algún amigo mío, algún amigo nuestro   2. alguna amiga mía, alguna amiga nuestra   3. la muchacha y una prima suya, el muchacho y una prima suya   4. el vestido de Dorotea, este vestido suyo   5. el suéter de Felipe, ese suéter suyo   6. ese regalo tuyo, esa pulsera tuya   7. ese amigo tuyo, esa amiga tuya   8. aquel vecino de mis tíos, aquel vecino suyo

EJERCICIOS ORALES

A. Substitution exercises:

1. *Mi mamá* duerme la siesta.
   (Yo, Tú, Nosotros, Uds., Los niños)
2. *Bárbara* siempre se divierte mucho.
   (Bárbara y yo, Yo, Ud., Tú, Ellos)
3. *Ellos* se sienten mejor.
   (Juanita, Tú, Uds., Ella y yo, Yo)
4. *Los muchachos* piden café.
   (Luisa, Yo, Uds., Tú, Él y yo)
5. *Jorge* le pidió un favor.
   (Jorge y ella, Yo, Él y yo, Tú, Uds.)
6. *Marta* durmió tarde.
   (Marta y Luisa, Tú, Yo, Uds., Nosotros)
7. *Uds.* se divirtieron mucho.
   (Ud., Juanita, Juan y Uds., Tú, Ella y él)

B. Say after your teacher, then repeat, changing the present tense to the preterit:

1. Se acuestan a las diez.   2. Duermen mejor.   3. Se despiertan temprano.   4. A las siete suena el teléfono.   5. Roberto se levanta y se viste.   6. Mi mamá divierte a los niños.   7. Ricardo me pide un favor.   8. No me preguntan por Carolina.   9. Luisa, ¿qué le pides a tu mamá?   10. Miguel se enamora de María.   11. ¿Les piden Uds. permiso para ir?   12. Mi hermano menor no se duerme temprano.

C. Say after your teacher, then repeat, using a form of **suyo, -a,** following the model.

Model. Luis y una amiga *de él*   Luis y una amiga de él
                                            Luis y una amiga suya

1. este reloj *de él*   5. aquel radio *de ellos*
2. esos discos *de ustedes*   6. aquellos amigos *de ellos*
3. esas cintas *de usted*   7. algunas amigas *de ella*
4. varias fotos *de ella*   8. dos tías *de él*

D. Review the first person singular present indicative of the irregular and stem-changing verbs, then answer in the affirmative in Spanish:

1. ¿Conoces a aquel hombre?   9. ¿Siempre vienes a clase?
2. ¿Les dices la verdad?   10. ¿Ves el mapa de España?
3. ¿Haces bien el trabajo?   11. ¿Cierras el libro?
4. ¿Oyes la orquesta?   12. ¿Vuelves a casa a tiempo?
5. ¿Pones el libro sobre la mesa?   13. ¿Puedes charlar un rato?
6. ¿Sales de casa temprano?   14. ¿Quieres tomar un refresco?
7. ¿Tienes un cuaderno?   15. ¿Pides café?
8. ¿Traes tu libro a clase todos   16. ¿Generalmente te vistes
   los días?   rápidamente?

EJERCICIOS ESCRITOS

A. Write answers to these questions, following the models.

Models. ¿Es amigo tuyo?   Sí, es amigo mío.
          ¿Son amigos tuyos?   Sí, son amigos míos.

1. ¿Es vecino tuyo?   4. ¿Son amigas tuyas?
2. ¿Es amiga tuya?   5. ¿Son primos tuyos?
3. ¿Es profesora tuya?   6. ¿Son vecinos tuyos?

Model: ¿Es de Juan este mapa?   Sí, es suyo; es de él.

7. ¿Es de María el periódico?

8. ¿Es de Carlos esta camisa?

9. ¿Es del profesor este libro?

10. ¿Son de Anita los paquetes?

11. ¿Son de los niños los guantes?

12. ¿Son de tus padres los coches?

B. Write in Spanish:

1. Is he a friend of yours *(fam.)*? Yes, he is a friend of mine.

2. Are they friends of yours *(fam.)*? Yes, they are friends of mine.

3. Is she a cousin of yours *(fam. pl.)*? Yes, she is a cousin of ours.

4. Are they cousins of yours *(formal pl.)*? Yes, they are cousins of ours.

5. Is this package Martha's? Yes, it is hers.

6. Is this hat yours *(formal sing.)*? Yes, it is mine.

7. Is this car yours *(formal pl.)*? Yes, it is ours.

8. Is this house theirs *(two ways)*? Yes, it is theirs.

C. Write in Spanish:

1. Don't you *(formal sing.)* feel well?   2. I feel much better today.   3. They are very sorry.   4. I am very eager to see her.   5. Most of the children want to sleep.   6. My younger brother took a nap.   7. They had a very good time last night.   8. Are you *(fam.)* having a good time?   9. Michael fell in love with Jane's older sister.   10. Why don't you *(fam.)* ask Henry for the notebook?   11. Martha fell asleep in the chair.   12. She will come at about six o'clock and I shall tell her (it).

PRÁCTICA

—¿Está el doctor Medina? Llamé por teléfono hace una hora.

—Sí, está. ¿Es usted el señor Fuentes?

—Sí, señorita.

—Pase usted por aquí y siéntese, por favor. *(Pronto entra el doctor Medina.)*

—Buenas tardes, señor Fuentes. ¿Qué le pasa a usted hoy?

—No sé, pero no me siento bien. Tengo dolor de cabeza y me duelen[1] los ojos.

—Voy a tomarle[1] la temperatura y el pulso. ¿También le duele la garganta?

—Me duele un poco. Creo que tengo fiebre . . .

—Sí, un grado y medio, pero no es nada grave. Solamente un resfriado.

—¿Qué debo hacer?

—Vuelva usted a casa y guarde cama hasta mañana. Tome esta medicina, tome mucha agua y se mejorará pronto. Si no, aquí tiene usted una receta para unas píldoras que puede comprar en la farmacia.

el agua *(f.)*[2] water	**guardar cama** to stay in bed
la cabeza head	**¿le duele la garganta?** does your throat hurt? (lit., does the throat hurt to you?)
el doctor doctor *(title)*	
doler (ue) to ache, pain, hurt	
el dolor ache, pain	**me duele un poco** it aches a little (lit., it aches to me a little)
la farmacia pharmacy, drugstore	
la fiebre fever	**me duelen los ojos** my eyes hurt
la garganta throat	**no es nada grave** it isn't serious at all
grave grave, serious	
la medicina medicine	**¿qué le pasa a usted?** what's the matter with you?
mejorarse to improve, get better	
el ojo eye	**tener dolor de cabeza** to have a headache
la píldora pill	
el pulso pulse	**voy a tomarle la temperatura** I'm going to take your temperature
la receta prescription	
aquí tiene usted (una receta) here is (a prescription)	

[1]For an explanation of this construction, see Lección 24, page 314. [2]The definite article **el** is used with a few feminine nouns which begin with stressed **-a** or **-ha;** thus one says **el agua,** *the water,* but **mucha agua,** *much water.*

LECCIÓN  12

In this lesson you will learn and
practice:

1. some new words and expressions
2. the forms of the present subjunctive tense of regular verbs
3. the forms of the present subjunctive tense of irregular and
   other verbs

Also you will review and practice
familiar and formal commands and
demonstrative adjectives and
pronouns.

PALABRAS Y EXPRESIONES

SUBSTANTIVOS

el abrigo (top)coat
la compañía company
el cuarto de baño bathroom
el hotel hotel
la maleta suitcase
la manera manner, way
el millonario millionaire
los negocios business
el presidente president
el recado message
el restaurante restaurant
la sorpresa surprise
la suerte luck

VERBOS

preocuparse to worry, be
concerned
servir (i, i) to serve

EXPRESIONES

¡cuánto me alegro de (verte)! how glad I am
to (see you)!
de ninguna manera by no means, not at all
(el avión) de las dos y media (the)
2:30 (plane)
el fin de semana weekend
el martes por la noche (on) Tuesday
evening (night)
hacer la maleta to pack the suitcase
¿me permite (Ud.) *or* **¿me permites** + *inf.?*
may I + *verb?*
mientras tanto meanwhile, in the meantime
¡qué gran sorpresa! what a great surprise!
se come muy bien allí the food is very good
there (one eats very well there)
tener (mucha) suerte to be (very) fortunate
or lucky
(viaje) de negocios business (trip)

¡Qué gran sorpresa!

(*Es jueves. Luis Gómez está haciendo un viaje de negocios muy corto en Texas. Acaba de entrar en su cuarto en su hotel cuando Pablo, que lo había conocido en México, llama a la puerta. El Sr. Gómez la abre.*)

Sr. Gómez. ¡Ah, Pablo! ¡Cuánto me alegro de verte! Pasa y siéntate.

Pablo. Muchas gracias. Pero, ¡qué gran sorpresa! Al pasar por la oficina de mi padre me dieron su recado y casi no pude creerlo.

Sr. Gómez. Un momento... No te sientes allí, por favor, porque esa silla no es cómoda. Ésta es mejor que ésa.

Pablo. Pero, dígame, señor Gómez, ¿cuánto tiempo va a estar Ud. aquí? ¿Por qué no me escribió que venía?

Sr. Gómez. No tuve tiempo. Llegué el martes por la noche y ayer trabajé todo el día. Lo siento mucho, pero tengo que partir para México en el avión de las dos y media.

Pablo. ¿Por qué no puede Ud. pasar el fin de semana con mi familia?

Sr. Gómez. Me gustaría mucho poder hacerlo, pero en estos días estoy muy ocupado. Mañana tengo que dar un informe sobre este viaje.

Pablo. Pues, lo invito a almorzar conmigo. Hay un buen restaurante cerca del hotel y se come muy bien allí.

Sr. Gómez. Acepto con mucho gusto, pero todavía no he hecho mi maleta.

Pablo. No se preocupe Ud. Sirven rápidamente allí. Nos queda tiempo.

Sr. Gómez. Mira lo que compré esta mañana—un abrigo, una chaqueta, un traje, camisas, dos pares de pantalones...

Pablo. ¡Señor Gómez, no me diga que es Ud. millonario!

Sr. Gómez. De ninguna manera. El presidente de mi compañía me ha dicho que debo hacer un viaje a Chile pronto. Me gusta mucho la ropa que tienen aquí y como yo tenía una hora esta mañana, decidí buscar lo que necesitaba.

Pablo. ¡Ha tenido Ud. mucha suerte! Pero, ¿no quiere comenzar a hacer su maleta? Y mientras tanto, ¿me permite lavarme las manos?

Sr. Gómez. ¡Cómo no! Puedes lavártelas allí, en el cuarto de baño. Estaré listo muy pronto.

139

Preguntas

Answer in Spanish these questions based on the first part of the dialogue:

1. ¿Qué día es?   2. ¿Quién acaba de entrar en su cuarto en su hotel?   3. ¿Qué dice el señor Gómez cuando ve a Pablo?   4. ¿Qué contesta Pablo?   5. ¿Cuándo supo Pablo que el señor Gómez estaba en la ciudad?   6. ¿Por qué no le escribió a Pablo que venía?   7. ¿Cuándo llegó el señor Gómez?   8. ¿Cuándo tiene que partir?

Preguntas generales

1. ¿Qué día de la semana es hoy?   2. ¿Qué día fue ayer?   3. ¿Qué día será mañana?   4. ¿A qué hora se almuerza en este país?   5. ¿Hay buenos hoteles en esta ciudad?   6. ¿Tienen restaurantes los hoteles?   7. ¿Se come bien en algún restaurante de aquí?   8. Si se hace un viaje, ¿en qué se lleva la ropa?   9. Generalmente, ¿qué ropa lleva un hombre cuando viaja?   10. ¿Haces tú viajes de negocios?

para conversar

Study the first part of the dialogue, then retell it in Spanish in your own words.

Prepare a conversation of six to eight exchanges in which you tell about (1) inviting a friend to lunch, or (2) the items you or a friend purchased before taking a long trip.

NOTAS

A. The present subjunctive tense of regular verbs

tomar		comer		vivir	
SINGULAR	PLURAL	SINGULAR	PLURAL	SINGULAR	PLURAL
tome	tomemos	coma	comamos	viva	vivamos
tomes	toméis	comas	comáis	vivas	viváis
tome	tomen	coma	coman	viva	vivan

(1) In the present subjunctive tense, with what letter do the endings of -**ar** verbs begin? (2) With what letter do the endings of -**er** and -**ir** verbs begin? (3) How do the endings in the present subjunctive compare with the present indicative endings?

In Lección 6, pages 62-63, you learned the endings for the formal commands with **usted** and **ustedes,** which are the endings of the third person singular and plural of the present subjunctive. (4) What form of this tense is used to express negative familiar commands (with **tú**)? Other uses of the subjunctive and the way it differs from the indicative will be explained in later lessons.

There is no regular translation for the subjunctive; in drill exercises the translation for the present subjunctive may be: (**que**) **yo tome,** *(that) I may take;* (**que**) **comamos,** *(that) we may eat.*

B. The present subjunctive of irregular and other verbs

INFINITIVE	1ST SINGULAR PRES. INDICATIVE	PRESENT SUBJUNCTIVE
conocer	**conozco**	**conozca, conozcas, conozca,** etc.
decir	**digo**	**diga, digas, diga,** etc.
hacer	**hago**	**haga, hagas, haga,** etc.
oír	**oigo**	**oiga, oigas, oiga,** etc.
poner	**pongo**	**ponga, pongas, ponga,** etc.
salir	**salgo**	**salga,** etc.
tener	**tengo**	**tenga,** etc.
traer	**traigo**	**traiga,** etc.
venir	**vengo**	**venga,** etc.
ver	**veo**	**vea,** etc.

To form the present subjunctive of all verbs, except the five given below and **haber** (to be given later), drop -**o** of the first person singular present indicative and add to the stem the subjunctive endings for the corresponding conjugation.

dar	estar	ir	saber	ser
dé	**esté**	**vaya**	**sepa**	**sea**
des	**estés**	**vayas**	sepas	seas
dé	**esté**	**vaya**	sepa	sea
demos	estemos	**vayamos**	sepamos	seamos
deis	estéis	**vayáis**	sepáis	seáis
den	**estén**	**vayan**	sepan	sean

Stem-changing verbs of Class I (ending in **-ar** and **-er**) have the same changes in the present subjunctive that they have in the present indicative, that is, throughout the singular and in the third person plural. This is also true of **poder** and **querer**.

cerrar:	**cierre**	**cierres**	**cierre**	cerremos	cerréis	**cierren**
volver:	**vuelva**	**vuelvas**	**vuelva**	volvamos	volváis	**vuelvan**
poder:	**pueda**	**puedas**	**pueda**	podamos	podáis	**puedan**
querer:	**quiera**	**quieras**	**quiera**	queramos	queráis	**quieran**

C.   Review of demonstrative adjectives and pronouns

Remember that the demonstrative pronouns are the same in form as the demonstrative adjectives, except that they have a written accent. The pronouns are:

éste, ésta, éstos, éstas   this (one), these
ése, ésa, ésos, ésas   that (one) those
aquél, aquélla, aquéllos, aquéllas   that (one), those

esto, eso, aquello   this, that (*neuter*)

esa silla y ésta   that chair and this one
aquellas ciudades y éstas   those cities and these
¿Te gusta ése?   Do you like that one?
¿Qué es esto?   What is this?
Me alegro de eso (aquello).   I am glad of that.

Ése refers to something near the person addressed and **aquél** to something at a distance.

The three neuter pronouns (**esto, eso, aquello**) refer to a statement, a general idea, or something which has not been identified. There are no written accents on these forms.

The demonstrative pronoun **éste** (**-a, -os, -as**) often translates *the latter* in Spanish. See footnote 6, page 34, and line 17, page 113 for uses of **éste**, *the latter*. Another example is:

Yo le di el dinero a la empleada; ésta envolvió la camisa.   I gave the money to the clerk; the latter wrapped up the shirt.

EJERCICIOS ORALES

A.   Say after your teacher, then change to a formal singular command.

Model: Ud. habla español.   Ud. habla español.   Hable Ud. español.

1. Ud. lee el artículo. 2. Ud. abre la puerta. 3. Ud. cierra la ventana. 4. Ud. escribe el informe. 5. Ud. hace la maleta. 6. Ud. va al supermercado. 7. Ud. viene a vernos. 8. Ud. está listo. 9. Ud. envuelve las cosas. 10. Ud. sale a la calle.

B. Say after your teacher, then change to the negative.

Model: Hágalo Ud.　　　Hágalo Ud.　No lo haga Ud.

1. Póngalos Ud. en la mesa. 2. Póngase Ud. el abrigo. 3. Enséñeles Ud. la chaqueta. 4. Lléveselos Ud. a ella. 5. Siéntense Uds. aquí. 6. Lávenselas Uds. allí. 7. Tráigannoslo Uds. hoy. 8. Dénmelo Uds. esta tarde.

C. Say after your teacher, then change to the negative.

Model: Pablo, trae el informe.　　　Pablo, trae el informe.
　　　　　　　　　　　　　　　　　No traigas el informe.

1. Marta, cierra el libro. 2. Enrique, compra la camisa. 3. Jorge, deja los ejercicios sobre la mesa. 4. Carlos, entra en el cuarto. 5. Elena, sirve el café. 6. Marta, aprende la canción. 7. Tomás, escribe la carta. 8. Luis, devuelve los sellos esta noche.

D. Say after your teacher, then give the corresponding demonstrative pronoun for the demonstrative adjective.

Model: este abrigo　　　este abrigo; éste

1. aquel hotel   2. aquella compañía   3. este restaurante   4. estas maletas   5. esos recados 6. esa sorpresa   7. ese cuarto   8. aquellos parques

Model: Mire Ud. aquel coche.　　　Mire Ud. aquel coche.　Mire Ud. aquél.

9. Juan me trajo estas cosas. 10. Entraron en aquel almacén. 11. Salieron de aquella joyería. 12. Tráiganme Uds. esos sobres. 13. ¿Te gustan estas fotos? 14. ¿Les llevarás esas flores?

E. Answer in the negative, following the model.

Model: ¿Qué traje te gusta? ¿Éste?　　　No, no me gusta ése.

1. ¿Qué maleta te gusta? ¿Ésta?
2. ¿Cuál de los abrigos te gusta? ¿Éste?
3. ¿Qué libros puedes llevarles? ¿Éstos?
4. ¿Cuál de los vestidos quieres ponerte? ¿Ése?
5. ¿Cuál de las pulseras vas a comprarte? ¿Ésa?
6. ¿Qué fotos te gustan? ¿Éstas?

Valparaíso, Chile

EJERCICIOS ESCRITOS

A. Write affirmative and negative formal commands for each question, substituting the correct object pronouns for the noun objects.

Model: ¿Le doy a Juan el libro?   Sí, déselo Ud. a él.
                                          No, no se lo dé Ud. a él.

1. ¿Le traigo a Miguel los sellos?   2. ¿Les llevo a los muchachos los bolígrafos?
3. ¿Le doy a la señora López el informe?   4. ¿Le envío a mi amigo el regalo?   5. ¿Me pongo el abrigo?   6. ¿Les digo a ellos la verdad?

B. Write negative familiar commands for each sentence, substituting the correct object pronouns for the noun objects.

Model: Lee tú la carta.   No la leas.

1. Prepara tú el almuerzo.   2. Llama tú a tu hermana.   3. Devuelve tú el paquete.
4. Invita tú a Luisa a cenar.   5. Acepta tú el cheque.   6. Limpia tú el cuarto.
7. Trae tú las cintas.   8. Deja tú el abrigo aquí.

C. Write in Spanish:

1. When Mr. Gómez sees Paul, he says: "How glad I am to see you *(fam.)*! Come in and sit down."[1]   2. Paul answers: "What a great surprise! Why didn't you *(formal sing.)* write me that you were coming?"   3. His Mexican friend said that he didn't have time to write.   4. He arrived Tuesday evening and on Wednesday he worked all day.   5. He said also that he would not be able to spend the weekend with Paul's family.   6. He had to give a report to the president of his company on Friday.   7. Paul invited him to have lunch, but first he had *(use imperfect)* to pack his

[1]Remember that Spanish quotation marks are placed on the line (see Appendix A, page 401).

suitcase.   8. That morning he had bought a suit, a topcoat, a jacket, and two pairs of pants.   9. He is to make a trip to Chile soon and he needs the clothes.   10. Paul plans to take him to a restaurant where the food is very good (where one eats very well).

Repaso de expresiones

Review the verbs and expressions used in Lecciones 10-12, then write in Spanish:

1. suddenly   2. by no means   3. most of the boys   4. in the meantime   5. in good condition   6. Thursday evening   7. I believe so.   8. They are standing.   9. Heavens!   10. We are very sorry.   11. Jane took a nap.   12. Don't worry *(pl.)*.   13. They are very lucky.   14. Thomas had a very good time.   15. I asked them for permission to use the car.   16. Did Mary pack her suitcase?   17. How long can you *(fam.)* stay here?   18. Mr. Solís will make a business trip.   19. Paul fell in love with Martha.   20. Louise, may I sit down here?   21. The two girls attend this school.   22. I took many (thousands of) photos.   23. I should like to serve coffee now.   24. We are sure that someone will come.   25. Mrs. Sierra will call us by telephone.

Students in San Andrés, Colombia

PRÁCTICA

—¡Caramba! ¡Qué tiempo horrible!

—¡Hombre! Pues, ¿no te gusta la lluvia?

—De ninguna manera. Lo malo es que ayer dejé mi paraguas aquí en la escuela. Y esta mañana me he mojado mucho.

—Yo también, como puedes ver, aunque he tenido mi paraguas. En casa busqué mi impermeable, pero no pude encontrarlo. Por eso, yo me mojé, como tú.

—Pues, Carlos ha venido en coche hoy y me ha dicho que puede llevarnos a casa si está lloviendo esta tarde.

—¡Qué bueno! Nos vemos entonces.

—Hasta luego.

horrible   horrible

el impermeable   raincoat

¡caramba!   gee! darn it!

¡hombre!   man! hey!

lo malo es   what is bad (the bad thing) is

mojarse (mucho)   to get (very) wet

nos vemos   we'll see (be seeing) each other

Escenas de España

"La Sagrada Familia" church in Barcelona, planned by the famous architect Gaudí

View of one of Barcelona's famed tree-lined boulevards

Generalife Gardens, Granada

High school class, Barcelona

Roman aqueduct, Segovia

(left) Contrasting views of Madrid; (top) Sidewalk café in Puerto de Santa María; (bottom) Toledo

(top left and right)
The Gothic Cathedral, Seville

Comparing notes at the school door, Barcelona

The "Plaza de España," Seville

A street in Palma, Mallorca

Lectura 4

Unos descubridores y exploradores españoles

Estudio de palabras

a. Keeping in mind the principles given in the Estudio de palabras section of Lectura 1 (page 32) concerning the recognition of cognates, *give the English for*: abundancia, noticia, palacio, territorio; acusación, civilización, expedición, tradición, vegetación; hostilidad, realidad; azteca, continente, insecto, océano, república.

b. *Compare the meanings of*: muerte, *death*—morir, *to die*; rico, *rich*—riquezas, *riches, wealth*; verdadero, *real, true*—verdad, *truth*.

c. *Pronounce and give the English for*: abandonar, desaparecer, detener, limitar, protestar.

d. Words in this Lectura with other differences which should be recognized easily, especially in context or when pronounced in Spanish, are: bahía, *bay*; desilusionado, *disillusioned*; enorme, *enormous, huge*; espíritu, *spirit*; indígena, *indigenous, native, Indian*; istmo, *isthmus*; virtud, *virtue*.

MODISMOS Y FRASES ÚTILES

al otro lado de on the other side of
al poco tiempo in (after) a short time
al tiempo que at the (same) time that, while, when
dedicarse a to dedicate (devote) oneself to
en su mayoría for the most part
hoy día nowadays, today

limitarse a to be limited (limit oneself) to
marcharse a to leave for, go to
oír decir que to hear that
ponerse en marcha to start, set out
por primera vez for the first time
prepararse para to prepare oneself for

Durante la primera mitad del siglo XVI los españoles descubrieron, exploraron y conquistaron una gran parte del Nuevo Mundo. Muchos españoles vinieron a la Española o a Cuba y a otras islas en busca de oro y como no lo hallaron, algunos se dedicaron a la agricultura; otros se marcharon a la Tierra Firme,[1] hoy la costa de Venezuela y Colombia. Al tiempo que conquistaban a los aztecas de la América del Norte, a los incas de la América del Sur y a otras tribus de los dos continentes, establecían ciudades y construían casas, palacios, iglesias, misiones, escuelas, universidades, caminos y muchas obras públicas. España trajo a América su lengua, su religión, su literatura, sus costumbres, sus leyes y sus tradiciones. La raza indígena no desapareció; en realidad, con la mezcla de la cultura indígena y la[2] de los españoles se formó una nueva civilización.

Las primeras expediciones se limitaron, en su mayoría, a las islas del Mar de las Antillas, llamado hoy día el Mar Caribe. Las Antillas Mayores[3] son Cuba, Santo Domingo, Puerto Rico y Jamaica. Santo Domingo, la antigua Española o *Hispaniola*, comprende[4] ahora la República Dominicana y la república de Haití. Las Antillas Menores[5] comprenden un gran número de islas pequeñas, entre ellas Trinidad, Martinica y las Islas Vírgenes.

La verdadera exploración y conquista de América comenzó en la Española. Ponce de León, que acompañó a Colón en su segundo viaje, fue uno de los primeros exploradores. En 1508 conquistó la isla de Puerto Rico, de la que[6] al poco tiempo fue nombrado gobernador. Unos años después algunos indios ancianos[7] le dijeron que en una tierra remota, situada al norte, se encontraba una región en que había una fuente cuyas aguas tenían la virtud de rejuvenecer a los que[8] se bañaban en ellas. Recordando todas las maravillas que había visto en el Nuevo Mundo, Ponce de León se puso en marcha hacia la isla de Biminí, donde, según la leyenda, estaba situada la fuente de la juventud.

Navegó primero hacia el oeste y luego, hacia el norte. Por fin, el domingo, 27 de marzo de 1513, descubrió una región cubierta de[9] flores y árboles. Le dio el nombre de la Florida, según unos, por haber llegado[10] el Domingo de Resurrección, o la Pascua Florida, y, según otros, por la gran abundancia de flores que se encontraban en todas partes. Ponce de León tomó posesión de la tierra en nombre del rey Fernando de España y buscó en vano la fuente de la juventud. Por fin, desilusionado, el pobre explorador tuvo que volver a Puerto Rico. Ocho años después trató de conquistar y colonizar la Florida, pero nunca pudo hacerlo.

En el año 1510 cuando Martín Fernández de Enciso navegaba de la Española hacia la Tierra Firme, un día saltó[11] de uno de los barriles de provisiones un hombre a quien no le habían permitido[12] formar parte de la expedición. Era éste un pobre hidalgo[13] español, llamado Vasco Núñez de Balboa, que había pasado unos diez años en la colonia. Enciso iba a abandonar a Balboa en una isla desierta, pero éste protestó, diciendo que conocía bien las tierras adonde iban. Al saber esto, Enciso le permitió continuar con la expedición. En realidad, Balboa guió a Enciso hasta el Golfo de Darién en la costa del istmo de Panamá.

---

[1]**Tierra Firme,** *Mainland.* [2]**la,** *that.* [3]**Mayores,** *Greater.* [4]**comprende,** *comprises, includes.* [5]**Menores,** *Lesser.* [6]**de la que,** *of which.* [7]**ancianos,** *old, elderly.* [8]**rejuvenecer a los que,** *rejuvenating (making young) those who.* [9]**cubierta de,** *covered with.* [10]**por haber llegado,** *because of (for) having arrived.* [11]**saltó,** *there jumped.* [12]**un hombre . . . permitido,** *a man whom they had not permitted.* [13]**hidalgo,** *nobleman.*

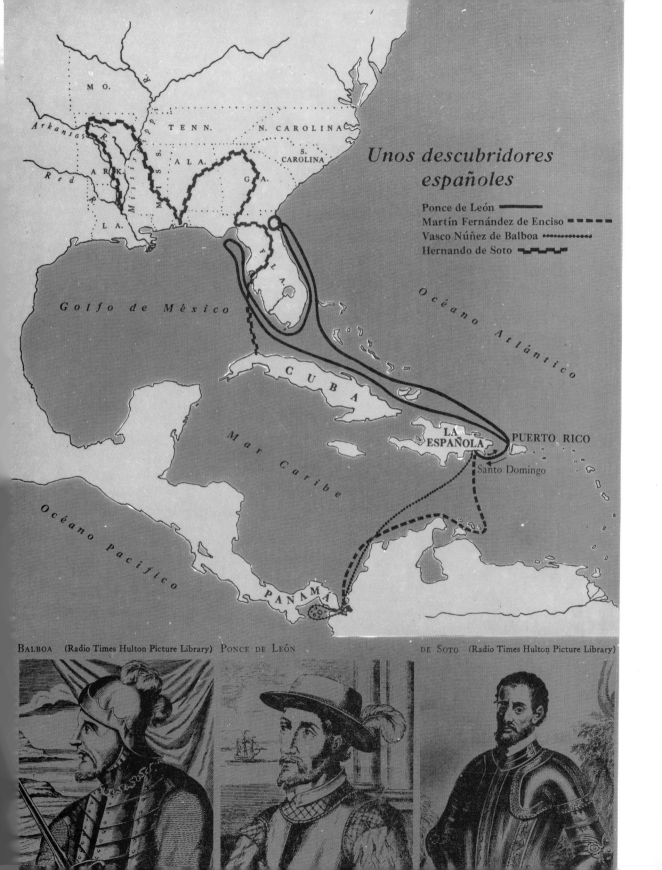

Unos descubridores españoles

Ponce de León ———
Martín Fernández de Enciso - - - - -
Vasco Núñez de Balboa ••••••••••
Hernando de Soto ▪▪▪▪▪▪▪

M O.

TENN.

N. CAROLINA

S. CAROLINA

ARK.

ALA.

GA.

Arkansas R.

Red R.

L A.

F L A.

Golfo de México

Océano Atlántico

C U B A

Mar Caribe

LA ESPAÑOLA

PUERTO RICO

Santo Domingo

Océano Pacífico

PANAMÁ

BALBOA   (Radio Times Hulton Picture Library)   PONCE DE LEÓN   DE SOTO   (Radio Times Hulton Picture Library)

Después de conquistar a los indios de Panamá, los españoles establecieron un pueblo. Al poco tiempo Balboa ganó la confianza[1] de los colonos y más tarde llegó a ser el jefe de la nueva colonia. Hablando con los indios, los españoles oyeron decir que al otro lado de las montañas había un mar enorme, el Mar del Sur,[2] en el cual navegaban los barcos de una nación poderosa, y que en esa nación podrían encontrar oro en abundancia. Ésta fue la primera noticia que los españoles tuvieron del Océano Pacífico y del imperio de los incas.

En el mes de septiembre de 1513 Balboa, con 150 hombres, salió en busca del Mar del Sur. Como tuvieron que atravesar[3] una región de densa vegetación tropical, tardaron 19 días en llegar a la cumbre[4] de las montañas, desde la cual Balboa vio por primera vez el gran océano. En ese lugar construyeron una cruz de madera,[5] con los brazos extendidos hacia los dos océanos. Continuando hacia la costa, el 29 de septiembre Balboa entró en el agua y, en nombre del rey de España, tomó posesión del Mar Pacífico y de todas sus costas y sus islas.

Al volver a la colonia, Balboa encontró que sus enemigos habían lanzado[6] acusaciones falsas contra él y que el rey había nombrado a Pedrarias Dávila, hombre cruel y codicioso,[7] gobernador de la colonia. Balboa estaba preparándose para un viaje de exploración al Perú cuando fue detenido por Pedrarias, que lo condenó a muerte[8] en 1517. La república de Panamá ha honrado al descubridor dando su nombre a dos ciudades y también a la moneda del país, que se llama *el balboa*.

Hernando de Soto (1497-1542) había sido compañero de Pedrarias en Panamá y de Pizarro[9] en el Perú antes de conseguir,[10] en 1536, el título de gobernador de Cuba y de la Florida. En 1539 partió de Cuba, con unos 600 hombres, para la Florida, donde esperaba hallar otra tierra tan rica como el Perú. En el mes de mayo llegó a la bahía del Espíritu Santo, llamada ahora Tampa Bay.

Durante dos años de Soto exploró los bosques hacia el norte y hacia el oeste, sin hallar las riquezas que buscaba. Tuvo que luchar contra los indios, el desaliento[11] de sus hombres, los insectos y el hambre. La marcha lo llevó por las tierras que hoy día forman parte de los estados de la Florida, Georgia, las Carolinas, Alabama y Misisipí. En la primavera de 1541 descubrió el río Misisipí. Durante el año siguiente de Soto y sus compañeros continuaron sus exploraciones hacia el oeste, pasando por el territorio que forma los estados de Misurí, Arkansas y Oklahoma. Enfermo y desalentado,[12] de Soto murió el 21 de mayo de 1542. Para ocultarles a los indios[13] la muerte de su valiente jefe, sus compañeros envolvieron su cuerpo en una manta, lo llevaron al río y lo arrojaron[14] en sus aguas.

---

[1]**confianza,** *confidence.* [2]**Mar del Sur,** *Southern Sea.* [3]**atravesar,** *to cross.* [4]**cumbre,** *summit.* [5]**cruz de madera,** *wooden cross (cross of wood).* [6]**habían lanzado,** *had hurled, made.* [7]**codicioso,** *greedy, covetous.* [8]**lo condenó a muerte,** *condemned him to death.* [9]See Lectura 5 for comments on Pizarro and the conquest of Peru. [10]**conseguir,** *obtaining, getting.* [11]**desaliento,** *discouragement.* [12]**desalentado,** *discouraged.* [13]**Para ocultarles a los indios,** *In order to hide from the Indians.* [14]**arrojaron,** *(they) threw.*

Preguntas

1. ¿En qué siglo exploraron los españoles una gran parte del Nuevo Mundo?
2. ¿Adónde vinieron los españoles?   3. ¿Qué trajeron los españoles a América?
4. ¿Cuáles son las Antillas Mayores?   5. ¿Quién fue uno de los primeros exploradores?   6. ¿Qué isla conquistó?   7. Según algunos indios ancianos, ¿dónde estaba la
fuente de la juventud?   8. ¿Hacia dónde navegó Ponce de León?   9. ¿Qué nombre
dio a la tierra que descubrió?   10. ¿Pudo hallar la fuente de la juventud?

11. ¿Quién guió la expedición de Enciso hasta la costa del istmo de Panamá?
12. ¿Cuántos años había pasado Balboa en la colonia?   13. ¿Qué llegó a ser
Balboa?   14. ¿Qué oyeron decir los españoles en Panamá?   15. ¿Cuándo salió
Balboa en busca del Mar del Sur?   16. ¿Cuántos días tardó en llegar a la cumbre de
las montañas?   17. ¿Qué vio Balboa desde allí?   18. ¿Qué hizo Balboa al llegar a la
costa?   19. Mientras tanto, ¿qué habían hecho los enemigos de Balboa?   20. ¿Qué
hizo Pedrarias?   21. ¿Qué ha hecho Panamá para honrar al descubridor?

22. ¿Quién recibió el título de gobernador de Cuba y de la Florida en 1536?   23. ¿Qué
esperaba hallar de Soto en la Florida?   24. ¿Por cuántos años exploró los bosques
hacia el norte y hacia el oeste?   25. ¿Por dónde lo llevó la marcha?   26. ¿Qué
descubrió en el año 1541?   27. ¿Qué territorio exploraron durante el año
siguiente?   28. A la muerte de Hernando de Soto, ¿qué hicieron sus compañeros?

Comprensión

Listen carefully to each sentence. Repeat the sentence, beginning your answer with
Sí or **No.** If the answer is **No,** make slight changes so that the statement will be
correct:

1. Los españoles hallaron mucho oro en la Española y en Cuba.
2. Los incas vivían en la América del Sur.
3. Las Antillas Mayores se encuentran en el Mar Caribe.
4. Ponce de León acompañó a Colón en su primer viaje.
5. Ponce de León estaba buscando la isla de Bimini cuando descubrió la Florida.
6. Pronto halló la fuente de la juventud.
7. Balboa guió a Enciso hasta el Golfo de México.
8. Con el tiempo Balboa llegó a ser el jefe de la colonia en el istmo de Panamá.
9. Balboa tomó posesión del Mar Pacífico en nombre del rey de España.
10. El rey nombró a Balboa gobernador de la colonia.
11. Hernando de Soto había tomado parte en la conquista del Perú con Pizarro.
12. En la Florida de Soto halló otra tierra tan rica como el Perú.

13. Tardó solamente dos meses en descubrir el río Misisipí.
14. Durante el año siguiente los españoles continuaron sus exploraciones hacia el oeste.
15. A la muerte de Hernando de Soto sus compañeros arrojaron su cuerpo en las aguas del río.

Lazarillo y el ciego[1]

The anonymous and immensely popular work La vida de Lazarillo de Tormes (1554) *is the first, and perhaps the greatest, of the picaresque novels in Spain. The realistic picaresque novel (sometimes called romance of roguery), which developed in Spain in the sixteenth and seventeenth centuries, presents the experiences of a rogue, or* pícaro, *in the service of a series of masters, whose trades and professions are satirized. This selection is an adaptation of a segment of the first chapter of the work.*

A mí me llaman Lazarillo de Tormes. Tengo ocho años de edad. Después de la muerte de mi padre, mi pobre madre vino a la ciudad de Salamanca para ganarse la vida. Allí se ganaba la vida preparándoles la comida a[2] unos estudiantes y lavándoles la ropa a otros. Más tarde ella fue a servir en una posada.[3]

En aquel tiempo vino a la posada un ciego que le preguntó a mi madre si yo podría servir para guiarle,[4] y ella contestó que sí. Como pasamos varios días en Salamanca sin ganar mucho dinero, el ciego decidió irse de allí.

Para mostrar bien la inteligencia de este astuto ciego, voy a relatar algo que me ocurrió con él. Llegando a un pueblo al tiempo que cogían las uvas,[5] un hombre le dio a mi amo un racimo[6] de ellas. Estaban tan maduras que se caían del racimo. Por eso, nos sentamos y él dijo:

—Yo quiero ser liberal contigo. Vamos a comer estas uvas y podemos dividirlas de esta manera: tú puedes tomar una uva y yo otra, pero tienes que prometerme no tomar más de una uva cada vez.

Comenzamos a comer, pero el traidor empezó a tomar dos uvas a la vez, pensando sin duda que yo hacía lo mismo. Pero yo, viendo que él no hacía lo que había prometido, tomaba tres a la vez. Cuando ya no quedaban uvas, el ciego dijo:

—Lazarillo, me has engañado.[7] Sé que tú has comido tres uvas a la vez.

—No, señor—dije yo. —¿Por qué sospecha usted eso?

El ciego respondió:

—¿No sabes cómo sé que las comiste tres a la vez? Pues, porque yo comía dos y tú no decías nada.

---

[1]**ciego,** *blind man.* [2]**preparándoles la comida a,** *preparing meals for.* [3]**posada,** *inn.* [4]Remember that in Spain **le** is usually preferred to **lo** for *him, you* (formal). [5]**uvas,** *grapes.* [6]**racimo,** *cluster, bunch.* [7]**engañar,** *to deceive.*

MODISMOS Y FRASES ÚTILES

a la vez   at a (the same) time
contestar que sí   to answer yes
de esta manera   in this way
ganarse la vida   to earn one's living

lo mismo   the same thing
tener . . . años (de edad)   to be . . . years
  old (of age)
ya no   no longer

Preguntas

1. ¿Cómo se llama el muchacho?   2. ¿Cuántos años tiene?   3. ¿Adónde fue su madre?   4. ¿Qué hacía ella allí?   5. ¿Quién vino a la posada?   6. ¿Qué le dio un hombre al ciego?   7. ¿Cómo estaban las uvas?   8. ¿Cuántas uvas iban a tomar cada vez?   9. ¿Qué empezó a hacer el ciego?   10. ¿Qué hizo Lazarillo?   11. ¿Qué dijo el ciego cuando ya no quedaban uvas?   12. ¿Cómo lo sabía el ciego?

Muchos jóvenes trabajan en fábricas y oficinas... Otros jóvenes empiezan a trabajar desde niños en los mismos trabajos de los adultos.

PREGUNTAS CULTURALES 2
El trabajo

¿EN LOS PAÍSES HISPANOS LOS JÓVENES TRABAJAN DESPUÉS DE LA ESCUELA O DURANTE LAS VACACIONES COMO ES COSTUMBRE EN LOS ESTADOS UNIDOS?

En los países hispanos es costumbre dentro de las familias que tienen suficientes recursos económicos, que los padres provean[1] la educación, la comida, la ropa y las diversiones de los hijos hasta cuando terminan la universidad o se casan. Aunque todo está cambiando, los jóvenes de familias acomodadas[2] no trabajan ni durante sus estudios ni durante las vacaciones.

Los jóvenes hispanos trabajan solamente cuando las necesidades económicas de la familia los obliga a buscar trabajo, pero a diferencia de[3] los jóvenes norteamericanos, la con-

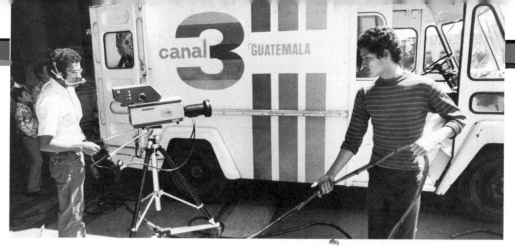

Aquellos que fueron a las escuelas técnicas empiezan a trabajar a los 17 o 18 años.

tribución del trabajo se destina a complementar también el presupuesto familiar[4] y no solamente el personal. Debe añadirse[5] que para los jóvenes hispanos es muy difícil encontrar trabajo, porque las oportunidades para eso son muy pocas.

¿QUÉ TIPOS DE TRABAJO HACEN LOS JÓVENES CUANDO TERMINAN LA ESCUELA?

La mayoría de los jóvenes que van a la universidad, igual que en otros países, trabajan como empleados de gobierno o en las empresas privadas: ingenieros, abogados, economistas, dentistas, médicos . . . Aquellos que fueron a las escuelas técnicas o a las normales empiezan a trabajar a los 17 o 18 años, como técnicos o maestros. Dentro de este grupo están los mecánicos, expertos en peluquería,[6] secretarias bilingües, dibujantes[7] de arquitectura y maestros de escuela primaria. Debido a un gran crecimiento[8] de la industria, muchos jóvenes trabajan en fábricas y oficinas donde encuentran entrenamiento al mismo tiempo.

Muchas familias hispanas necesitan que los hijos contribuyan[9] al presupuesto familiar y es por ello que muchos jóvenes trabajan durante el día en fábricas y oficinas, y por las noches estudian en escuelas secundarias. Otros jóvenes abandonan los estudios completamente después de dos o tres años y empiezan a trabajar desde niños[10] en los mismos trabajos de los adultos: sembrar[11] la tierra, recolectar las cosechas,[12] llevar el agua. En las pequeñas y grandes ciudades muchos jóvenes son zapateros, carpinteros o se ganan la vida vendiendo frutas, dulces, pan, cobijas,[13] libros y ropa usados.

[1]provean, *provide.* [2]acomodadas, *comfortable, well-to-do.* [3]a diferencia de, *unlike.* [4]se destina . . . familiar, *is also destined (used) to complement the family budget.* [5]Debe añadirse, *It should be added.* [6]peluquería, *hair styling.* [7]dibujantes, *draftsmen (draftswomen).* [8]Debido a un gran crecimiento, *Due to a great growth.* [9]necesitan que los hijos contribuyan, *need the children to contribute.* [10]desde niños, *from the time they are children.* [11]sembrar, *to seed.* [12]recolectar las cosechas, *gather in the crops (harvests).* [13]cobijas, *blankets.*

155

(arriba y página de enfrente) Hay médicas, ingenieras, abogadas, arquitectas, gerentes de banco ... (abajo) Administradora de una estación de gasolina, República Dominicana

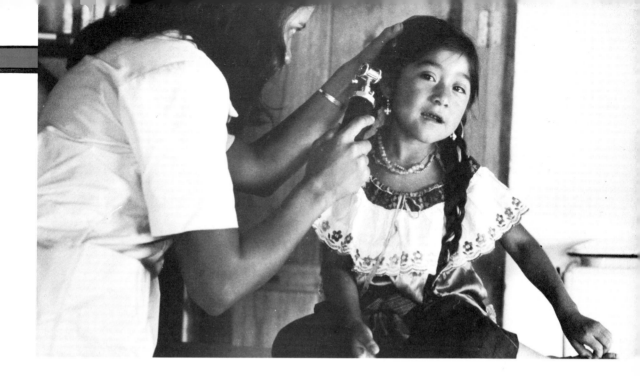

¿EN QUÉ TRABAJAN LAS MUJERES HISPANAS?

En las culturas hispanas tradicionales, los trabajos que hacían los hombres no los[1] hacían las mujeres,[2] y el trabajo estaba muy claramente dividido en labores femeninas o labores masculinas. El trabajo que hacen la mayoría de las jóvenes hispanas hoy es el de ser amas de casa.[3] Pero también en esto hay muchos cambios. Hay médicas, ingenieras, abogadas, arquitectas, policías,[4] gerentes de banco[5] y hasta gobernadoras[6] o alcaldesas.[7]

En las clases pobres, las mujeres además de ser amas de casa contribuyen también al sustento de la familia: son empleadas domésticas, vendedoras, tejedoras,[8] obreras,[9] camareras.[10] En las culturas hispanas, solamente las mujeres o los niños ejecutan los oficios domésticos; los hombres ayudan muy poco en la casa porque no consideran masculino lavar platos o preparar comida. Hay también gran cantidad de jóvenes campesinas que van a probar suerte[11] a la ciudad, y el primer trabajo que consiguen es el de ser muchachas de servicio.[12] Es por esto que es muy común que las familias de clases medias y altas tienen servicio doméstico.

[1]When the direct object (**los trabajos** here) precedes the verb, the corresponding object pronoun is also used in Spanish. [2]los trabajos . . . mujeres, *women did not do the types of work which men did.* [3]el de ser amas de casa, *that of being homemakers.* [4]policías, *policewomen.* [5]gerentes de banco, *(women) bank managers.* [6]gobernadoras, *women governors.* [7]alcaldesas, *women mayors.* [8]tejedoras, *(women) weavers.* [9]obreras, *(women) factory workers.* [10]camareras, *waitresses.* [11]probar suerte, *to try their luck (lot).* [12]muchachas de servicio, *chambermaids.*

157

En un día de trabajo hay tiempo para tomar café, chocolate, té o mate. página de enfrente: Lago de Atitlán, Guatemala

¿QUÉ ACTITUDES SON DIFERENTES RESPECTO AL TRABAJO EN LOS PAÍSES HISPANOS?

En las grandes ciudades hispanas se nota poco la diferencia con la actitud hacia el trabajo que existe en Norteamérica. Los hombres de negocios, los industriales y muchos profesionales dicen que «El tiempo es oro» y por eso viven apresuradamente.[1] Pero en las ciudades medianas en un día de trabajo hay tiempo para todo: para tomar café, chocolate, té o mate;[2] para hablar por la mañana de las noticias, de política, de los vecinos; para dormir la siesta después del almuerzo.

Existe un cuento que ilustra las actitudes diferentes respecto al trabajo entre la cultura norteamericana y la hispánica; naturalmente hay muchas posiciones intermedias. Pero he aquí[3] el cuento:

Llega un día un hombre de negocios a una bella playa en un país del Caribe y encuentra a un pescador[4] casi dormido al lado de una pequeña red[5] debajo de una palma. El hombre de negocios sabe que hay muchos peces en esos mares y le dice al pescador:

—Hombre, aquí hay muchos peces en estas aguas. ¿Por qué no compras una red más grande y así puedes pescar más?

—Y ¿para qué quiero más pescados?—le pregunta el pescador.

—Pues, para poder tener una tienda y vender el pescado.

—Y ¿para qué quiero tener una tienda y vender más pescado?

—Pues, para tener más dinero,—dijo el hombre de negocios.

—Y ¿para qué quiero tener más dinero?—le preguntó el pescador al hombre de negocios.

—Para poder tener tiempo para ir a una playa en las vacaciones y dormir bajo una palma tranquilamente.

—Eso es lo que estoy haciendo yo—dijo el pescador,—sin tener que hacer una gran red, ni cuidar una tienda, ni preocuparme de más dinero. ¡Pesco para vivir, pero no vivo para pescar!

[1]apresuradamente, *at a fast pace.* [2]mate, *maté* (Paraguayan green tea). [3]he aquí, *here's.* [4]pescador, *fisherman.* [5]red, *net.*

159

El transporte

¿CÓMO SE MOBILIZA LA GENTE[1] EN LOS PAÍSES HISPANOS?

En jets y en llamas, en hidroplanos y en canoas, en burros y en bicicletas, en motocicletas y en autobuses.... En contraste con los Estados Unidos, los medios de transporte que utiliza la gente son muy variados en los países hispanos. Aunque la mayoría quisiera[2] tener automóvil, en ningún país se fabrican suficientes autos para suplir la gran demanda que existe. Los automóviles son mucho más caros en los países hispanos que en Norteamérica. Es por esto que los cementerios de autos[3] casi no existen; los mecánicos son verdaderos magos[4] en reparar y en construir piezas, y en muchas ciudades se encuentran autos antiguos que funcionan bastante bien para su venerable edad. Debido al alto precio de los autos, mucha gente debe viajar en servicios públicos: existen todo tipo de autobuses, taxis y colectivos (taxis que transportan cuatro o cinco personas rápida y cómodamente).[5]

página de enfrente: Los medios de transporte son muy variados ... Existen todo tipo de autobuses, taxis y colectivos. (arriba) Se viaja en aviones jets que salen y llegan a aeropuertos modernísimos.

Algunas ciudades tienen trenes subterráneos,[6] como Madrid, Buenos Aires o la ciudad de México. Además de esta variedad de transportes públicos en las ciudades, hay otros medios de transporte individuales como la motocicleta, o la bicicleta, muy populares en diferentes países. En varias ciudades todavía se ven carretas tiradas[7] por caballos o burros que llevan bultos de papas, arena, ladrillos[8] o una familia entera.

El transporte entre ciudades y pueblos se hace generalmente en autobuses y trenes. En los países andinos[9] los autobuses y trenes suben y bajan entre cadenas[10] interminables de montañas. Debido a las dificultades del terreno, la aviación es un medio de transporte muy común en varios países montañosos. Se viaja en aviones jets que salen y llegan a aeropuertos modernísimos, o también se viaja en avionetas[11] que llegan y salen de franjas[12] de tierra o de barro en cualquier llanura[13] o en cualquier claro de la selva.[14] Cuando se viaja de un pueblo a otro es común viajar en compañía de animales de granja[15] o de olorosos bultos de verdura fresca.[16] También es común ver en las carreteras personas que se mobilizan en medios más lentos: bicicletas, llamas, canoas, burros o simplemente los pies.

[1]¿Cómo se mobiliza la gente? *How do people move about?* [2]quisiera, *would like.* [3]cementerios de autos, *auto cemeteries (junk yards).* [4]verdaderos magos, *real magicians.* [5]rápida y cómodamente, *rapidly and comfortably.* (Adverbs of manner are often formed by adding **-mente** to the feminine singular of adjectives. When two or more adverbs in **-mente** are used in a series, **-mente** is added only to the last one.) [6]trenes subterráneos, *subways, underground trains.* [7]carretas tiradas, *carts pulled.* [8]bultos de papas, arena, ladrillos, *sacks of potatoes, sand, bricks.* [9]andinos, *Andean, of the Andes (Mountains).* [10]cadenas, *chains.* [11]avionetas, *small planes.* [12]franjas, *strips.* [13]de barro en cualquier llanura, *of clay on any plain.* [14]cualquier claro de la selva, *any clearing of the forest.* [15]de granja, *farm.* [16]olorosos bultos de verdura fresca, *fragrant bundles of fresh greenery* (plants and vegetables).

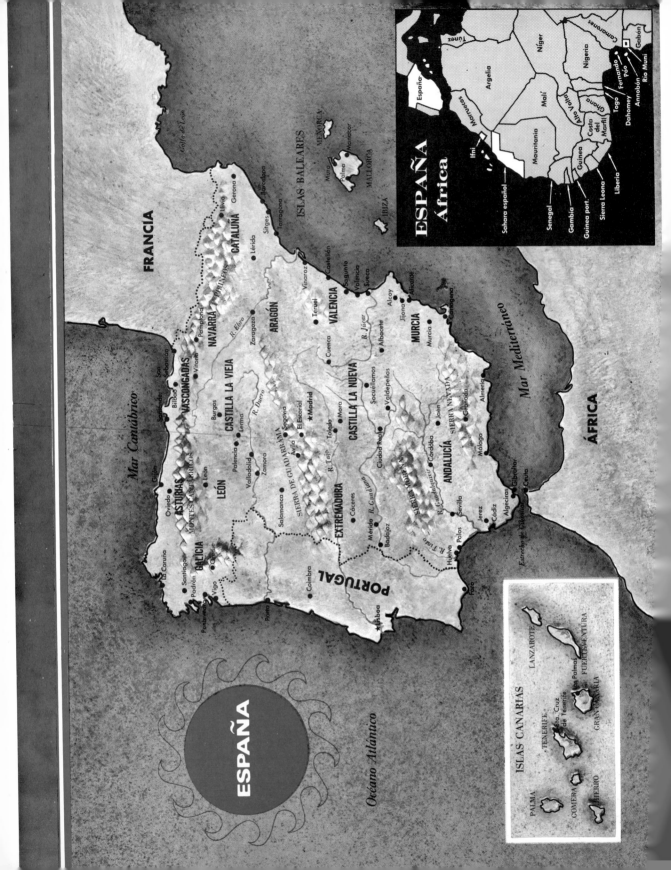

LECCIÓN 13

In this lesson we learn and practice:

1. some new words and expressions
2. forms of the present subjunctive of verbs with changes in spelling
3. the subjunctive mood in general, its use in noun clauses, and its English equivalents
4. the subjunctive in noun clauses when the main verb expresses a wish, desire, request, or preference
5. adjectives used as nouns

PALABRAS Y EXPRESIONES

SUBSTANTIVOS

el edificio   building
la emisora   broadcasting station
la estática   static
el modelo   model
la onda   wave
el tono   tone
la transmisión *(pl.* **transmisiones)**
   transmission
la venta   sale

ADJETIVOS

derecho, -a   right
directo, -a   direct
izquierdo, -a   left
maravilloso, -a   marvelous,
   wonderful
mismo, -a   same

VERBOS

doblar   to turn *(a corner)*
preferir (ie, i)   to prefer
sintonizar   to tune in

EXPRESIONES

*__a causa de__ *prep.*   because of
*__a la derecha (izquierda)__   to *or* on
   the right (left)
de onda corta   shortwave
*__en la esquina__   at (on) the corner
   (street)
¿en qué puedo servirle(s)?   what
   can I do for you?
escuchen (Uds.)   listen
frecuencia modulada   FM
los modelos de este año   this year's
   models
no se oye bien   we do not (one does
   not) hear it well (lit., it is not heard
   well)
oiga(n) Ud(s).   listen
¿qué te (le, les) parece?   what do
   you think of it? how does it seem to
   you?
tanto como   as (so) much as
*__ya no__   no longer

Comprando un radio

(Ricardo pasa por una calle del centro. Cuando ve a su buen amigo Tomás, lo saluda.)

Ricardo. ¡Hola, Tomás! ¿Estás ocupado en este momento?

Tomás. No, pero más tarde tengo que volver a casa, porque mi hermanito quiere que lo lleve a pasar la tarde con un amigo suyo.

Ricardo. Mi mamá quiere que yo busque un radio nuevo, y tú conoces las marcas mejor que yo. ¿No puedes acompañarme?

Tomás. Muy bien. Vamos a la tienda del señor Flores. Según un anuncio que he leído, allí han recibido algunos modelos nuevos. Por eso, tienen una venta especial de los modelos de este año.

Ricardo. Hay que doblar a la derecha en la esquina, ¿no?

Tomás. Sí, y la tienda está en el tercer edificio.

(Llegan a la tienda y entran. Se acerca un dependiente.)

Dependiente. Buenos días, señores. ¿En qué puedo servirles?

Ricardo. Quiero ver un radio, por favor. Prefiero que me enseñe primero un radio de onda corta. En casa nos gusta escuchar transmisiones directas de otros países, y nuestro radio ya no funciona bien.

Dependiente. ¿Quiere Ud. que yo ponga éste o ése? Los dos son de la misma marca y son de buena calidad.

Ricardo. Me gustaría escuchar el más pequeño, por favor.

Dependiente. Voy a ver si puedo sintonizar una emisora mexicana. A veces es difícil a causa de la estática ... Oigan Uds. Parece ser un discurso, pero no se oye bien. Sintonizaré una emisora de Nueva York. ¡Ah, sí! ¡Escuchen ahora! ¿Qué les parece éste?

Tomás. Es magnífico. Tiene un tono maravilloso.

Ricardo. A mí me gusta mucho también, pero antes de decidir, ¿podría Ud. poner el otro, por favor? *(Lo pone y escuchan unos momentos.)*

Tomás. No me gusta tanto como el otro.

Dependiente. Ni a mí tampoco. Tenemos otros. Ése, por ejemplo, tiene frecuencia modulada. Voy a ponerlo ...

Ricardo. Pues, este último me parece el mejor. ¿Cuánto cuesta?

Dependiente. Ciento treinta y nueve dólares, y a ese precio es una ganga.

Ricardo. ¡Dios mío! Eso no es barato. Pero, permítame llamar a mi mamá para ver si ella quiere que lo compre, o si ella quiere verlo ...

165

Preguntas

Answer in Spanish these questions based on the first part of the dialogue:

1. ¿Quiénes están hablando?   2. ¿Está ocupado Tomás?   3. ¿Qué quiere el hermanito de Tomás?   4. ¿Qué quiere la mamá de Ricardo?   5. ¿A qué tienda van los
dos?   6. ¿Qué ha leído Tomás en un anuncio?   7. ¿Dónde hay que doblar a la
derecha?   8. ¿En qué edificio está la tienda?

Preguntas generales

1. ¿Tienes un radio?   2. ¿Tienes un radio de onda corta?   3. ¿Tiene frecuencia
modulada?   4. ¿Escuchas programas extranjeros?   5. ¿Qué programas de radio te
gustan?   6. ¿Funciona bien tu radio?   7. ¿Qué programas de televisión te gustan?   8. ¿Se oyen emisoras mexicanas en esta parte del país?   9. ¿Tienes un tocadiscos?   10. ¿Qué se toca en un tocadiscos?

para conversar

Study the first part of the dialogue and retell it in Spanish in your own words.

Prepare a conversation of six to eight exchanges in which you tell about the
radio or television programs you listen to or watch. Remember that the Spanish for
television set is **el televisor.**

NOTAS

A.   The present subjunctive of verbs with changes in spelling

buscar:	**busque**	**busques**	**busque**	**busquemos**	**busquéis** **busquen**
llegar:	**llegue**	**llegues**	**llegue**	**lleguemos**	**lleguéis** **lleguen**
empezar:	**empiece**	**empieces**	**empiece**	**empecemos**	**empecéis** **empiecen**

Verbs ending in **-car** change the **c** to **qu,** those ending in **-gar** change the **g** to
gu, and those ending in **-zar** change the **z** to **c** in the six forms of the present
subjunctive. Remember that this change also occurs in the first person singular
preterit (**busqué, llegué, empecé**). **Empezar** is also stem-changing, **e** to **ie.**

Other verbs with these changes are:

acercarse to approach	**jugar (ue)** to play *(a*	**almorzar (ue)** to have lunch
sacar to take out	*game)*	**comenzar (ie)** to commence
tocar to play *(music)*	**pagar** to pay for	**sintonizar** to tune in

APLICACIÓN. Write the first person singular present subjunctive and the first person singular preterit of the eight verbs listed.

B. The subjunctive mood

The indicative mood, which has been used up to this point, except in main clauses to express commands, indicates facts: **Sé que él está aquí,** *I know that he is here.* The subjunctive mood expresses uncertainty, rather than a fact: *I doubt that he has it; It is possible that he will be here; I hope that they (will) come.* Spanish uses the subjunctive mood much more than English, particularly in dependent clauses.

A dependent clause is a group of words with a subject and predicate—but not a complete statement. In the sentence *I doubt that he has it*, the words *that he has it* make up the dependent clause.

A clause used as the subject or direct object of the verb is a noun clause. In the sentence *I doubt that he has it*, the words *that he has it* form a noun clause which is the direct object of *I doubt*. The subjunctive mood is generally found in noun clauses that depend on verbs which express *uncertainty* or an *opinion, wish,* or *feeling* of the speaker concerning the action of the dependent clause.

Yo dudo que él lo tenga.	I doubt that he has it.
Es posible que él esté aquí.	It is possible that he will (may) be here.
Ellos quieren que Ud. venga.	They want you to come (They wish that you come).

Observe that the subjunctive has several translations in English: (1) the present tense *(that he has it)*; (2) the future tense *(that he will be here)*; (3) the word *may (that he may be here)*, which carries the idea of something uncertain or not yet accomplished; and (4) the infinitive (last example). Some of the uses of the subjunctive in Spanish are discussed further in section C; others will be taken up later.

C. The subjunctive in noun clauses

Yo quiero ir.	I want to go. *(No change of subject)*
Ella quiere que yo vaya.	She wants me to go (She wishes that I go). *(Subjects different)*
José prefiere hacerlo.	Joe prefers to do it. *(No change of subject)*
José prefiere que tú lo hagas.	Joe prefers that you do it. *(Subjects different)*

In Spanish the subjunctive is generally used in a noun clause when the main verb expresses such ideas of the speaker as a *wish, desire, request,* or *preference,* as well as their negatives, provided that the subject of the dependent clause is different from the subject of the main verb (second and fourth examples). When there is no change in subject or no subject is expressed for the English infinitive, the infinitive is also used in Spanish (first and third examples). Remember that the present subjunctive is used for both present and future time in a dependent clause. Since the first and third person singular forms of the present subjunctive tense are the same, the subject pronouns must be used more often than in some other tenses.

Three common verbs which require the subjunctive in a dependent clause when there is a change in subject are: **querer,** *to wish, want;* **desear,** *to desire, wish, want;* **preferir (ie, i),** *to prefer.*

D. Adjectives used as nouns

el más pequeño   the smaller (smallest) one *(m.)*
Este último me parece el mejor.   This last one *(m.)* seems to me (to be) the best (one).
Los jóvenes entran.   The young men enter.
Póngase Ud. el otro.   Put on the other one *(m.)*.

Many adjectives may be used with the definite article, demonstratives, numerals, and other limiting adjectives to form nouns. In this case the adjective agrees in gender and number with the noun understood. The word *one(s)* is often included in the English meaning.

Remember that adjectives of nationality are also used as nouns:

El señor López es mexicano.   Mr. López is (a) Mexican.
La joven es española.   The young girl is Spanish (a Spanish girl).

EJERCICIOS ORALES

A. Read, keeping the meaning in mind:

1. Mi padre desea quedarse en casa. Mi padre desea que nos quedemos en casa.
2. María quiere salir. María quiere que yo salga con ella.
3. Yo quiero mirar la televisión. Yo quiero que ella la mire también.
4. Mi madre prefiere leer. Ella prefiere que María y yo leamos buenos libros.
5. Mis tíos desean hacer un viaje. También desean que mis padres hagan uno.
6. María y yo queremos ir al cine. Queremos que Uds. vayan con nosotros.
7. Uds. prefieren jugar en el parque. Uds. prefieren que María y yo juguemos allí también.
8. Pablo no quiere ir con nosotros. Él quiere que nosotros vayamos sin él.
9. ¿Quieres ir? ¿No quieres que yo vaya?
10. Yo prefiero usar el coche. Mi padre prefiere que yo no lo use.

B. Substitution exercises:

1. Mi mamá quiere que *yo* busque un radio.
   (nosotros, tú, Uds., Felipe, él y yo)
2. Nuestros padres no desean que *Juan* salga de casa.
   (yo, Juan y yo, tú, los niños, ella)
3. Ellos prefieren que *Ud.* llegue temprano.
   (tú, yo, nosotros, los muchachos, Dorotea)
4. ¿Quiere Ud. que *yo* empiece a leer?
   (Felipe, nosotros, los muchachos, él, José y él)
5. Él prefiere que *ella* no se lo traiga hoy.
   (yo, tú, nosotros, ellos, Miguel)
6. Ellas no quieren que *yo* me siente aquí.
   (nosotros, Ud., tú, los niños, Isabel)

C. Say after your teacher, then upon hearing a phrase beginning with **que,** use it to form a new sentence.

Model: Prefiero hacer eso.   Prefiero hacer eso.
       que tú   Prefiero que tú hagas eso.

1. Yo quiero ir a la tienda.   (que Uds.)
2. Queremos oír el programa.   (que Carlos)
3. Ella desea conocer a María López.   (que tú)
4. ¿Quieres buscar un radio de onda corta?   (que ellos)
5. Uds. no quieren volver temprano.   (que los muchachos)
6. ¿Deseas hacer una excursión pronto?   (que yo)
7. ¿Cuándo prefieren Uds. salir de casa?   (que nosotros)
8. ¿Prefieres pasar todo el día allí?   (que ella y yo)

D. After hearing a phrase, you will hear the beginning of a sentence; form a new sentence, following the model.

Model: ir a casa   (Yo quiero que tú)   Yo quiero que tú vayas a casa.

1. hacer la maleta   (Ellos quieren que yo)
2. preparar el cafe   (Ella desea que Uds.)
3. buscar un regalo   (¿Quieres tú que yo . . .?)
4. estar lista a las siete   (Juan prefiere que ella)
5. poner ese radio   (Yo no quiero que Ud.)
6. venir a verla   (Ella desea que Uds.)
7. comenzar a leer   (Queremos que ellos)
8. llevárselo a él   (Yo prefiero que Pablo)

E. Say after your teacher, then repeat, omitting the noun.

Model. Me gusta la blusa roja.   Me gusta la blusa roja.
                                                       Me gusta la roja.

1. ¿Qué les parece este radio pequeño?   2. ¿Quieres comprar ese vestido azul?   3. Prefiero comprar la otra marca.   4. ¿Van a buscar una casa más grande?   5. Yo miré varios modelos nuevos.   6. Este último coche es muy hermoso.   7. No te pongas los zapatos verdes.   8. Vimos muchas montañas altas.

EJERCICIOS ESCRITOS

A. Review the position of object pronouns in Lección 7, page 87; then write the following, placing the pronouns in parentheses in the correct position:

1. (nos la) Ella dice. Ella ha dicho. ¿Quiere ella decir? Ella estaba diciendo. Diga Ud. No diga Ud. Prefieren que ella diga.
2. (me lo) Uds. trajeron.   Uds. habían traído.   Uds. quieren traer.   Uds. estaban trayendo. Traigan Uds. No traigan Uds. ¿Quieren Uds. que José traiga?
3. (las) Tú te lavas. Tú no te has lavado. Tú no estás lavándote. Lávate tú. No te laves tú. Enrique quiere lavarse. Enrique quiere que tú te laves.

B. Write answers to these questions, following the model.

Model: ¿Qué quiere (prefiere) él que   Sí, él quiere (prefiere) que
          ella haga? ¿Leerlo?   ella lo lea.

1. ¿Qué quiere él que ella haga?   ¿Ir al cine?
2.   ¿Traerle algo?
3.   ¿Venir a verlo?
4. ¿Qué prefiere él que ella haga?   ¿Buscarle algo?
5.   ¿Divertirlos?
6.   ¿Ponerlo ahora?

C. Write in Spanish:

1. Bring *(pl.)* me the red pencils, not the yellow ones.   2. They have a white house, but they want a green one.   3. We have two large trees and several small ones.   4. When the boys enter, a salesperson *(m.)* approaches and asks: "What can I do for you?"   5. Richard wants him to (wishes that he) show him a short-wave radio.   6. Do you *(fam.)* like the first model or the last one?   7. Do you *(pl.)* want me to (wish that I) turn on this large one *(m.)* or that one?   8. He tries to tune in a Mexican broadcasting station.   9. What do you *(pl.)* think of this one *(m.)*? Do you like it as much as the other one?   10. This one costs one hundred thirty-nine dollars, and at that price it is a bargain.

Museum of Anthropology, Mexico City, Mexico

PRÁCTICA

—¿Adónde vas ahora?

—Voy a buscar un suéter, un cinturón y unos pañuelos. ¿Puedes ir conmigo?

—Bueno, si tú puedes acompañarme a la joyería o a la platería después.

—¿Qué vas a buscar allí?

—Unos aretes, un prendedor y un collar para mí, un par de gemelos de plata para mi papá y una pulsera para mi mamá.

—Si vas a la joyería del Sr. López puedo mirar otra vez un anillo de oro muy bonito que tienen.

—Muy bien. Vámonos.

el anillo   ring

el arete   earring

el collar   necklace

el gemelo   cuff link

el pañuelo   handkerchief

la platería   silver shop (store)

el prendedor   pin

LECCIÓN 14

In this lesson you will learn and practice:

1. some new words and expressions
2. the use of the subjunctive mood in noun clauses after verbs which express emotion or feeling
3. the neuter article *lo*
4. adjectives and adverbs ending in - *ísimo (-a, -os, -as)*

PALABRAS Y EXPRESIONES

SUBSTANTIVOS

el miedo   fear
el paso   step
el santo   saint
el tango   tango
la vuelta   return

ADJETIVOS

latinoamericano, -a   Latin-American
popular   popular

VERBOS

apagar   to turn off
bañarse   to bathe (oneself), take a bath
despedirse (i, i) (de)   to take leave (of), say good-bye (to)
mudarse   to change (*one's clothing, etc.*)
nacer   to be born
sorprender   to surprise
temer   to fear

EXPRESIONES

a la medianoche   at midnight
¡cuánto me alegro de que . . .!   how glad I am that . . .!
***¿cuántos años (cumple ella)?**   how old (is she)?
***cumplir (diez y seis) años**   to reach one's (sixteenth) birthday, be (sixteen) years old
de veras   truly, really
el día del santo   saint's day
es lástima   it's a pity (too bad)
***estar de acuerdo**   to agree, be in agreement
estar de vuelta   to be back
mudarse de ropa   to change clothes (clothing)
me (le) sorprende   I am (he is) surprised, it surprises me (him)
***sala de recreo**   recreation room
tener miedo (de)   to be afraid (to, of)
tener miedo de que   to be afraid that

El día del santo[1]

(Luisa invita a varios muchachos a celebrar el día del santo de su hermana Bárbara. Carlos Gómez, que es de la Argentina, acompaña a Felipe.)

Luisa. ¡Cuánto me alegro de que Uds. estén de vuelta de su excursión! Yo no sabía a qué hora iban a volver, por eso dejé un recado para Uds.

Felipe. Volvimos a eso de las seis y nos dieron el recado. Antes de cenar, tuvimos que bañarnos y mudarnos de ropa.

Luisa. Pues, hoy es el cuatro de diciembre, día del santo de Bárbara. Lo interesante es que hoy también es su cumpleaños, porque nació el cuatro de diciembre.

Felipe. ¿Cuántos años cumple ella?

Luisa. Cumple diez y seis años. Está contentísima esta noche.

(Los dos pasan a la sala de recreo con Luisa, y ésta presenta a Carlos a los jóvenes que no conoce. Tocan unos discos de música popular y bailan un rato. Luego, Luisa pone algunos discos latinoamericanos.)

Bárbara. Carlos, quiero que nos enseñes a bailar el tango. Ninguno de nosotros sabe bailarlo. *(Entonces otras muchachas le piden lo mismo.)*

Carlos. Me sorprende que ninguno de Uds. sepa bailarlo, pero se lo enseñaré con mucho gusto. Es lástima que Uds. no conozcan mejor nuestros bailes.

Felipe. Estoy de acuerdo contigo. Aunque nuestras orquestas tocan muchas piezas latinoamericanas, no hemos aprendido los pasos del tango. No sé por qué tenemos miedo de tratar de aprenderlos.

Carlos. Pues, miren Uds. De veras son fáciles los pasos.

(Todos se divierten muchísimo aprendiendo los pasos. A las once Luisa apaga el tocadiscos y les sirve refrescos. A la medianoche se despiden todos.)

Los invitados. Muchísimas gracias. Hemos pasado una noche muy agradable.

Bárbara y Luisa. El gusto ha sido nuestro. Esperamos que todos vuelvan pronto. Buenas noches.

---

[1]The Roman Catholic calendar has many saints' days, and people who are named for saints commonly celebrate their saint's day either instead of or in addition to their birthday. For example, women with the name Barbara will celebrate the day of Saint Barbara, December 4. Very often in Spanish-speaking countries, children are given the name of the saint on whose day they are born.

175

Preguntas

Answer in Spanish these questions based on the first part of the dialogue:

1. ¿Qué van a celebrar los muchachos?   2. ¿Quién acompaña a Felipe?   3. ¿Qué les dice Luisa a Carlos y a Felipe cuando llegan?   4. ¿Qué tuvieron que hacer antes de cenar?   5. ¿Qué día es?   6. ¿Cuántos años cumple Bárbara?   7. ¿Adónde van los tres?   8. ¿Qué tocan primero?   ¿Después?

Preguntas generales

1. ¿Qué día es hoy?   2. ¿Cuándo celebras tu cumpleaños?   3. ¿En qué día naciste?   4. ¿Cuántos años has cumplido?   5. ¿Te gusta la música popular? 6. ¿Tienes muchos discos de música popular?   7. ¿Sabes bailar el tango? 8. ¿Se baila mucho el tango en los Estados Unidos?   9. ¿Cuáles son los bailes más populares entre los jóvenes?   10. ¿Qué dice uno al despedirse, después de una noche agradable?

para conversar

Study the first part of the dialogue and retell it in Spanish in your own words.

Prepare a short conversation telling of a gathering in the evening when a foreign student who does not know all the guests is included. You may want to introduce that student, using something like the following:

Felipe. Miguel, quiero presentarte mi amigo,[1] Carlos Gómez.
Miguel. Mucho gusto en conocerte, Carlos.
Carlos. El gusto es mío. Es un gran placer estar en tu país.
Miguel. Eres muy amable.

Mucho gusto en conocerte or simply **Mucho gusto** means *(I'm) very pleased* or *glad to know you.*

---

[1]To avoid confusion with the indirect object **te**, *to you*, the personal **a** is omitted before the direct object **mi amigo.** The familiar forms are being used more and more by young people even upon meeting others for the first time.

NOTAS

A. The subjunctive in noun clauses *(continued)*

Me alegro de estar aquí.   I am glad to be here. *(No change of subject)*

Me alegro de que Uds. estén de vuelta.   I am glad that you are back. *(Subjects different)*

Nos sorprende que ellos no lo sepan.   We are surprised (It surprises us) that they don't know it. *(Subjects different)*

Tienen miedo de que él no venga.   They are afraid (that) he won't come.

Tememos (Esperamos) que apaguen el tocadiscos.   We fear (hope) that they will turn off the record player.

The subjunctive is used in noun clauses after verbs which express emotion or feeling, such as *joy, sorrow, fear, hope, pity, surprise,* and the like, as well as their negatives, provided that the subject differs from that of the main verb. Compare the first example, in which there is no change of subject, with those which follow. Remember that **que** normally introduces a noun clause in Spanish, even though *that* is sometimes omitted in English.

Some common expressions of emotion are:

alegrarse (de que) to be glad (that)

esperar to hope

me (le) sorprende it surprises me (him), I am (he is) surprised

sentir (ie, i) to regret, be sorry

ser lástima to be a pity (too bad)

temer to fear

tener miedo (de que) to be afraid (that)

B. The neuter article **lo**

Lo interesante es . . .   The interesting thing *or* part (What is interesting) is . . .

Le piden lo mismo.   They ask him the same thing.

Sin duda él prefiere lo bueno a lo malo.   Without a doubt he prefers the good (what is good) to the bad.

Lee tú lo escrito.   Read what is written.

The neuter article **lo** is used with masculine singular adjectives and past participles to form noun phrases. The word *thing* or *part* is often a part of the translation.

APLICACIÓN.   Read, keeping the meaning in mind:

1. Lo bueno es que Juan está de vuelta.   2. Lo malo es que no puede quedarse con nosotros.   3. Lo mejor es que él se mudó de ropa.   4. ¿Hizo Juan lo mismo?   5. Es necesario hacer lo prometido.   6. Lo difícil es que ellos no están de acuerdo conmigo.

C.   Adjectives and adverbs ending in **-ísimo (-a, -os, -as)**

Bárbara está muy contenta (contentísima).   Barbara is very happy.
Muchísimas gracias.   (Very) many thanks, Thanks very much.
Todos se divierten muchísimo.   All have a very good time.

A high degree of quality, without any element of comparison, is expressed by the use of **muy** before the adjective or adverb or by adding the ending **-ísimo (-a, -os, -as)** to the adjective. When **-ísimo** is added, a final vowel is dropped. **Muchísimo** is used for the adjective or adverb *very much (many)*.

EJERCICIOS ORALES

A.   Read, then substitute for the phrase in italics each expression listed:

1. Ricardo se alegra de *estar aquí*.
   (estar de vuelta, vernos, saber eso, aprender el paso)
2. Ricardo *se alegra de* hacer el trabajo.
   (quiere, espera, prefiere, tiene miedo de)
3. Ricardo se alegra de que nosotros *lo hagamos*.
   (los conozcamos, los leamos, vengamos, no tengamos miedo)
4. Ricardo *se alegra de* que lo sepamos.
   (siente, teme, espera, tiene deseos de)
5. Me sorprende que ella *esté de acuerdo*.
   (esté de vuelta, se bañe ahora, no sepa bailar el tango, no quiera salir)

B.   Say after your teacher, then upon hearing a phrase containing **que,** use it to form a new sentence.

Model: Espero oír el disco.   Espero oír el disco.
            que tú   Espero que tú oigas el disco.

1. Nos alegramos de poder ir contigo. (de que Marta)
2. ¿Temen Uds. llegar tarde? (que nosotros)
3. ¿Tienes miedo de aprender los pasos? (de que yo)
4. ¿Sienten ellos no conocer a Carlos? (que tú)
5. Es lástima no saber la canción. (que ellos)
6. Esperamos tocar más discos. (que Uds. no)

C.   Say after your teacher, then upon hearing a phrase ending with **que,** use it to form a new sentence.

Model: José va a casa.   José va a casa.
            Espero que   Espero que José vaya a casa.

1. Ellos buscan una casa grande. (Quiero que)
2. Tú estás de acuerdo. (Nos alegramos de que)
3. Juan no llegará hoy. (Me sorprende que)
4. Ella no sabe ese paso. (Es lástima que)
5. Pablo apaga el tocadiscos. (Sentimos que)
6. María no pone muchos discos. (¿Tienes miedo de que . . . ?)
7. Tenemos que esperar un rato. (Carolina teme que)
8. Todos vuelven pronto. (Uds. desean que)

D. Answer in the affirmative in two ways, following the model.

Model: ¿Es hermosa Carolina?　　　Sí, es muy hermosa; es hermosísima.

1. ¿Es guapo el novio de ella?
2. ¿Es mala la composición?
3. ¿Está contenta tu mamá?
4. ¿Es caro el reloj?
5. ¿Son altos los árboles?
6. ¿Son hermosas las flores?
7. ¿Son bonitos los jardines?
8. ¿Es grande el parque?

EJERCICIOS ESCRITOS

A. Write each sentence, substituting the correct form of the present subjunctive for the infinitive in parentheses:

1. Temo que mi hermanito no (mudarse) de ropa. 2. Mi mamá prefiere que yo (mudarse) de ropa pronto. 3. ¿Quieren Uds. que nosotros (mudarse) de ropa ahora? 4. ¿Tienes miedo de que ella no (saber) el discurso? 5. ¿Te sorprende que nosotros (practicar) muchísimo? 6. Es lástima que el señor Gómez no (estar) de acuerdo contigo. 7. Sentimos muchísimo que tú no (conocer) mejor la música mexicana. 8. No queremos que Juan (apagar) el tocadiscos.

B. Write two answers for each question, first using an affirmative plural command, then a new sentence after **Quiero que Uds.**

Model: ¿Llegamos temprano?　　　Sí, lleguen Uds. temprano.
　　　　　　　　　　　　　　　　Quiero que Uds. lleguen temprano.

1. ¿Vamos al centro hoy?
2. ¿Volvemos en autobús?
3. ¿Tocamos los discos?
4. ¿Apagamos el radio?
5. ¿Empezamos a leer?
6. ¿Nos sentamos a la derecha?
7. ¿Traemos los refrescos?
8. ¿Jugamos al tenis?

C. Write in Spanish:

1. I approached the house and rang (*use* **tocar**) the doorbell.   2. Louise said: "How glad I am that you (*fam.*) are back from New York!"   3. I am sorry to be late, but I had to take a bath and change clothes.   4. The interesting thing is that Barbara's birthday is also her saint's day.   5. After playing some records of popular music, Louise puts on some Latin-American records.   6. Louise wants Charles to teach (wishes that Charles teach) them to dance the tango.   7. He is surprised that they do not know how to dance it.   8. He says that it is a pity that we do not know their dances better (are not better acquainted with their dances).   9. At eleven o'clock Louise turns off the record player and serves them refreshments.   10. At midnight all take leave, saying that they have spent a very pleasant evening.

PRÁCTICA

abajo *adv.*   below, downstairs
la acera   sidewalk
la alcoba   bedroom
el apartamento   apartment
arriba *adv.*   above, upstairs
el balcón (*pl.* **balcones**)   balcony
la cocina   kitchen
el condominio   condominium
el corredor   corridor
el departamento   apartment
el despacho   study, den
la despensa   pantry
la galería   gallery, corridor
la habitación (*pl.* **habitaciones**)
   room
la madera   wood
el piso   floor, story, flat, apartment
el plano   plan, drawing
el portal   vestibule, entrance hall

la recámara   bedroom (*Mex.*)
la reja   iron grating
el sótano   basement
el zaguán   vestibule, entrance
   hall

alcoba de criadas   maids' room
casa particular   private house
   (home)
dar a   to face, open on(to)
(de) madera   (of) wood, wooden
**edificio de apartamentos (depar-
   tamentos)**   apartment house
el piso alto   upper floor
el piso bajo   lower (ground) floor

Miren Uds. el plano de una antigua casa española. Todas las habitaciones dan al patio, que está en el centro de la casa. En el patio generalmente hay flores, y a veces hay una fuente y árboles pequeños.

Ahora pueden Uds. hacer el plano de la casa o apartamento en que viven. Si la casa tiene dos pisos, hagan el plano de cada piso.

PLANO DE UNA CASA ESPAÑOLA

Preguntas

1. ¿Vives en una casa particular o en un edificio de apartamentos? 2. ¿Vives en un condominio? 3. ¿Es de madera la casa? 4. ¿Es grande o pequeña? 5. ¿Cuántas habitaciones tiene? 6. ¿Qué habitaciones hay abajo? ¿Arriba? 7. ¿Son grandes todas las habitaciones? 8. ¿Es grande la sala? 9. ¿Tiene tu casa una sala de recreo? 10. ¿Está en el sótano o en el piso bajo? 11. ¿En qué habitación se come? 12. ¿Dónde se preparan las comidas? 13. ¿En qué habitación miras la televisión? 14. ¿Tiene despacho tu casa? 15. ¿Hay patio en tu casa? 16. ¿Tiene jardín? 17. ¿Qué hay en el jardín? 18. ¿Tiene rejas tu casa? 19. ¿Tiene zaguán? 20. Generalmente, ¿qué hay delante de la casa cerca de la calle?

LECCIÓN

In this lesson you will learn and practice:

1. some new words and expressions
2. forms of the present subjunctive of stem-changing verbs, Class II
3. the use of the subjunctive in noun clauses after expressions of doubt, uncertainty, and belief expressed negatively
4. the use of the infinitive, the indicative mood, or the subjunctive mood after impersonal expressions

Concert in Bogotá, Colombia

PALABRAS Y EXPRESIONES

SUBSTANTIVOS

el auricular   receiver
Carlitos   Charlie
el compositor   composer
el impermeable   raincoat
la obra   work *(musical, art, etc.)*
la voz *(pl.* **voces)**   voice

ADJETIVOS

nublado, -a   cloudy
posible   possible
preciso, -a   necessary
probable   probable

VERBOS

colgar (ue)   to hang, hang up
dudar   to doubt
marcar   to dial *(telephone)*
reconocer   to recognize

OTRAS PALABRAS

¡bueno!   hello!
* **¿eh?**   right? eh? won't I? etc.

EXPRESIONES

al poco rato   after (in) a short while
en vez de   instead of, in place of
* **esperar que sí (no)**   to hope so (not)
habla (Marta)   this is (Martha),
   (Martha) is speaking
* **hablar por teléfono**   to talk by (on the)
   telephone
* **hacer buen (mal) tiempo**   to be
   good (bad) weather
mañana por la mañana   tomorrow
   morning
número de teléfono   telephone
   number
tener interés por (en)   to have an
   interest for (in), be interested in

¿Vas al concierto?

(Elena levanta el auricular y marca un número en el teléfono. La línea está ocupada y Elena cuelga el auricular. Al poco rato marca otra vez. Contesta Marta.)

Marta. ¡Bueno![1]

Elena. ¿Está Marta? ¿Podría hablar con ella?

Marta. Habla Marta. ¿Quién llama?

Elena. ¡Ah! ¿Eres tú? No reconocí tu voz. Aquí habla Elena. Te llamé para preguntarte si vas con nosotros al concierto esta tarde.

Marta. Sí, con mucho gusto. Y Anita, ¿también va?

Elena. No estoy segura, pero dudo que pueda acompañarnos. Sus padres tienen que ir al aeropuerto y no quieren dejar a Carlitos solo. Es probable que él duerma toda la tarde, pero será preciso que ella se quede allí.

Marta. Siento mucho que ella no pueda ir. Tiene mucho interés por la música.

Elena. Hoy la orquesta va a tocar obras de compositores españoles, como Albéniz, Granados y Manuel de Falla.

Marta. Muy bien. Me gusta muchísimo la música española. ¿A qué hora van Uds.?

Elena. A las tres y media. El concierto empieza a las cuatro y papá dice que será mejor que lleguemos un poco temprano.

Marta. Está bien. ¿Vas a llevar tu impermeable? Está nublado y es posible que llueva.

Elena. Espero que no, pero en estos días es cierto que nunca se sabe. Parece que hace mal tiempo casi todos los días. Yo pienso llevar el paraguas en vez del impermeable.

Marta. Pues, te veo a las tres y media, ¿eh?

Elena. Sí, estaré lista.

Preguntas

Answer in Spanish these questions based on the first part of the dialogue:

1. ¿Quién contesta cuando suena el teléfono?   2. ¿Qué dice ella?   3. ¿Qué pregunta Elena?   4. ¿Para qué llamó Elena?   5. ¿Podrá ir Marta al concierto?   6. Según Elena, ¿va Anita también?   7. ¿Por qué no podrá ir?   8. ¿Le gustan a Anita los conciertos?

---

[1]Several Spanish expressions are used for the English telephone greeting *Hello:* **Diga** or **Dígame** (Spain); **Bueno** (Mexico); **Hola** (Argentina); **Aló** (in many other countries).

Preguntas generales

1. ¿Te gusta hablar por teléfono?   2. ¿Hablas mucho por teléfono?   3. ¿Qué dice uno cuando contesta?   4. ¿Cuál es tu número de teléfono?   5. ¿Está ocupada la línea a veces cuando tratas de llamar a tus amigos?   6. ¿Te gusta la música?   7. ¿Vas a los conciertos?   8. ¿Te gusta la música española?   9. ¿Prefieres la música mexicana?   10. ¿Tenemos una orquesta en esta escuela?   11. ¿Hace buen tiempo hoy?   12. ¿Hace mucho frío?   13. ¿Está lloviendo hoy?   14. ¿Llevas paraguas cuando llueve?

para conversar

Study the second part of the dialogue and retell it in Spanish in your own words.

Prepare an original conversation starting with answering the telephone. Here are some additional expressions which you may use:

(Alguien levanta el auricular y marca el número en el teléfono.)

—¡Bueno!
—¿Hablo con la casa del señor Martín?
—Sí, señor. ¿Con quién quiere Ud. hablar?
—Con Marta, por favor. ¿Está ella?
—Creo que sí. Espere un momento.

—¿Con quién hablo?
—Con el número 465-2389.[1]
—¿Está Juan?
—Sí, un momento, por favor . . .   Juan, alguien te llama por teléfono.
—¡Diga!
—Habla Pablo . . .

¿Hablo con la casa del señor Martín?   Is this Mr. Martin's (house)?

NOTAS

A.   The present subjunctive of stem-changing verbs, Class II

sentir (ie, i)		dormir (ue, u)	
sienta	sintamos	duerma	durmamos
sientas	sintáis	duermas	durmáis
sienta	sientan	duerma	duerman

[1]Read: **cuatro seis cinco — dos tres ocho nueve.**

(1) In which forms do stem-changing verbs, Class II, change **e** to **ie** and **o** to **ue?** [1] (2) What is the change in the first and second persons plural? (3) How do these changes differ from those for stem-changing verbs, Class I? (See Lección 12, page 142.)

B. The subjunctive in noun clauses (*continued*)

1. **Creo (Estoy seguro de) que ella está aquí.** I believe (I am sure) that she is here. (*Certainty*)

   No creo que ella esté aquí. I don't believe (that) she is here. (*Uncertainty*)

   Dudan que vayamos. They doubt that we are going (will go). (*Doubt*)

   No estoy seguro de que vengan. I'm not sure (that) they are coming (will come). (*Uncertainty*)

   The subjunctive is used in noun clauses after expressions of *doubt, uncertainty,* and *belief expressed negatively.* Note that **creer que** and **estar seguro, -a de que** express certainty and are followed by the indicative mood, while **no creer que** and **no estar seguro, -a de que** express uncertainty or doubt and require the subjunctive.

2. **Es mejor (fácil) llamarlos.** It is better (easy) to call them.

   Es posible que lleguen pronto. It is possible that they will arrive soon.

   Será preciso que ella se quede allí. It will be necessary for her to stay there.

   Es cierto (verdad) que nunca se sabe. It is certain (true) that one never knows.

   No es cierto que lo reconozcan. It isn't certain that they recognize him.

   An impersonal expression has for a subject the word *it*, which is not expressed in Spanish. Impersonal expressions that contain ideas of *possibility, necessity, uncertainty, probability, strangeness, doubt,* and the like require the subjunctive in the dependent clause provided that a subject is mentioned. Impersonal expressions of fact and certainty, such as **Es cierto (verdad, evidente),** *It is certain (true, evident),* require the indicative. When no subject is expressed, the infinitive is used (first example).

   Some common impersonal expressions which often require the subjunctive are:

es bueno it is good (well)	**es mejor** it is better (best)
es difícil it is difficult	**es necesario** it is necessary
es dudoso it is doubtful	**es posible** it is possible
es extraño it is strange	**es preciso** it is necessary
es fácil it is easy	**es probable** it is probable
es importante it is important	**importa** it is important, it matters
es imposible it is impossible	**más vale (vale más)** it is better
es lástima it is a pity (too bad)	**puede (ser)** it may be

[1]The command forms of stem-changing verbs, Class II, are given only for reference since they are not used in this book: sentir: **siente** (tú), **no sientas** (tú); **sienta(n)** Ud(s)., **no sienta(n)** Ud(s).   dormir: **duerme** (tú), **no duermas** (tú); **duerma(n)** Ud(s)., **no duerma(n)** Ud(s).

The infinitive *may* be used after most impersonal expressions if the subject of the dependent verb is a personal pronoun, not a noun. In this case the subject of the dependent verb is the indirect object of the main verb.

Me (Les) es posible ir hoy.   It is possible for me (them) to go today.
Nos fue fácil aprenderlo.   It was easy for us to learn it.

But: **Es extraño que Juan no esté aquí.**   It is strange for John not to be (that
John isn't *or* won't be) here.

EJERCICIOS ORALES

A.   Read, then substitute for the word or phrase in italics each expression listed:

1. *Quiero* quedarme aquí.
   (Prefiero, Me alegro de, Espero, Tengo miedo de)
2. *No creemos* que llueva.
   (Dudamos, No estamos seguros de, No es cierto, Es dudoso)
3. *Es lástima* que ella no vaya al cine.
   (Es extraño, Será posible, Es mejor, Es probable)
4. *Saben* que Elena va al concierto.
   (Se cree, Dicen, Están seguros de, Es verdad)
5. *Más vale* llevar el paraguas.
   (Será mejor, Importa, Es necesario, Es preciso)
6. Puede ser que *tú* duermas demasiado.
   (Uds., nosotros, María, los niños)
7. Ella duda que *Juan* lo sienta mucho.
   (yo, tú, nosotros, los muchachos)

B.   Read, supplying the correct form of the infinitive in parentheses if a change is needed:

1. Es posible que mi primo lo (conocer).   2. Yo sé que ellos (ir) a llamarlo.   3. Dudo que ellos lo (ver).   4. No creo que (hacer) mal tiempo.   5. Es lástima que Carlos (darse) prisa.   6. No es difícil (comprender) eso.   7. ¿Es necesario (decirle) eso? 8. Sí, importa que él lo (saber) muy pronto. 9. No creo que (ser) preciso decírselo hoy. 10. Creo que (ser) posible hacerlo ahora.   11. Dudamos que muchas personas lo (reconocer).   12. Espero que ella (llegar) temprano.   13. Es importante (estar) en casa antes del mediodía.   14. Siempre es mejor (estar) allí antes de esa hora.   15. No es posible (saludar) a todos nuestros amigos.

C. Say after your teacher, then form a new sentence, following the model.

Model: Vale más que vuelvan hoy.   Vale más que vuelvan hoy.
                                         Vale más volver hoy.

1. Es preciso que marquemos el número en el teléfono.
2. Importa que Uds. aprendan el diálogo esta noche.
3. Será mejor que lleves el paraguas esta mañana.
4. No es necesario que ellos se muden de ropa.
5. No es fácil que termines el trabajo esta tarde.
6. Es posible que duerman toda la tarde.
7. Es lástima que no puedan hacer la excursión.
8. Es importante que Ud. esté seguro de eso.

D. Say after your teacher, then upon hearing an impersonal expression, form a new sentence, following the models.

Models: José podrá venir.   José podrá venir.
            Es posible que   Es posible que José pueda venir.

            Luis jugará hoy.   Luis jugará hoy.
            Es cierto que   Es cierto que Luis jugará hoy.

1. Él estará listo a las seis.   (Es cierto que)
2. Mis amigos volverán mañana por la mañana.   (No es posible que)
3. Juan viene a buscarnos todos los días.   (Importa que)
4. Nosotros llegaremos a tiempo.   (Será mejor que)
5. Le gusta a ella la música popular.   (Es evidente que)
6. El concierto empieza a las tres.   (Es probable que)
7. Carolina tiene que esperar un rato.   (Es extraño que)
8. Ella está de acuerdo conmigo.   (Es verdad que)
9. Tú te divertirás en el baile.   (Puede ser que)
10. Marta marcará el número.   (Es imposible que)

EJERCICIOS ESCRITOS

A. Write each sentence, supplying the correct form of the infinitive in parentheses. Watch the forms of the verbs with stem changes and other changes in spelling:

1. No creo que ella (divertirse) ahora. 2. Dudamos que Tomás (jugar) al tenis hoy. 3. ¿Quiere Ud. que yo (comenzar) a leer este libro en vez de ése? 4. No estamos seguros de que ellos (buscar) otra casa. 5. Es posible que Inés (tocar) unas piezas españolas. 6. Es lástima que Carolina no la (reconocer). 7. No es cierto que ella (preferir) esta pulsera. 8. Será mejor que nosotros (despedirse) de ellos

pronto. 9. Será bueno que Miguel (apagar) el radio. 10. Es importante que los niños (dormir) un rato. 11. No es posible que ellos me (decir) eso. 12. Me sorprende que Carlota no (saber) nada.

B. Write a negative familiar singular command for each question, substituting the correct object pronoun for the noun object.

Model: ¿Marco el número?   No, no lo marques.

1. ¿Saco la foto?   5. ¿Explico las frases?
2. ¿Empiezo el trabajo?   6. ¿Le doy a él su libro?
3. ¿Entrego los paquetes?   7. ¿Les traigo a ellos el té?
4. ¿Devuelvo el paraguas?   8. ¿Me pongo los zapatos?

C. Write in Spanish:

1. Helen lifts the receiver and dials Martha's telephone number. 2. She calls to ask whether Martha is going to the concert with her and her parents. 3. The girls are not sure, but they doubt that Anne can go that afternoon. 4. It will be necessary for her to stay with Charlie. 5. She regrets not to be able to go to the concert because she likes music. 6. The orchestra will play works of several Spanish composers. 7. They like Spanish music very much. 8. Helen's father wants them to arrive early. 9. It is cloudy and it is possible that it may rain. 10. One of the girls decides to carry an umbrella, and the other, her raincoat.

Repaso de expresiones

Review the verbs and expressions in Lecciones 13-15, then write in Spanish:

1. to the right 2. instead of 3. no longer 4. this year's model 5. after a short while 6. at midnight 7. It's good weather. 8. We hope so. 9. They agree with me. 10. Is Mary back? 11. He changed clothes. 12. Do you *(fam.)* have much interest in popular music? 13. Listen *(pl.)*. 14. How old is Richard? 15. What can I do for you *(pl.)*? 16. They are waiting *(progressive form)* at the corner. 17. Don't turn *(pl.)* to the left. 18. I am surprised to see them here. 19. We are afraid to return home now. 20. What do you *(fam.)* think of this dress?

PRÁCTICA

—Luisa, ¿te gusta jugar a las cartas?

—Sí, Carmen, me gusta jugar al bridge,[1] pero esta tarde no puedo. Voy al museo con Carolina.

[1] Spanish uses the English word *bridge*, pronouncing it *brich*.

—¿Tienen una exposición especial ahora?

—Sí, la exposición de una colección de dibujos que se inauguró ayer. Yo quiero escribir un artículo para el periódico de la escuela. Jorge dice que reservará espacio en la primera página. ¿No escribes tú para el periódico ahora?

—Sí, he empezado a escribir un artículo sobre las elecciones, con fotos de los candidatos. También voy a ayudar a Elena con una sección de noticias y a Carlos con un artículo para la sección de deportes.

—Pero, ¿cómo puedes preparar tantos artículos? ¿Vas a escribir algo para la página editorial también?

el candidato   candidate

la carta   card *(playing)*

la colección *(pl.* **colecciones***)*   collection

el dibujo   drawing

editorial   editorial

la elección *(pl.* **elecciones***)*   election

el espacio   space

la exposición *(pl.* **exposiciones***)*   exhibition

inaugurar   to inaugurate, open

el museo   museum

la noticia   news, news item

la página   page

reservar   to reserve

la sección *(pl.* **secciones***)*   section

jugar (ue) a las cartas   to play cards

periódico de la escuela   school (news)paper

sección de deportes   sports section

sección de noticias   news section

Students visiting the El Greco Museum, Toledo, Spain

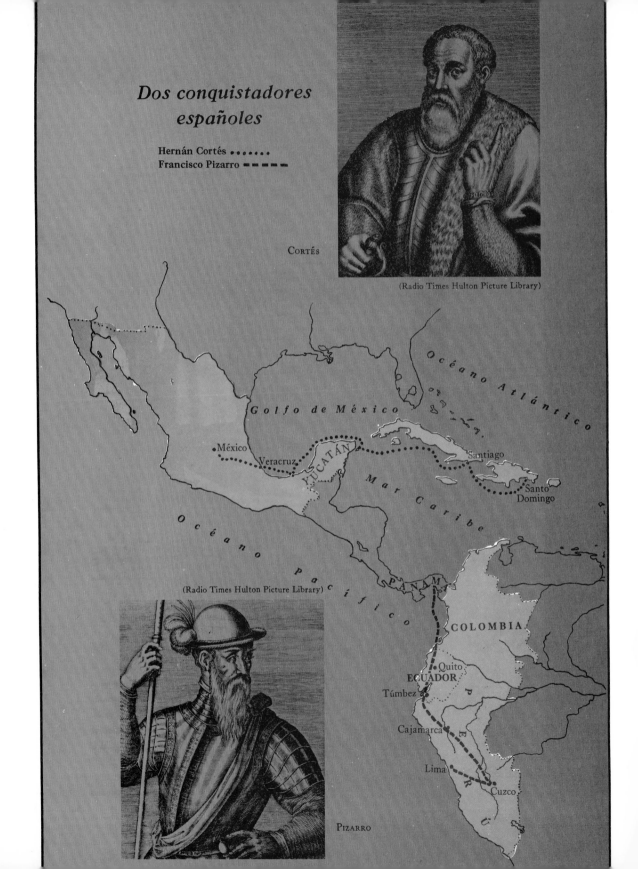

Dos conquistadores españoles

Hernán Cortés ••••••
Francisco Pizarro ━ ━ ━ ━

CORTÉS

(Radio Times Hulton Picture Library)

Golfo de México

México
Veracruz
YUCATÁN

Océano Atlántico

Santiago

Mar Caribe

Santo Domingo

Océano Pacífico

(Radio Times Hulton Picture Library)

PANAMÁ

COLOMBIA

Quito
ECUADOR
Túmbez

Cajamarca

Lima
Cuzco

PERÚ

PIZARRO

Lectura 5

Dos conquistadores españoles

Estudio de palabras

a. Spanish adverbs ending in **-mente** end in *-ly* in English: brevemente, *briefly;* fácilmente, inmediatamente, ricamente.

b. Review the principles given in Lectura 2, page 66, for recognizing certain Spanish infinitives. *Pronounce and give the English for:* atacar, devorar, embarcar, existir, rebelar; capturar, invadir, obligar, resolver; indicar.

   Pronounce and observe the meanings of: anunciar, *to announce;* dirigir, *to direct;* reconocer, *to recognize, acknowledge.*

c. The following words should be recognized easily, especially in context or when pronounced in Spanish: aliado, *ally;* Biblia, *Bible;* cañón, *cannon;* capitán, *captain;* crueldad, *cruelty;* desierto, *desert;* dificultad, *difficulty;* emblema, *emblem;* emperador, *emperor;* fuerzas, *forces;* intérprete, *interpreter;* merced, *mercy;* prisionero, *prisoner;* representante, *representative;* serpiente, *serpent;* táctica, *tactics;* terraza, *terrace;* valle, *valley.*

MODISMOS Y FRASES ÚTILES

a manos de   at (into) the hand(s) of

a poca distancia (de)   a short distance (from)

a punto de   at (on) the point of, about to

al año siguiente   the following (next) year

al pie de   at the bottom (foot) of

con razón   rightly

dar a   to face, open on (to)

dar gracias a   to thank, give thanks to

darse cuenta de   to realize

de nuevo   again, anew

dirigirse a   to direct oneself to, go to, turn to

él mismo   he himself

encima de   on top of

esto es   this (that) is

gozar de + *obj.*   to enjoy

llenar de   to fill with

mucho tiempo   long, a long time

oír hablar de   to hear of (about)

poco a poco   little by little

por medio de   by means of, through

por orden (órdenes) de   at (by) the order (orders) of

servir (i,i) de   to serve as (a, an)

tener . . . años (de edad)   to be . . . years old (of age)

unos, -as pocos, -as   a few, some

NOTAS

A few grammatical points, marked in the Lectura with small circles, will be explained in this section to facilitate reading. In most cases they will not have been taken up formally in previous grammar lessons.

1. You have learned that **al** plus an infinitive may be translated in English by *on (in)*, *upon* plus a present participle or by a *when*-clause:

Al acercarse . . .   Upon approaching (When they approached) . . .

The infinitive may have a subject in this construction, in which case the subject follows the verb:

Al entrar Atahualpa en la plaza . . .   When Atahualpa entered the square . . .

2. The true passive voice (an action performed by an agent, which may or may not be mentioned) is formed by using **ser** and the past participle, which must agree with the subject (see Lección 22, page 291):

Aquella noche es conocida . . .   That night is known . . .
. . . pájaros que habían sido devorados. . .   . . . birds which had been devoured . . .
Almagro fue vencido y condenado a muerte . . .   Almagro was overcome and
     condemned to death . . .

See Lección 8, page 97, for a discussion of the reflexive substitute for the passive. An additional use of this construction occurs when **se** is used impersonally as the subject, then the English noun subject is made the object of the Spanish verb. The object pronoun **le** (*pl.* **les**) is used for a third person masculine object, direct or indirect:

se le critica mucho a Cortés . . .   Cortés is criticized (people criticize Cortés) a
     great deal . . .

3. Sometimes when a long subject follows a Spanish verb in the active voice, the English sentence can best be expressed by the passive voice:

En el camino se le unieron a Pizarro unos 130 hombres, . . .   On the way
     Pizarro was joined by 130 men, . . .

4. In Spanish, when anything is taken away, bought, hidden, etc., from anyone, the indirect object is used:

. . . Cortés se lo compró al cacique . . .   . . . Cortés bought him from the Indian
     chief . . .

A similar use appeared in line 33, page 150:

Para ocultarles a los indios . . .   In order to hide from the Indians . . .

Hernán Cortés (1485-1547) se embarcó para América a la edad de diez y nueve años, dirigiéndose primero a la Española, y después, a Cuba. Oyó hablar muchas veces de tierras maravillosas que estaban al oeste, al otro lado del mar. Mandado por Diego Velázquez, gobernador de Cuba, a conquistar a México, Cortés resolvió emprender la conquista por cuenta propia.[1] Tenía entonces treinta y cuatro años de edad.

En el viaje de Cuba a México, Cortés pasó por una isla donde conoció a Jerónimo de Aguilar, un español que los indios habían capturado unos ocho años antes. Pensando que Aguilar podría servirle de intérprete, Cortés se lo compró al cacique,° que era su dueño. Más tarde, en la costa de Yucatán, el conquistador conoció a una joven indígena, llamada Marina, que lo acompañó en sus exploraciones. Como ella hablaba la lengua de los mayas y la de los aztecas, ayudó mucho a Cortés en sus tratos[2] con los indios.

La expedición, que constaba de[3] unos 500 soldados, 12 naves, 16 caballos y unas pocas armas de fuego,[4] llegó a la costa de México en el mes de abril de 1519. Después de fundar la ciudad de Veracruz, Cortés quemó[5] todas sus naves, menos una que mandó a España para anunciar la fundación de la nueva colonia. Con la ayuda de algunas tribus indígenas que llegaron a ser aliados suyos, Cortés y sus soldados invadieron el territorio de los aztecas. Al acercarse° a Tenochtitlán, la capital de los aztecas, el emperador Moctezuma salió a recibirlos con regalos muy valiosos. Así es que los españoles pudieron establecerse sin dificultad en la ciudad, que estaba situada en la meseta central.

Comprendiendo que su pequeño ejército[6] estaba a la merced de los aztecas, los españoles tomaron prisionero a Moctezuma y lo obligaron a dar las órdenes que ellos le indicaban. Poco a poco los aztecas se dieron cuenta de la situación y, por fin, se rebelaron contra los invasores. Por orden de los españoles Moctezuma salió a la terraza para hablar con los indios, quienes le arrojaron una piedra que le causó la muerte.[7] Sabiendo el peligro[8] en que se encontraban, los españoles salieron de la ciudad la noche del 30 de junio de 1520. Aquella noche es conocida° en la historia como «la Noche Triste», en que Cortés perdió unos 400 soldados. Al año siguiente, habiendo recibido nuevas fuerzas, Cortés pudo emprender de nuevo la conquista de Tenochtitlán.

Con razón se le critica mucho a Cortés° por su gran crueldad, pero hay que reconocer que ningún conquistador lo superó[9] en valor, táctica militar y ardor religioso. Él mismo empezó a establecer en la Nueva España,[10] esto es, en México, las instituciones que existían en su época en España.

Brevemente hablaremos ahora de la fundación de la ciudad de Tenochtitlán en 1325, según una antigua leyenda azteca. Entre las tribus indígenas que vivían en el

---

[1]**por cuenta propia,** *by himself, on his own (account).* [2]**tratos,** *dealings.* [3]**constaba de,** *consisted of.* [4]**armas de fuego,** *firearms.* [5]**quemó,** *burned.* [6]**ejército,** *army.* [7]**le arrojaron . . . la muerte,** *threw at him a stone which caused his death.* [8]**peligro,** *danger.* [9]**superó,** *surpassed.* [10]New Spain, which was organized as a viceroyalty in 1535, comprised all Spanish territory north of Panama; thus Mexico was called New Spain until its independence from the mother country in 1821.

norte de México estaba la azteca. Por órdenes de los dioses, los aztecas viajaron por muchos años hacia el sur, buscando un lugar para establecerse. Por fin, llegaron al valle de Anáhuac, donde vieron un lago grande en que había muchas islas. En una de las islas había una peña;[1] encima de la peña, un nopal;[2] y en el nopal había un águila[3] a punto de devorar una serpiente. Al pie del nopal había muchas plumas verdes, azules, rojas y amarillas de pájaros que habían sido devorados° por el águila. El dios principal les dijo que éste era el lugar donde debían establecerse. Los aztecas le dieron gracias a su dios e inmediatamente fundaron la ciudad de Tenochtitlán, llamada México después en honor de Mexitli, dios de la guerra. El águila en el nopal con una serpiente en el pico, que se ve en el centro de la bandera mexicana, es el emblema nacional de México.

Otro conquistador español bien conocido fue Francisco Pizarro (1475-1541). Después del descubrimiento del Océano Pacífico en 1513, los españoles empezaron a dirigir sus exploraciones hacia el sur. Uno de los compañeros de Núñez de Balboa, Francisco Pizarro, se asoció con[4] otro soldado, Diego de Almagro, y con el clérigo Hernando de Luque, para emprender la conquista del imperio de los incas. Después de intentarlo[5] en vano dos veces, primero en 1524 y luego dos años después, Pizarro decidió volver a España, donde el rey, Carlos V,[6] lo nombró gobernador de las provincias del Perú.

En enero de 1531 Pizarro salió de Panamá por tercera vez. Llevaba 27 caballos y unos 180 soldados, entre ellos cuatro hermanos suyos. Al llegar al norte del Perú cruzaron montañas, ríos y desiertos en su marcha hacia Cajamarca, donde los esperaba Atahualpa, emperador de los incas. En el camino se le unieron a Pizarro unos 130 hombres,° entre ellos el capitán Hernando de Soto.

Atahualpa, que acababa de derrotar[7] a su hermano Huáscar en una guerra civil, creía que los incas podrían vencer fácilmente a los españoles. En noviembre Pizarro ocupó la ciudad de Cajamarca, que los incas habían abandonado, y envió a un hermano suyo y a Hernando de Soto a decirle a Atahualpa que el representante de otro gran rey lo invitaba a visitarlo. El inca, que estaba a poca distancia de la ciudad con más de 30,000 hombres, les contestó que lo haría al día siguiente.

Pizarro escondió hombres, caballos y cañones en los edificios que daban a la plaza. Al entrar Atahualpa en la plaza,° en una litera[8] ricamente adornada, lo recibió un padre dominico, Vicente de Valverde. Ofreciéndole al inca una Biblia, Valverde trató de explicarle, por medio de un intérprete, que debía aceptar la religión cristiana y reconocer el dominio del rey de España. Atahualpa arrojó la Biblia al suelo, contestando que ningún rey era más poderoso que él. En ese momento los españoles que estaban escondidos atacaron a los indios, matando a muchos de ellos y prendiendo[9] a Atahualpa. Éste, para obtener su libertad, ofreció llenar de oro el

---

[1]**peña,** *rock.* [2]**nopal,** *prickly pear tree, cactus.* [3]**un águila,** *an eagle.* The form **un** may be used instead of **una** before feminine singular nouns which begin with a stressed **a-** (**ha-**) sound. [4]**se asoció con,** *joined, formed a partnership with.* [5]**intentar,** *to try.* [6]**Carlos V = Carlos Quinto.** [7]**acababa de derrotar,** *had just defeated.* [8]**litera,** *litter.* [9]**prendiendo,** *seizing.*

cuarto donde lo tenían prisionero. Aunque lo hizo, los españoles no le dieron la libertad que le habían prometido. En vez de guardar su promesa, lanzaron acusaciones falsas contra Atahualpa y lo condenaron a muerte.

Continuando la conquista de los incas, los españoles marcharon al Cuzco, la capital del imperio. Más tarde Pizarro se dirigió al valle del Rimac, donde, el seis de enero de 1535, en honor de la fiesta de la Epifanía,[1] fundó la Ciudad de los Reyes, después llamada Lima.

Pizarro y Almagro no gozaron mucho tiempo de sus riquezas y conquistas porque surgieron discordias[2] entre los dos. Almagro fue vencido y condenado a muerte° por uno de los hermanos del conquistador, y Pizarro murió a manos de un hijo de Almagro en 1541. Hoy día, en la catedral de la antigua capital del Perú, se puede ver el lugar donde se encuentran los restos de Pizarro.

Preguntas

1. ¿Cuántos años tenía Cortés cuando se embarcó para América?   2. ¿De qué oyó hablar en la Española y en Cuba?   3. ¿Qué resolvió hacer cuando Diego Velázquez lo mandó a conquistar a México?   4. ¿A quiénes conoció en el viaje a México?   5. ¿Qué lenguas hablaba Marina?

6. ¿En qué año llegó la expedición a la costa de México?   7. ¿Qué nombre dieron a la ciudad que fundaron allí?   8. ¿Quemó Cortés todas sus naves?   9. ¿Qué territorio invadieron los españoles?   10. ¿Cómo se llamaba la capital de los aztecas? 11. ¿Quién era el emperador de ellos?

12. Después de tomar prisionero a Moctezuma, ¿qué lo obligaron a hacer?   13. ¿Qué hicieron los indios cuando se dieron cuenta de la situación?   14. ¿Qué hicieron los españoles la noche del 30 de junio?   15. ¿Cómo es conocida aquella noche? 16. ¿Cuándo pudo Cortés emprender de nuevo la conquista de la ciudad?   17. ¿En qué superó Cortés a los otros conquistadores españoles?   18. ¿Qué empezó a establecer Cortés en la Nueva España?

19. ¿En qué año se fundó la ciudad de Tenochtitlán? 20. ¿Dónde vivían los aztecas antes de ese año?   21. ¿A qué valle llegaron?   22. ¿Cuál es el emblema nacional de México?

23. ¿A quién nombró el rey, Carlos V, gobernador de las provincias del Perú? 24. ¿En qué año salió Pizarro de Panamá por tercera vez?   25. ¿Qué cruzaron los españoles en su marcha hacia Cajamarca?   26. ¿Quién esperaba a los españoles allí?

---

[1]**Epifanía,** *Epiphany* (January 6). [2]**surgieron discordias,** *discord (disagreements) arose.*

27. ¿Cuántos hombres acompañaban a Atahualpa?   28. ¿Qué pasó cuando Atahualpa entró en la plaza?   29. ¿Qué ofreció hacer Atahualpa para obtener su libertad?   30. Por fin, ¿qué hicieron los españoles?

31. ¿Adónde marcharon los españoles después?   32. ¿Cuándo fundó Pizarro la Ciudad de los Reyes?   33. ¿En qué año murió Pizarro?   34. ¿Dónde se encuentran los restos de Pizarro?

Comprensión

Listen carefully to each partial sentence. Repeat what you hear, then add in Spanish what is needed to complete each one accurately:

1. Hernán Cortés tenía diez y nueve años de edad cuando partió de España para ir a _____.
2. Dos personas que lo ayudaron mucho en la conquista de México fueron _____.
3. Al llegar a la costa de México, Cortés fundó la ciudad de _____.
4. Cortés quemó todas sus naves, menos una que _____.
5. Los españoles llegaron a la meseta central donde se encontraba _____.
6. El emperador Moctezuma salió a recibir la expedición con _____.
7. Comprendiendo que su pequeño ejército estaba a la merced de los aztecas, los españoles _____.
8. Cuando los aztecas se dieron cuenta de la situación, _____.
9. Cuando Moctezuma salió a la terraza, los aztecas le arrojaron _____.
10. Los españoles salieron de la ciudad la noche _____.
11. Aquella noche es conocida en la historia como _____.
12. Al año siguiente, habiendo recibido nuevas fuerzas, Cortés pudo _____.
13. El águila en un nopal con una serpiente en el pico es el _____.
14. En enero de 1531 Francisco Pizarro salió de Panamá para _____.
15. Los españoles llegaron a Cajamarca, donde los esperaba _____.
16. Cuando Atahualpa arrojó la Biblia al suelo, los españoles _____.
17. Para obtener su libertad, Atahualpa ofreció _____.
18. Continuando la conquista del imperio inca, los españoles _____.
19. Pizarro fundó la Ciudad de los Reyes el _____.
20. Hoy día se puede ver el lugar donde se encuentran los restos de Pizarro en _____.

Hernando de Soto y los incas ajedrecistas[1]

Ricardo Palma (Peru, 1833-1919) was a great teller of tales. For background he needed only a little history. To give purpose to his story, he often chose some human quality, such as generosity, pity, sympathy, greed, or false pride. He could then turn his

[1]**ajedrecistas,** *chess players.*

imagination loose, moving at full speed ahead, to turn out a delightful story. His many tales, called tradiciones, present a series of pictures of Peru's development from the time when it was an Inca empire through its colonial period, its struggle for independence from Spain, and on into its existence as an independent republic. The Tradiciones peruanas, *from which* Hernando de Soto y los incas ajedrecistas *has been adapted, are a pleasant mixture of fact and fiction.*

El hidalgo Hernando de Soto se unió a Francisco Pizarro en el Perú y tomó parte en la conquista de los incas. Pizarro, reconociendo que de Soto era valiente, justo y simpático, lo nombró por su segundo,[1] no sin oposición de sus cuatro hermanos.

De Soto fue el primer español que habló con el emperador Atahualpa, mandado por Pizarro al campamento del Inca. Éste aceptó la invitación de pasar a Cajamarca.

Atahualpa, en su prisión, tomó gran cariño[2] por Hernando de Soto, siempre viendo en él un defensor. De Soto era verdaderamente caballero, y tal vez el único corazón noble entre los 170 españoles que capturaron al hijo del Sol.[3]

Los moros, que durante más de siete siglos dominaron en España, introdujeron[4] en el país la afición al juego de ajedrez.[5] Los españoles trajeron este juego popular al Nuevo Mundo. Se sabe que los capitanes Hernando de Soto, Juan de Rada, Francisco de Chaves, Blas de Atienza y el tesorero[6] Riquelme se reunían todas las tardes, en Cajamarca, en el cuarto que sirvió de prisión al Inca Atahualpa. Allí, para estos cinco hombres y tres o cuatro más, había dos tableros[7] pintados sobre dos mesitas de madera. Las piezas eran de barro.[8]

El Inca estaba muy preocupado en los primeros meses de su cautiverio.[9] Aunque todas las tardes tomaba asiento junto a Hernando de Soto, su amigo y defensor, no daba señales de haberse dado cuenta de [10] cómo movían las piezas. Pero una tarde, en las jugadas[11] finales de un partido entre de Soto y Riquelme, hizo ademán Hernando de[12] mover el caballo,[13] y el Inca Atahualpa, tocándole ligeramente el brazo,[14] le dijo en voz baja: [15]

—No, capitán, no . . . ¡El castillo!

Todos se sorprendieron. Hernando, después de meditar unos momentos, movió la torre,[16] como le había aconsejado Atahualpa, y pocas jugadas después sufría Riquelme el inevitable *mate*.[17]

Después de aquella tarde el capitán Hernando de Soto invitaba al Inca a jugar un solo partido, y pronto el discípulo era ya digno del maestro.[18]

---

[1]**segundo,** *second in command, assistant.* [2]**cariño,** *affection, liking.* [3]**hijo del Sol,** *son of the Sun* = *the Inca.* [4]**introdujeron** (*pret. of* **introducir**), *introduced.* [5]**afición al juego de ajedrez,** *fondness for the game of chess.* [6]**tesorero,** *treasurer.* [7]**tableros,** *chessboards.* [8]**Las piezas eran de barro,** *The chessmen were (of) pottery (of clay).* [9]**cautiverio,** *captivity.* [10]**no daba . . . cuenta de,** *he gave no signs of having realized.* [11]**jugadas,** *plays.* [12]**hizo ademán Hernando de,** *Hernando made a gesture to.* [13]**caballo,** *knight* (in chess). [14]**tocándole . . . brazo,** *touching his arm lightly.* [15]**en voz baja,** *in a low voice.* [16]**torre,** *castle* (in chess). [17]**mate,** *checkmate.* [18]**el discípulo . . . maestro,** *the pupil was already worthy of the teacher.*

Se dice que los otros ajedrecistas españoles, con la excepción de Riquelme, invitaron también al Inca; pero éste nunca aceptó, diciéndoles por medio del intérprete:

—Yo juego muy poquito y vuesa merced[1] juega mucho.

La tradición popular asegura que el Inca pagó con la vida el *mate* que por su consejo[2] sufrió Riquelme aquella tarde. En el famoso consejo de veinticuatro jueces,[3] convocado por Pizarro, se le impuso a Atahualpa la pena de muerte por trece votos contra once.[4] Riquelme fue uno de los trece.

Cuando Hernando de Soto volvió de una exploración, a que lo había enviado Pizarro, supo que le habían dado muerte al Inca. Manifestó gran enojo[5] por el crimen de sus compañeros, y disgustándose cada día más[6] con su conducta, volvió a España en 1536, llevándose[7] diez y siete mil setecientas onzas de oro[8] que le correspondían del rescate[9] del Inca.

MODISMOS Y FRASES ÚTILES

dar muerte a   to kill, put to death
junto a   near, next to
nombrar por   to name as

tal vez   perhaps
tomar asiento   to take a seat
unirse a   to join

Preguntas

1. ¿A quién se unió de Soto?   2. ¿En qué tomó parte?   3. ¿Con quién habló de Soto?   4. ¿Por qué tomó Atahualpa gran cariño por de Soto?   5. ¿Qué introdujeron los moros en España?   6. ¿Qué hicieron los españoles con aquel juego?   7. ¿Dónde se reunían los capitanes todas las tardes?

8. ¿Dónde tomaba asiento el Inca?   9. ¿Sabía jugar al ajedrez?   10. ¿Qué dijo una tarde cuando de Soto iba a mover el caballo?   11. ¿Qué pasó entonces?   12. ¿Jugaban mucho de Soto y Atahualpa?   13. ¿Jugó el Inca con los otros españoles?

14. ¿Qué asegura la tradición popular?   15. ¿Cuántos jueces había en el consejo?   16. ¿Cuántos votos recibió el Inca?   17. ¿De quién fue uno de los trece votos contra él?   18. ¿Qué hizo de Soto al saber que le habían dado muerte a Atahualpa?

---

[1]**vuesa merced,** *your grace, you.* [2]**consejo,** *advice; court* (in next sentence). [3]**jueces,** *judges.* [4]**se le impuso . . . once,** *the death penalty was imposed on Atahualpa by a vote of 13 to 11.* [5]**enojo,** *anger.* [6]**disgustándose cada día más,** *becoming more and more displeased.* [7]**llevándose,** *taking with him.* [8]**onzas de oro,** *doubloons* (gold coins worth $50 or more). [9]**le correspondían del rescate,** *fell to his share from the ransom.*

Los Reyes Magos

Jacinto Benavente (1866-1954), one of Spain's best-known playwrights of the twentieth century, also wrote short stories. This adaptation of a Christmas story shows something of the universal character of Benavente's work.

El día de los Reyes Magos (The day of the Wise Men) *is the Epiphany or Twelfth Night, January 6. On that date the three Wise Men reached Bethlehem with their gifts for the Christ child. Spanish children receive their gifts on January 6, rather than on Christmas Day.*

Al amanecer[1] del día de los Reyes Magos, el niño se despertó nervioso, saltó de la cama y corrió al balcón para ver lo que le habían traído los tres Reyes Magos. Cuando la criada oyó el ruido del niño que trataba de abrir el balcón, corrió gritando:

—Niño, ¿qué estás haciendo? Vas a enfermarte; tienes que volver a la cama.

—¡Los Reyes! ¡Quiero ver lo que me han traído los Reyes!

—¡Qué tonto[2] eres! —decía el hermano mayor desde su cama, después que la criada había puesto a su hermano pequeño en su cama otra vez. —Yo tengo ya mi regalo. ¿Ves este duro[3] nuevo? Cuando papá me lo dio anoche, me dijo: «¿Tú crees en eso de[4] los Reyes? ¡Tonto! Los reyes son papá y mamá . . .»

—¡Es mentira! —gritó el niño. —Los Reyes han venido y me han traído muchas cosas, y a ti nada, porque me haces rabiar[5] . . .

—¡Tonto, tonto! —decía el hermano mayor.

El niño empezó a llorar.[6] El padre, de mal humor,[7] llegó y preguntó:

—¿Qué ocurre?

Cuando el niño le explicó lo que había pasado, el padre dijo:

—Tu hermano tiene razón; no hay tales Reyes; los hombres no creen en tales cosas . . .

El niño quedó aterrado.[8] Estaba llorando mucho . . .

—¿Lo ves, lo ves?—le decía el hermano mayor.

Y el niño lloraba . . . En ese momento la madre entró, diciendo:

—¿Qué tienes?[9] ¿Por qué lloras?

—Porque papá dice que no hay Reyes Magos . . .

El padre iba a insistir, pero la madre le miró fijamente,[10] luego se dirigió al niño:

—¿Te han dicho eso? ¡Sí que[11] hay Reyes Magos, sí, vida mía![12] Unos Reyes muy buenos que quieren mucho a los niños.[13]

---

[1]**Al amanecer,** *At dawn.* [2]**¡Qué tonto!** *What a fool! How stupid!* [3]**duro,** *the five-peseta coin in Spain.* [4]**en eso de,** *in that matter of.* [5]**me haces rabiar,** *you make me furious.* [6]**llorar,** *to cry, weep.* [7]**de mal humor,** *in a bad mood.* [8]**quedó aterrado,** *was terrified.* [9]**¿Qué tienes?** *What's the matter with you?* [10]**le miró fijamente,** *stared at him (looked at him fixedly).* (Note that here, as in other selections by Spanish authors presented later in the text, **le** is normally used as the masculine singular direct object pronoun. Also see footnote, page 84.) [11]**Sí que,** *Certainly.* [12]**vida mía,** *my dear, darling.* [13]**quieren mucho a los niños,** *love children a great deal.*

Y secando a besos las lágrimas[1] del hijo, le contaba la eterna leyenda, y el niño, al oírla, se abrazaba a[2] su madre. Por fin, entre risas y lágrimas,[3] miró primero a su madre, y luego a su hermano diciendo:

—¿Ves lo que dice mamá? ¿Ves como todo es verdad?

Preguntas

1. ¿Cuándo se despertó el niño?   2. ¿Adónde corrió?   3. ¿Quién oyó el ruido?
4. ¿Qué dijo la criada?   5. ¿Qué decía el hermano mayor?   6. ¿Qué le había dado su padre al hermano mayor?   7. ¿Qué le había dicho su padre?   8. ¿Qué gritó el niño?   9. ¿Quién llegó entonces?   10. Según la madre, ¿hay Reyes Magos?
11. ¿Quiénes son los Reyes?   12. Por fin, ¿qué le dice el niño a su hermano mayor?

---

[1]**secando a besos las lágrimas,** *drying the tears . . . with kisses.* [2]**se abrazaba a,** *was embracing.* [3]**entre risas y lágrimas,** *half-laughing, half-crying* (lit., *between laughter and tears*).

LECCIÓN 16

In this lesson you will learn and practice:

1. some new words and expressions
2. the present subjunctive of *haber* and *pedir*
3. the forms and use of the present perfect subjunctive tense
4. the irregular forms of verbs ending in *-ducir*
5. the use of the subjunctive in noun clauses when the main verb expresses a request, command, permission, or advice

You will also review the use of the definite article with the seasons.

Village in the Andes, Chile

PALABRAS Y EXPRESIONES

SUBSTANTIVOS

la carretera highway, road
la dificultad difficulty
el esquí (*pl.* **esquíes**) ski
el hielo ice
la invitación (*pl.* **invitaciones**)
  invitation
el lugar place
el patín (*pl.* **patines**) skate
la sierra mountain range,
  mountains
el suelo ground

ADJETIVO

grueso, -a heavy

VERBOS

aconsejar to advise
conducir[1] to conduct, drive (*car*)
esquiar[2] to ski
insistir en + *obj.* to insist on
olvidarse (**de** + *obj.*) to forget (to,
  about)
patinar to skate

OTRA PALABRA

aún even, still, yet

EXPRESIONES

***casa de campo** country house
  (home)
darle (las) gracias a uno (por) to
  thank one (for)
de día by day, in the daytime
***de nada** you're welcome, don't
  mention it
***de noche** at (by) night
excursión (deporte) de invierno
  winter excursion (sport)
hacer (bastante) fresco to be
  (quite) cool (*weather*)
***hacer (mucho) calor** to be (very)
  warm (*weather*)
***hay sol** it is sunny, the sun is
  shining
insistir en que to insist that
***lejos de** *prep.* far from
(no) dejar de + *inf.* (not) to fail to
por aquí around here
***¿qué tiempo hace?** what's the
  weather like? how's the weather?
¿te permiten ir? are they letting
  (will they let) you go?
¡ya lo creo! I should say so! of
  course!

---

[1]**Manejar,** *to handle,* is often used in Spanish America instead of **conducir,** meaning *to drive.*
[2]Conjugated like **enviar** (see Appendix D, page 424).

Una excursión de invierno

(Es invierno. Los padres de Ricardo tienen una casa de campo en la sierra. Ricardo ha invitado a dos amigos suyos a pasar un fin de semana allí.)

Ricardo. Roberto, ¿has hablado con tus padres? ¿Te permiten ir a la sierra con nosotros? Tomás me ha dicho que piensa ir.

Roberto. Sí, acabo de hablar con ellos y me dicen que puedo ir con ustedes. Me piden que te dé las gracias por la invitación.

Ricardo. De nada. Me alegro mucho de que ustedes puedan acompañarnos. Dudo que hayas visto un lugar más hermoso por aquí.

Roberto. Habrá hielo, y mucha nieve también en el suelo, en esta estación del año, ¿verdad?

Ricardo. ¡Ya lo creo! Y sabiendo que te gustan los deportes de invierno, te aconsejo que lleves tus esquíes. Y no dejes de llevar tus patines tampoco. Estoy seguro de que podremos esquiar, y es posible que podamos patinar en un lago grande que no está lejos de la casa. . .

Ricardo. Tú verás a Tomás esta noche, ¿no?

Roberto. Sí, vendrá a nuestra casa a eso de las siete. Va a pasar la noche conmigo.

Ricardo. No te olvides de decirle a Tomás que lleve ropa gruesa. De noche hace mucho frío allí, y aún de día, cuando hay sol, hace bastante fresco.

Roberto. Se lo diré. A propósito, ¿a qué hora debemos estar listos?

Ricardo. Mi papá insiste en que estemos listos a las seis. Yo prefiero que él conduzca cuando hay nieve y hielo en la carretera.

Roberto. No creo que haya dificultad en salir a esa hora. Y creo que hará buen tiempo mañana.

Ricardo. Mis padres y yo vendremos a buscarlos a las seis. Adiós.

Roberto. Adiós. Hasta mañana.

Preguntas

Answer in Spanish these questions based on the first part of the dialogue:

1. ¿Qué estación es?   2. ¿Qué tienen los padres de Ricardo?   3. ¿Qué ha hecho Ricardo?   4. ¿Qué han dicho los padres de Roberto?   5. Según Ricardo, ¿cómo es el

205

lugar? 6. ¿Habrá hielo y nieve allí? 7. ¿Qué deben llevar los muchachos? 8. ¿Dónde pueden patinar?

Preguntas generales

1. ¿Qué tiempo hace hoy? 2. ¿Hay sol? 3. ¿Hace mucho frío? 4. ¿Hace calor? 5. ¿Hay nieve en el suelo? 6. ¿Te gusta la nieve? 7. ¿Hay mucho hielo en esta parte del país? 8. ¿Qué se puede hacer cuando hay hielo? 9. ¿Sabes patinar? 10. ¿Se puede esquiar por aquí? 11. ¿Piensas tú hacer una excursión a la sierra? 12. ¿Te gusta ir a la sierra en el verano o en el invierno? 13. ¿Hay lagos por aquí? 14. ¿Sabes conducir un coche? 15. ¿Has conducido cuando hay nieve o hielo en la carretera?

para conversar

Study the first part of the dialogue and retell it in Spanish in your own words.

Prepare a conversation of six to eight exchanges telling about a real or imaginary excursion to the mountains.

NOTAS

 The present subjunctive of **haber** and **pedir**

haber		pedir (i, i)	
haya	hayamos	pida	pidamos
hayas	hayáis	pidas	pidáis
haya	hayan	pida	pidan

Haber is one of six verbs whose present subjunctive is not formed from the first person singular present indicative (see Lección 12, page 141). (1) What are the other five? (2) What is the first person singular present subjunctive of each one?

The third person singular **haya** is used impersonally to mean *there is (are), there may be:* **No creo que haya dificultad** ... *I don't believe there is (will be) any difficulty* ...

Stem-changing verbs, Class III (**pedir, despedirse, servir, vestirse**), change **e** to **i** in all forms of the present subjunctive. (3) In which forms of the present indicative does this change occur? (See Lección 11, page 131.)

The command forms of **pedir** are: **pide** (tú), **no pidas** (tú); **pida(n) Ud(s)., no pida(n) Ud(s).** Those for **vestirse** are: **vístete** (tú), **no te vistas** (tú); **vísta(n)se Ud(s)., no se vista(n) Ud(s).** (4) What are the command forms of **servir** and **despedirse**?

B. The present perfect subjunctive tense

haya hayas } tomado, comido, vivido haya	hayamos hayáis } tomado, comido, vivido hayan

No creemos que Pepe haya patinado hoy.   We don't believe that Joe has (may have) skated today.

Dudo que hayas visto un lugar más hermoso.   I doubt that you have seen a more beautiful place.

The present perfect subjunctive is formed by the present subjunctive of **haber** with the past participle. After main verbs which require the subjunctive in a dependent clause, the English present perfect is put into the Spanish present perfect subjunctive. The word *may* is sometimes a part of the English sentence.

C. Verbs ending in **-ducir: conducir,** *to conduct, drive* (car)

PRES. IND.	conduzco	conduces	conduce	conducimos	conducís
	conducen				
PRES. SUBJ.	conduzca	conduzcas	conduzca	conduzcamos	conduzcáis
	conduzcan				
PRETERIT	conduje	condujiste	condujo	condujimos	condujisteis
	condujeron				

Verbs ending in **-ducir** change **c** to **zc** in the first person singular present indicative and throughout the present subjunctive, like the verb **conocer**. The stem of these verbs in the preterit is **conduj-**.

D. The subjunctive in noun clauses *(continued)*

Me piden que te dé las gracias por la invitación.   They ask me to thank you for the invitation.

Te aconsejo que lleves tus esquíes.   I advise you to take your skis.

No te olvides de decirle a Tomás que lleve ropa gruesa.   Don't forget to tell Thomas to to take (wear) heavy clothing.

Insistiré en que Carlos venga a buscarme.   I shall insist that Charles come to pick me up.

The subjunctive is required in a noun clause when the main verb expresses a *request, command, permission,* or *advice,* affirmative or negative. Common verbs of this type are: **aconsejar,** *to advise;* **decir,** *to tell* (command); **pedir (i, i),** *to ask, request.* **Insistir en que** is also followed by the subjunctive.

With certain verbs, e.g., **decir, pedir, aconsejar,** and others, a personal object is expressed as an indirect object; the subject of the infinitive in English is expressed as the indirect object of the main verb and understood as the subject of the subjunctive verb in the dependent clause. In the case of a sentence like *I shall ask him to come,* think of it as *I shall ask of (to) him that he come.*

Remember that in Spanish the indirect object pronoun is commonly used in addition to a noun indirect object (third example; also see Lección 7, page 86).

Decir requires the subjunctive in a noun clause only when it expresses a command. Compare:

Me dicen que puedo ir con ustedes.   They tell me (that) I can go with you.
Le diré a Tomás que esté listo a las seis.   I shall tell Thomas to be ready at six.

E. Review of the use of the definite article with the seasons

Me gusta la primavera (el otoño).   I like spring (fall).
Es invierno (verano).   It is winter (summer).
Hacen una excursión de invierno.   They make a winter excursion.

The definite article is usually used with the seasons, except after **ser** or in a **de**-phrase. In daily speech it is often omitted after **en: Hace mucho frío en invierno,** *It is very cold in winter.*

EJERCICIOS ORALES

A. Substitution exercises:

1. Luis no cree que *Pepe* haya comido.
   (Pepe y yo, Ud., tú, Uds., los muchachos)
2. Carlos siente mucho que *ellos* no hayan visto el lugar.
   (yo, Marta y yo, Pepe y Ana, Ud., tú)
3. *Pídale Ud.* que traiga los esquíes.
   (Pídales Ud., Díganles Uds., Ella me aconseja, Ana nos pedirá)
4. *Mis amigos me dicen* que conduzca el coche.
   (Luis le dice, Marta te pide, Juan nos aconseja, Tú les dirás)
5. *Margarita* lo condujo a la sierra.
   (Yo, Mi amiga, Carmen y yo, Uds., Tú)

B. Review the irregular past participles in Lección 5, page 51. Say after your teacher, then repeat, changing the verb in the dependent clause to the present perfect subjunctive.

Model: Yo dudo que vengan.

Yo dudo que vengan.
Yo dudo que hayan venido.

1. Es lástima que Enrique no nos vea.
2. María y Luisa no creen que tú escribas la tarjeta.
3. Sentimos mucho que haga bastante fresco.
4. Me alegro de que Uds. no se pongan los patines.
5. Me sorprende que Carolina no me los devuelva.
6. ¿Dudas que Felipe traiga los esquíes?
7. Es extraño que José no les dé las gracias por la invitación.
8. Tienen miedo de que Carlos vaya a patinar sobre el lago.

C. Read, supplying the present perfect indicative or subjunctive of the infinitive in parentheses, as required:

1. Sabemos que el señor Pidal (ir) a su casa de campo.
2. Juan no cree que nosotros (ver) un lugar más hermoso.
3. Nos alegramos de que Luis (poder) pasar el fin de semana allí.
4. Es lástima que él (olvidarse) de llevar ropa gruesa.
5. Es cierto que de noche (hacer) mucho frío en las montañas.
6. Mi papá teme que mi mamá no me (dar) bastante dinero.
7. Carlos no está seguro de que su hermanito (aprender) a patinar.
8. Nos sorprende que José no les (decir) nada de sus planes.
9. Los muchachos creen que sus amigos ya (salir) para la sierra.
10. Mi mamá no cree que yo (tener) tiempo para trabajar en el jardín.

D. Say after your teacher, then upon hearing a phrase ending with **que,** use it to form a new sentence.

Model: Ellos han ido al café.

Dudo que

Ellos han ido al café.
Dudo que ellos hayan ido al café.

1. Vuelven de España. (No creo que)
2. Hacen una excursión a la sierra. (Esperamos que)
3. Has comprado un par de patines. (Dudan que)
4. Llevan ropa gruesa en el invierno. (Les aconsejo que)
5. Los muchachos no dicen nada. (Temen que)
6. Carlos no se pondrá el abrigo. (Tienen miedo de que)
7. Felipe no le ha escrito a Carmen todavía. (Siento mucho que)

8. Elena no me ha devuelto los discos.   (Es extraño que)
9. Mi tío no conduce el coche de noche.   (Me alegro de que)
10. Hay hielo en la carretera en esta estación.   (Será posible que)

EJERCICIOS ESCRITOS

A.   Write each sentence again, using the cue (**que** plus a subject).

Model: Temen no verlos. (que tú)   Temen que tú no los veas.

1. Sentimos no poder buscar a Felipe.   (que Uds.)
2. Es necesario ponerse los zapatos.   (que tú)
3. Juan prefiere buscar otro par de esquíes.   (que su hermana)
4. Mi papá no quiere conducir el coche esta noche.   (que yo)
5. No será posible entregarles el paquete.   (que nosotros)
6. Carlota insiste en hacer el vestido.   (que su mamá)
7. Es lástima no darles las gracias por el regalo.   (que ella)
8. Es importante envolver las compras.   (que el empleado)

B.   Write in Spanish, noting the change in subject in the second sentence of each group:

1. I desire to arrive on time. I desire that they arrive on time.
2. Joe is very glad to be here. Joe is very glad that we are here.
3. Tell (*formal sing.*) them that we are leaving. Tell them to leave now.
4. I shall ask him for permission. Ask (*pl.*) him to give you permission.
5. John insists on driving the car. John insists that I drive the car.
6. They prefer to go by day. They prefer that we go by day.

C.   Write in Spanish:

1. Richard tells Robert to take (tells to Robert that he take) only one suitcase.   2. He asks him not to forget (that he not forget) his skates.   3. He tells him that there will be snow and ice.   4. Richard also wants his friend to take (wishes that his friend take) his skis.   5. Their parents are sure that they will have a very good time on the excursion.   6. They doubt that Thomas has brought enough heavy clothing.   7. Richard's father asks them to be (asks of them that they be) ready early.   8. Richard prefers that his father drive when it is bad weather.   9. They will come to pick up the two boys at six o'clock.   10. The boys do not believe that there will be any difficulty[1] in leaving for the mountains at that hour.

---

[1] that . . . difficulty, **que haya dificultad.**

Skiing in Bariloche, Argentina

PRÁCTICA

—Ricardo, ¿a qué deportes eres aficionado?

—Me gustan más el fútbol y el béisbol. Y tú eres aficionado al básquetbol, ¿verdad?

—¡Ya lo creo! No juego al básquetbol, pero soy muy aficionado al deporte. Es demasiado rápido para mí.

—¿Juegas al golf y al tenis?

—Al tenis, sí, y el verano que viene espero aprender a jugar al golf.

—¿Has visto un partido de fútbol de estilo *soccer?*

—Solamente en la televisión. Algún día voy a acompañar a mi papá a un partido. Él dice que tenemos un equipo muy bueno.

*el verano que viene   next summer
gustar más   to like better (best), prefer

rápido, -a   rapid, fast
ser aficionado, -a a   to be fond of

Other sports which may be substituted in the dialogue are:

el boleo   bowling
el boxeo   boxing
la carrera de caballos   horse racing
la caza   hunting
la equitación   horseback riding

la lucha   wrestling
la pesca   fishing
la pista   track
el polo   polo
el vólibol   volleyball

LECCIÓN 17

In this lesson you will learn and practice:

1. some new words and expressions
2. the forms of the verb *seguir*
3. commands equivalent to "Let's" or "Let us" plus a verb, and indirect commands in the second and third persons

You will also review the use of *gustar* and find some comments on other verbs used similarly.

Shoppers in Mexico City

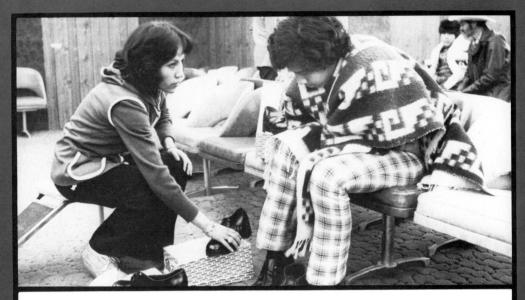

PALABRAS Y EXPRESIONES

SUBSTANTIVOS

el número size (*of shoes*)
el rincón (*pl.* **rincones**) corner
la vuelta change (*money*)

ADJETIVO

estrecho, -a narrow, tight

VERBOS

disculparse to apologize, excuse oneself
faltar to be lacking (missing), lack, need
pasearse to walk, stroll, wander
seguir (i, i) to continue, follow, go (keep) on

EXPRESIONES

a ver let's (let us) see
*__aquí tiene (Ud.)__ *or* __tienes__* here is
billete de (veinte) dólares (twenty-)dollar bill

de vez en cuando from time to time, occasionally
esperar mucho to wait long (a long time)
haga(n) *or* **hága(n)me Ud(s). el favor de** + *inf.* please
__¡hombre!__ man! hey!
__los tomo__ I'll take them
me parece que it seems to me (I think) that
para almorzar (ue) for lunch, to have (eat) lunch
__¿qué precio tienen (éstos)?__ what is the price of (these)?
sentar (ie) bien a uno to fit one well, be becoming to
sentar (ie) mal a uno to fit one badly, be unbecoming (not becoming) to one
sin embargo nevertheless, however
tal vez perhaps
tardar tanto to delay so much (long), be so long
(treinta y cinco dólares) el par (thirty-five dollars) a (per) pair

En una zapatería

(José y Jaime, que están en el centro, se pasean por la calle. Se detienen de vez en cuando para ver lo que hay en los escaparates.)

José. Vamos a entrar en esta zapatería. Voy a pedirles que me enseñen unos zapatos como ésos. Sigamos hasta aquella puerta para entrar.

Jaime. *(Entrando.)* Es extraño que haya tanta gente aquí hoy. Temo que tengamos que esperar mucho.

José. Tal vez no. Sentémonos aquí a la izquierda, no en ese rincón.

Jaime. Me parece que les faltan dependientes aquí. Espero que no tarde uno en venir porque tengo una cita con Elena para almorzar.

(Siguen charlando mientras esperan. Por fin se acerca un dependiente y se disculpa por haber tardado tanto.[1] Les pregunta qué desean.)

José. Haga Ud. el favor de enseñarme un par de zapatos. En el escaparate he visto un estilo nuevo que me gusta.

Dependiente. Tenemos varios estilos nuevos. ¿Qué número usa Ud.?. . . A ver. . . Creo que le sentará bien el número nueve.

José. *(Se prueba un zapato.)* No, éste me sienta mal; es muy estrecho. ¿No tiene otro más ancho?

Dependiente. De ese mismo estilo, no. ¿Quiere Ud. probarse éste?

José. Sí, . . . me sienta bien. ¿Qué precio tienen éstos?

Dependiente. Treinta y cinco dólares el par. Dudo que encuentre otros mejores a ese precio.

José. ¡Hombre! Puede ser que tenga Ud. razón, pero son carísimos. Sin embargo, los tomo. Envuélvalos, por favor. Aquí tiene dos billetes de veinte dólares.

(El dependiente le entrega a José la vuelta y el paquete. Jaime mira su reloj y ve que debe despedirse de su amigo.)

Jaime. Pues, José, tengo que irme.

José. Sí, es mejor que te vayas. Siento mucho que sea tan tarde. Adiós. Que se diviertan Uds.

Jaime. Muchas gracias. Llegaré a tiempo. Te veo esta noche.

---

[1] **se disculpa . . . tanto,** *apologizes for having delayed so much (long).* The perfect infinitive, **haber** plus the past participle, is used here since there is no change of subject. (See line 18, page 199, and line 7, page 239, for other uses of this construction.)

215

Preguntas

Answer in Spanish these questions based on the first part of the dialogue:

1. ¿Quiénes se pasean por la calle?   2. ¿Por qué se detienen de vez en cuando?   3. ¿Por qué quiere José entrar en la zapatería?   4. ¿Hay mucha gente allí?   5. ¿Qué teme Jaime?   6. ¿Dónde quiere José que se sienten?   7. ¿Por qué quiere Jaime que no tarde en venir un dependiente?   8. Cuando el dependiente se acerca, ¿qué les pregunta a los muchachos?

Preguntas generales

1. ¿Te gusta ir de compras?   2. ¿Vas de compras a menudo?   3. ¿Dónde se compran los zapatos?   4. ¿Hay buenas zapaterías en esta ciudad?   5. ¿Qué número de zapatos usas tú?   6. ¿Hay muchos estilos nuevos este año?   7. ¿Son caros o baratos los zapatos?   8. ¿En qué estación tienen ventas especiales?   9. ¿Te paseas por la calle de vez en cuando para ver lo que hay en los escaparates?   10. ¿Faltan dependientes en las tiendas a veces?

para conversar

Study the first part of the dialogue and retell it in Spanish in your own words.

Prepare a conversation of six to eight exchanges telling what happened the last time you went to buy shoes. You may want to consider some of these questions:

¿Dónde está la zapatería? ¿Había muchos zapatos en el escaparate? ¿Te probaste muchos pares de zapatos? ¿Te sentaron bien (mal)? ¿Te gustaron todos? ¿Viste muchos estilos? ¿Compraste solamente un par? ¿Decidiste esperar hasta más tarde?

NOTAS

 Forms of **seguir (i, i)**, *to follow, continue*

PRES. PART.	siguiendo					
PRES. IND.	sigo	sigues	sigue	seguimos	seguís	siguen
PRES. SUBJ.	siga	sigas	siga	sigamos	sigáis	sigan
PRETERIT	seguí	seguiste	siguió	seguimos	seguisteis	siguieron

The stem change of **seguir** is the same as that of **pedir.** In addition, as in all verbs ending in **-guir, u** is dropped after **g** before the endings **-o** and **-a**; this occurs in the first person singular present indicative and in all six forms of the present subjunctive.

The command forms are: **sigue** (tú), **no sigas** (tú); **siga(n) Ud(s)., no siga(n) Ud(s).**

Seguir may be followed by the present participle: **Siguen charlando,** *They continue chatting;* **Sigan Uds. leyendo,** *Continue (Go on) reading.*

B. More commands

1. **Entremos**
   Vamos a entrar } **en la zapatería.**   Let's enter the shoe store.

   Abrámosla.
   Vamos a abrirla. } Let's open it.

   No lo pongamos aquí.   Let's not put it here.

The first person plural of the present subjunctive is used to express commands equal to *Let's* or *Let us* plus a verb. **Vamos a** plus an infinitive, in addition to meaning *We are going to,* may be used for *Let's* or *Let us* plus a verb if the intention is to perform the action at once. (1) Where are object pronouns placed with respect to the verb in affirmative commands? (2) In negative commands? (3) With respect to an infinitive?

Vamos is used for the affirmative *Let's (Let us) go:* **Vamos a casa ahora,** *Let's go home now.* The subjunctive **vayamos** must be used for the negative *Let's not go:* **No vayamos a casa todavía,** *Let's not go home yet.* **No vamos a casa** can only mean *We are not going home.*

A ver is often used without **vamos** to mean *Let's see.*

Vámonos.   Let's go (Let's be going).

Sentémonos aquí.
Vamos a sentarnos aquí. } Let's sit down here.

No nos levantemos.   Let's not get up.

When the reflexive pronoun **nos** is added to the first person plural command form, the final **-s** is dropped from the verb. Remember that the reflexive pronoun must agree with the subject.

2. **Que lo traiga Pepe.**   Have Joe (May *or* Let Joe) bring it.

   Que se diviertan Uds.   May you (I want you to, I hope you) have a good time.

Que, equivalent to the English *have, may, let, I wish,* or *I hope,* introduces indirect commands in the second and third persons. In such cases object pronouns precede the verb, and if a subject is expressed, it usually follows the verb. This construction is really a clause dependent upon a verb of *wishing, hoping, permitting,* and the like, with the main verb understood.

When *let* means *allow* or *permit,* it is translated by **dejar** or **permitir.** Remember that either verb may be followed by an infinitive when the subject is a personal pronoun:

Permítanme ustedes preguntarle a ella si . . .   Permit me to (Let me) ask her
whether . . .

Dejar may be used similarly:

Déjame tú enseñarte . . .   Let me show you . . .

For emphasis, or especially when a noun is the object of the main verb and also
the subject of the following verb, the subjunctive is used after these two verbs:

Permítele (Déjale) tú a Juan que siga jugando.   Let (*fam.*) John (Permit *or* Allow
John to) continue playing.

C.   Review of the use of **gustar** and comments on some verbs used similarly

Remember that **gustar** is normally used only in the third person singular and
plural, depending on whether its subject is singular or plural. The English subject
becomes the indirect object in Spanish, and the English object becomes the subject of
the Spanish verb:

Me (Nos) gusta este estilo.   I (We) like this style.
¿Les gusta a Uds. éste?   Do you like this one?
No le gustan a ella (*or* A ella no le gustan) estos vestidos.   She doesn't like these
dresses.

Sentar (ie) bien, *to fit well, be becoming,* **sentar (ie) mal,** *to fit badly, be
unbecoming,* **faltar,** *to be lacking (missing), need,* and **quedar,** *to have (be) left,* are used
like **gustar:**

Le sentará bien el número nueve.   Size nine will fit you well.
Me sienta mal el traje.   The suit fits me badly (is not becoming to me).
Me sientan bien estos zapatos.   These shoes fit me well (are becoming to me).
Les faltan dependientes aquí.   They need (some) salespersons here. (lit.,
Salespersons are lacking to them here.)
Les falta el dinero.   They lack (need) the money.
Nos queda poco tiempo.   We have little time left.

APLICACIÓN.   Read, keeping the meaning in mind:

1. No le gustan a ella estos estilos.   2. ¿Les gusta a Uds. el concierto?   3. Siempre
nos gustaba la música española.   4. Les gustará pasearse por el parque.   5. No le
sienta bien a Marta la blusa.   6. ¿Te sientan bien los guantes?   7. ¿Te sienta mal el
vestido?   8. Me faltan cinco dólares para comprar la camisa.   9. Nos falta una hora
para terminar el trabajo.   10. Les falta poco tiempo.   11. Les quedan quince minutos.   12. Me quedan dos dólares.

EJERCICIOS ORALES

A. Substitution exercises:

1. Quieren que *Juan* siga cantando.
   (yo, tú, nosotros, ella, Uds.)
2. Puede ser que *tú* tengas razón.
   (Ud., Uds., nosotros, Felipe, ellos)

3. *El alumno* siguió paseándose.
   (Yo, Nosotros, Tú, Uds., Ellos)
4. *Los muchachos* se paseaban por la calle.
   (Ella, Ella y yo, Tú, Uds., Elena)

B. Say after your teacher, then repeat, making each sentence negative.

Models: Dénmelos Uds.   Dénmelos Uds. No me los den Uds.
   Sigámoslo.   Sigámoslo. No lo sigamos.

1. Tráigamelo Ud.   2. Tóquenlos Uds.   3. Entréguenselas Uds. a Juan.   4. Pruébeselos Ud.   5. Cerrémosla.   6. Envolvámoslos.   7. Levantémonos.   8. Pongámonoslos.   9. Despidámonos de ellos.   10. Mudémonos de ropa.

C. Answer each question in the affirmative, then in the negative.

Model: ¿Abrimos la puerta?   Sí, abrámosla. No, no la abramos.

1. ¿Llevamos los billetes?
2. ¿Envolvemos el paquete?
3. ¿Cerramos los libros?

4. ¿Buscamos a Felipe?
5. ¿Seguimos el coche?
6. ¿Entregamos las compras?

Model: ¿Nos despedimos?   Sí, despidámonos. No, no nos
                                    despidamos.

7. ¿Nos sentamos a la derecha?
8. ¿Nos levantamos ahora?

9. ¿Nos bañamos?
10. ¿Nos vamos?

After you hear questions 1-8 again, answer beginning with **Vamos a.**

Models: ¿Escribimos la carta?   Sí, vamos a escribirla.
            ¿Nos disculpamos?   Sí, vamos a disculparnos.

D. Listen to each plural command, then give an indirect command with **ellos** preceded by the phrase **Nosotros no podemos.**

Model: Ábranlo Uds.   Nosotros no podemos, que lo abran ellos.

1. Ciérrenlos Uds.   2. Tráiganlos Uds.   3. Escríbanles Uds.   4. Envuélvanlo Uds.
5. Búsquenlas Uds.   6. Apáguenlo Uds.   7. Siéntense Uds.   8. Acuéstense Uds.
9. Báñense Uds.   10. Acérquense Uds.

E. Say after your teacher, then give the alternate construction.

Model: Busquémoslo.   Busquémoslo.   Vamos a buscarlo.

1. Escribámosla. 2. Saquémoslas. 3. Paguémoslo. 4. Sentémonos. 5. Levan-témonos. 6. Detengámonos. 7. Pongámonoslos. 8. Lavémonoslas.

EJERCICIOS ESCRITOS

A. Note carefully the familiar singular command, then write an indirect command with **él** preceded by the phrase **Yo no puedo.**

Model: Tráelo tú.   Yo no puedo, que lo traiga él.

1. Envíalo tú. 2. Condúcelo tú. 3. Síguelo tú. 4. Entrégalos tú. 5. Búscalos tú.
6. Sírvelos tú. 7. Envuélvelo tú. 8. Siéntate tú. 9. Vístete tú. 10. Acércate tú.

B. Write new sentences using indirect commands and substituting the correct object pronoun for the noun object when one is expressed.

Model: José quiere buscar un regalo.   Que lo busque José.

1. Jorge desea comprar unos discos.
2. Carlos sigue tocando la guitarra.
3. Enrique quiere probarse un traje.
4. El dependiente puede envolver los paquetes.
5. Marta quiere sentarse un rato.
6. Todos van a acercarse despacio.
7. Anita va a ponerse los zapatos.
8. Ellos prefieren vestirse pronto.

C. Write in Spanish:

1. Joseph and James are downtown, strolling along a street. 2. They stop occasionally to look at all the things that can be seen in the show windows. 3. Joseph says to his friend: "Let's enter this shoe store; I want them to show me some shoes like those." 4. It seems strange to them that there are so many people in the shoe store. 5. James is afraid that they will have to wait a long time. 6. He hopes that the salesperson will not delay in coming, because he has a date with Helen for lunch. 7. Finally the salesperson approaches and asks the boys what they desire. 8. Joseph replies: "Please show me some shoes like the pair that I have seen in the show window to the right." 9. He tries on a shoe, size nine, but it fits him badly; it is very narrow. 10. After trying on others, Joseph finds one that fits him well and he asks: "What is the price of this pair?" 11. He is surprised that the shoes

Street scene, Mexico City, Mexico

are so expensive, but he decides to buy them.   12. He gives the salesperson two twenty-dollar bills, and he receives five dollars in (**de**) change.   13. After wrapping up the shoes, the salesperson hands the package to Joseph, saying: "Good-bye. May you return soon."   14. James has to hurry because it is time to pick up Helen at another store.

PRÁCTICA

—¿Adónde vas, José?

—Primero, a la farmacia, y luego a la panadería. ¿Y tú?

—Tengo que llevar estos zapatos a la zapatería.

—Pero, ¿no son nuevos?

—Sí, pero estos tacones son de cuero y yo quiero tacones de goma.

—¿Por qué no vas en bicicleta? La zapatería está lejos de aquí.

—Carlitos está usándola esta tarde. Todos los socios de su club han ido al campo en bicicleta; por eso, yo tengo que ir a pie. Pues, debo darme prisa. Adiós.

—Adiós. Hasta la vista.

la bicicleta   bicycle
el cuero   leather
la goma   rubber
la panadería   bakery
el socio   member
el tacón (*pl.* **tacones**)   heel (*shoe*)

en bicicleta   by bicycle, on their *or* your bicycle(s)
ir a pie   to go on foot, walk
tacón de cuero (**goma**)   leather (rubber) heel

LECCIÓN 18

In this lesson you will learn and practice:

1. some new words and expressions
2. adjective clauses and relative pronouns
3. the uses of the subjunctive in adjective clauses

PALABRAS Y EXPRESIONES

SUBSTANTIVOS

el agente agent
la casa firm, house
el castillo castle
la escuela superior high
  (secondary) school
la experiencia experience
el gerente manager
el puesto position, place, job
el telegrama (*note gender*) telegram

ADJETIVOS

comercial commercial, business
  (*adj.*)
trabajador, -ora[1] industrious,
  hard-working

ADVERBIO

cerca near, nearby

VERBOS

obtener (*like* **tener**) to obtain, get
recomendar (ie) to recommend
sugerir (ie, i) to suggest

EXPRESIONES

***¡claro!** sure, of course!
darle (a uno) la oportunidad de to
  give (one) the opportunity to
de esta (esa) manera in this (that)
  way
oye (tú) listen
poner un telegrama to send a
  telegram
¿qué pasa? what's the matter?
  what's going on?
querer decir to mean
tan + *adj. or adv.* + **como** as
  (so). . . as
trabajar con to work with (for)

[1]Adjectives which end in **-án, -ón,** or **-or** (except such comparative-superlatives as **mejor, peor, mayor, menor, superior,** and a few others) add **-a** to form the feminine: **trabajador, trabajadora.**

Un puesto en México

(Ricardo Smith, el padre de Marta, acaba de recibir una carta de un amigo suyo que es gerente de una casa comercial en México. Necesitan un joven que pueda trabajar como agente de la casa y quieren saber si puede recomendar a alguien. Prefieren un joven que sepa algo de las costumbres del país y que haya tenido experiencia en los Estados Unidos.)

Marta. *(Viendo a Luisa cuando sale a la calle.)* ¡Oye, Luisa, espera un momento! ¿Conoces a alguien que quiera un puesto en México?

Luisa. Pues, Marta, ¿qué pasa? ¿Qué quieres decir?

Marta. El gerente de una compañía allí le pregunta a mi papá si conoce a alguien que pueda recomendar para un puesto como agente de la casa.

Luisa. ¡Qué bueno! Supongo que buscan una persona que hable español.

Marta. ¡Claro! Es necesario que lo hable bien.

Luisa. ¿Conoce tu papá a Roberto, el hermano mayor de Carolina, el cual trabaja ahora con la casa de Castillo y Compañía?

Marta. No sé, pero Roberto habla bien el español, ¿no?

Luisa. ¡Cómo no! Empezó a estudiarlo cuando estaba en la escuela superior. Siguió estudiándolo en la universidad, y con un verano que ha pasado en México . . .

Marta. ¡Ah, sí! Ya recuerdo. Roberto me dijo una vez que busca un puesto que le dé la oportunidad de vivir en México.

Luisa. Es verdad. Tu papá puede hablar con el señor Castillo, quien lo recomendará. O con el señor López, con quien trabaja en la oficina. Éste dice que no conoce a nadie que sea tan trabajador como Roberto.

Marta. Desean que el nuevo empleado empiece a trabajar el primero de marzo, lo cual me sorprende un poco.

Luisa. Pues, ¿por qué no le pides a tu papá que llame a Roberto por teléfono para ver si le interesa el puesto. O yo podría hablar con él, porque vive cerca.

Marta. Será mejor que mi papá hable primero con el señor Castillo, luego con Roberto esta tarde. De esa manera mi papá podría ponerle un telegrama a su amigo o podría telefonearlo, dándole todos los informes. Voy a sugerir eso ahora.

Luisa. ¡Muy bien! ¡Espero que Roberto obtenga el puesto!

225

Preguntas

Answer in Spanish these questions based on the first part of the dialogue:

1. ¿Qué acaba de recibir Ricardo Smith?   2. ¿Qué es su amigo?   3. ¿Qué buscan en la casa mexicana?   4. ¿Qué prefieren también?   5. ¿Buscan una persona que hable español?   6. ¿A quién conoce Luisa?   7. ¿Cuándo empezó Roberto a estudiar español?   8. ¿Dónde siguió estudiándolo?

Preguntas generales

1. ¿Te interesaría a ti obtener un puesto en México algún día?   2. ¿Conoces a alguien que haya trabajado allí?   3. ¿Te gustaría vivir en la ciudad de México?   4. ¿Te gustaría vivir en un país extranjero?   5. ¿Has pasado un verano en México?   6. ¿Recibes telegramas?   7. ¿Has puesto alguna vez un telegrama?   8. ¿Recibes cartas por correo aéreo?   9. ¿Escribes cartas en español?   10. ¿Les escribes cartas a alumnos extranjeros?

para conversar

Summarize in Spanish in your own words the contents of the letter which Martha's father has received.

Prepare a statement of six to eight sentences explaining why no one is better qualified than your friend Philip for a position in a business firm in Mexico or some other Spanish-speaking country.

NOTAS

A.   Adjective clauses and relative pronouns

An adjective clause modifies a noun or pronoun and is introduced by a relative pronoun, usually **que.** In the sentence *I know a boy who can do it,* the clause *who can do it* modifies the noun *boy. Who* is a relative pronoun and *boy* is the antecedent of the clause.

1. **Que,** *that, which, who, whom*

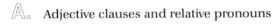

   (1) **el gerente que le ha escrito**   the manager who has written to him
   (2) **el puesto que tiene**   the job (that) he has
      el joven que llamé   the young man (whom) I called
   (3) **la casa de que hablaban**   the firm of which they were speaking

Que, which does not change its form, is the commonest of the relative pronouns. Introducing a clause, **que** may be: (1) the subject; (2) the object of the verb in a clause, referring to persons or things; or (3) the object of a preposition, referring to things only. The relative pronoun may be omitted sometimes in English, but **que** is not omitted in Spanish.

2. **Quien** (*pl.* **quienes**), *who, whom*

(1) **el señor López, con quien trabaja**   Mr. López, with whom he works
(2) **el señor Castillo, quien (que) lo conoce bien**   Mr. Castillo, who knows him well
(3) **los muchachos que (a quienes) vimos**   the boys (whom) we saw

Quien (*pl.* **quienes**), which refers only to persons, is used: (1) mainly after prepositions; and (2) sometimes instead of **que** when *who* is separated from the main clause by a comma. The personal **a** is required (3) when **quien(es)** is the direct object of the verb. **Que** may replace **a quienes** in the last example and is more commonly used in conversation.

3. **El cual** and **el que,** *that, which, who, whom*

(1) **¿Conoce él al hermano de Margarita, el cual (el que) trabaja ahora . . . ?**
Does he know Margaret's brother, who works now . . . ?
(2) **Las casas cerca de las cuales (las que) estacionamos el coche . . .**
The houses near which we parked the car . . .

The longer forms of the relative pronouns, **el cual (la cual, los cuales, las (cuales)** and **el que (la que, los que, las que),** are used: (1) to make clear which of two possible antecedents the clause modifies; and (2) after prepositions other than **a, con, de,** or **en.**[1] For example, **por, para, sobre, cerca de,** and **delante de** would be followed by the long relative. Be sure that the long relative agrees with its antecedent.

Debe empezar el primero de marzo, lo cual (lo que) me sorprende.   He should begin the first of March, which (fact) surprises me.

The neuter form **lo cual** or **lo que,** *which (fact),* sums up a preceding idea, statement, or situation.

---

[1] Often, however, and particularly in literary style, the long relatives are used after these short prepositions. In elegant style the forms of **el cual** are preferred to those of **el que,** as you will see in the Lecturas and in other readings.

B.   The subjunctive in adjective clauses

Conocemos a un joven que trabaja en México.   We know a young man who
    works in Mexico. *(A certain young man)*

Necesitan un joven que pueda trabajar allí.   They need a young man who can
    work there. *(Any young man)*

¿Buscan una persona que hable español?   Are they looking for a person who
    speaks Spanish? *(Any person)*

¿Conoces tú a alguien que yo pueda recomendar?   Do you know anyone
    (whom) I can recommend? *(Indefinite antecedent)*

Quieren una casa que sea más grande.   They want a house that is (may be)
    larger. *(Any house)*

No conoce a nadie que sea tan trabajador como Roberto.   He knows no one
    (doesn't know anyone) who is so industrious as Robert. *(Negative antecedent)*

When the antecedent of an adjective clause is *indefinite* or *negative* and refers to
no particular person or thing, the verb in the dependent clause is in the subjunctive.
If the antecedent refers to a certain person or thing (first example), the indicative is
used.

The personal **a** is omitted in the second and third examples since the nouns do
not refer to specific persons. However, the pronouns **alguien, nadie,** also **alguno** and
ninguno when referring to persons, and **quien,** require the personal **a** when used as
direct objects.

EJERCICIOS ORALES

A.   Read, supplying the correct relative pronoun (in some sentences more than one
may be correct):

1. El telegrama _____ tengo es para Roberto.   2. Es de un hombre _____ vive en
México.   3. La tía de aquel hombre, _____ es amiga de mi madre, vive en esta
ciudad.   4. El hombre, _____ es gerente de una casa comercial, necesita otro
empleado.   5. Quiere un joven _____ conozca las costumbres del país.   6. Busca
un joven _____ haya estudiado español.   7. El gerente, _____ me ha escrito
varias veces, me llamó ayer.   8. Me dice que un amigo de su hijo, _____ no es muy
trabajador, le ha pedido el puesto.   9. No quiere jóvenes _____ no sean trabaja-
dores.   10. Una buena amiga del gerente, _____ es norteamericana, va a llamarme
por teléfono.   11. El hermano de ella, _____ trabaja en San Francisco, también
conoce a Roberto.   12. La madre de Roberto, _____ ha pasado mucho tiempo en
México, espera que su hijo acepte el puesto.   13. Los padres de ella, _____ ya no
son jóvenes, viven en San Antonio.   14. Su casa, _____ es de estilo español, es
hermosísima.

B. Read each two sentences, then combine them into one, using the relative pronoun **que,** following the models.

Models: La muchacha sale. Es mexicana.   La muchacha que sale es mexicana.

Juan tiene un coche. Es nuevo.   El coche que Juan tiene es nuevo.

1. La mujer viene ahora. Es mi tía.   2. Este telegrama llegó ayer. Es del señor López.   3. Carlota sirvió refrescos. Eran muy buenos.   4. El joven está visitándolos. Es de Puerto Rico.   5. La casa tiene un patio. Es de estilo español.   6. José recibió la tarjeta esta mañana. Es de su hermano mayor.

Combine the two sentences using **quien (quienes)** or **a quien (quienes).**

Model: Vimos al joven. Es colombiano.   Vimos al joven, quien es colombiano.

El joven a quien vimos es colombiano.

7. Él conoce a aquella muchacha. Es alumna de esta escuela superior.   8. Yo saludé a aquellas señoritas. Son profesoras de español.   9. Carmen llamó a los niños. Están jugando.   10. Mi mamá telefoneó a su hermana. Está enferma hoy.   11. Ayudamos al señor Ortiz. Es gerente de esta compañía.   12. Hablamos con aquella señora. Enseña francés.

Combine the two sentences using **el (la) cual, los (las) cuales** or **el (la) que, los (las) que.**

Model: La prima de Luis salió ayer.   La prima de Luis, la cual (la que) salió

Espera volver pronto.   ayer, espera volver pronto.

13. El tío de Carlos tiene una casa comercial. Vive en México.   14. Dejamos el coche detrás de aquellos edificios. Son muy altos.   15. Inés me escribió acerca de las costumbres del país. Son muy interesantes.   16. La hermana de Jaime viaja por México. Le envió una tarjeta postal.

C. Each group of short sentences is preceded by a phrase which requires the subjunctive in an adjective clause. Form complete sentences, changing the verb to the correct subjunctive tense.

Model: Buscamos una casa. *a.* es hermosa.   Buscamos una casa que sea hermosa.

1. Buscamos un empleado. *a.* habla español. *b.* es joven. *c.* conoce las costumbres del país. *d.* ha vivido en México.
2. ¿Conocen Uds. a alguien? *a.* ha sido gerente de una compañía. *b.* ha trabajado en la América del Sur. *c.* quiere vivir allí. *d.* puede irse pronto.

3. No hay nadie aquí.   *a.* busca un puesto.   *b.* es tan trabajador como él.   *c.* sabe hablar español.   *d.* puede acompañarme.

4. Mi tía necesita a alguien.   *a.* la ayuda.   *b.* trabaja todos los sábados.   *c.* ha tenido experencia.   *d.* escribe bien el español.

D. Say after your teacher, then upon hearing a cue, use it to form a new sentence, following the model.

Model: Busco al joven que habla español.   Busco al joven que habla español.

   Busco un joven   Busco un joven que hable español.

1. Tiene un puesto que le gusta.   (Busca un puesto)
2. Viven en una casa que tiene ocho cuartos.   (Necesitan una casa)
3. Conozco a alguien que es muy trabajador.   (¿Conoces a alguien . . . ?)
4. Hay algo en este artículo que es interesante.   (No hay nada)
5. Conocen a un hombre que ha tenido más experiencia.   (Prefieren un hombre)
6. Hay alguien allí que puede recomendar a Juan.   (¿Hay alguien . . .?)
7. Quiero ver a la señorita que ha vivido en Chile.   (Quiero ver una señorita)
8. Esperan ver al muchacho que ha visto la película.   (Esperan ver a alguien)

EJERCICIOS ESCRITOS

A. Write answers to these questions, making the first clause negative.

Model: ¿Ves a alguien que lea bien?   No, no veo a nadie que lea bien.

1. ¿Ves a alguien que lo conozca?   2. ¿Buscas alguna casa que tenga un jardín?   3. ¿Hay algún hombre que nos ayude?   4. ¿Hay alguien que sepa escribir en español?   5. ¿Estudias con alguien que pronuncie mejor?   6. ¿Conocen Uds. a alguien que haya viajado por la Argentina?   7. ¿Ves a alguien que yo pueda invitar?   8. ¿Hay algo aquí que te guste?

B. Write two new sentences, first using an indirect command, then using a noun clause.

Model: Trae la revista.   Que la traiga.
   Quiero que él   Quiero que él la traiga.

1. Nos entrega el dinero.   2. Siguen buscando a Luis.
   Le diré a él que   Les pediré que

3. Ella no mira los vestidos.
Prefiero que

4. No esperan mucho.
Les aconsejaré a ellos que

5. Se sientan a la izquierda.
Sugiero que ellos

6. Vendrá al mediodía.
Me alegro de que ella

7. Ella les sirve refrescos.
Siento que ella no

8. Recomienda a Roberto.
Temo que él no

C. Write in Spanish:

1. Martha's father has just received a letter from a friend of his who lives in Mexico. 2. The latter is the manager of a business firm which needs a young man who can work as agent of the firm. 3. They want to find someone who knows something of Mexican customs. 4. They prefer someone who has had experience in the United States. 5. Martha asks Louise whether she knows anyone who wants a position in Mexico. 6. Martha is not sure that her father knows Robert, Caroline's older brother, who works for (with) Castle and Company. 7. Then she says that the Mexican firm hopes to find a person who speaks Spanish well. 8. Louise answers that Robert began to study it in high school and that he continued studying it in the university. 9. At that moment Martha recalls that he told her once that he is looking for a position that will give him the opportunity to live in Mexico. 10. Mr. Castle cannot recommend anyone who is more industrious than Robert. 11. However, he doubts that Robert can begin to work the first of March if he obtains the position. 12. If Robert wishes, Martha's father can send a telegram, or telephone his friend, giving him all the information about the young man.

Repaso de expresiones

Review the verbs and expressions in Lecciones 15-18, then write in Spanish:

1. a spring day 2. a country house 3. a ten-dollar bill 4. perhaps 5. nevertheless 6. from time to time 7. in this way 8. Of course! 9. He sent a telegram. 10. I think (It seems to me) that the suit is very expensive. 11. These shoes do not fit me well; they are very tight. 12. "What is the price (of them)?" "Thirty dollars a pair." 13. Please (*formal sing.*) wrap them (*m.*) up. 14. Here are (*pl.*) the packages. 15. Do you (*fam.*) live far from here? 16. It has been very cold. 17. There will be snow in the mountains. 18. Don't fail (*fam.*) to bring your skates. 19. Do you (*fam.*) like winter sports? 20. John is afraid to skate on the ice. 21. I have thanked them for the invitation. 22. This park is as large as that one. 23. In the daytime one can see the mountains. 24. He will pick George up at seven o'clock. 25. You're welcome.

PRÁCTICA

Viajero. Buenas tardes, señor.

Extranjero. Buenas tardes. ¿En qué puedo servirle?

Viajero. Queremos pasar la noche en esta ciudad. ¿Puede recomendarnos un buen hotel?

Extranjero. ¡Cómo no! Hay tres o cuatro hoteles muy buenos en el centro, a unas veinte cuadras de aquí.

Viajero. ¿Hay un motel en la carretera?

Extranjero. Sí, señor, hay varios moteles en las afueras de la ciudad. También hay uno nuevo que no está lejos. Allí paran muchos turistas.

Viajero. ¿Por dónde se va para llegar allá?

Extranjero. Sigan Uds. derecho tres cuadras, luego doblen a la derecha. Sigan dos cuadras más y lo encontrarán, a la izquierda de la carretera.

Viajero. Muchas gracias. Es Ud. muy amable.

Extranjero. De nada. A sus órdenes.

las afueras   outskirts

la cuadra   block *(city) (Am.)*

el extranjero   stranger

lejos *adv.*   far (away), distant

el motel   motel

la orden *(pl.* **órdenes***)*   order

el (la) turista   tourist

el viajero   traveler

a sus órdenes   at your service

¿por dónde se va?   how does one go?

siga(n) Ud(s). derecho   go (continue) straight ahead

uno nuevo   a new one *(m.)*

In studying the dialogue for repetition with a classmate, you may change the directions for reaching the motel (hotel).

Church of the Alamo, San Antonio, Texas

Lectura 6

Exploradores y misioneros

Estudio de palabras

a. Many English words beginning with **s** followed by a consonant begin with **es** plus the consonant in Spanish. *Give the English for:* esclavo, escuela, España, español, especial, espíritu, espiritual, espléndido, esquí, esquiar, estado, estática, estilo, estudiar, estudio.

Note, however, that many Spanish words begin with **es** plus a consonant just as they do in English: establecimiento, *establishment, settlement;* estimar, *to esteem.*

b. The Spanish ending **-oso** is often equivalent to the English *-ous. Give the English for:* fabuloso, famoso, precioso.

c. *Compare the meanings of:* cristiano, *Christian*—cristianismo, *Christianity;* esclavo, *slave*—esclavitud, *slavery;* lejos, *far, distant (adv.)*—lejano, *distant (adj.);* misión, *mission*—misionero, *missionary;* la orden, *command, religious order*—ordenarse (de sacerdote), *to become ordained (as a priest).*

d. *Pronounce and observe the meanings of:* apóstol, *apostle;* célebre, *celebrated, famous;* cultivo, *cultivation;* europeo, *European;* explotación, *exploitation;* injusticia, *injustice;* jesuita, *Jesuit;* método, *method;* tempestad, *tempest, storm;* defender, *to defend;* mencionar, *to mention.*

MODISMOS Y FRASES ÚTILES

a lo lejos   in the distance
a los dos años   after two years
estar al servicio de   to be in the service of
dar clases   to teach

de pueblo en pueblo   from town to town
no sólo . . . sino (también)   not only . . . but (also)
por desgracia   unfortunately

NOTAS

1. A prepositional phrase with an infinitive is used in Spanish when there is no change in subject, but in English a clause is often used to translate this construction:

. . . navegó . . . hasta llegar a la región . . .   . . . he sailed . . . until he reached (arrived at) the region . . .

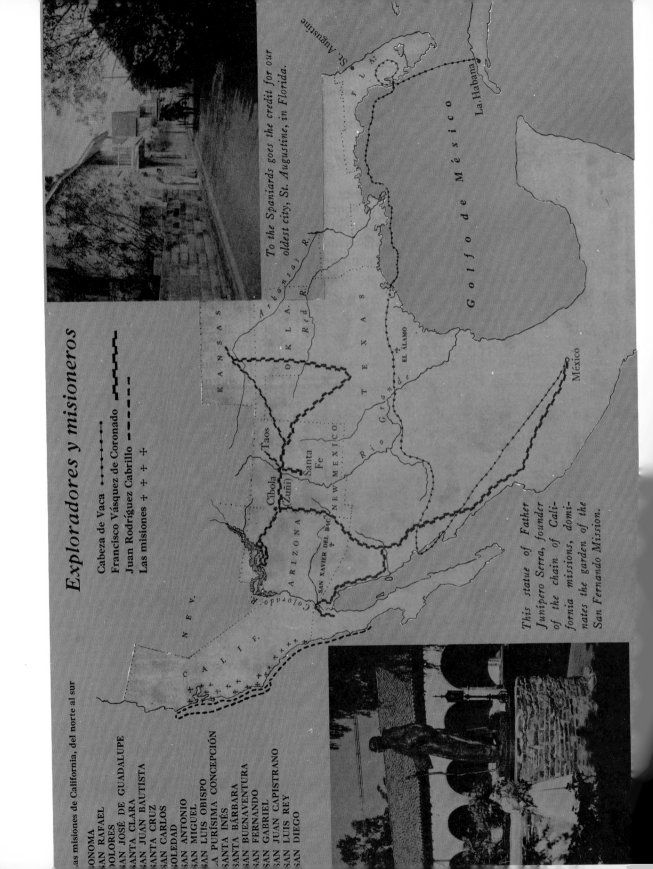

Exploradores y misioneros

Cabeza de Vaca •••••••••
Francisco Vásquez de Coronado ■■■■■■■
Juan Rodríguez Cabrillo ┼ ┼ ┼ ┼
Las misiones ━ ━ ━ ━

Las misiones de California, del norte al sur

SONOMA
SAN RAFAEL
DOLORES
SAN JOSÉ DE GUADALUPE
SANTA CLARA
SAN JUAN BAUTISTA
SANTA CRUZ
SAN CARLOS
SOLEDAD
SAN ANTONIO
SAN MIGUEL
SAN LUIS OBISPO
LA PURÍSIMA CONCEPCIÓN
SANTA INÉS
SANTA BÁRBARA
SAN BUENAVENTURA
SAN FERNANDO
SAN GABRIEL
SAN JUAN CAPISTRANO
SAN LUIS REY
SAN DIEGO

To the Spaniards goes the credit for our oldest city, St. Augustine, in Florida.

This statue of Father Junípero Serra, founder of the chain of California missions, dominates the garden of the San Fernando Mission.

2. Adjectives of quantity and numerals preferably follow **otros:**

Entre otros muchos exploradores bien conocidos . . .   Among many other well-known explorers . . .

Another example (not used in the following selection) is:

. . . otras dos misiones . . .   . . . two other missions . . .

3. Before a phrase beginning with **de,** Spanish uses the definite article instead of the demonstrative pronoun. **El (la, los, las) de** is translated by *that (those) of, the one(s) of (with, in).* Also see footnote 2, page 148, and Lección 22, pages 290-291.

La más conocida de estas leyendas es la de las . . .   The best known of these legends is that of the . . .

Durante la primera mitad del siglo XVI los españoles exploraron el territorio de los Estados Unidos que se extiende desde la Florida hasta California. El primer europeo que atravesó el continente fue Cabeza de Vaca. Después de explorar el interior de la Florida con Pánfilo de Narváez en el año 1528, navegó por las costas del Golfo de México hasta llegar a° la región que hoy se conoce como Texas. Una terrible tempestad destruyó su barco, quedando vivos sólo Cabeza de Vaca y tres compañeros. Los cuatro españoles vivieron varios años como esclavos de los indios, pero con el tiempo los indios llegaron a estimar mucho a Cabeza de Vaca como curandero.[1] Poco a poco, caminando de pueblo en pueblo hacia el oeste, atravesó largas distancias y por fin llegó a la costa del Pacífico, en el norte de México, en 1536.

Por desgracia, muchos españoles creían que todo el Nuevo Mundo era tan rico como la Nueva España, y los indios, sabiendo que nada les interesaba a los españoles tanto como el oro, siempre hablaban de oro y de piedras preciosas que se encontraban en lugares lejanos. La más conocida de estas leyendas es la° de las Siete Ciudades de Cíbola, situadas al norte de México, en donde las casas estaban cubiertas de oro y de piedras preciosas. Al llegar a México Cabeza de Vaca con relatos de estas riquezas, renació una vez más el interés en esta leyenda. Fray Marcos de Niza decidió ir en busca de estas ciudades para convertir a los habitantes a la fe católica. Después de caminar muchos días por lo que ahora son los estados de Arizona y Nuevo México, un día vio a lo lejos lo que él creyó que eran las Siete Ciudades. Inmediatamente volvió a México a contar su descubrimiento y, naturalmente, cada vez que el relato se repetía, crecía más la riqueza imaginada.

Por fin se organizó una expedición que había de ser una de las más notables de todas. En 1540 Francisco Vásquez de Coronado salió de México en busca de las Siete

---

[1] **curandero,** *medicine man.*

Ciudades de Cíbola. Llegó hasta donde ahora están los estados de Texas y Kansas, pero en vez de las fabulosas ciudades de oro y de piedras preciosas, sólo encontró algunos tristes pueblos de adobe de los indios Zuñi. A los dos años Coronado volvió a México, triste y desilusionado.

Entre otros muchos° exploradores bien conocidos hay que mencionar a Juan Rodríguez Cabrillo, un portugués que estaba al servicio del gobierno español, y que en 1542 descubrió la Alta California.[1]

La ciudad más antigua de los Estados Unidos fue fundada en la Florida el seis de septiembre de 1565 por Menéndez de Avilés. Éste construyó primero una fortaleza cerca del lugar donde ahora está San Agustín, el primer establecimiento permanente construido en nuestro país por los europeos.

El primer pueblo español en el valle del Río Grande fue fundado por Juan de Oñate en 1598, pero al poco tiempo los españoles tuvieron que abandonarlo. Once años más tarde establecieron la ciudad de Santa Fe. En seguida, construyeron una iglesia, que es una de las más antiguas del país.

Los españoles vinieron al Nuevo Mundo no sólo para buscar riquezas, sino también para convertir a los indios a la fe cristiana. Por eso desde las primeras expediciones los frailes y los misioneros acompañaron a los exploradores por todas partes. Entre los misioneros se destaca[2] el padre Bartolomé de las Casas, el apóstol de los indios. Acompañó a Colón a América y se estableció primero en la Española. Hombre de corazón noble y bondadoso, dedicó toda su vida a defender a los indígenas contra las injusticias de la esclavitud y contra la explotación por los españoles. En 1510 se ordenó de sacerdote y al poco tiempo ingresó en[3] la orden de los dominicos que habían venido a América el mismo año. Predicó[4] por toda la Nueva España, defendiendo a los indios con la pluma y con la palabra.[5] Murió en España a la edad de noventa y dos años.

Los franciscanos también vinieron al Nuevo Mundo con los conquistadores y los exploradores, y durante más de dos siglos habían de acompañarlos por los dos continentes. La orden franciscana convirtió a miles de indios al cristianismo. Los franciscanos aprendieron las lenguas de los indios y les enseñaron artes y oficios[6] útiles y nuevos métodos para el cultivo de plantas y legumbres. Fundaron pueblos, iglesias, misiones, escuelas y universidades.

Las órdenes religiosas fundaron muchas misiones en Texas, Nuevo México, Arizona y California. En San Antonio, por ejemplo, podemos ver el Álamo, que fue misión en los tiempos coloniales. O si uno está en Tucson, Arizona, puede ver la famosa misión de San Xavier del Bac, fundada por el célebre padre jesuita, Eusebio Kino. El hermoso edificio que vemos allí hoy día se terminó a fines del[7] siglo XVIII.

---

[1]**la Alta California,** *Upper California* (the name used for the present state of California during the colonial period). [2]**se destaca,** *stands out.* [3]**ingresó en,** *he entered, became a member of.* [4]**Predicó,** *He preached.* [5]**con la pluma y con la palabra,** *writing and speaking.* [6]**oficios,** *crafts, trades.* [7]**a fines del,** *toward the end of the.*

Cuando los jesuitas fueron expulsados de España y de sus colonias en 1769, muchas misiones que ellos habían construido pasaron a manos de los franciscanos. Fray Junípero Serra, que había venido a América desde la isla de Mallorca en la segunda mitad del siglo XVIII, fue nombrado presidente de las misiones de la Baja California y de todas las misiones que habían de establecerse en la Alta California. Durante muchos años dio clases en las escuelas franciscanas de la Nueva España, pero por fin, en 1769, partió de México con don Gaspar de Portolá para establecer misiones en la Alta California. Empezando con la misión de San Diego, fundada en ese mismo año, el padre Junípero Serra estableció una larga serie de misiones. En 1823 había veinte y una misiones entre San Diego y San Francisco. A lo largo del Camino Real[1] todavía se ven los restos de estos monumentos, que conmemoran la gloria de la obra de los misioneros españoles.

Preguntas

1. ¿Qué territorio exploraron los españoles durante el siglo XVI?   2. ¿Quién fue el primer europeo que atravesó el continente?   3. ¿Por dónde navegó?   4. ¿Cuántos españoles quedaron vivos después de la tempestad?   5. ¿Cómo vivieron varios años?   6. ¿Adónde llegó por fin Cabeza de Vaca?

7. ¿Qué creían los españoles del Nuevo Mundo?   8. ¿De qué hablaban los indios?   9. ¿Cuál es la más conocida de estas leyendas?   10. ¿De qué estaban cubiertas las casas?   11. ¿Quién decidió ir en busca de estas ciudades?   12. ¿Por dónde caminó?   13. ¿Halló las Siete Ciudades?   14. ¿Quién salió de México en busca de las Siete Ciudades en 1540?   15. ¿Qué encontró Coronado?   16. ¿Cuándo volvió a México?

17. ¿Qué descubrió Cabrillo?   18. ¿Cuál es la ciudad más antigua de los Estados Unidos?   19. ¿Qué fundó Juan de Oñate?   20. ¿Quiénes acompañaron a los españoles a América?   21. ¿Quién fue el apóstol de los indios?   22. ¿A qué dedicó toda su vida?   23. ¿En qué orden religiosa ingresó?   24. ¿Cuántos años tenía cuando murió?

25. ¿Qué otra orden vino al Nuevo Mundo?   26. ¿Qué aprendieron los franciscanos?   27. ¿Qué les enseñaron a los indios?   28. ¿Qué fundaron los franciscanos?   29. ¿Qué fue el Álamo?   30. ¿Qué misión fundó el padre Eusebio Kino?

[1]**A lo largo del Camino Real,** *Along the King's Highway.*

31. ¿Cuándo vino a América Fray Junípero Serra?   32. ¿De qué fue nombrado presidente?   33. ¿Qué expedición partió de México en 1769?   34. ¿Qué misión fundó Fray Junípero Serra en ese mismo año?   35. ¿Cuántas misiones había entre San Diego y San Francisco en 1823?   36. ¿Qué se ve hoy día a lo largo del Camino Real?

Comprensión

Give the name of the person or persons to whom each statement refers:

1. Los españoles que exploraron el interior de la Florida en 1528.
2. El portugués que descubrió la Alta California.
3. El apóstol de los indios.
4. El primer europeo que atravesó la América del Norte.
5. El presidente de las misiones de California.
6. El fundador *(founder)* de la ciudad más antigua de los Estados Unidos.
7. El fundador del primer pueblo español en el valle del Río Grande.
8. El padre jesuita que fundó la misión de San Xavier del Bac.

Statue of Father Junípero Serra, San Fernando Mission, California

9. El español que primero creyó ver las Siete Ciudades de Cíbola.
10. El español que en 1540 partió de México en busca de las Siete Ciudades de Cíbola.

Cuento del padre y sus hijos

The folktale has formed an important part of Spanish prose fiction since the Middle Ages. Much of the folk literature conveyed lessons of ethics and behavior for people of all classes. Wherever Spanish is spoken today, thousands of folktales are being repeated. The finest writers of all periods have shown familiarity with the folktale in their writings. The following cuento *is an example of the anonymous tale whose origin is unknown.*

Un labrador,[1] estando ya para morir, llamó a sus hijos y les habló de esta manera:

—Hijos míos, quiero deciros[2] lo que hasta ahora he guardado para vosotros. Es que está enterrado en la viña un tesoro[3] de gran valor y si queréis hallarlo, tendréis que cavar[4] allí.

Después de la muerte de su padre, los hijos fueron a la viña y por muchos días no hicieron más que cavar allí en todas partes. Pero nunca hallaron lo que no había en la viña. La verdad es que por haber cavado tanto,[5] dio más uvas aquel año de las que[6] había dado antes en muchos años. Viendo esto, el hermano mayor les dijo a los otros:

—Ahora comprendo por la experiencia, hermanos, que el tesoro de la viña de nuestro padre es nuestro trabajo.

MODISMOS

es que   the fact is that   **estar para**   to be about to

Preguntas

1. ¿Por qué llamó el padre a sus hijos?   2. ¿Qué les dijo?   3. ¿Cómo podrían hallar el tesoro?   4. ¿Qué hicieron los hijos después de la muerte de su padre?   5. ¿Por qué no hallaron el tesoro?   6. ¿Qué pasó aquel año?   7. ¿Qué dijo el hermano mayor?

---

[1]**labrador,** *farmer, peasant.* [2]Note the familiar plural forms used by the farmer in speaking to his children (see Lección 1, page 5, and Lección 7, page 85). [3]**está . . . tesoro,** *a treasure . . . is buried in the vineyard.* [4]**cavar,** *to dig.* [5]**por haber cavado tanto,** *because of having dug so much.* [6]**de las que,** *than.*

En general a los hispanos les encantan el fútbol y el ciclismo.

PREGUNTAS CULTURALES 3
Deportes

¿CUÁLES SON LOS DEPORTES MÁS POPULARES EN LOS PAÍSES HISPANOS?

En general a los hispanos les encantan el fútbol y el ciclismo. Cuando hay un partido de fútbol, los estadios se llenan completamente de gente. El entusiasmo es contagioso, y aquellos que no pueden ir al estadio siguen el partido en la radio o en la televisión . . . se discuten acaloradamente los méritos de uno y de otro partido.[1] La gente grita, aplaude y se abraza en el estadio, en sus casas o en el autobús; los radios están a todo volumen para que usted y todas las personas a diez metros de distancia escuchen el partido,[2] quiéralo o no.[3] En cuanto al[4] ciclismo, se organiza cada año en algunos países, por ejemplo, «La vuelta a España»,[5] «La vuelta a México», en bicicleta. Los ciclistas profesionales siguen una ruta señalada durante varios días, y compiten por llegar a las metas,[6] después de pasar por valles, altiplanos, cruzar ríos y montañas . . . Mucha gente sale a las carreteras para animarlos. Los detalles de la vuelta se comentan extensamente en la radio, la televisión y los periódicos con el mismo entusiasmo y ruido con que se comenta el fútbol.

[1]se discuten . . . partido, *the merits of one game or another are heatedly discussed.* [2]para que . . . partido, *in order that you and all the persons at a distance of ten meters may listen to the game.* [3]quiéralo o no, *whether or not you want to.* [4]En cuanto a, *As for.* [5]«La vuelta a España», *The Tour of Spain.* [6]metas, *goals.*

¿HAY ALGUNA DIFERENCIA EN LA FORMA DE PRACTICAR LOS DEPORTES EN LOS PAÍSES HISPANOS?

Sí, los deportes se practican en forma distinta en los países hispanos y en Norteamérica. En general, los deportes se practican informalmente por gran cantidad de muchachos en las calles, en los parques o espacios al aire libre. No existen «ligas» para practicar los deportes; los equipos se van formando[1] espontáneamente y desarrollan un espíritu de grupo que los mantiene con la misma efectividad que un «club» organizado con todo tipo de regulaciones escritas. En los clubes privados o en los parques públicos las canchas de básquetbol y vólibol se llenan de jóvenes después de las clases y en los fines de semana. Las becas universitarias para los deportistas no son comunes como en los Estados Unidos. Los partidos inter-colegiados no atraen tanta gente y las «cheerleaders» son algo completamente desconocido.

¿HAY DEPORTES QUE SON POPULARES SOLAMENTE EN ALGUNOS PAÍSES HISPANOS?

Debido a la gran variedad cultural que existe en los países hispánicos, algunos deportes como el fútbol o el béisbol son comunes en algunos países, mientras que otros deportes son completamente desconocidos. El *jai alai*, como se menciona en *El español al día, Book 1*, es un juego tradicional de los países vascos. El esquí se practica solamente en aquellos países donde tienen nieve, como en Chile y la Argentina. El toreo[2] es considerado por muchos como un arte, y es clásicamente español; en Latinoamérica se torea[3] solamente en México, Colombia, Venezuela y el Perú. Durante las temporadas las plazas de toros se llenan de aficionados, de colores y de gritos «¡Olé, torero!» Los boletos de entrada son bastante caros, pero para un verdadero aficionado el costo es lo que menos importa.

[1]se van formando, *are being formed.* [2]toreo, *bullfighting.* [3]se torea, *bulls are fought.*

242

página de enfrente: Las canchas de básquetbol y vólibol se llenan de jóvenes. (arriba) El jai alai, juego tradicional de los países vascos, es también un deporte muy popular en Latinoamérica. (abajo) El toreo es considerado por muchos como un arte.

La gran mayoría de los pasatiempos son actividades compartidas en grupos. página de enfrente: En el Parque de Chapultepec, México, D. F.

Pasatiempos

EN LOS PAÍSES HISPANOS, ¿A QUÉ SE DEDICA LA GENTE EN SUS RATOS LIBRES?

La gran mayoría de los pasatiempos en los países hispanos son actividades compartidas en grupos. Para un hispano es vital poder reunirse con sus amigos, simplemente para hablar. Es por esto que los cafés, cafeterías, heladerías y clubes son tan importantes en la vida de los hispanos de todas las edades. Los paseos lejos de la ciudad son actividades en grupo muy comunes en los fines de semana; se reúnen familiares y amigos para ir a almorzar cerca de un río o de una playa. Grupos de seis u[1] ocho muchachos y muchachas van a esquiar en Chile, o van a escalar una montaña en Colombia, o van a tomar el sol en una playa en el Perú.

Un pasatiempo favorito de la gente joven son las fiestas, que se hacen con cualquier pretexto, desde bailar por bailar[2] hasta celebrar un cumpleaños, un matrimonio o la llegada del año nuevo. En casi todas las fiestas se bailan ritmos del Caribe, boleros, «salsa» y también la música «rock» norteamericana.

Muchas fiestas se celebran en las calles y en las plazas, como se hace en el carnaval (una celebración parecida al *mardi gras* de Nueva Orleáns), o como se celebran las fiestas típicas de cada ciudad o las fiestas del santo patrón del pueblo. (Vean detalles de otras festividades en las páginas 70-71.) La Navidad también es una época de fiesta en los países hispánicos, y es generalmente una época de expansión[3] y de alegría. En algunos países se hacen «las posadas» que consisten en celebraciones y bailes cada noche entre el diez y seis y el veinte y cinco de diciembre. Se baila no sólo en casas de familia, sino también en discotecas y en clubes sociales. Muchos jóvenes se reúnen para cantar acompañados de una guitarra o de algún instrumento característico de su país.

[1] **u**, *or* (used for **o** before words beginning with **o-**, **ho-**). [2] **bailar por bailar**, *dancing (for the pleasure of dancing)*. [3] **expansión**, *recreation, relaxation*.

244

Algunos almacenes ponen televisores en las vitrinas para que la gente pueda mirar los programas desde la calle. página de enfrente: En las calles se ven personas con radios portátiles.

La televisión es otro pasatiempo bastante común en las ciudades y en el campo. Varias de las series más populares de los Estados Unidos se transmiten dobladas en español. Las telenovelas son los programas más populares, y la gente habla de las aventuras de los personajes como si fueran reales.[1] Como los televisores son caros y no todo el mundo puede comprarlos, algunos almacenes ponen televisores en las vitrinas para que la gente pueda mirar[2] los programas desde la calle. A veces se reúnen grupos considerables de gente enfrente de una vitrina para mirar una telenovela o los juegos olímpicos. En algunos pueblos o en sitios donde hay pocos televisores, los dueños de los aparatos abren las ventanas de sus casas para que los vecinos puedan ver[3] los programas favoritos.

La radio es muy popular no solamente como pasatiempo. Recuerden ustedes que en Hispanoamérica hay mucha gente que no sabe ni leer ni escribir. Para ellos la radio es el único contacto con el mundo exterior. En el campo la gente trabaja con instrumentos muy primitivos, mientras oye la música y la información que sale de un radio transistor . . . en las calles y en los parques de muchas ciudades se ven personas con un radio portátil como única compañía.

El cine es popularísimo en toda Hispanoamérica. El repertorio de películas es internacional. Hay películas norteamericanas, europeas, películas de la Argentina, de México, de España; y para ver películas todos los sitios son buenos, desde teatros modernísimos hasta cualquier recinto, sin techo o sin paredes.

[1]como si fueran reales, *as if they were real.* [2]para que la gente pueda mirar, *in order that people may watch.* [3]para que los vecinos puedan ver, *in order that the neighbors may see.*

MÉXICO, LA AMÉRICA CENTRAL Y EL CARIBE

Océano Atlántico

San Juan
★ PUERTO RICO
HAITÍ REP. DOMINICANA
Santo
Domingo
Port au Prince
Santiago ★ Kingston
Mar Caribe
JAMAICA

La Habana
★ CUBA

Canal de Panamá
Panamá ★ PANAMÁ

Golfo de México

HONDURAS BR.
Belice ★
Mérida ★ YUCATÁN
Sisal ● HONDURAS
Tegucigalpa ★
NICARAGUA
Managua ●
COSTA RICA
San José ★

Campeche ●
Veracruz ● GUATEMALA
Guatemala ★
San Salvador ★ EL SALVADOR

Tampico ●

Laredo ●
Nuevo Laredo ●

SIERRA MADRE ORIENTAL
Monterrey ●
Saltillo ● MÉXICO
Zacatecas ●
Ixmiquilpan ● Pachuca ●
Cholula ● Puebla
México ★ Cuernavaca
Dolores ● Taxco
Querétaro ● Oaxaca ●
San Luis Potosí ●
El Paso ● Ciudad Juárez
Guadalajara ●
Río Grande Acapulco ●

Chihuahua ●
SIERRA MADRE OCCIDENTAL

Nogales ●
La Paz ●

San Diego ●

Golfo de California

Océano Pacífico

LECCIÓN 19

In this lesson you will learn and practice:

1. some new words and expressions
2. uses of the subjunctive in adverbial clauses: time; concessive and result; purpose, proviso, conditional, and negative result clauses
3. the use of *hacer* in time clauses

Mexico City, Mexico

PALABRAS Y EXPRESIONES

SUBSTANTIVOS

el boleto   ticket *(Am.)*
la cuadra   block *(city) (Am.)*
el equipaje   luggage, baggage
el espacio   space, room
la identificación   identification
la licencia   license
el palo   club, stick
la reservación *(pl.* **reservaciones)**   reservation
la seguridad   security, safety
el vuelo   flight

ADJETIVOS

ligero, -a   light
personal   personal
social   social

VERBOS

andar [1]   to go (on), walk
bastar   to be enough, be sufficient
conseguir (i, i) *(like* **seguir)**   to get,
   obtain
entender (ie)   to understand
felicitar   to congratulate
merecer   to merit, deserve
reservar   to reserve

OTRA PALABRA

desde   from, since; for *(time)*

EXPRESIONES

*****ciudad de México**   Mexico City
  de (hoy) en ocho días   a week from
   (today)
*****encontrarse (ue) con**   to run
   across (into), meet
  (esto) basta   (this is) enough *or*
   sufficient
  licencia para manejar   driver's
   license
  línea aérea   airline
*****mil cosas**   many (a thousand) things
  mucho tiempo   long, a long time
  (no) . . . en ninguna parte   (not) . . .
   anywhere
  (número de) Seguridad Social
   Social Security (number)
  oficina de la línea aérea   airline
   office
  palo de golf   golf club
*****¡por supuesto!**   of course! certainly!
  prepararse para   to prepare oneself
   for, get ready for
  ¡qué suerte he tenido!   how
   fortunate (lucky) I've been!
  vuelo (de las dos)   (two-o'clock)   flight

---

[1]For the irregular forms of **andar,** see Appendix D, page 417.

Preparándose para el viaje

(Tomás se encuentra con Roberto en el centro.)

Tomás. ¡Te felicito, Roberto! Me han dicho que conseguiste el puesto en México. Estás contentísimo, ¿verdad?

Roberto. ¡Claro! Hacía mucho tiempo que yo buscaba un puesto como éste. ¡Qué suerte he tenido!

Tomás. Tú lo mereces. A propósito, ¿cuánto tiempo hace que hablas español?

Roberto. Lo hablo desde hace ocho o diez años.

Tomás. Como sabes, yo no lo entiendo bien. Pues, ¿cuándo piensas partir?

Roberto. De hoy en ocho días. Me queda poco tiempo para las mil cosas que tengo que hacer. En este momento estoy buscando dos maletas nuevas.

Tomás. Supongo que tendrás que viajar mucho en avión en cuanto llegues a México; por eso, necesitas maletas ligeras.

Roberto. Tienes razón. Ayer las busqué, pero no las encontré en ninguna parte. También necesito comprar el boleto.[1]

Tomás. ¡Hombre, hay que hacer eso ahora mismo! Si quieres, yo puedo reservar un asiento en el avión para que sigas buscando las maletas.

Roberto. Muchas gracias, pero me quedará tiempo para buscar más después de comprar el boleto. Voy a la oficina de la línea aérea ahora. ¿Vas conmigo?

Tomás. Sí, con mucho gusto. No estoy ocupado ahora.

(Tienen que andar solamente dos cuadras[2] para llegar a la oficina.)

Empleado. Buenos días, señores. ¿En qué puedo servirles?

Roberto. ¿Puede Ud. hacerme una reservación para un vuelo a la ciudad de México el día veinte y ocho del mes?

Empleado. Un momento, por favor, hasta que yo vea... Sí, hay espacio en el vuelo de las dos, pero no hay asiento en el otro vuelo.

Roberto. Está bien. ¿Acepta un cheque personal?

Empleado. Sí, señor, con tal que tenga identificación.

Roberto. Aquí tiene mi licencia para manejar y mi número de Seguridad Social.

Empleado. Esto basta. El precio del boleto es...

Tomás. ¿Vas a llevar tus palos de golf y tu máquina de escribir?

Roberto. ¡Por supuesto, aunque sea un poco difícil llevar tanto equipaje!

---

[1]In Spain **el billete** is used for *ticket.* [2]**La manzana** is normally used for *block* (city) in Spain.

251

Preguntas

Answer in Spanish these questions based on the first part of the dialogue:

1. ¿Qué le dice Tomás a Roberto?   2. ¿Qué contesta Roberto?   3. ¿Cuánto tiempo hace que habla español?   4. ¿Cuándo piensa partir?   5. ¿Qué está buscando en el centro?   6. ¿Cómo va a hacer el viaje a México?   7. ¿Ha comprado el boleto? 8. ¿Va Tomás con Roberto a la oficina de la línea aérea?

Preguntas generales

1. ¿Viajas mucho?   2. ¿Viajas más en verano o en invierno?   3. ¿Vas en coche? ¿En autobús?   4. ¿Te gusta ir en avión?   5. ¿Adónde se va para tomar un avión?   6. ¿Hay aeropuerto en esta ciudad?   7. ¿Por qué es necesario reservar los asientos en los aviones?   8. Cuando uno viaja en avión, ¿es mejor llevar maletas ligeras?   9. ¿Cuánto tiempo hace que estudias español?   10. ¿Cuándo empezaste a estudiarlo?   11. ¿Cuánto tiempo hace que tu familia vive en esta ciudad? 12. ¿Tienes tú máquina de escribir?   13. ¿Juegas al golf?   14. ¿Qué necesita uno para jugar al golf?

para conversar

Study the first part of the dialogue and retell it in Spanish in your own words.

Prepare a statement of eight to ten sentences in which you tell of getting ready for a trip or an excursion by car, bus, or plane.

NOTAS

A. The subjunctive in adverbial clauses

An adverbial clause, which modifies a verb and shows *time, manner, purpose, condition, proviso, negation,* and the like, is introduced by a conjunction, often a compound with **que** as the last part. If the action has taken place or is an accepted fact, the indicative mood is used; if the action may take place but has not actually happened, the subjunctive is normally used in the clause.

1. Time clauses

Cuando yo la veo, siempre la saludo.   When I see her, I always greet her.
En cuanto llegaron, nos llamaron.   As soon as they arrived, they called us.

The first example expresses an accepted or customary fact and in the second the action has taken place; thus the verbs in the clauses are in the indicative mood.

Cuando yo la vea, la saludaré.   When I see her, I shall greet her.
Llámame en cuanto llegue él.   Call me as soon as he arrives.

In these two examples **vea** and **llegue** indicate action that has not been completed at the time indicated by the main clause; that is, the time referred to in the clause is *indefinite* and *future*, and therefore *uncertain*. **Antes (de) que,** *before,* always requires the subjunctive.

Remember that the subject often follows a Spanish verb in clauses introduced by a relative pronoun or conjunction in which the verb does not have a noun object (second example).

Common conjunctions which introduce time clauses are:

antes (de) que	before	**en cuanto**	as soon as
cuando	when	**hasta que**	until
después (de) que	after	**mientras (que)**	while, as long as

2. Concessive and result clauses

Aunque está lloviendo, Pepe salió.   Even though it is raining, Joe left.
Aunque llueva mañana, iré al concierto.   Even though it rains (may rain) tomorrow, I shall go to the concert.

Aunque, *although, even though, even if,* is followed by the indicative mood if an accomplished fact is stated and by the subjunctive if the action is yet to happen. (1) In which example is an accomplished fact stated? (2) In which is the action yet to happen?

Anita habló de modo (manera) que la entendimos.   Ann spoke so that (in such a way that) we understood (did understand) her.
Lean Uds. de manera (modo) que los entienda yo.   Read so that I may (shall, will) understand you.

De manera que and **de modo que,** both meaning *so, so that,* may express result, in which case they are followed by the indicative mood. They may also express purpose or intention, in which case the subjunctive is used. (3) In which of the last two examples is purpose expressed? (4) In which is result expressed? Compare the last example with the use of **para que** in section 3.

3. Purpose, proviso, conditional, and negative result clauses

Yo puedo reservar un asiento para que sigas buscando las maletas.   I can reserve a seat in order that you may continue looking for the suitcases.
Aceptaré su cheque con tal que tenga identificación.   I shall accept your check provided that you have identification.

Certain conjunctions denoting *purpose, proviso, condition, negation,* and the like *always* require the subjunctive since they cannot introduce a statement of fact. By their meaning they indicate that the action in the clause is uncertain or that the action may not, or did not, actually take place. In addition to **de manera que** and **de modo que,** *so, so that* (see section 2), some other conjunctions of these types are:

a menos que unless	**para que** in order that, so that
con tal que provided that	**sin que** without

Para que and **con tal que** are used in this lesson and in later exercises. The other two conjunctions will be found in reading. Examples are:

No puedo ir al cine a menos que me paguen hoy.   I cannot go to the movies unless they pay me today.

Él siempre sale sin que lo veamos.   He always leaves without our seeing him.

B.   **Hacer** in time clauses

Hace dos años que él vive aquí *or* **Él vive aquí desde hace dos años.**   He has been living here two years (lit., It makes two years that he lives here). *(He still lives here.)*

¿Cuánto tiempo hace que hablas español?   How long have you been speaking Spanish? *(He still speaks Spanish.)*

Lo hablo desde hace ocho años *or* **Hace ocho años que lo hablo.**   I have been speaking it for eight years.

In Spanish, **hace** followed by a word indicating a period of time (**hora, día, mes, año,** etc.) plus **que** and a *present tense* verb, or a *present tense* verb plus **desde hace** plus a period of time, is used to indicate an action begun in the past and *still in progress.* (1) What tense is used in English in this construction?

Hacía mucho tiempo que yo buscaba un puesto como éste *or* **Yo buscaba un puesto como éste desde hacía mucho tiempo.**   I had been looking for a position like this (for) a long time (lit., It made a long time that I was looking for a position like this).

Hacía followed by a period of time plus **que** and a verb in the *imperfect tense,* or the *imperfect tense* plus **desde hacía** plus a period of time, is used to indicate an action which had been going on for a certain length of time and *was still continuing* when something else happened (the time of the happening may be understood, as in this example). (2) What tense is used in English in this construction?

Recall that **hace** plus a verb in a past tense means *ago* or *since:* **Hace una hora que lo vi** *or* **Lo vi hace una hora,** *It is an hour since I saw him* or *I saw him an hour ago.* (See Lesson 9, page 108.)

EJERCICIOS ORALES

A.   Read, keeping the meaning in mind:

1. Yo no estaba allí cuando ellos llegaron.   2. ¿Estarás aquí cuando lleguen?   3. Compré el abrigo después que mi padre me dio el dinero.   4. Compraré las camisas después que tú me des el dinero.   5. Juan no salió hasta que tú volviste.   6. Él no saldrá hasta que vuelvan Uds.   7. Fuimos a verlo en cuanto fue posible.   8. Iremos a verlo en cuanto sea posible.   9. Recibí el dinero, de manera que pude pagar a Carlos.   10. Voy a darte un cheque para que puedas pagarlo.

B.   Say after your teacher, then answer, following the model.

Model: ¿Lo harás?   ¿Lo harás? Sí, aunque Elena lo haga también.

1. ¿Vendrás temprano?   5. ¿La pondrás aquí?
2. ¿Saldrás esta noche?   6. ¿Empiezas a leer?
3. ¿Lo buscarás?   7. ¿Seguirás leyendo?
4. ¿Los traerás?   8. ¿Lo felicitarás?

C.   Say the model question after your teacher, then when you hear it again plus a cue (an infinitive), supply the correct form of the verb in a clause beginning with **para que,** following the model.

Model: ¿Traes los libros?   ¿Traes los libros?
         ¿Traes los libros? (leer)   Sí, los traigo para que tú los leas.

1. ver   4. vender
2. tener   5. conocer
3. comprar   6. mirar

D.   Say both question and answer after your teacher, then he/she will give other conjunctions to be used in the adverbial clause:

1. ¿Lo comprarás?   Sí, lo compraré con tal que me paguen.
   (cuando, después que, en cuanto, antes que)
2. ¿Piensas ir allá?   Sí, pienso ir allá antes que me llamen.
   (de manera que, para que, con tal que, en cuanto)

E.   After hearing the sentence and cue, form a new sentence.

Model: Él lee el libro. (Hace una hora)   Hace una hora que él lee el libro.

1. Ella mira la televisión. (Hace media hora)
2. Ellos viven en México. (Hace cinco años)
3. Los dos andan por el parque. (Hace veinte minutos)

4. Yo conozco al señor Gómez. (Hace mucho tiempo)
5. Carlos está en Los Ángeles. (Hace tres días)
6. José juega al golf. (Hace varios años)
7. Mi tío está en España. (Hace cuatro semanas)
8. Carlitos escucha discos. (Hace una hora y media)

F. After hearing the question and cue, answer in two ways, following the model.

Model: ¿Cuánto tiempo hace que lees? Hace una hora que leo.
(Hace una hora) Leo desde hace una hora.

1. ¿Cuánto tiempo hace que estudias español? (Hace un año y medio)
2. ¿Cuánto tiempo hace que juegas al golf? (Hace dos años)
3. ¿Cuánto tiempo hace que Luis está en la Florida? (Hace una semana)
4. ¿Cuánto tiempo hace que ella está escribiendo? (Hace quince minutos)

EJERCICIOS ESCRITOS

A. Rewrite the following sentences, beginning with the words in parentheses.

Model: Le hablé cuando lo vi. (Le hablaré) Le hablaré cuando lo vea.

1. Charlé con Juan cuando estaba aquí. (Voy a charlar con Juan)
2. Volvieron en cuanto los llamé yo. (Volverán)
3. Tuvimos que salir aunque llovía. (Tendremos que salir)
4. Hablé despacio de modo que él me entendió. (Hablaré despacio)
5. Les di el dinero después que terminaron el trabajo. (Les daré el dinero)
6. Ella no pudo ir allá aunque consiguió el puesto. (Ella no podrá ir allá)
7. Fuimos a verlos en cuanto fue posible. (Iremos a verlos)
8. Me quedé allí hasta que se fueron. (Espero quedarme allí)

9. Irá a la sierra. (Permítanle Uds. a Felipe que)
10. Se vestirá pronto. (Le pediré a Carolina que)
11. Luis ha traído sus palos de golf. (No creo que)
12. Ella no dormirá la siesta. (Nos alegramos de que)

B. Rewrite the following sentences, substituting the words in parentheses for those in italics and making any necessary changes:

1. *Ella tiene una blusa* que le gusta. (Ella busca una blusa)
2. *Pablo trae una maleta* que es ligera. (Pablo necesita una maleta)
3. *Veo a alguien* que llevará el equipaje. (No veo a nadie)
4. *Conozco a un joven* que sabe escribir bien. (¿Conoces un joven . . .?)

C. Write in Spanish, using familiar singular forms for "you":

1. I congratulate you, Robert! Martha has told me that you obtained the position in Mexico.   2. Many thanks, Thomas. I have been very fortunate.   3. I had been looking for a position like this one for a long time.   4. At this moment I am trying to find two suitcases which are light, but I cannot find them anywhere.   5. Are you going to take your golf clubs and your typewriter?   6. Of course! Even though I may have to work every day, I want to play golf each weekend.   7. I shall know whether that is possible as soon as I arrive there.   8. "Do you intend to leave soon?" "Yes, a week from yesterday if I can get a reservation."   9. Man! Let's go to the airline office at once in order that you can get a seat on the plane.   10. Or, do you want me to make the reservation while you continue looking for the suitcases?   11. No, I can buy my ticket now, provided that they (will) accept a check. Let's be going.   12. The employee tells Robert that there is space on the two-o'clock flight.   13. After showing his driver's license to the employee, he pays for the ticket with a check.   14. Then Robert tells Thomas that he has little time left for the many things he has to do.

Airport in Bogotá, Colombia

PRÁCTICA

(Roberto entra en la agencia de viajes, y el empleado lo saluda.)

—Buenas tardes, señor. ¿En qué puedo servirle?

—Quiero salir para la ciudad de México el lunes y deseo reservar un asiento.

—Hay dos vuelos diarios. El vuelo de la mañana es directo, y el vuelo de la tarde hace una parada en Guadalajara.

—Prefiero el vuelo de la mañana para llegar lo más pronto posible.

—Un momento. Voy a preguntar si hay espacio. *(Al poco rato.)* Por desgracia, no queda ningún asiento en ese vuelo.

—Pues, tendré que tomar el vuelo de la tarde.

—Muy bien. ¿Boleto sencillo o de ida y vuelta?

—Boleto sencillo, por favor. ¿Cuánto equipaje puedo llevar?

—Veinte kilos.

—Gracias. Aceptan un cheque personal, ¿verdad?

—¡Cómo no! El precio es ciento veinticinco dólares. ¿Puede esperar unos momentos, o quiere recoger el boleto más tarde?

—Puedo esperar si no tarda mucho.

la agencia de viajes   travel agency

de ida y vuelta   round trip

la desgracia   misfortune

diario, -a   daily

directo, -a   direct, non-stop

hacer una parada   to stop over, make a stop

la ida   going; departure

el kilo(gramo)   kilo(gram) *(about 2.2 pounds)*

lo más pronto posible   as soon as possible

por desgracia   unfortunately

sencillo, -a   simple, one-way

si no tarda mucho   if it doesn't take long, if you don't delay (take) long

el vuelo (de la mañana)   (morning) flight

LECCIÓN 20

In this lesson you will learn and practice:

1. some new words and phrases
2. the forms of verbs ending in *-ger* and *-gir*
3. the forms of the imperfect subjunctive tense of regular verbs and of stem-changing verbs, Class I
4. the use of the subjunctive tenses

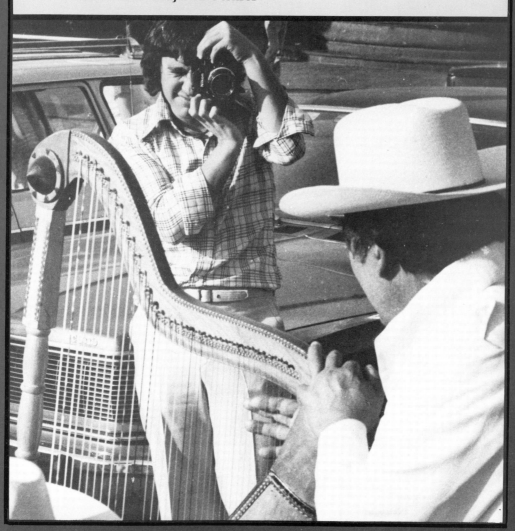

PALABRAS Y EXPRESIONES

SUBSTANTIVOS

la cámara   camera
el dentista   dentist
Juanito   Johnny
el milímetro   millimeter
la pantalla   screen (*movie*)
el proyector   projector
el rollo   roll
la tintorería   cleaning shop, cleaners
la transparencia   transparency, slide

VERBOS

ahorrar   to save
escoger   to choose, select

marcharse   to leave, go away
meter   to put (in)
regresar   to return
revelar   to develop (*film*)

OTRA PALABRA

además *adv.*   besides, furthermore

EXPRESIONES

cámara de cine   movie camera
cámara de treinta y cinco
   milímetros   35-millimeter camera
pasado mañana   day after tomorrow

Otra cámara para el viaje

(Roberto ha ido de compras y acaba de regresar[1] a casa cuando Miguel llama a la puerta.)

Miguel. ¡Hola, Roberto! Aunque sea tarde, he venido a ver si encontraste la cámara que buscabas.

Roberto. Pasa, Miguel. Como sabes, mi papá quería que yo escogiese una cámara de treinta y cinco milímetros que me gustase. Ahora quiero que la veas.

Miguel. ¿Por qué no me llamaste para que te ayudara a escogerla? *(Roberto le entrega la cámara.)* Pero, ¡ésta es magnífica!

Roberto. Pues, pasé por tu casa a eso de las diez, pero ya habías salido antes que yo llegase.

Miguel. ¿No te dijo mi mamá que me pidió que llevara a Juanito al dentista? Después, ella quería que yo le cobrara un cheque en el banco. Además, llevé dos pares de pantalones a la tintorería para que me los limpiaran para pasado mañana.

Roberto. Mi papá tiene una buena pantalla y dos proyectores nuevos. Con ellos podrá mirar los rollos de película y las transparencias[2] que le envíe en cuanto llegue a México. Espero sacar muchas fotos.

Miguel. ¿Entonces llevarás tu cámara de cine también?

Roberto. ¡Por supuesto! Habrá ocasiones cuando podré usar las dos. Cuando haya bailes o fiestas populares, será mejor usar la cámara de cine.

Miguel. ¿Por qué no metes un rollo de película en la cámara nueva para probarla?

Roberto. Es una buena idea, aunque dudo que puedan revelarlo antes que me marche. Miguel, ¿por qué no ahorras el dinero para pasar dos o tres semanas en México conmigo? ¿Qué te parece la idea?

Miguel. ¡Me parece magnífica! Haré mis planes para eso, con tal que yo pueda ahorrar el dinero que necesite. Más tarde veremos.

[1]In Spanish America **regresar,** *to return,* is often (but not always) used instead of **volver.** [2]For *slide, transparency,* **la diapositiva** is also used.

Preguntas

Answer in Spanish these questions based on the first part of the dialogue:

1. ¿Quién acaba de regresar a casa? 2. ¿Quién llama a la puerta? 3. ¿Por qué ha venido Miguel? 4. ¿Qué había querido el papá de Roberto? 5. ¿A qué hora pasó Roberto por la casa de Miguel? 6. ¿Qué le había pedido a Miguel su mamá? 7. ¿Por qué le había pedido ella que fuera al banco? 8. ¿Qué hizo Miguel después?

Preguntas generales

1. ¿Tienes una cámara de 35 milímetros? 2. ¿Tienes una cámara de cine? 3. ¿Tiene tu papá una cámara? 4. ¿Qué se mete en una cámara? 5. ¿Te gusta sacar fotos? 6. ¿Te gusta mirar las transparencias? 7. ¿Qué se usa para mirarlas? 8. ¿Has visto fotos de México? 9. ¿Te gustaría ir a México? 10. ¿Hay muchas fiestas allí?

para conversar

Study the second part of the dialogue and retell it in Spanish in your own words.

Prepare a conversation of six to eight exchanges to give in class, starting with one of the following:

1. *Miguel.* ¿Dónde has estado, Roberto?

    Roberto. He estado en el centro con Pablo. Buscábamos una cámara para mi papá.

2. *Anita.* Esta noche vamos a mirar las transparencias que sacamos durante nuestro viaje en (México). ¿Puedes venir a verlas?

    Luisa. Sí, con mucho gusto. También tendré mucho interés en ver el proyector nuevo.

NOTAS

A. Verbs ending in **-ger** and **-gir: escoger,** *to choose*

PRES. IND.	escojo	escoges	escoge, etc.			
PRES. SUBJ.	escoja	escojas	escoja	escojamos	escojáis	escojan

In verbs ending in **-ger** and **-gir, g** becomes **j** before the endings beginning with **-o** or **-a.** (1) In which forms does this change occur?

Two other verbs of this type are **coger,** *to pick, gather,* and **dirigir,** *to direct.* (2) What are the first person singular present indicative and present subjunctive forms of **coger** and **dirigir?**

B. The imperfect subjunctive tense

tomar		comer, vivir	
SINGULAR		**SINGULAR**	
tomara	tomase	comiera	viviese
tomaras	tomases	comieras	vivieses
tomara	tomase	comiera	viviese
PLURAL		**PLURAL**	
tomáramos	tomásemos	comiéramos	viviésemos
tomarais	tomaseis	comierais	vivieseis
tomaran	tomasen	comieran	viviesen

The imperfect subjunctive tense in Spanish has two forms, often referred to as the **-ra** and **-se** forms, and the same two sets of endings are used for the three conjugations. To form the imperfect subjunctive of *all* verbs, regular and irregular, drop **-ron** of the third person plural preterit indicative and add **-ra, -ras, -ra, -ramos, -rais, -ran,** or **-se, -ses, -se, -semos, -seis, -sen.** (1) Which form has a written accent? (2) Which two forms are the same in all three conjugations? (3) With the exception of the present indicative tense, which two conjugations have the same endings in all tenses?

Stem-changing verbs, Class I (which end in **-ar** and **-er**), have no stem change in the imperfect subjunctive:

cerrar:	**cerrara cerraras,** etc.		**cerrase cerrases,** etc.	
volver:	**volviera volvieras,** etc.		**volviese volvieses,** etc.	

With two exceptions which will be explained later, the two forms of the imperfect subjunctive tense are used interchangeably in Spanish. Just as the present subjunctive often has *may* as part of its English meaning, the imperfect subjunctive often has *might;* **que tomara (tomase),** *that I* or *he might take.*

C. Use of the subjunctive tenses

Quiero que veas el proyector.   I want you to see the projector.

Cuando haya bailes, será mejor usar la cámara de cine.   When there are (may be) dances, it will be better to use the movie camera.

Dudo que puedan revelarlo antes que me marche.   I doubt that they can (will be able to) develop it before I leave.

Siento mucho que Luisa no haya visto la película.   I'm very sorry that Louise hasn't seen the film.

When the main verb in a sentence which requires the subjunctive in a dependent clause is in the present, future, or present perfect tense, or is a command, the verb in the clause is usually in the present or present perfect subjunctive tense.

¿Por qué no me llamaste para que te ayudara (ayudase)?   Why didn't you call me in order that I might help you?

Mi mamá me pidió que llevara (llevase) a Juanito al dentista.   My mother asked me to take Johnny to the dentist.

Roberto buscaba una cámara que le gustara (gustase).   Robert was looking for a camera that he liked (might like).

Habías salido antes que yo llegara (llegase).   You had left before I arrived.

When the main verb is in the imperfect, preterit, conditional, or pluperfect tense, the verb in the dependent clause is usually in the imperfect subjunctive.

The present subjunctive rarely follows a verb in the imperfect, preterit, conditional, or pluperfect tense.

Se alegran de que lo probáramos (probásemos).   They are glad that we tried it.

No creemos que los hombres regresaran (regresasen).   We do not believe that the men returned.

The imperfect subjunctive may follow the present, future, or present perfect tense when, as in English, the action of the dependent clause took place in the past.

EJERCICIOS ORALES

A. Substitution exercises:

1. Él prefiere que *Diana* escoja la cámara.
   (yo, tú, Ud., Uds., Juan y yo)
2. Será mejor que *Carlos* la pruebe.
   (yo, tú, Juan y ella, nosotros, Uds.)
3. Él quería que *ella* la comprara.
   (nosotros, Uds., yo, tú, José y Pablo)
4. Luis sintió que *Ud.* no escogiese el proyector.
   (Uds., tú, Elena, los muchachos, yo)
5. Ellos esperaban que *Marta* escribiese la carta.
   (yo, tú, nosotros, el señor López, Uds.)

B. Read, supplying the correct form of the present or imperfect subjunctive of the verb in parentheses. Give both the **-ra** and **-se** forms of the imperfect subjunctive when that tense is required:

1. ¿Quieren que Carmen (trabajar) hoy? 2. Querían que ella (trabajar) ayer. 3. No es posible que Guillermo (regresar) esta tarde. 4. No fue posible que él (regresar) más temprano. 5. Le diré a Carlos que (comprar) un bolígrafo. 6. Le dije que (comprar) papel en seguida. 7. Será preciso que Miguel (escoger) la cámara. 8. Dijeron que fue preciso que él la (escoger) ayer. 9. Dudo que mis hermanos (encontrar) otra cámara aquí. 10. Mi papá había dudado que ellos (encontrar) un proyector mejor. 11. Buscan otra pantalla que les (gustar). 12. Buscaban otra que les (gustar).

C. Say after your teacher, then upon hearing a cue, use it to form a new sentence. Give the **-ra** form of the imperfect subjunctive. Be prepared, however, to give the **-se** form if your teacher should ask for it.

Model: Yo quiero que él lo mire.   Yo quiero que él lo mire.
        Yo quería   Yo quería que él lo mirara (mirase).

1. Yo no creo que mis tíos vendan la casa. (Yo no creía)
2. Le pediré a Diana que compre una cámara de cine. (Yo le pediría a Diana)
3. Es preciso que ella meta un rollo de película en la cámara. (Fue preciso)
4. Será mejor que esperemos un rato. (Sería mejor)
5. No vemos a nadie que conozca a aquel señor. (No vimos a nadie)
6. Te traigo el cheque para que lo cobres. (Te traje el cheque)
7. Nuestro papá quiere que nosotros limpiemos el coche. (Nuestro papá quería)
8. Me alegro de que Carolina no se marche. (Me alegraba de que)

D. Read, then repeat, changing the main verb to the imperfect indicative tense and the verb in the dependent clause to the **-ra** form of the imperfect subjunctive:

1. Yo busco un muchacho que trabaje bien. 2. No conozco a ninguno que viva cerca. 3. Mi madre quiere que yo busque otra pantalla. 4. Ella espera que yo encuentre una en aquella tienda. 5. Es mejor que Margarita escoja los vestidos. 6. Me alegro de que tú pruebes la cámara de cine. 7. Dudamos que nuestros amigos ahorren bastante dinero. 8. ¿Hay alguien que entienda al señor Ortiz?

E. Say after your teacher, then answer, following the model.

Model: ¿Comprarías el libro?   ¿Comprarías el libro? Sí, aunque Carlos
                                        lo comprara también.

1. ¿Probarías la cámara?   4. ¿Mirarías las transparencias?
2. ¿Buscarías una pantalla?   5. ¿Comprarías un rollo de película?
3. ¿Reservarías el asiento?   6. ¿Escogerías la maleta?

EJERCICIOS ESCRITOS

A. Write two answers for each question, following the model.

Model: ¿Ahorro el dinero? (quiero—quería)   Sí, quiero que tú lo ahorres.
                                                      Sí, quería que tú lo ahorrases.

1. ¿Escojo el regalo? (quieren—querían)
2. ¿Compro un rollo de película? (Luis desea—Luis deseaba)
3. ¿Pruebo la cámara? (me alegro de—me alegraba de)
4. ¿Miro las transparencias? (es preciso—fue preciso)
5. ¿Reservo el asiento? (será mejor—sería mejor)

B. Write answers to these questions, using both the **-ra** and **-se** forms of the verb:

1. ¿Querían que yo lo (comprar)?   Sí, querían que tú lo compraras (comprases).
        (vender)?
        (probar)?
        (meter)?
2. ¿Les pedirías que lo (escoger)?
          (reservar)
          (pagar)?
3. ¿Habías esperado que ella lo (cerrar)?
            (abrir)?
            (dejar cerrado)?

C. Write in Spanish, using the familiar forms for "you," and the **-ra** form of the imperfect subjunctive, when that tense is required:

1. Even though it may be late, Michael wants to go to Robert's.   2. The latter's father has given him the money in order to buy a movie camera.   3. Robert said that he wanted Michael to see it before he left for Mexico.   4. Michael asked: "Why didn't you wait until tomorrow in order that I might help you to select it?"   5. I passed by your house, but you had already taken Johnny to the dentist.   6. Yes, and my mother also asked me to take a check to the bank so that they would cash it.   7. Robert's father wanted him to choose another camera that he might like.   8. His father has a new projector and he will be able to look at the slides as soon as Robert sends them to him.   9. Robert is sure that there will be occasions when he can use both cameras.   10. He doubts that there will be enough time (in order) to develop the film if he tries the camera before leaving.   11. Robert asks his friend: "Why don't you make plans to visit me in Mexico?"   12. "I shall do that," replies Michael, "provided that I can save the money (that) I may need."

PRÁCTICA

(Suena el teléfono y Carlos contesta.)

—¡Bueno!
—Aquí habla Roberto. ¿Qué estás haciendo? ¿Estás ocupado?
—En este momento, no. Acabo de entrar en la casa.
—Pues, si no tienes planes, ¿puedes ir al centro conmigo?
—Creo que sí. ¿Qué pasa?
—Es que mi abuelo que vive en Nueva York me ha enviado un cheque.
—¡Magnífico! ¡Qué suerte tienes! ¿Qué vas a comprar?
—Algunos palos de golf.

—Supongo que tu abuelo quiere que tú los escojas.

—¡Por supuesto! Quiere que yo escoja algunos que me gusten.

—¿Y te ha enviado bastante dinero para un juego entero?

—No, pero probablemente más de la mitad que voy a necesitar. Ahorita paso por tu casa.

—Muy bien. Te espero en la acera.

ahorita   right now, right away

entero, -a   entire, whole

el juego   set *(of matching articles)*

la mitad   half

probablemente   probably

Other words which may be substituted in the conversation above, or in a new one:

el campo de golf   golf course

la cancha de tenis   tennis court

competir (i, i)   to compete

es que   the fact is that

el (la) golfista   golfer, golf player

el participante   participant

la pelota de golf (de tenis)   golf (tennis) ball

la raqueta de tenis   tennis racket

vencer   to defeat, overcome, conquer

LECCIÓN 21

In this lesson you will learn and practice:

1. some new words and expressions
2. the forms of the imperfect subjunctive tense of irregular verbs and stem-changing verbs, Class II and Class III
3. the forms of the pluperfect subjunctive tense
4. conditional sentences

Street in Cuzco, Peru

B. The pluperfect subjunctive tense

hubiera	hubiese	
hubieras	hubieses	
hubiera	hubiese	
		tomado, comido, vivido
hubiéramos	hubiésemos	
hubierais	hubieseis	
hubieran	hubiesen	

Esperaban que yo lo hubiese visto.   They hoped that I had seen it.

The pluperfect subjunctive is formed by either form of the imperfect subjunctive of **haber** plus the past participle. Its English meaning is similar to that of the pluperfect indicative: **que hubiesen tomado,** *that they had taken:* sometimes the word *might* is a part of the meaning: *that they might have taken.*

C. Conditional sentences

You have already had simple conditions in which the present indicative tense is used in the English *if-*clause and the same tense in the Spanish **si-**clause. The present or the future is used in the main clause:

Si Juan está en su cuarto,   **está estudiando.**
   If John is in his room,   he is studying.
Si tiene dinero,   **me lo dará.**
   If he has (the) money,   he will give it to me.

Now contrast these examples with the following:

Si él tuviera (tuviese) dinero,   **me lo daría.**
   If he had (the) money (*but he doesn't*), he would give it to me.
Si yo estuviera (estuviese) en tu lugar, **iría a la Argentina.**
   If I were in your place (*but I'm not*),   I would go to Argentina.
Si Pablo hubiera (hubiese) vuelto,   **me habría llamado.**
   If Paul had returned (*but he didn't*),   he would have called me.

In a **si-**clause (or *if-*clause) which implies that a statement is contrary to fact (i.e., not true) at the *present* time (first two examples), Spanish uses either form of the imperfect subjunctive. A contrary-to-fact statement may also be expressed in the past (last example), using the pluperfect subjunctive.

The conclusion or main clause of a conditional sentence is usually expressed by the conditional (or conditional perfect),[1] as in English.

[1]For forms of the conditional and conditional perfect tenses, see Lección 10, pages 121 and 124.

Como si, *as if,* may also be used to express a contrary-to-fact condition:

Ella habla como si estuviera (estuviese) enferma.   She talks as if she were ill
   (but she isn't).

Either form of the imperfect subjunctive may be used in the **si**-clause to express something that is not expected to happen but which *may (might)* happen in the future. Whenever the English sentence has *should* or *were to* in the *if*-clause, the imperfect subjunctive is used in Spanish:

Si vinieran (viniesen) mañana,   **me llamarían.**
   If they should (were to) come tomorrow,   they would call me.
Si fueras a verlo,   **te ayudaría.**
   If you should (were to) go to see him,   he would help you.

EJERCICIOS ORALES

A. Substitution exercises:

1. Querían que *él* les trajera la cámara.
   (tú, yo, nosotros, los muchachos, Ud.)
2. Elena dudaba que *su hermano* fuera con ella.
   (yo, tú, tú y yo, Roberto, sus amigas)
3. Trajeron el libro para que *yo* lo leyera.
   (ella, tú, Uds., Carlos y yo, Felipe)
4. Sentían que *Anita* no hubiera llegado.
   (nosotros, yo, tú, Ud., Uds.)
5. Sería mejor que *él* durmiese la siesta.
   (yo, mi mamá, Uds., nosotros, tú)
6. No fue preciso que *Marta* sirviera café.
   (yo, tú, tu hermana, nosotros, las muchachas)

B. Say after your teacher, then upon hearing a cue, use it to form a new sentence containing the **-ra** form of the imperfect subjunctive.

Model: Yo quiero que Ramón lo lea.   Yo quiero que Ramón lo lea.
   Yo quería   Yo quería que Ramón lo leyera.

1. Queremos que José conduzca el coche. (Queríamos)
2. Prefieren que andemos despacio. (Preferían)
3. Le pediré a él que haga el trabajo. (Le pedí a él)
4. Tienen miedo de que yo les diga algo. (Tenían miedo de)
5. No hay nadie que tenga cámara de cine. (No había nadie)
6. Él dice que saldrá en cuanto vuelvan los niños. (Él dijo que saldría)

Use the **-se** form of the imperfect subjunctive:

7. ¿Hay alguien que pueda llevar la maleta? (¿Había)
8. No vemos a nadie que quiera esperar. (No vimos a nadie)
9. Yo la llamaré para que traiga la cámara. (Yo la llamaría)
10. Yo necesito una secretaria que sepa bien el español. (Yo necesitaba)

Use the **-ra** form of the pluperfect subjunctive:

11. No creo que hayan devuelto las cosas. (No creí)
12. Sienten que Uds. no los hayan visto. (Sentían)
13. Buscan a alguien que haya tenido experiencia. (Buscaban)
14. No estamos seguros de que hayas dicho eso. (No estábamos)

C. Say after your teacher and be able to explain briefly the differences in meaning in each series:

1. Si Pepe está aquí a las diez, verá a Roberto.
   Si estuviera aquí ahora, vería a Roberto.
   Si hubiese estado aquí anoche, habría visto a Roberto.

2. Si tengo tiempo, volveré para el almuerzo.
   Si tuviera tiempo, volvería para el almuerzo.
   Si hubiera tenido tiempo, habría vuelto para el almuerzo.

3. Si van a México, tendrán que comprar maletas ligeras.
   Si fuesen a México, tendrían que comprar maletas ligeras.
   Si hubiesen ido a México, habrían tenido que comprar maletas ligeras.

Your teacher may repeat the first sentence in each series, then follow with the two **si**-clauses and ask you to complete the sentences.

D. Say after your teacher, then repeat, changing the verb in the **si**-clause to the imperfect subjunctive tense and the verb in the main clause to the conditional.

Model: Si tiene dinero, lo traerá.   Si tiene dinero, lo traerá.
                                                 Si tuviera (tuviese) dinero, lo traería.

1. Si Margarita está aquí, hará el trabajo.
2. Si las muchachas vienen hoy, nos darán la lista.
3. Si los vemos, les daremos la cámara.
4. Si Juan va allá, me enviará varias tarjetas.
5. Si suena el despertador, Carlos se despertará.
6. No estaremos listos si no nos damos prisa.

Change the verb in the **si**-clause to the pluperfect subjunctive tense and the verb in the main clause to the conditional perfect:

7. Si ella ha ido de compras, habrá comprado muchas cosas.

8. Si Anita ha escrito la carta, la habrá echado al correo.

9. Juan le habrá enviado el regalo si lo ha envuelto.

10. Él habrá ido al cine si ha terminado la composición.

EJERCICIOS ESCRITOS

A. Review the forms of the future and conditional perfect indicative tenses in Lección 10, page 124, then rewrite each sentence twice, substituting both tenses for the verb in the present perfect indicative tense.

Model: Yo lo he escrito.   Yo lo habré escrito. Yo lo habría escrito.

1. Los dos ya han salido.   2. Ha sido difícil hacer eso.   3. Hemos podido verlos.
4. Juan ha ido al cine.   5. Tú no los has leído.   6. Yo lo he hecho bien.

B. Rewrite each sentence, following the models.

Models: Si tiene tiempo, vendrá.   Si tuviese (tuviera) tiempo, vendría.
          Si ha vuelto, la habrá visto.   Si hubiese (hubiera) vuelto, la habría visto.

1. Si José vuelve a casa, nos llamará.   2. Si vamos a México, sacaremos muchas fotos.   3. Si no es tarde, podré charlar contigo.   4. Veremos las transparencias si traen el proyector.   5. Si él ha metido un rollo de película, habrá podido probar la cámara.   6. Si la secretaria ha escrito la carta, se la habrá enviado al Sr. Gómez.

C. Write in Spanish:

1. If Joe is in his room, he is writing a letter.   2. If he were in his room, he would write a letter.   3. If he had been in his room, he would have written a letter.   4. If my cousins come tomorrow, they will bring me the ticket.   5. If they should come tomorrow, they would bring me the ticket.   6. If they had come yesterday, they would have brought me the ticket.   7. If I had seen a good projector, I would have bought it.   8. That boy talks as if he were from Spain.

D. Write in Spanish:

1. If I should like to take a trip to Europe, my uncle would give me a thousand dollars.   2. If I were in your (*fam.*) place, I would go to South America.   3. I should like to go there if I could work in Peru.   4. You could visit all the South American countries if you had more time.   5. If I could speak Spanish, a friend of mine would give me a job in Argentina.   6. I want to work in (with) a company that has (may have) many branches.   7. It would be easier to get a job if I had studied economics.   8. If you should write to the managers of several companies, doubtless you

would find something.   9. No, I believe that it would be better to have a personal interview with each manager.   10. You are right; let's make a list of companies which have branches in Spanish America now.

Repaso de expresiones

Review the verbs and expressions in Lecciones 19-21, then write in Spanish:

1. a week from today 2. day after tomorrow 3. a movie camera 4. a 35-millimeter camera 5. the chamber of commerce 6. at the same time 7. some golf clubs 8. a driver's license 9. the four o'clock flight 10. Put (*fam.*) a roll of film in the camera. 11. I should like to try the projector. 12. We are very eager to visit South America. 13. Choose (*pl.*) some slides. 14. He saved enough money to buy the car. 15. They have returned from Mexico City. 16. How fortunate we have been! 17. They are getting ready (*progressive*) for the trip. 18. Joe ran across Raymond downtown.

PRÁCTICA

Carlos. ¿Tiene Ud. un cuarto para dos personas?
Empleado. ¿Con baño o sin baño?
Carlos. Con baño, por favor. ¿Puede enseñarnos el cuarto?
Empleado. ¡Por supuesto! Vamos a tomar el ascensor hasta el quinto piso... Este cuarto es grande y tiene dos ventanas que dan a las montañas. Tengo otro más pequeño con ducha en vez de tina, pero da al patio central.
Arturo. ¿Cómo son las camas?
Empleado. Son muy cómodas. Y aquí está el cuarto de baño con agua fría y caliente a toda hora.
Carlos. ¿No te gusta el cuarto, Arturo? Parece muy bueno para el precio.
Arturo. Sí, a mí me gusta también. Vamos a tomarlo.
Empleado. Pues, aquí tienen Uds. la llave. La criada traerá jabón y toallas en seguida, y el botones va a traer las maletas. Aquí se come a las ocho.

el ascensor elevator		**la tina** bathtub	
el botones bellboy *(Am.)* [1]		**la toalla** towel	
caliente *adj.* warm, hot			
la ducha shower *(bath)*		**a toda hora** at every hour (all hours)	
el jabón soap		**cuarto para dos personas** double room	
la llave key		**cuarto para una persona** single room	

[1]Other words commonly used, especially in the Americas, are **el elevador,** *elevator;* **el mozo,** *porter, bellboy;* and **la regadera,** *shower* (bath).

Lectura 7

Los libertadores

Estudio de palabras

A few words used earlier are included in this section.

a. Approximate cognates (comparison of Spanish and English spelling)

1. The Spanish **k** sound (**qu** before **e** and **i, k** in a few words of foreign origin, but **c** in other cases) = English *ch* or *(c)k:* atacar, *to attack;* convocar, *to convoke (call together);* kilómetro, *kilometer;* monarquía, *monarchy.*

2. Spanish **f** = English *ph:* triunfante, *triumphant;* triunfo, *triumph.*

3. Spanish **t** = English *th:* autoridad, *authority;* teoría, *theory;* trono, *throne.*

4. Spanish **u** = English *ou:* fundación, *foundation, founding;* fundar, *to found;* grupo, *group.*

b. Verb cognates. *Pronounce and give the English for:* aspirar, declarar, retirar; organizar; educar, separar.

Pronounce and observe the meanings of: concebir (i, i), *to conceive;* confesar, *to confess;* distinguir, *to distinguish;* proclamar, *to proclaim;* revelar, *to reveal.*

Often it is helpful to think of a similar meaning in English; convocar, *to convoke, call together;* dominar, *to dominate, subdue, control;* elevar, *to elevate, raise, lift.*

c. Other words with miscellaneous differences which should be recognized easily, especially in context or when pronounced in Spanish, are: batalla, *battle;* carrera, *career;* congreso, *congress;* conspirador, *conspirator;* detalle, *detail;* dictador, *dictator;* imagen, *image;* misterioso, *mysterious;* numeroso, *numerous;* paso, *pass;* patriota, *patriot;* progreso, *progress;* regimiento, *regiment;* voluntario, *volunteer.*

d. *Compare the meanings of:* atravesar, *to cross*—a través de *(prep.), across;* campo, *country*—campesino, *countryman, peasant, (pl.) countryfolk;* esperar, *to hope*—esperanza(s), *hope(s);* hacer, *to do, make*—hazaña, *deed;* libertad, *liberty,*—libertador, *liberator;* mejor, *better*—mejoramiento, *betterment, improvement;* traidor, *traitor* —traición, *treason, treachery.*

279

MODISMOS Y FRASES ÚTILES

a caballo   on horseback
a principios de   at the beginning of
a través de   across, through
atreverse a   to dare to
dar gritos   to shout, cry out
en poder de   in the hands (power) of
fijarse (bien) en   to observe *or* notice
   (carefully)

junto con   along with
negarse (ie) a   to refuse to
poner fin a   to put an end to
representar el mismo papel que   to
   play the same role as
tocar a uno   to fall to one's lot, be
   one's turn

NOTAS

1. The past participle may be used independently in Spanish as an adjective. Used thus the participle precedes the noun or pronoun it modifies and with which it agrees in gender and number. The translation depends on the context:

Conseguida la independencia peruana . . .   Peruvian independence attained
   (After *or* When Peruvian independence was attained) . . .
Terminada la obra militar . . .   The military work ended (After the military work
   was ended) . . .

2. Even though the article is normally repeated before nouns in a series, when the nouns are closely related in meaning, the article may be omitted in polished style before all but the first noun:

. . . los ideales y sueños . . .   . . . the ideals and dreams . . .
. . . los indios y campesinos . . .   . . . the Indians and countryfolk . . .

Durante los tres siglos en que América había vivido bajo la monarquía española, ocurrieron ciertas injusticias económicas y políticas que no permitían el progreso de las colonias. El ejemplo de la revolución norteamericana (1775) y de la revolución francesa (1789) y las nuevas ideas sobre la libertad y los derechos del hombre les dieron esperanzas a los que[1] aspiraban a separarse de la madre patria.[2] Desde el siglo XVII España había perdido poco a poco su poderío en Europa. Cuando Napoleón invadió a España en 1808 y puso en el trono a su hermano José, la revolución en América pronto se convirtió en un movimiento general. En la América española la lucha por la independencia comenzó, por fin, en el año 1810.

Los tres grandes libertadores de la independencia de la América española fueron Simón Bolívar, José de San Martín y el padre Miguel Hidalgo.

---

[1] **a los que,** *to those who.* [2] **madre patria,** *mother country.*

Simón Bolívar, llamado el Jorge Washington de la América del Sur, fue el libertador del norte del continente. Nació en Caracas, Venezuela, en 1783. De familia distinguida, fue educado en España. En 1810 volvió a Venezuela para tomar parte en la rebelión de la colonia contra la dominación española. Después de luchar varios años, logró expulsar a los españoles de Venezuela. En 1819 continuó a Nueva Granada,[1] donde fundó la república de la Gran Colombia, formada por las actuales [2] de Colombia, Panamá, Venezuela y el Ecuador. Cuatro años más tarde entró triunfante en Lima y en el año 1824 su ejército ganó la famosa victoria de Ayacucho, poniendo fin a la dominación española. Conseguida la independencia peruana,° fundó la república del Alto Perú (hoy Bolivia).

Terminada la obra militar,° Bolívar trató en vano de realizar el sueño de su vida. Propuso la formación de la Gran Confederación de los Andes, es decir, la unión de los países del norte del continente bajo la autoridad del mismo Bolívar. En 1826 convocó en Panamá el primer Congreso Panamericano, pero, por desgracia, las nuevas naciones se negaron a aceptar el plan. Hasta su muerte, en 1830, Bolívar siguió luchando en vano por lograr la unificación. La Organización de los Estados Americanos, que recibió su nombre actual en la conferencia panamericana celebrada en Bogotá, Colombia, en 1948, es el resultado de más de un siglo de lucha por realizar los ideales y sueños° de Bolívar.

José de San Martín fue el libertador del sur del continente. Hijo de un capitán español que vivía en la Argentina, José fue enviado a España para estudiar la carrera militar. Pasó unos veinte años en el ejército español, donde se distinguió como soldado, sobre todo en la guerra contra Napoleón. En el año 1812 volvió a la Argentina para ofrecer sus servicios a las fuerzas revolucionarias, y durante unos diez años representó en el sur del continente el mismo papel que Bolívar en el norte. Su marcha a través de los Andes, a principios del año 1817, para dominar a los españoles en Chile, es una de las hazañas más notables de la historia militar.

Se cuentan numerosas anécdotas de esta célebre marcha. Había dos pasos muy estrechos, el de los Patos y el de Upsallata. San Martín no tenía mapas de la región, ni de los caminos que conducían de estos pasos a Chile. Para obtenerlos, llamó a uno de sus ingenieros, le entregó un documento que proclamaba la independencia de Chile y le mandó presentarlo [3] al gobernador español de aquella provincia. También le dio al ingeniero instrucciones de ir a Chile por el camino más largo, el de los Patos. Si la misión no le costaba la vida,[4] había de regresar por el camino más corto, el de Upsallata. El ingeniero debía fijarse bien en [5] todos los detalles del camino, grabarlos en su memoria [6] y hacer así un mapa mental. Afortunadamente el ingeniero regresó, trayéndole a San Martín los informes que necesitaba.

Hay otra anécdota que da un buen ejemplo del carácter de San Martín. Cierto

---

[1]Spain first created the viceroyalty of New Granada in northwestern South America in 1718. [2]**las actuales,** *the present ones = republics.* [3]**le mandó presentarlo,** *(he) ordered him to present it.* [4]**Si . . . vida,** *if the mission didn't cost him his life.* [5]**debía fijarse bien en,** *should observe carefully.* [6]**grabarlos en su memoria,** *impress (fix) them on (in) his mind.*

oficial vino a confesar que había perdido dinero que pertenecía a su regimiento. Tomando una caja,[1] San Martín sacó unas monedas de oro y al entregárselas al oficial, añadió[2] tranquilamente: «Devuelva este dinero y guarde el secreto, porque si el general San Martín sabe que lo ha perdido, lo hará fusilar[3] en seguida.»

El doce de febrero de 1817, con la ayuda del general Bernardo O'Higgins y sus tropas chilenas, San Martín sorprendió a los españoles y los derrotó en la sangrienta[4] batalla de Chacabuco. Se negó a aceptar el puesto de dictador de Chile y continuó con sus planes para la conquista del Perú. En 1821 ocupó a Lima, donde se proclamó «Protector del Perú». Poco después tuvo lugar la misteriosa entrevista de Guayaquil, Ecuador, donde por primera vez se encontraron Bolívar y San Martín. En esta entrevista discutieron planes para terminar la guerra de la independencia. Por razones desconocidas San Martín se retiró de la lucha, y en 1824 le tocó a Bolívar dar el golpe de muerte[5] a las fuerzas españolas en el Perú.

El resto de la vida de San Martín es un relato triste. Cuando volvió a la Argentina, no quisieron recibirlo. Como Bolívar, había gastado su fortuna luchando por la libertad y por los ideales democráticos. Su esposa había muerto. Pobre y desilusionado, partió con su hija para Europa, donde murió unos treinta años después.

En México, es decir, en la Nueva España, la revolución contra los españoles no fue iniciada por militares, sino por el padre Miguel Hidalgo, cura[6] del pequeño pueblo de Dolores, en el estado de Guanajuato. Hacía muchos años que el padre Hidalgo trabajaba[7] por los derechos de los indios y por el mejoramiento del gobierno. Se había dedicado al cultivo de la tierra y a la enseñanza[8] de artes y oficios. El estudio de francés le había permitido conocer las nuevas teorías políticas. Junto con un grupo de amigos, había concebido el proyecto de realizar la independencia de la Nueva España.

Hidalgo y sus amigos revolucionarios no deseaban precisamente establecer una república; sólo deseaban un gobierno formado por hombres nacidos en el país. Pensaban declarar la independencia en el mes de diciembre de 1810, pero un traidor reveló su plan a las autoridades españolas. La noche del quince de septiembre uno de los conspiradores descubrió la traición y corrió unos veinte kilómetros a caballo para avisar a Hidalgo.

El día siguiente era domingo y el cura llamó a misa[9] a los indios y campesinos° del pueblo. Después de hablarles de los abusos y de las injusticias que habían sufrido, los animó a sublevarse[10] contra los españoles. En un momento de inspiración elevó la imagen de la Virgen de Guadalupe, muy venerada por los indios, y en seguida todos empezaron a dar gritos por la independencia. A este primer acto

---

[1]**caja,** *box.* [2]**añadió,** *he added.* [3]**lo hará fusilar,** *he will have you shot.* [4]**sangrienta,** *bloody.* [5]**le tocó . . . muerte,** *it fell to the lot of Bolívar to give the death blow.* [6]**cura,** *priest.* [7]**Hacía . . . trabajaba,** *For many years Father Hidalgo had been working.* [8]**enseñanza** *teaching.* [9]**llamó a misa,** *called to Mass.* [10]**los animó a sublevarse,** *he encouraged them to rise up.*

de sublevación se le llama [1] en la historia de México «El Grito de Dolores». Seguido de [2] miles de hombres y de mujeres indígenas, armados de palos, navajas [3] y machetes, con la imagen de la Virgen de Guadalupe como bandera oficial, **Hidalgo** se puso en marcha hacia la ciudad de México.

En el camino miles de voluntarios se unieron a sus fuerzas, pero, por razones desconocidas, Hidalgo no se atrevió a atacar la capital inmediatamente. Poco después fue derrotado por los españoles y se retiró a Guadalajara donde estableció un nuevo gobierno. Unos meses después fue derrotado otra vez. Hidalgo y varios compañeros suyos cayeron en poder de las tropas españolas y todos fueron fusilados.

Aunque Hidalgo fracasó,[4] otros patriotas mexicanos continuaron la lucha hasta conseguir [5] el triunfo final. Por eso todo el mundo considera a Hidalgo como el padre de la independencia mexicana, y se celebra la fiesta nacional de la república el diez y seis de septiembre. En muchas ciudades y pueblos mexicanos hay calles llamadas «Hidalgo» y «Diez y Seis de Septiembre», y uno de los estados de México lleva su nombre.

This mural by artist Juan O'Gorman depicts Father Hidalgo proclaiming the independence of Mexico. (Mexico City)

---

[1] **A este . . . llama,** *This first act of revolt is called.* [2] **Seguido de,** *Followed by.* [3] **navajas,** *knives.* [4] **fracasó,** *failed.* [5] **continuaron . . . conseguir,** *continued the struggle until they attained.* (For use of a preposition plus an infinitive to replace a clause in Spanish, see Lectura 6, page 233.)

Preguntas

1. ¿Por cuántos siglos había vivido América bajo la monarquía española?   2. ¿Qué ocurrió durante estos tres siglos?   3. ¿Qué les dio esperanzas a los que aspiraban a separarse de la madre patria?   4. ¿En qué año invadió Napoleón a España? 5. ¿Quiénes son los tres grandes libertadores de la independencia de la América española?

6. ¿Quién fue Simón Bolívar?   7. ¿Dónde nació y dónde fue educado?   8. ¿En qué año volvió a Venezuela?   9. ¿Qué repúblicas fundó?   10. ¿Qué sueño tenía Bolívar?   11. ¿Qué convocó en Panamá?   12. ¿Dónde recibió su nombre actual la Organización de los Estados Americanos?

13. ¿Quién fue el libertador del sur del continente?   14. ¿Dónde estudió la carrera militar?   15. ¿Qué hizo San Martín en 1812?   16. ¿Cuál es una de las hazañas más notables de la historia militar?   17. ¿Cuál es la primera anécdota sobre San Martín?   18. ¿Qué hizo San Martín cuando un oficial confesó que había perdido dinero que pertenecía a su regimiento?

19. ¿Qué pasó cuando San Martín pasó a Chile?   20. ¿Qué título tenía en el Perú? 21. ¿Dónde se encontraron San Martín y Bolívar?   22. ¿Quién dio el golpe de muerte a las fuerzas españolas en el Perú?   23. ¿Dónde murió San Martín?

24. ¿Quién inició la revolución en la Nueva España?   25. ¿Qué era Hidalgo?   26. ¿A qué se había dedicado?   27. ¿Qué deseaban Hidalgo y sus amigos revolucionarios? 28. ¿Cuándo pensaban declarar la independencia?   29. ¿Qué pasó la noche del quince de septiembre?

30. ¿Qué hizo Hidalgo el día siguiente?   31. ¿De qué habló el cura?   32. ¿Qué elevó Hidalgo en un momento de inspiración?   33. En la historia de México, ¿cómo se le llama a este primer acto de sublevación?   34. ¿Qué pasó después?   35. ¿Cuándo se celebra la fiesta nacional de México?   36. ¿Qué nombres tienen muchas calles en México?

Comprensión

Read, completing each sentence correctly:

1. La revolución norteamericana empezó en el año _____.
2. Napoleón invadió a España en _____.
3. La lucha por la independencia en la América española comenzó en _____.
4. Los tres libertadores más famosos fueron _____, _____ y _____.
5. Simón Bolívar, llamado el _____, era de _____.

6. Estableció lo que ahora son las repúblicas de _____, _____, _____, _____ y

_____ .

7. En el año 1826 Bolívar convocó en Panamá el _____ .

8. El resultado moderno de los sueños de Bolívar es la _____ .

9. El libertador del sur del continente fue _____ .

10. Vivía en _____ pero su padre lo envió a estudiar en _____ .

11. Volvió a la América del Sur en _____ .

12. En el año 1817 empezó su famosa marcha a través de _____ .

13. Con la ayuda de _____ y sus tropas, San Martín derrotó a los españoles en

_____ .

14. En 1821 San Martín ocupó a _____ donde se proclamó _____ .

15. Poco después tuvo lugar la misteriosa entrevista de _____ donde por primera

vez se encontraron _____ y San Martín.

16. _____ se retiró de la lucha y le tocó a _____ dar el golpe de muerte a las fuerzas

españolas en el Perú.

17. El héroe de la lucha mexicana fue _____ .

18. Éste no fue militar, sino _____ .

19. Hidalgo y sus amigos revolucionarios deseaban un gobierno formado por _____ .

20. Los revolucionarios mexicanos llevaban _____, _____ y _____ .

21. Como bandera oficial llevaban la _____ .

22. Aunque Hidalgo fracasó, todo el mundo lo considera como _____ .

23. Se celebra la fiesta nacional de México el _____ .

24. En muchas ciudades y pueblos hay calles llamadas _____ y _____ .

Un extraño hermano

*The Mexican Juan de Dios Peza (1852-1910), best known for his poetry, particularly
about children and the home, also wrote a number of short stories. The following story
is an example of his concise style.*

Un día en que estaba yo en el pueblo de Celaya tuve que tomar una diligencia[1]
que partía para Guanajuato, capital del estado del mismo nombre. Yo no llevaba más
equipaje que la ropa que tenía puesta en el cuerpo,[2] ni más tesoro que mis sueños.
Pero a mi lado viajaba un señor cuya maleta estaba llena de ropa y de objetos
valiosos.

No habíamos andado tres leguas[3] en el camino cuando salieron unos ladrones y,
disparando[4] sus mosquetes, nos obligaron a bajar.

El jefe de la cuadrilla,[5] con la cara cubierta por un pañuelo rojo que le venía
hasta los ojos, y el ala[6] del ancho sombrero caído sobre la frente, vino hacia mí y dijo:

[1]**diligencia,** *stagecoach.* [2]**tenía puesta en el cuerpo,** *I was wearing (had on my body).* [3]**legua,** *league* (about
3½ miles). [4]**disparando,** *firing.* [5]**cuadrilla,** *gang, band.* [6]**ala,** *brim.*

—Hermano Juan de Dios,[1] ¿qué estás haciendo por aquí?

—Ya lo ves — le respondí con confianza — voy a Guanajuato.

—¿Cuál es tu equipaje?

Yo iba a decirle que no tenía ninguno, pero mi compañero, el señor rico, volvió el rostro[2] y me señaló una magnífica petaca de cuero,[3] que iban a abrir en ese momento. Comprendiendo lo que deseaba, señalé la petaca y dije con aparente calma:

—Aquella maleta es mía.

Entonces el jefe gritó en voz alta.[4]

—Ese baúl[5] le pertenece a este hermano mío.

—Gracias — le dije yo, enternecido,[6] no sé si fue por su generosidad en salvar[7] una maleta que no me pertenecía, o por darme título de hermano suyo[8] aunque yo no sabía por qué hacía eso.

Cuando se acabó el saqueo,[9] montaron los ladrones en sus magníficos caballos y mi hermano desconocido me dijo, dándome un abrazo:

—Yo estudié contigo en la Escuela Preparatoria y nunca me he olvidado de mis compañeros ni de nuestro profesor Chavero. ¡Adiós, y feliz viaje!

Preguntas

1. ¿Adónde iba Juan de Dios?　2. ¿En qué iba?　3. ¿Llevaba equipaje?　4. ¿Qué tenía el señor que viajaba a su lado?　5. ¿Quiénes salieron al camino?　6. ¿Con qué estaba cubierta la cara del jefe?　7. ¿Qué le preguntó a Juan de Dios?　8. ¿Qué hizo el señor rico?　9. ¿Qué gritó el jefe?　10. ¿Dónde conoció a Juan de Dios el hermano desconocido?

---

[1] **Juan de Dios,** the name of the author of this story. [2] **volvió el rostro,** *turned his face.* [3] **petaca de cuero,** *leather suitcase* (Am.). [4] **en voz alta,** *in a loud voice.* [5] **baúl,** *trunk, chest.* [6] **enternecido,** *moved with pity.* [7] **salvar,** *to make an exception of.* [8] **por darme . . . suyo,** *because of calling me* (lit., *giving me the title of*) *a brother of his.* [9] **saqueo,** *sacking.*

LECCIÓN 22

In this lesson you will learn and practice:

1. some new words and expressions
2. the use of the definite article with *de* and *que* instead of the demonstrative pronoun
3. the passive voice
4. the uses of *para* and of *por*, including a number of idiomatic uses of the latter

Also you will review the reflexive substitute for the passive and the use of *estar* with a past participle to express a resultant state.

Border sign, Laredo, Texas

Mexican student exchange program

PALABRAS Y EXPRESIONES

SUBSTANTIVOS

los anteojos   glasses, spectacles
la disposición   disposition, service
la estancia   stay
el favor   favor, compliment
el gobierno   government
la presentación   presentation,
   introduction
la realidad   reality
los recuerdos   regards, wishes
la relación (*pl.* **relaciones**)   relation
el vicepresidente   vice-president

ADJETIVOS

agradecido, -a   grateful
excelente   excellent
primario, -a   primary, elementary
verdadero, -a   true, real

VERBOS

agradecer   to be grateful, thank for
estrechar   to strengthen, improve
nombrar   to name, appoint

OTRA PALABRA

cuanto *pron.*   all that (which)

EXPRESIONES

agradecer mucho (por todo)   to be
   very grateful *or* thank very much
   (for everything)
carta de presentación   letter of
   introduction
¡claro que (lo haré)!   (I shall)
   certainly (do it)!
de nuevo   again, anew
en realidad   in reality, in fact
es un gran favor que me hace   you
   are paying me a great compliment
estar para   to be about to
estrechar las relaciones   to
   improve (strengthen) relations
*****más o menos**   more or less,
   approximately
*****no hay de qué**   you're welcome,
   don't mention it
oír decir que   to hear that
(ponerse) a su disposición   (to
   place oneself) at one's service
tener (mucho) gusto en + *inf.* to be
   (very) glad to + *verb*
un verdadero buen vecino   a true
   (real) good neighbor

Cartas de presentación

(Roberto llega a la oficina del señor Ortiz.)

Sr. Ortiz. Roberto, quiero felicitarlo. He oído decir que ha conseguido un puesto en México. He enviado por usted porque quiero darle varias cartas de presentación para algunos amigos míos que viven allí. Las cartas fueron escritas por mi secretaria esta mañana.

Roberto. Es usted muy amable, señor Ortiz. Estoy muy agradecido.

Sr. Ortiz. Es un placer poder hacerlo. Si yo estuviera en su lugar, iría a hablar con los señores en cuanto llegara. Todos se pondrán a su disposición para hacer más agradable su estancia en México.

Roberto. Le agradezco mucho, señor Ortiz, cuanto ha hecho por mí.

Sr. Ortiz. El gusto es mío, Roberto. Si mis amigos preguntan por mí, déles mis mejores recuerdos.

Roberto. ¡Claro que lo haré!

Sr. Ortiz. A propósito, ¿cuánto tiempo hace que usted habla español?

Roberto. Desde hace doce años, más o menos. Empecé a estudiarlo en la escuela primaria. Luego, cuando el gobierno envió a mi padre a Chile, pasé dos años allí. Desde entonces he hablado con todos los que hablan español porque no he querido olvidarlo.

Sr. Ortiz. ¡Magnífico! Para norteamericano, usted habla bien nuestra lengua; en realidad, podría uno tomarlo por mexicano. Y los que hablan español, como usted, pueden hacer mucho para estrechar las relaciones entre los Estados Unidos y México.

Roberto. Es un gran favor que me hace.

Sr. Ortiz. No, es la verdad... Aquel señor, el de los anteojos, que está hablando con el señor Smith, es un excelente ejemplo de lo que es un verdadero buen vecino. Hace muchos años que trabaja con una compañía norteamericana en México, y precisamente la semana pasada fue nombrado vicepresidente. Quiero presentárselo a él en cuanto terminen la entrevista.

Roberto. Tendré mucho gusto en conocerlo. Pues, debo decirle de nuevo, señor Ortiz, que le doy a usted las gracias por todo.

Sr. Ortiz. No hay de qué, Roberto. Y no deje de enviarme una tarjeta de vez en cuando. Bueno, parece que están para terminar la entrevista...

289

Preguntas

Answer in Spanish these questions based on the first part of the dialogue:

1. ¿Adónde llega Roberto?　2. ¿Por qué lo felicita el Sr. Ortiz?　3. ¿Por qué ha enviado por Roberto?　4. ¿Por quién fueron escritas las cartas?　5. ¿Qué haría el Sr. Ortiz si estuviera en el lugar de Roberto?　6. ¿Qué harán todos los señores?　7. Si los señores preguntan por el Sr. Ortiz, ¿qué debe hacer Roberto?　8. ¿Qué le agradece Roberto al Sr. Ortiz?

Preguntas generales

1. ¿Empezaste a estudiar español en la escuela primaria?　2. ¿Empezaste a estudiar español en la escuela superior?　3. ¿Estudian español aquí en las escuelas primarias?　4. ¿Lo estudian en las escuelas primarias en otras ciudades?　5. ¿Hablas español con todos los que saben la lengua?　6. ¿Podría uno tomarte por mexicano (mexicana)?　7. ¿Qué es un vecino?　8. Generalmente, ¿quién escribe cartas en una oficina?　9. (Marta), ¿quieres ser secretaria algún día?　10. (Anita), ¿has trabajado en una oficina?

para conversar

Summarize in Spanish in your own words the remarks of Mr. Ortiz in the second part of the dialogue.

Prepare a conversation of six to eight exchanges to give in class, starting with one of the following:

1.　*Anita.* Carmen, ¿adónde vas esta mañana?
　Carmen. Voy a la oficina del señor López para ver si puedo conseguir un puesto con su compañía durante las vacaciones.

2.　*Carlos.* Jorge, ¿qué vas a hacer en cuanto llegues a México?
　Jorge. Primero, voy a presentarle al señor Espinosa esta carta de presentación.

NOTAS

A. The definite article with **de** and **que**

1. In Lectura 6, page 235, you learned that the definite article is used before a phrase beginning with **de**, instead of the demonstrative pronoun. **El (la, los, las) de** is translated *that (those) of, the one(s) of (with, in),* and sometimes by an English possessive:

aquel señor, el de los anteojos   that gentleman, the one with the glasses
la del vestido rojo   the one in (with) the red dress
mi libro y el de Juan   my book and John's (that of John)

2. **El que viene es un amigo mío.**   The one who is coming is a friend of mine.
   Los que hablan español pueden hacer mucho.   Those who speak Spanish can do a lot.
   esta casa y la que está cerca del parque   this house and the one that (which) is near the park

Spanish also uses the definite article before a relative clause introduced by **que**, instead of the demonstrative pronoun. **El que**, *he who, the one who (that, which)*, **la que**, *she who, the one who (that, which)*, and **los (las) que**, *those* or *the ones who (that, which)* may refer to persons or things. These forms are often called compound relatives because the article serves as the antecedent of the **que**-clause. (Do *not* use **el cual** in this construction.)

Lo que dicen es verdad.   What (That which) they say is true.
Le agradezco mucho cuanto (todo lo que) ha hecho por mí.   I am very grateful to you for all that you have done for me.

Lo que is the neuter form of **el que** and means *what, that which*, referring only to an idea or statement. **Cuanto**, *all that*, is often used instead of **todo lo que**.

Quien busca, halla.   He (The one) who seeks, finds.
Quienes estudian, aprenden.   Those who study, learn.

Quien (*pl.* **quienes**), which refers to persons only, sometimes means *he (those) who, the one(s) who*, particularly in proverbs.

B. The passive voice

Estas cartas fueron escritas por ella.   These letters were written by her.
Él fue nombrado vicepresidente.   He was named vice-president.

In the passive voice the subject of the verb is acted upon by a person or thing. When an action is performed by an agent, Spanish uses **ser** and the past participle; the agent *by* is usually expressed by **por**. In the first example, with what and how does the past participle agree? (Also see Lección 1, page 7.)

When a person is the subject (second example), **ser** and the past participle are normally used even though no agent is expressed.

Remember that when the agent is not expressed and the subject is a thing, the reflexive substitute for the passive is generally used: **Aquí se habla español,** *Spanish is spoken here* (see Lección 8, page 97.)

Also remember that **estar** plus a past participle expresses the *state* which results from the action of a verb: **La carta está escrita en español,** *The letter is written in Spanish* (see Lección 1, page 7).

C. Summary of the uses of **para** and **por**

1. **Para** is used:

   a. To express the purpose, use, person, or place for which someone or something is intended or destined:

La cámara es para Marta.   The camera is for Martha.
Ellos partieron para México.   They left for Mexico.

   b. To express a point or farthest limit of time in the future, often meaning *by*, as well as *for*:

La lección es para mañana.   The lesson is for tomorrow.
Estaré de vuelta para las cuatro.   I shall be back by four o'clock.

   c. With an infinitive to express purpose, meaning *to, in order to*:

Pueden hacer mucho para estrechar las relaciones.   They can do much (in order) to improve (strengthen) relations.

   d. To express *for* in comparisons which are understood:

Para norteamericano, habla Ud. bien.   For a North American, you speak well.

2. **Por** is used:

   a. To express *for* in the sense of *because of, on account of, for the sake of, in exchange for, on behalf of, as (a)*:

Ud. lo ha hecho por mí.   You have done it for me (for my sake).
Lo compré por diez dólares.   I bought it for ten dollars.
Lo tomaron por español.   They took him for a Spaniard.

   b. To express the time during which an action continues *(for, during)*:

Elena estudia por la noche.   Helen studies in (during) the evening.
Arturo estuvo aquí por dos horas.   Arthur was here for two hours.

   c. To show *by what* or *by whom* something is done; also *through, along*:

El libro fue escrito por mi tío.   The book was written by my uncle.
Lo envié a España por correo aéreo.   I sent it to Spain by airmail.
Han viajado por México.   They have traveled through Mexico.
Andan despacio por la calle.   They walk slowly along the street.

   d. To express *for* (the object of an errand or search) after verbs such as **enviar, ir, mandar, preguntar,** and **venir:**

He enviado (venido, ido) por Pepe.   I have sent (come, gone) for Joe.
Si preguntan por mí . . .   If they ask about (for) me . . .

e. With an infinitive to express uncertain outcome (often to denote striving for something) or something yet to be done (this usage has appeared several times in the Lecturas):

Luchaban por ganar la independencia.   They struggled to gain independence.

f. To form certain idiomatic expressions:

por aquí   this way, around here
por desgracia   unfortunately
¡por Dios!   heavens!
por ejemplo   for example
por eso   therefore, for that reason

por favor   please
por fin   finally, at last
por (primera) vez   for (the first) time
¡por supuesto!   of course! certainly!
por último   ultimately, finally

¿Por qué? means *Why? For what reason?* while **¿Para qué?** means *Why? For what purpose?*

EJERCICIOS ORALES

A. Read, then repeat, following the models.

Models: Quiero ese libro y el libro de Juan.

Esa foto y las fotos que tengo son bonitas.

Quiero ese libro y el de Juan.

Esa foto y las que tengo son bonitas.

1. Estas flores y las flores de mi mamá son hermosísimas.
2. Aquel jardín y el jardín de mi tía son grandes.
3. Esta joven y la joven del vestido rojo son primas mías.
4. Aquella casa y la casa del señor Gómez son cómodas.
5. Este cuadro y el cuadro que está en la pared son españoles.
6. Estos lápices y los lápices que él tiene son amarillos.
7. Me gustan esta blusa y la blusa que ella tiene.
8. Estas maletas y la maleta que compraste son ligeras.
9. Este coche y los coches que están en la calle son nuevos.
10. Estos discos y el disco que acabas de tocar son muy buenos.

B. Say after your teacher, then repeat, using the passive voice. Watch the agreement of the subject and past participle.

Model: Él abrió la puerta.

Él abrió la puerta. La puerta fue abierta por él.

1. Ricardo cerró las ventanas.
2. Los alumnos abrieron los libros.
3. Bárbara escribió las cartas.
4. Mi mamá trajo las rosas.

5. José sacó estas fotos.
6. Marta puso las flores sobre la mesa.
7. La madre de Luisa hizo el vestido.
8. Ellos nombraron a Juan presidente.

C.   Say after your teacher, then repeat, using the reflexive substitute for the passive:

1. Cierran este edificio a las cinco.
2. ¿Cómo dicen eso en España?
3. En México oímos mucha música popular.
4. ¿Cómo pueden pasar el tiempo?
5. ¿A qué hora abren estas puertas?
6. No venden libros en la biblioteca.
7. En España no llevan paquetes en la mano.
8. Allí vemos árboles bonitos.

D.   Answer in the affirmative, following the model.

Model: ¿Has (Habías) cerrado la puerta?   Sí, está (estaba) cerrada.

1. ¿Has escrito la composición?
2. ¿Has escrito las frases?
3. ¿Has abierto el cuaderno?
4. ¿Habías puesto las cosas allí?
5. ¿Habías hecho la blusa?
6. ¿Habías preparado la cena?

E.   Read, supplying **para** or **por**, as required:

1. Salimos _____ el centro. 2. Pasamos _____ un parque. 3. Tuvimos que ir _____ Juanito. 4. Mamá nos había dado dinero _____ nuestras compras. 5. Pagué cinco dólares _____ una blusa. 6. La compramos _____ nuestra hermana mayor. 7. Él compró un boleto _____ el sábado 8. Vimos a la señora López, quien preguntó _____ nuestra mamá. 9. Estuvimos en el centro _____ dos horas. 10. Carolina es muy alta _____ una muchacha de catorce años. 11. Enrique vendrá _____ mí a las ocho. 12. Mi padre salió _____ San Antonio el lunes.   13. Mil gracias _____ cuanto has hecho.   14. Esta casa fue construida _____ mi abuelo. 15. Escojan Uds. algunas flores _____ su tía. 16. La señora Molina hizo este vestido _____ Carlota. 17. Será mejor enviar la carta _____ correo aéreo. 18. Cuando conocí a Ricardo lo tomé _____ colombiano. 19. Se dice que uno come _____ vivir. 20. Anita llegó tarde; _____ eso no la vimos.

F.   Pronounce and learn these proverbs:

1. Poco a poco se va lejos.
2. Más vale algo que nada.
3. Más vale tarde que nunca.
4. No dejes para mañana lo que puedas hacer hoy.
5. Quien mucho[1] duerme, poco aprende.
6. Lo que mucho vale, mucho cuesta.
7. Lo que no se comienza, nunca se acaba.
8. Mañana será otro día.

[1]In Spanish proverbs, adverbs (see **mucho** and **poco** here) frequently precede the verb. See also the next proverb.

EJERCICIOS ESCRITOS

A. Write answers to these questions, following the models.

Models: ¿Vino ese muchacho ayer?   Sí, es el que vino.
¿Te gustan esas blusas?   Sí, son las que me gustan.

1. ¿Vino esa muchacha ayer?
2. ¿Vinieron esos niños anoche?
3. ¿Compraste esos discos?
4. ¿Miraste esas fotos?

5. ¿Te gusta esa cámara?
6. ¿Te gustan esas transparencias?
7. ¿Te gustó ese proyector?
8. ¿Te gustaron los dos libros?

B. Write answers to these questions, following the model.

Model: ¿Cogió Anita las flores?   Sí, fueron cogidas por ella.

1. ¿Escribió Juan la composición?
2. ¿Abrió Felipe la puerta?
3. ¿Hizo Marta los planes?
4. ¿Puso Elena las cosas aquí?

5. ¿Trajo Eduardo las revistas?
6. ¿Lo nombraron ellos vicepresidente?
7. ¿Las felicitaron las muchachas?
8. ¿La recomendó Carlos?

C. Write in Spanish:

1. He opened the door. 2. The door was opened at eight o'clock. 3. The door was opened by the teacher (m.). 4. The door is not open at this moment. 5. This car and the one that is in the street are new. 6. Do you (fam.) believe what they said? 7. He who reads much, learns much. 8. That tall girl and those who are near her are friends of mine.

D. Write in Spanish:

1. Mr. Ortiz has heard that Robert has just obtained a job in Mexico. 2. He sent for Robert in order to congratulate him and give him some letters of introduction. 3. The letters, which were written by the secretary that morning, were for several friends of his who live and work in Mexico. 4. Mr. Ortiz says: "If I were in your place, I would present the letters to the gentlemen as soon as I arrived." 5. He assured Robert that they would place themselves at his service in order to make his stay there more pleasant. 6. Then he asked Robert: "How many years have you been speaking Spanish?" 7. The latter answered: "For twelve years, approximately." 8. Then Robert thanks Mr. Ortiz for all that he has done for him. 9. Mr. Ortiz is sure that Robert will be a true good neighbor as long as he stays in Mexico. 10. Also he says that those who speak Spanish can do a great deal to

strengthen relations between Mexico and the United States.   11. Before leaving, Robert thanks Mr. Ortiz again for everything.   12. Finally, he promises to send him a card from time to time.

PRÁCTICA

(Miguel, que va a graduarse en el mes de mayo, habla con su profesora de español sobre sus planes para el futuro.)

Sra. Valles. Miguel, hace tiempo que no me hablas de sus planes.

Miguel. Pues, por fin dos universidades han respondido a mi solicitud de ingreso. Y deseo darle a usted las gracias por las cartas de recomendación que ha escrito por mí.

Sra. Valles. De nada, Miguel. ¿Le han ofrecido una beca?

Miguel. Sí, señora. No sólo me admitirán, sino que me han informado que tienen becas disponibles.

Sra. Valles. ¡Muy bien! Pero eso no es una sorpresa para mí. Vas a estudiar economía, ¿verdad?

Miguel. ¡Claro! Economía y español. Como le he dicho antes, algún día espero obtener un puesto con una compañía en Hispanoamérica.

Sra. Valles. Estoy segura de que podrás obtenerlo. ¡Que tengas buena suerte!

Miguel. Muchísimas gracias, señora.

admitir   to admit
la beca   scholarship
la carta de recomendación   letter of recommendation
disponible   available
el futuro   future
graduarse (*like* **continuar**)   to graduate
hace tiempo que no me hablas   for some time you haven't talked with me
Hispanoamérica   Spanish America
informar   to inform

el ingreso   entrance, admission
no sólo . . . sino que   not only . . . but
¡que tengas buena suerte!   good luck to you (may you have good luck)!
la recomendación (*pl.* **recomendaciones**) recommendation
responder (a)   to reply, respond (to)
la solicitud de ingreso   entrance application, application for admission
sólo   only

LECCIÓN 23

In this lesson you will learn and practice:

1. some new words and expressions
2. the familiar singular command forms of irregular verbs and of stem-changing verbs, Class III
3. some words and expressions which introduce exclamations
4. the uses of the subjunctive in a polite or softened statement and after *tal vez* or *quizá(s),* meaning "perhaps"
5. the parts of the body (given in the dialogue and in the Práctica section)

Also you will review the use of the definite article for the possessive. The familiar plural command forms are given for recognition.

Mexico City, Mexico

PALABRAS Y EXPRESIONES

SUBSTANTIVOS

el bolsillo pocket
el cepillo brush
el diente tooth
el pelo hair
el saco coat
el taxi taxi

ADJETIVOS

preparado, -a prepared, ready
próximo, -a next

VERBOS

afeitarse to shave (oneself)
bajar to go down(stairs)
cepillarse to brush (*something of
one's own*)

coger to catch
limpiarse to clean (*something of
one's own*)
peinarse to comb one's hair

OTRA PALABRA

profundamente deeply, soundly

EXPRESIONES

de prisa quickly, in a hurry, fast,
hastily
de repente suddenly, all of a
sudden
la libreta de cheques checkbook
¡ojalá (que)! I wish (hope) that!
would that!
*tener (algo) que hacer to have
(something) to do

Una mañana en casa

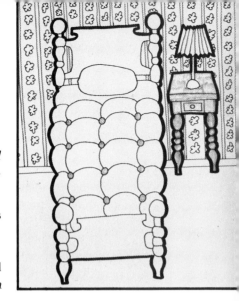

(Roberto está durmiendo tan profundamente que no oye el despertador. Por eso su hermano Eduardo, que ya se ha levantado, trata de despertarlo.)

Eduardo. Roberto, debieras levantarte de prisa porque ya es tarde.

Roberto. Vete, no me molestes.

Eduardo. ¡Hombre, son casi las ocho! ¡No te olvides de las mil cosas que tienes que hacer hoy! *(Por fin se despierta Roberto.)*

Roberto. ¿Qué hora será? Dime la verdad. Estoy tan cansado que quisiera dormir hasta el mediodía. ¡Cuánto siento no haberme acostado más temprano!

Eduardo. ¡Oye! Date prisa. Levántate y vístete en seguida. Yo ya me he limpiado los dientes, me he bañado, me he afeitado y me he vestido.

(Eduardo se limpia los zapatos, luego busca el cepillo y se cepilla los pantalones mientras Roberto se afeita y se viste. Los dos tienen que peinarse aunque tienen el pelo corto. Por fin, bajan al comedor, donde ya está preparado el desayuno. Se desayunan despacio, como si no tuviesen nada que hacer. De repente su mamá les dice que si continúan charlando, tal vez vayan a perder el autobús.)

Eduardo. ¡Caramba! Nos quedan solamente cinco minutos. ¡Ven, Roberto! ¡Ponte el saco, pero no te pongas el abrigo! No hace frío hoy. ¡Vámonos ahora mismo! ¡Ojalá que papá hubiera podido dejarnos usar el coche hoy!

Roberto. Espera un momento. ¿Dónde estará mi libreta de cheques? . . . Ah, la habré dejado en el bolsillo del saco que llevé ayer. Iré por ella.

Eduardo. Pues, ya no podemos coger el autobús. ¿Llamamos un taxi, o esperamos hasta que venga el próximo autobús?

Roberto. Esperemos el autobús, para que yo pueda tomar otra taza de café. *(Luego se acerca a la ventana.)* Mira, Eduardo, ¡qué día tan hermoso! ¡Qué buen tiempo vamos a tener hoy!

Preguntas

Answer in Spanish these questions based on the first part of the dialogue:

1. ¿Quién está durmiendo cuando suena el despertador? 2. ¿Lo oye Roberto? 3. ¿Cómo se llama el hermano de Roberto? 4. ¿Qué hace Eduardo? 5. ¿Qué

le dice a Roberto?   6. ¿Qué hora es?   7. ¿Hasta cuándo quisiera dormir Roberto?
8. ¿Ya se ha bañado y se ha vestido Eduardo?

Preguntas generales

1. ¿Tienes despertador?   2. ¿Siempre lo oyes cuando suena?   3. Si no lo oyes,
¿quién te despierta?   4. ¿Te levantas en seguida?   5. A veces, ¿duermes hasta el
mediodía?   6. ¿Quisieras dormir toda la mañana?   7. ¿Tienes que peinarte?
8. ¿Tienes el pelo rubio?   ¿El pelo blanco?   ¿El pelo negro?   9. ¿Tienes el pelo
largo o corto?   10. ¿Te vistes rápidamente?   11. ¿Te vistes antes de desayunarte?
12. ¿En qué cuarto comes?   13. ¿Te desayunas despacio?   14. ¿Te limpias los
zapatos a menudo?   15. ¿Tomas un autobús para llegar a la escuela?   16. ¿A qué
hora lo coges?   17. ¿Lo pierdes de vez en cuando?   18. ¿Te trae tu mamá a la
escuela si lo pierdes?

para conversar

Summarize in Spanish in your own words what occurs in the dialogue from the
time the alarm clock rings until the mother reminds the boys what time it is.

Prepare a conversation telling what you do from the time you wake up until you
reach school.

NOTAS

A.   Familiar singular command forms of irregular verbs

INF.	AFFIRMATIVE	NEGATIVE
decir	**di** (tú) say, tell	**no digas** (tú) don't say (tell)
hacer	**haz** (tú) do, make	**no hagas** (tú) don't do (make)
ir	**ve** (tú) go	**no vayas** (tú) don't go
poner	**pon** (tú) put, place	**no pongas** (tú) don't put (place)
salir	**sal** (tú) go out, leave	**no salgas** (tú) don't go out (leave)
ser	**sé** (tú) be	**no seas** (tú) don't be
tener	**ten** (tú) have	**no tengas** (tú) don't have
venir	**ven** (tú) come	**no vengas** (tú) don't come

In Lección 6 you learned that the familiar singular command is the same in form
as the third person singular present indicative tense of all but a few verbs. Eight

common verbs which have irregular forms are listed above. (1) What form is used for the negative familiar singular command? (2) What forms are used for plural commands, affirmative and negative? (3) What are the familiar singular command forms of **pedir?** (See Lección 16, page 207.)

Remember that object pronouns are attached to affirmative commands, while they precede the verb in negative commands:

vete (tú)	go away, leave	**no te vayas** (tú)	don't go away (leave)
ponte (tú)	put on	**no te pongas** (tú)	don't put on
vístete (tú)	get dressed	**no te vistas** (tú)	don't get dressed
hazlo (tú)	do it	**no lo hagas** (tú)	don't do it

B. Familiar plural commands

Recall that in this text we have followed the practice, which is common in Spanish America, of using the formal **ustedes** with the third person plural present subjunctive in familiar plural commands. Since the familiar plural forms are used in many parts of Spain, they are needed for recognition in reading and in conversation with Spaniards.

INFINITIVE	AFFIRMATIVE		NEGATIVE	
hablar	**hablad** (vosotros)	speak	**no habléis**	don't speak
comer	**comed** (vosotros)	eat	**no comáis**	don't eat
abrir	**abrid** (vosotros)	open	**no abráis**	don't open
cerrar (ie)	**cerrad** (vosotros)	close	**no cerréis**	don't close
volver (ue)	**volved** (vosotros)	return	**no volváis**	don't return
pedir (i)	**pedid** (vosotros)	ask	**no pidáis**	don't ask

To form the familiar plural commands of *all* verbs, drop the final **-r** of the infinitive and add **-d.** For the negative familiar plural commands, use the second person plural of the present subjunctive. The subject **vosotros, vosotras,** is usually omitted. (See Appendix D, pages 412-428, for the forms of all types of verbs.)

In forming the familiar plural commands of reflexive verbs, final **-d** is dropped before the reflexive pronoun **os,** except for **idos (irse).** All **-ir** reflexive verbs except **irse** require an accent on the **i** of the stem of the verb: **vestíos.**

levantarse	**levantaos**	**no os levantéis**
ponerse	**poneos**	**no os pongáis**
vestirse (i,i)	**vestíos**	**no os vistáis**
irse	**idos**	**no os vayáis**

APLICACIÓN.   Pronounce and be able to give the English equivalents of the following command forms:

1. Tomad; no toméis. 2. Aprended; no aprendáis. 3. Escribid; no escribáis. 4. Haced; no hagáis. 5. Salid; no salgáis. 6. Venid; no vengáis. 7. Buscad; no busquéis. 8. Devolved; no devolváis. 9. Sentaos; no os sentéis.   10. Dormíos; no os durmáis.

No other use of the familiar command forms appears in the exercises.

C. Exclamations

1. ¡Cuánto! *How!*

¡Cuánto me alegro de estar aquí!   How glad I am to be here! **¡Cuánto siento no haberme acostado más temprano!**   How I regret not having gone to bed earlier!

With verbs, the adverb **¡cuánto!** means *how!* Note the use of the perfect infinitive (**haber** plus the past participle) to indicate the past when there is no change in subject (also see the footnote on page 215).

The adjective **¡cuánto, -a!** has its literal meaning: **¡Cuántos libros tienes!** *How many books you have!*

2. ¡Ojalá que! *Would that! I wish (hope) that!*

¡Ojalá que vengan pronto!   Would that they come soon! **¡Ojalá que él estuviera aquí!**   Would that (I wish that) he were here! **¡Ojalá que papá hubiera podido dejarnos el coche!**   Would that Dad had been able to leave us the car!

In exclamatory wishes **¡Ojalá!,** with or without **que**, is followed by the subjunctive. The present subjunctive is used when referring to something which may happen in the future (first example), the imperfect subjunctive when referring to something that is contrary to fact in the present (second example), and the pluperfect subjunctive when referring to something that was contrary to fact in the past (third example).

3. ¡Qué! *What (a, an)! How!*

¡Qué día tan (más) hermoso!   What a beautiful day! **¡Qué árboles tan altos!**   What tall trees! **¡Qué bonito es!**   How pretty it is!

Before singular nouns **¡Qué!** usually means *What a (an)!*, before plural nouns **¡Qué!** means *What!* and before adjectives it means *How!* When an adjective follows the noun, **tan** or **más** is normally inserted before the adjective.

Chapultepec Park, Mexico City, Mexico

D. Other uses of the subjunctive

1. The subjunctive in a polite or softened statement

Yo quiero dormir todo el día.   I want to sleep all day.
Yo quisiera dormir hasta el mediodía.   I should like to sleep until noon.
Debieras levantarte.   You should (ought to) get up.

It is considered polite to soften requests by using the **-ra** imperfect subjunctive forms of **querer.** The **-ra** forms of **deber,** and occasionally **poder**, are also used to form polite or softened statements. In the case of other verbs, the conditional is used (as in English): **Me gustaría esperar,** *I should like to wait.*

2. The subjunctive after **tal vez, quizá(s),** *perhaps*

Tal vez han llegado.   Perhaps they have arrived.
Tal vez vayan a perder el autobús.   Perhaps they'll (they may) miss the bus.
Quizás Uds. no lo sepan.   Perhaps you don't (may not) know it.

The indicative mood is used after **tal vez, quizá(s),** *perhaps*, when certainty is implied. The subjunctive is used when doubt or uncertainty is implied.

E. The future and conditional for probability or conjecture

Ellos estarán en casa.   They are probably (must be) at home.
¿Qué hora será?   What time can it be? (I wonder what time it is.)

The future tense is used in Spanish to indicate probability, supposition, or conjecture concerning an action or state in the present.

La habré dejado . . .   I probably (must have) left it . . .
Serían las dos.   It probably was (must have been) two o'clock.

The future perfect (and occasionally the conditional perfect) and the conditional are used for probability or conjecture in the past. Watch for these forms in reading.

F. Review of the use of the article for the possessive

Él se limpia los zapatos.   He cleans his shoes.
Nos cepillamos el saco.   We brush our coats.[1]
No te pongas el abrigo.   Don't put on your topcoat.
Ella tiene el pelo rubio.   She has blond hair (Her hair is blond).
Él tiene el pelo corto.   He has short hair (His hair is short).

---

[1] The singular **el saco** is used for *our coats* because each person brushes only one coat.

Recall that in speaking of parts of the body and of clothing, when one does something to one's own hand, face, etc., or to one's clothing, the reflexive pronoun is used with the verb. Also recall that the appropriate article replaces the possessive in Spanish.

EJERCICIOS ORALES

A. Say after your teacher, then change to a negative familiar singular command.

Model: Sírvelo. Sírvelo. No lo sirvas.

1. Ven conmigo.
2. Hazlo hoy.
3. Sal con Carlota.
4. Dinos la verdad.

5. Date prisa.
6. Ponte el saco.
7. Vete ahora.
8. Báñate.

B. Say after your teacher, then change to an affirmative familiar singular command.

Model: Lávese Ud. las manos. Lávese Ud. las manos.
 Lávate las manos.

1. Despiértese Ud. ahora mismo.
2. Levántese Ud. de prisa.
3. Siéntese Ud. a la izquierda.
4. Póngaselo Ud. pronto.

5. Váyase Ud. con Diana.
6. Vístase Ud. en seguida.
7. Dígamelo Ud., por favor.
8. Hágame Ud. el favor de venir.

C. Say after your teacher, then upon hearing a cue, use it to form a new sentence:

1. *Quiero* dormir hasta el mediodía. (Quisiera)
2. *Ella quisiera* usar el coche. (Le gustaría a ella)
3. *Debemos* despertar a Carlitos. (Debiéramos)
4. *Yo debo* descansar una hora. (Yo debiera)
5. *Quizás* no vengan esta tarde. (Tal vez)
6. *¡Qué tarde* tan agradable! (¡Qué noche . . . !)
7. *¡Qué simpáticas* son las mujeres! (¡Qué amables . . . !)
8. *¡Cuánto me alegro de* no haber estado allí! (¡Cuánto siento . . . !)
9. *¡Cuánto se alegran de que Juan* lo cogiese! (¡Ojalá que tú . . . !)
10. *¡Ojalá* que ellos no salgan todavía! (¡Cuánto temo . . . !)

D. Say after your teacher, then repeat, following the models and keeping the meaning in mind.

Model: ¿Qué hora es?   ¿Qué hora es? ¿Qué hora será?

1. ¿Quién es?   4. ¿Dónde está mi cartera?
2. Luis tiene quince años.   5. ¿Cuáles de ellos van al cine?
3. Ellas están en el café.   6. Ella no tiene nada que hacer hoy.

Model: ¿Adónde ha ido José?   ¿Adónde ha ido José?
                                      ¿Adónde habrá ido José?

7. Las muchachas han salido.   9. Carlos ya ha vendido el coche.
8. Juan se ha despertado.   10. ¿Dónde han puesto las fotos?

Model: Él estaba en casa.   Él estaba en casa. Él estaría en casa.

11. Eran las diez.   13. Jorge llamó un taxi.
12. Llegaron al mediodía.   14. ¿Adónde fueron los dos?

E. Answer in the affirmative in Spanish:

1. ¿Te pusiste el saco?   6. ¿Te despiertas sin despertador?
2. ¿Se puso ella el vestido nuevo? 7. ¿Se limpian Uds. los dientes?
3. ¿Se lavaron Uds. la cara?   8. ¿Tiene ella el pelo rubio?
4. ¿Te desayunaste de prisa?   9. ¿Te vistes rápidamente?
5. ¿Te cepillaste el traje?   10. ¿Te peinas cada mañana?

EJERCICIOS ESCRITOS

A. Rewrite each sentence four times, using affirmative and negative formal singular commands and affirmative and negative familiar singular commands:

1. Vuelve temprano.   4. Se sienta aquí.
2. Va a la tienda.   5. Se pone los zapatos.
3. Nos dice el precio.   6. Lo hace todos los días.

B. Write in Spanish using the familiar singular forms, then rewrite in the negative:

1. Come with Diane. 2. Do it before tomorrow morning. 3. Get up before noon. 4. Sit down near her. 5. Go away at once. 6. Put on your suit. 7. Clean your shoes. 8. Brush your coat.

C. Write in Spanish:

1. Mother, Robert is still sleeping; he did not hear the alarm clock. 2. Then you will have to awaken him. 3. Is my jacket at the cleaners now? 4. Yes, I sent it yesterday morning. 5. If you need it, I shall ask them to bring it today. 6. Did Robert get up? Has he dressed himself yet? 7. No, he is shaving now. 8. He will be ready (in order) to have (take) breakfast right away. 9. The two boys eat breakfast very slowly. 10. Finally their mother tells them that they have five minutes left. 11. She tells them not to continue talking as if they had nothing to do. 12. They put on (use present) their coats at once. 13. Where can Robert's checkbook be? 14. What fine weather it is! He has a thousand things to do. 15. If they catch the bus, perhaps they may arrive downtown before ten o'clock. 16. I wish that (Would that) he had another week in which he could look for the things that he needs!

PRÁCTICA

a. Las partes del cuerpo *(The parts of the body)*

la barba chin	**la frente** forehead	**el oído** ear *(inner)*
la boca mouth	**la garganta** throat	**el ojo** eye
el brazo arm	**el hombro** shoulder	**la oreja** ear *(outer)*
el cabello hair	**el labio** lip	**el pecho** chest, breast
la cabeza head	**la lengua** tongue	**el pie** foot
el codo elbow	**la mano** hand	**la pierna** leg
el cuello neck	**la mejilla** cheek	**la rodilla** knee
el dedo finger	**la muela** molar *(tooth)*	**el talón** heel
el dedo del pie toe	**la muñeca** wrist	**el tobillo** ankle
la espalda back	**la nariz** nose	**el tronco** trunk
el estómago stomach		

A few of the words for the parts of the body have been given earlier. Other useful words and phrases are:

el cepillo de dientes toothbrush	**lavar la cabeza** to wash one's hair, shampoo
el cepillo para la cabeza (el cabello, el pelo) hairbrush	**la navaja (eléctrica)** (electric) razor
el champú shampoo	**el peine** comb
el lápiz para labios lipstick	**el secador (para el cabello)** (hair) dryer

b. Study the words in section *a,* then answer these questions. Your teacher may want you to ask your classmates these or similar questions:

1. ¿Cuáles son las partes principales del cuerpo?   2. ¿Cuáles son las partes de la cabeza?   3. ¿Qué tenemos en la boca?   4. ¿Qué usan las muchachas en los labios?   5. ¿Cuántos dedos tenemos en cada mano?   6. ¿Cuántos dedos tenemos en los dos pies?   7. ¿Qué llevamos en los pies?   8. ¿Qué se llevan en las manos?   9. ¿Qué se lleva en la cabeza?   10. ¿Con qué vemos?   11. ¿Con qué se oye?   12. ¿Con qué trabajamos?   13. ¿Con qué se afeitan los muchachos?   14. ¿Cuántos brazos tienes?   15. ¿Cuántas piernas tienes?   16. ¿Qué usas cuando te cepillas la ropa?   17. ¿Con qué te peinas?   18. ¿Te limpias los dientes con un cepillo de dientes?

LECCIÓN

In this lesson you will learn and practice:

1. some new words and expressions
2. uses of the infinitive after verbs such as *hacer* and *mandar, dejar* and *permitir, oír* and *ver*
3. the forms and uses of the possessive pronouns
4. the Spanish equivalents of English "to become"
5. some special uses of the indirect object, including its use with *doler*

PALABRAS Y EXPRESIONES

SUBSTANTIVOS

el beso kiss
el brazo arm
la cabeza head
la carrera career
el dedo finger
el dolor pain, ache, sorrow
la fiebre fever
el garaje garage
la llanta tire
la novia girlfriend, sweetheart, fiancée
la partida departure
la salida departure

ADJETIVOS

desinflado, -a flat *(tire)*
nervioso, -a nervous
triste sad

VERBOS

abrazar to embrace
anunciar to announce
cortar (se) to cut, cut off
doler (ue) to hurt, ache, pain

gritar to shout
imaginarse to imagine
llorar to cry, weep
mandar to send, order, command, have
ocurrir to occur, happen
subir a to get on (into), climb up (into), go up
vendar to bandage

EXPRESIONES

además de *prep.* besides, in addition to
¡buen viaje! (have) a good trip!
dar un beso a to kiss, give a kiss to
hacerse + *noun* to become
le dolía el brazo his arm hurt (was hurting)
poco antes de shortly before
ponerse + *adj.* to become
¡que lo pase(s) bien! good-bye! (lit., may you fare well!)
tener dolor de cabeza to have a headache
una (carrera) tan (interesante) such an (interesting career)

La partida para México

(Ramón y Miguel pasan por la casa de Tomás. Vuelven del aeropuerto, donde acaban de despedirse de Roberto.)

Ramón. ¿Qué pasó, Tomás? No te vimos en el aeropuerto.

Tomás. Ustedes no pueden imaginarse lo que ocurrió en casa esta mañana . . .

Miguel. Pues, dinos lo que pasó. ¿Te pusiste enfermo? ¿Tu hermano . . . ?

Tomás. Sí, fue Carlitos. Como ustedes saben, mi mamá está en California ahora. Cuando yo estaba para salir, Carlitos comenzó a llorar, diciendo que tenía dolor de cabeza y que le dolía el brazo.

Ramón. ¿Llamaste al médico y tardó en llegar?

Tomás. No, al lavarle la cara y las manos, vi que solamente se había cortado un dedo. Le vendé el dedo y luego le tomé la temperatura, pero no tenía fiebre. Sin embargo, le mandé quedarse en casa. Pues, díganme ustedes lo que pasó en el aeropuerto.

Miguel. Primero, déjame decirte lo que ocurrió en casa de Ramón. Al llegar allá, oí gritar a Ramón desde el garaje que el coche tenía una llanta desinflada. Sabiendo que él no podía usar el suyo, yo corrí a casa y mi mamá me permitió tomar el nuestro.

Tomás. Después de todo eso, ustedes estarían muy nerviosos.

Ramón. Es verdad, pero llegamos poco antes de la salida del avión.

Tomás. Supongo que habrán estado allí muchas personas.

Miguel. Además de la familia de Roberto y de Elena, su novia, había varios amigos suyos.

Ramón. Cuando anunciaron el vuelo, Roberto abrazó a su padre y a Pablo, y les dio un beso a su madre y a Elena. Mientras subía al avión, le decíamos: «¡Que lo pases bien! ¡Que te hagas rico pronto![1] ¡Buen viaje!»

Tomás. ¡Cuánto siento no haber estado allí! Habría sido triste verlo partir, pero me alegro de saber que lo espera una carrera tan interesante en México.

---

[1] **¡Que te hagas rico pronto!** *May you soon become rich (a rich man)!* See section C, page 314. In this sentence **rico** is used as a noun.

Preguntas

Answer in Spanish these questions based on the first part of the dialogue:

1. ¿Quiénes pasan por la casa de Tomás?   2. ¿De dónde vuelven?   3. ¿Qué le preguntan a Tomás?   4. ¿Se puso enfermo Tomás?   5. ¿Dónde está la mamá de Tomás?   6. ¿Qué decía Carlitos?   7. ¿Qué vio Tomás al lavarle a Carlitos la cara y las manos?   8. Después de eso, ¿qué hizo Tomás?

Preguntas generales

1. ¿Sabes manejar un coche?   2. ¿Manejas mucho?   3. ¿Vienes a la escuela en coche?   4. ¿Vienes en autobús?   5. ¿Adónde se va para subir a un avión?   6. ¿Has viajado mucho en avión?   7. ¿Te gustaría hacer un viaje en avión?   8. ¿Prefieres ir en autobús, en coche o en avión?   9. ¿Qué se dice cuando una persona sale en un viaje?   10. ¿Te pones nervioso (-a) cuando viajas en avión?   11. ¿Te duele la cabeza cuando viajas en avión?   12. ¿Te cortas un dedo a veces?   13. ¿Te vendas si te cortas un dedo o una mano?   14. Si no, ¿quién te venda el dedo o la mano?   15. ¿Tienes dolor de cabeza ahora?   16. ¿Te duele la cabeza a veces?   17. ¿Estás contento (-a) o triste hoy?   18. ¿Te pones triste a menudo?

para conversar

Summarize in Spanish in your own words what occurs in the second part of the dialogue.

Prepare a conversation about going to the airport to meet or say good-bye to a member of the family or a friend.

NOTAS

A. Uses of the infinitive after certain verbs

1. Hacer and mandar

Le mandé quedarse en casa.   I ordered him to stay at home.
Me hicieron (mandaron) esperar.   They made me (ordered me to) wait.

The infinitive is normally used after **hacer** and **mandar** when a personal pronoun is the object of the main verb. **Hacer (Mandar)** plus the infinitive can also be used in the sense of *to have (order)* something done, particularly if the subject is a thing: **Yo hice (mandé) escribir las cartas,** *I had the letters written.*

Remember, too, that the infinitive is generally used after **dejar** and **permitir** (see Lección 17, pages 217-218), especially when a personal pronoun is the object of the main verb:

Déjame (Permíteme) decirte ...   Let (Permit, Allow) me to tell you ...
Ella me permitió manejar ...   She let (permitted) me to drive ...

2. **Oír** and **ver**

After **oír** and **ver** the infinitive is generally used in Spanish, while the present participle is often used in English. Note the word order in the first example below. A subject of the infinitive is considered the object of **oír** and **ver.**

Oí gritar a Ramón.   I heard Raymond shouting (shout).
Los vimos salir.   We saw them leave (leaving).

B. Possessive pronouns

el mío	**la mía**	**los míos**	**las mías**	mine
el tuyo	**la tuya**	**los tuyos**	**las tuyas**	yours *(fam.)*
el nuestro	**la nuestra**	**los nuestros**	**las nuestras**	ours
el vuestro	**la vuestra**	**los vuestros**	**las vuestras**	yours *(fam.)*
el suyo	**la suya**	**los suyos**	**las suyas**	his, hers, its, yours, theirs

mi coche, nuestro coche; el mío, el nuestro   my car, our car; mine, ours
nuestra casa, mi casa; la nuestra, la mía   our house, my house; ours, mine
sus flores; las suyas   his (her, your, their) flowers; his (hers, yours, theirs)

¿Tienes el tuyo?   Do you have yours?
Ellos tienen el suyo.   They have theirs *(m. sing.).*
Veo las mías.   I see mine *(f. pl.).*

The possessive pronouns are formed by using the definite article **el (la, los, las)** with the long forms of the possessive adjectives (see Lección 11, pages 132-133).

mi madre y la de ella   my mother and hers
nuestros padres y los de él   our parents and his
el coche de ellos y el de Uds.   their car and yours

Since **el suyo (la suya, los suyos, las suyas)** may mean *his, hers, its, yours* (formal), *theirs,* these pronouns may be clarified by substituting **el de él, el de ella, el de usted(es), el de ellos (ellas),** etc.

C. Spanish equivalents of English *to become*

¡Que te hagas rico!   May you become rich (a rich man)!
¿Te pusiste enfermo?   Did you become (get) ill?
Ellas se pusieron nerviosas.   They became nervous.

Hacerse, usually plus a noun, means *to become*, denoting conscious effort. **Llegar a ser** means approximately the same, indicating final result: **Llegó a ser** *or* **Se hizo médico,** *He became a doctor.*

Ponerse plus an adjective or past participle, which agrees with the subject of the verb, expresses a physical, mental, or emotional change (second and third examples). A violent change in expressed by **volverse: Casi se volvió loco,** *He almost became (went) crazy.*

Se is used with many transitive verbs to express the idea of *become*. In the Lecturas, for example, the verb **convertir (ie, i)** has been used with the meaning *to convert;* **convertirse en** was used in line 8, page 280, with the meaning of *to become (be) converted (in)to.* You will find similar cases in reading.

D. Special uses of the indirect object

1. **Al lavarle la cara . . .**   Upon washing his face . . . (lit., Upon washing to him the face . . .)
   Le vendé el dedo.   I bandaged his finger (lit., I bandaged to him the finger).
   Le tomé la temperatura.   I took his temperature.

   If an action is performed on one person by another, the person upon whom the action is performed is the indirect object. This construction usually involves parts of the body, articles of clothing, or things closely related to the person.
   Remember that the reflexive pronoun is used when the subject acts upon itself:

   Mi madre se tomó la temperatura.   My mother took her (own) temperature.
   Nos lavamos la cara.   We washed our faces.

2. The verb **doler (ue),** *to ache, pain, hurt,* has as its subject a noun expressing a part of the body, and the person is the indirect object:

   Le dolía la cabeza.   His head ached (lit., The head ached to him).
   Me (le) duele el brazo.   My (His) arm hurts (aches).
   Le duele a ella la cabeza.   Her head aches (She has a headache).

   Tengo dolor de cabeza and **Me duele la cabeza** have the same meaning.

EJERCICIOS ORALES

A. Say after your teacher, then upon hearing a cue, use it to form a new sentence:

1. *Nos mandó* ir a la tienda. (Nos hizo)
2. *Él llegó a ser* abogado. (Él se hizo)
3. *Le hice* estacionar el coche. (Le mandé)
4. *La oímos tocar* algunas canciones mexicanas. (La oímos cantar)
5. *¿Los has oído* salir de casa? (¿Los has visto . . .?)
6. *Le dejamos* jugar con los niños. (Le permitimos)
7. *Déjame* decirte lo que ocurrió. (Permíteme)
8. *Déjenme Uds.* ayudarlos. (Permítanme Uds.)
9. *No me permitieron* ir al aeropuerto. (No me dejaron)
10. *Le dejé a Juan* que fuera al centro. (Le permití a Juan)

B. Say after your teacher, then repeat, using the correct possessive pronoun.

Models: Tengo *el libro de Juan.*   Tengo el libro de Juan. Tengo el suyo.
　　　　　¿Van a nuestra casa?   ¿Van a nuestra casa? ¿Van a la nuestra?

1. Quieren *mi cámara.*
2. Les gustan *mis maletas.*
3. ¿Tiene Juan *su boleto?*
4. ¿Tienen los dos *sus boletos?*
5. ¿Llevas *tu equipaje?*
6. *Nuestra casa* no es nueva.
7. *Nuestros jardines* son bonitos.
8. Pónganse Uds. *los guantes.*
9. Dame *tus paquetes.*
10. Fui por *mis composiciones.*
11. Deja aquí *nuestras flores.*
12. Señor, traiga Ud. *sus discos.*
13. *Nuestras amigas* son simpáticas.
14. *El reloj de Anita* es de oro.

C. Read, then repeat, following the model.

Model: Luis se lavó las manos.   Luis se lavó las manos.
　　　　Yo   Yo le lavé las manos.

1. Juan se tomó la temperatura (Yo)
2. Luisa se compró un reloj. (Su papá)
3. Marta se puso la ropa. (Su mamá)
4. Carlos se cortó la mano. (Yo no)
5. Mi mamá se sirvió café. (Anita)
6. Luis se vendó el brazo. (Diana)

D. Say after your teacher, then repeat, changing the verbs in the present tense to the future and those in the imperfect to the conditional, thereby suggesting probability:

1. ¿Qué ocurre en casa de Tomás?
2. Su hermanito está enfermo.
3. Tiene una llanta desinflada.
4. Juan está estacionando el coche.
5. Ellos estaban nerviosos.
6. ¿Adónde iban los jóvenes?
7. ¿De dónde volvían ellos?
8. Eran las cinco de la tarde.

E. Pronounce and learn these proverbs:

1. Haz bien y no mires a quién.
2. Antes que te cases, mira lo que haces.
3. Dime con quién andas y te diré quién eres.
4. Lo que bien se aprende, tarde se olvida.

F. Read, supplying the correct form of the verb in parentheses:

1. Yo le pagaré a él cuando me (traer) el paquete.
2. Mi hermanito corría como si (tener) miedo de ellos.
3. ¡Ojalá que mis amigos (haber) llegado a tiempo anoche!
4. Los padres de Pablo buscaban una casa que (ser) más grande.
5. Será mejor que Tomás (escoger) un regalo para su novia.
6. Diles a los niños que (ponerse) los zapatos.
7. Aunque Uds. (vestirse) pronto, van a perder el autobús.
8. Aunque (llover) mucho anoche, tuvimos que salir.
9. Nosotros iríamos al parque hoy si (tener) tiempo.
10. No hay nadie que (poder) estacionar el coche.
11. Ramón me llamó ayer en cuanto yo (volver) a casa.
12. No creo que mi hermana (tener) dolor de cabeza.
13. Esperaron un rato para que yo (desayunarse).
14. Si Carlos (hacer) el viaje, compraría la maleta.
15. Dijeron que irían a verlos en cuanto (ser) posible.
16. ¿Se alegran Uds. de que ésta (ser) la última lección?

EJERCICIOS ESCRITOS

A. Write each sentence, supplying the correct preterit form of the verb in parentheses. Keep the meaning in mind:

1. La ciudad (llegar) a ser muy grande.   2. Mi tía (hacerse) profesora.   3. ¿(Ponerse) ella muy nerviosa?   4. Ella casi (volverse) loca cuando supo eso.   5. Muchas personas (hacerse) ricas en aquel país.   6. ¿Cuándo (oír) Uds. decir que Carlos estaba de

vuelta? 7. Ella le (poner) a Juanita los zapatos. 8. Yo (ponerse) triste al verlos partir.

B. Write in Spanish:

1. The children washed their hands.
2. Their mother washed their hands.
3. I took Jane's temperature.
4. Did she take her (own) temperature?
5. His head aches *(two ways)*.

6. Charlie cut his hand.
7. When did he become ill?
8. May they become rich soon!
9. I had the car parked.
10. We heard the boys shouting.

C. Write in Spanish, using the familiar singular form when it applies:

1. Why didn't you go by Robert's house? 2. He wanted to say good-bye to you. 3. Let me explain. My mother became very sick and I had to call the doctor. 4. The latter couldn't come until nine o'clock. 5. I had to stay at home until he arrived. 6. Besides, I did not want to leave my mother alone. 7. Michael called me before I left home. 8. Their car had a flat tire and he wanted me to take them to the airport. 9. We had little time left and we had to hurry. 10. They feared that we would miss the plane. 11. They announced the flight as soon as we arrived. 12. At that moment Robert embraced his father and brother. 13. When he kissed Helen and his mother, the latter began to cry. 14. We were shouting: "Have a good trip! Don't forget to write us occasionally! Good-bye!"

Repaso de expresiones

Review the verbs and expressions used in this lesson and in the two preceding lessons, then write in Spanish:

1. quickly 2. all of a sudden 3. the checkbook 4. They are about to leave. 5. I am very glad to meet you *(formal f. sing.)*. 6. We are very grateful to you *(formal sing.)* for everything. 7. Here are two letters of introduction. 8. His arm was hurting. 9. He has a headache *(two ways)*. 10. My sister became ill. 11. Mr. Solís will place himself at your *(formal sing.)* service. 12. We have been here an hour, more or less. 13. Good-bye! 14. Do you *(fam.)* have anything to do? 15. You *(formal sing.)* are paying me a great compliment. 16. You're welcome. 17. I shall certainly go to see them! 18. I wish that (Would that) the children not shout so much! 19. The girls got into the car. 20. John cut his finger.

PRÁCTICA

The following poem, a well-known work by an 18th-century Spanish writer, gives you a fine opportunity for practice in pronunciation. It contains nearly every sound possible in the Spanish language. Read it aloud several times.

The poem tells the story of a man who sees a donkey roaming in a nearby meadow. The donkey suddenly comes upon a shepherd's forgotten flute and, upon examining it, gives a snort. This causes air to pass through the instrument and the donkey hears music—by chance. The donkey then becomes very proud of his musical skill. The author adds that there are always those who, like the donkey, get things right even though they do not know what they are doing. (New words in this poem are not included in the end vocabulary.)

EL BURRO FLAUTISTA
by Tomás de Iriarte

1. Esta fabulilla
   salga bien o mal,
   me ha ocurrido ahora
   por casualidad.

2. Cerca de unos prados
   que hay en mi lugar,
   pasaba un borrico
   por casualidad.

3. Una flauta en ellos
   halló que un zagal
   se dejó olvidada
   por casualidad.

4. Acercóse a olerla
   el dicho animal,
   y dio un resoplido
   por casualidad.

5. En la flauta el aire
   se hubo de colar,
   y sonó la flauta
   por casualidad.

6. —¡Oh!—dijo el borrico
   —¡Qué bien sé tocar!
   —¡Y dirán que es mala
   la música asnal!

7. Sin reglas del arte,
   borriquitos hay
   que una vez aciertan
   por casualidad.

Lectura 8

Las artes españolas

Estudio de palabras

a. Approximate cognates

1. Endings of many Spanish nouns

(1) Spanish **-ismo** = English *-ism:* cubismo, individualismo, realismo.
(2) Spanish **-ista** = English *-ist:* artista, guitarrista, naturalista, pianista, realista, surrealista, violoncelista. (Nouns ending in **-ista** may be masculine or feminine.)

2. Just as certain Spanish adjectives may end in **-ista** or **-ístico, -a,** the English equivalent ending may be *-ist* or *-istic:* artístico, *artistic;* cubista, *cubist;* individualista, *individualistic;* naturalista, *naturalistic;* realista, *realistic;* surrealista, *surrealist(ic).*

3. Certain Spanish adjectives ending in **-ico, -a** = English *-ic, -ical:* crítico, *critical;* dramático, *dramatic;* místico, *mystic(al).*

The adjective **político** means *political,* but the noun **política** means *politics, policy.* The noun **músico,** however, means *musician.*

b. *Compare the meanings of:* Andalucía, andaluz; cerrar, encerrar; componer, compositor, composición; conocer, conocimiento; interpretación, intérprete; música, músico, musical; piano, pianista; pintar, pintor, pintura.

c. *Pronounce and observe the meanings of:* contemporáneo, *contemporary;* diario, *daily;* distinto, *distinct, different;* encantador, *enchanting;* franqueza, *frankness;* genio, *genius;* humilde, *humble;* ilustre, *illustrious;* museo, *museum;* ritmo, *rhythm;* técnica, *technique;* florecer, *to flourish;* perfeccionar, *to perfect.*

d. *Pronounce and give the meanings of:* brutalidad, cantidad, claridad, espontaneidad, escena, vigoroso, Francia, Venecia, Italia, melodía.

NOTAS

1. Certain omissions of the indefinite article not explained previously are:

a. At the beginning of a sentence or a clause, to add terseness to the style. Omissions of this type have occurred in earlier Lecturas. Examples in this Lectura are:

Gran parte de . . .   A great part of . . .

Gran realista, este pintor . . .   A great realist, this painter . . .

Aunque de familia humilde . . .   Although of a humble family . . .

Natural de Andalucía . . .   A native of Andalusia . . .

    b. With nouns in apposition if the information is explanatory and not stressed:

Ignacio Zuloaga, gran pintor . . .   Ignacio Zuloaga, a great painter . . .

Juan Gris, compañero . . .   Juan Gris, a companion . . .

Albéniz, notable pianista . . .   Albéniz, a notable pianist . . .

Gracias a *la Argentina*, **artista . . .**   Thanks to *la Argentina*, an artist . . .

    c. After **de,** meaning *as:*

Las escenas . . . han servido de inspiración . . .   The scenes . . . have served as an inspiration . . .

    2. Observations on the position of adjectives. In the preceding grammar lessons we have followed the general principle that limiting adjectives precede the noun and that descriptive adjectives, which single out or distinguish one noun from another of the same class, follow the noun. We have also found that a few adjectives (such as **bueno, -a, malo, -a,** etc.) usually precede the noun, although they may follow to distinguish qualities of the noun. A few adjectives (such as **grande, nuevo, -a,** etc.) have different meanings when used before or after the noun (see Lección 7, footnote, page 81, and Lección 9, pages 106 and 107).

    Descriptive adjectives may also precede the noun when they are used figuratively or when they express a quality that is generally known or not essential to the recognition of the noun. In such cases there is no desire to single out or to differentiate. Also, when a certain quality has been established with reference to the noun, the adjective often precedes the noun.

    Here are examples taken from the following Lectura (and not marked with small circles). Similar examples have occurred in earlier Lecturas.

. . . una larga serie de retratos . . .   . . . a long series of portraits . . .

. . . sus maravillosas figuras femeninas . . .   . . . his marvelous feminine figures . . .

En su extensa y variada obra vemos . . .   In his extensive and varied work we see . . .

. . . sus hermosos cuadros de la vida . . .   . . . his beautiful pictures of life . . .

. . . seis famosas piezas . . .   . . . six famous pieces . . .

. . . las encantadoras melodías . . .   . . . the enchanting melodies . . .

. . . la más célebre intérprete del baile español . . .   . . . the most famous interpreter of the Spanish dance . . .

. . . el antiguo arte del baile español . . .   . . . the ancient art of the Spanish dance . . .

MODISMOS Y FRASES ÚTILES

dar a conocer   to make known   **tratar de** (+ *obj.*)   to treat, deal with

No solamente la literatura sino todas las artes han florecido en España: la pintura, la música, la arquitectura, la escultura y las artes manuales. Se necesitarían muchas páginas para tratar de todas ellas. Aquí sólo podremos hacer algunas observaciones sobre la pintura y la música.

Como la política española dominaba en los Países Bajos[1] y en Italia desde fines del[2] siglo XV, los artistas españoles iban a aquellos países a estudiar, y los flamencos[3] y los italianos venían a España a trabajar. Sin embargo, el espíritu nacional era tan fuerte que en general el arte de los españoles nunca se sometió mucho a las influencias extranjeras.

El primer gran pintor del Siglo de Oro[4] fue El Greco (¿1548?-1614). Desde la isla de Creta, Grecia, donde nació, fue a Venecia, como tantos otros artistas, para estudiar con los maestros italianos. Hacia el año 1577 llegó a Toledo, no lejos de Madrid, donde desarrolló[5] y perfeccionó su arte, llegando a ser uno de los pintores más originales e individualistas del mundo. Gran parte° de su obra artística comprende una larga serie de retratos e innumerables cuadros religiosos, en que demuestra su sentido místico y su maestría en el uso del colorido. Su obra maestra,[6] *El entierro*[7] *del Conde de Orgaz*, que encierra muchos aspectos del alma española, fue pintada para la pequeña iglesia de Santo Tomé de Toledo, donde podemos admirarla hoy día.

Diego Velázquez (1599-1660), de Sevilla, tiene el honor de ser el genio más ilustre de su época. Gran realista,° este pintor de la corte del rey Felipe IV (1621-1665) presentó en sus lienzos[8] todos los aspectos de la vida y la sociedad de su tiempo, todo ello con una claridad y una precisión no conocidas antes. Para ver las obras maestras de Velázquez hay que visitar el Museo del Prado en Madrid, uno de los museos más importantes de Europa. Algunas de sus mejores obras son *Las meninas*,[9] *Las hilanderas*,[10] *Los borrachos*[11] y *La rendición de Breda*,[12] llamada a menudo *Las lanzas*.

Bartolomé Esteban Murillo (1618-1682), famoso por sus cuadros religiosos y sus maravillosas figuras femeninas, fue otro de los pintores famosos de aquella época.

A fines del siglo XVIII aparecieron las primeras obras de Francisco Goya (1746-1828), uno de los pintores más originales del mundo moderno. Aunque de° familia humilde, Goya llegó a ser el pintor de la corte de Carlos IV y de Fernando VII y dejó una gran cantidad de retratos de las dos familias reales, pintados con un

---

[1]**Países Bajos,** *Low Countries* (the Netherlands or Holland). [2]**desde fines del,** *from the end of the.*
[3]**flamencos,** *Flemish.* [4]**Siglo de Oro,** *Golden Age.* [5]**desarrolló,** *he developed.* [6]**obra maestra,** *masterpiece.*
[7]**entierro,** *burial.* [8]**lienzos,** *canvases.* [9]**meninas,** *Little Ladies in Waiting.* [10]**hilanderas,** *Spinning Girls.*
[11]**borrachos,** *Drinkers.* [12]**rendición de Breda,** *Surrender of Breda* (a town in Holland taken from the Flemish in 1625 by the Italian General Spínola, who was serving in the Spanish army).

(top) Portrait of Señora Sabasa García, by the Spanish painter Goya; (bottom) Portrait of the artist's family, by the Spanish painter Zuloaga

(top) *The Milá apartment building in Barcelona, Spain, designed by the Catalan architect Gaudí;* (bottom) *"The Artist and his Model," by Picasso*

realismo y una franqueza que asombran.[1] En su extensa y variada obra vemos, en realidad, toda la historia de su época. Al lado de sus cuadros que representan claramente la brutalidad de la guerra de la independencia, después de la invasión de Napoleón en 1808, hay una larga serie de cartones[2] o modelos para tapices,[3] en que pinta escenas y tipos del pueblo, fiestas, bailes populares y otros aspectos de la vida diaria de la época. Por su realismo, su maestría en la técnica, su espontaneidad, su espíritu crítico, su individualismo y su conocimiento del período en que vivía, Goya es considerado como uno de los genios de la pintura moderna.

Durante el período romántico la pintura española se vuelve convencional, y los artistas buscan inspiración en obras extranjeras. Sin embargo, hacia fines del siglo XIX, cuando reina el realismo en la literatura y las artes, la pintura tiene su mejor representante en el valenciano Joaquín Sorolla (1863-1923), que se ha distinguido por la luz y el colorido de sus hermosos cuadros de la vida y de las costumbres de su región. Algunos de sus mejores lienzos se encuentran en el museo de la Sociedad Hispánica de Nueva York y en el Museo Metropolitano de la misma ciudad. La obra vigorosa y dramática de Ignacio Zuloaga (1870-1945), gran pintor° de la España vieja y tradicional, contrasta fuertemente con la de Sorolla.

La influencia de pintores españoles en el arte de nuestro tiempo es incalculable. Pablo Picasso (1881-1973), que ha pasado muchos años en Francia, es, sin duda, el artista que ha ejercido mayor influencia en la pintura contemporánea. Su arte ha atravesado distintas etapas,[4] desde su período azul y período rosa,[5] a través del cubismo, hasta volver a las formas naturalistas, aunque no olvida su atracción por las composiciones abstractas y cubistas.

Juan Gris (1887-1927), compañero° y discípulo de Picasso, superó a su maestro en el estilo cubista. Joan Miró (1893-   ) es uno de los más grandes pintores de la escuela surrealista. Las obras cubistas y surrealistas del gran dibujante[6] y colorista Salvador Dalí (1904-   ) representan el triunfo de la interpretación libre de la realidad, típica del arte actual. Otro pintor más joven es Antonio Tapies (1923-   ), que en su obra aspira a una nueva comprensión de la angustia de nuestro tiempo.

Se puede decir que la música ha sido muy popular en España entre todas las clases sociales. Gracias a las composiciones de los grandes artistas Albéniz y Granados, la música española moderna ya es conocida en todo el mundo. Albéniz (1860-1909), notable pianista° y compositor, ha dado a conocer[7] una gran variedad de ritmos, especialmente melodías andaluzas. Las escenas del pintor Goya han servido de° inspiración para *Goyescas*, seis famosas piezas para piano, compuestas por Granados (1867-1916).

Según muchos músicos, Manuel de Falla (1867-1946) es el mejor compositor español moderno. Natural de Andalucía,° como Albéniz, compuso las encantadoras

---

[1]**asombran,** *are amazing.* [2]**cartón,** *a painting or drawing on strong paper.* [3]**tapices,** *tapestries.* [4]**etapas,** *stages, periods.* [5]**rosa,** *pink.* [6]**dibujante,** *master in the art of drawing, draftsman.* [7]**ha dado a conocer,** *has made known.*

melodías llamadas *Noches en los jardines de España.* Se ha oído mucho en los Estados Unidos su *Danza del fuego,*[1] del famoso ballet *El amor brujo.*[2]

Otras dos grandes figuras españolas del mundo musical contemporáneo son Pablo Casals (1876-1973), violoncelista incomparable, y Andrés Segovia (1893-   ), guitarrista sin igual.

Gracias a *la Argentina,* artista° del siglo XX y la más célebre intérprete del baile español, conocemos mejor no sólo el antiguo arte del baile español, sino también la música de Albéniz, Granados, Falla y otros compositores.

Preguntas

1. ¿Qué artes han florecido en España?   2. ¿Adónde iban a estudiar muchos artistas españoles en el siglo XVI?   3. ¿Se sometió mucho el arte español a las influencias extranjeras?   4. ¿Quién fue El Greco?   5. ¿Dónde estudió?   6. ¿A qué ciudad de España llegó?   7. ¿Qué clase de obras pintó?   8. ¿Cuál es su obra maestra?

9. ¿Quién fue el gran pintor realista del Siglo de Oro?   10. ¿Qué presentó en sus lienzos?   11. ¿Dónde están sus obras maestras?   12. ¿Cuáles son algunas de sus obras?   13. ¿Quién es otro pintor de la misma época?

14. ¿Cuándo aparecieron las primeras obras de Francisco Goya?   15. ¿Qué llegó a ser?   16. ¿Qué clase de obras pintó?   17. ¿Cuándo reinó el realismo en las artes?   18. ¿Quién es su mejor representante en la pintura?   19. ¿Dónde se encuentran algunos de sus mejores lienzos?   20. ¿Qué pintor contrasta fuertemente con Sorolla en su obra?   21. ¿Quiénes son otros pintores contemporáneos?

22.   ¿Ha sido popular la música española?   23. ¿Quién fue Albéniz?   24. ¿Quién fue otro pianista famoso?   25. ¿Qué compuso Falla?   26. ¿Quién fue Pablo Casals?
27. ¿Quién es Andrés Segovia?   28. ¿Quién ha sido la intérprete más célebre del baile español?

Comprensión

Give the name to which each statement refers:

1. El primer gran pintor español del Siglo de Oro.
2. La obra maestra del pintor El Greco.
3. El gran pintor realista de la corte del rey Felipe IV.
4. El museo español donde se ven muchas obras de pintores españoles.
5. El pintor español cuyas primeras obras aparecieron a fines del siglo XVIII.

[1]**Danza del fuego,** *Fire Dance.* [2]**El amor brujo,** *Wedded by Witchcraft.*

6. El valenciano distinguido por la luz y el colorido de sus cuadros de la vida y de las costumbres modernas de España.
7. El pintor moderno de la España vieja y tradicional.
8. El pintor contemporáneo que ha pasado muchos años en Francia.
9. Uno de los tres músicos españoles del período moderno.
10. La más célebre intérprete del baile español del siglo XX.
11. Gran violoncelista del mundo musical contemporáneo.
12. Gran guitarrista de nuestros días.

Las artes hispanoamericanas

Estudio de palabras

a. Approximate cognates. *Pronounce and observe the meanings of:* aptitud, *aptitude;* arcaico, *archaic;* auténtico, *authentic;* cerámica, *ceramics, pottery;* corriente, *current;* diverso, *diverse, different;* escencia, *essence;* espontáneo, *spontaneous;* extraordinario, *extraordinary;* inmenso, *immense;* majestuoso, *majestic;* sinfónica, *symphonic, symphony;* tema, *theme, topic;* término, *term;* trágico, *tragic;* universitario *(adj.), university;* adquirir, *to acquire;* diferir, *to differ;* emplear, *to employ, use;* manifestarse, *to be (become) manifest or evident;* prevalecer, *to prevail.*

Give the English for: apreciar, asimilar, decorar, integrar; determinar.

b. *Compare the meanings of:* carácter, característica *(noun),* característico *(adj.);* colonia, colono, colonizar, colonizador; dirección, dirigir; expresión, expresar; intérprete, interpretar; mural *(noun and adj.),* muralista, muralismo; producción, producir, reproducir; pueblo, poblador, población.

c. *Find in this Lectura the Spanish adjectives related to the following names of places:* Argentina, Chile, Cuba, Europe, Guatemala, Spanish America, Uruguay, Venezuela.

MODISMOS Y FRASES ÚTILES

así como   as well as
dejar de + *inf.*   to stop, cease + *pres. part.,* cease to + *inf.*
dentro de   within, in
en cambio   on the other hand
en gran parte   largely, in large measure
en nuestros días   in our time, today
esforzarse (ue) por   to strive for, make an effort to
hasta nuestros días   (up) to today, to our time (the present)

incorporarse a   to be (become) incorporated into
interesarse por   to become interested in
llegar a + *inf.*   to go so far as to + *inf.,* succeed in + *pres. part.*
para fines de   towards (by) the end of
por falta de   for lack of

NOTAS

1. Gender of **arte. Arte** is normally masculine when used in the singular: **la nota característica del arte,** *the characteristic note of art.*

In the plural it is normally feminine: **las bellas artes,** *(the) fine arts;* **las artes,** *arts* (in general); **las artes visuales,** *the visual arts.*

2. Use of prepositions. You are familiar with the normal meaning of the common Spanish prepositions: **a,** *to, at;* **con,** *with;* **de,** *of;* **en,** *in, on;* **por,** *for;* watch, however, for constructions in which these prepositions have other meanings. In addition to those in the list of Modismos y frases útiles, note the following: **la incorporación . . . a,** *the incorporation . . . (in)to;* **el amor por,** *the love of (for);* **la preocupación por,** *the concern with;* and an expression which has been used earlier: **ha servido de base,** *(it) has served as a basis.*

Al introducir en América la civilización europea, los colonizadores españoles dieron una importancia especial a las bellas artes.° La nota característica del arte° en la América española es la incoporación de elementos americanos a° los estilos importados de Europa.

En general, durante el período colonial en la arquitectura, la escultura y la pintura los españoles reproducían los estilos que entonces prevalecían en Europa. Pero al mismo tiempo se veía en América una fuerte influencia de las corrientes indígenas, especialmente en la arquitectura.

Por falta de espacio sólo podremos hacer unas pocas observaciones sobre la música, la pintura y las artes° visuales del período contemporáneo. El amor por° la música es una de las características de la América latina. Desde el período colonial ha habido[1] dos corrientes distintas: la popular, que representa la expresión espontánea del pueblo, y la culta, que muestra influencias europeas. Las variedades de música popular son infinitas; cada país tiene una rica tradición musical, con formas propias. En algunos casos se han mezclado elementos indígenas y extranjeros. La música popular de México, por ejemplo, es en gran parte de procedencia[2] andaluza, y su estilo es arcaico, como en las danzas llamadas jarabe[3] y zapateado.[4] El merengue, el mambo, y otras formas de la música popular de Cuba y de las otras islas del Mar Caribe, en cambio, muestran una fuerte influencia de la música negra. En los países donde la población india es grande, la influencia indígena es notable.

En el siglo XX muchos compositores, entre ellos el mexicano Carlos Chávez, han llegado a desarrollar una música de auténticos temas americanos. Carlos Chávez (1899-   ) es el fundador de la Orquesta Sinfónica de México. Convencido de que

---

[1]**ha habido,** *there have been.* [2]**procedencia,** *origin, source.* [3]**jarabe,** a popular dance, such as the *Mexican hat dance.* [4]**zapateado,** *clog (tap) dance.*

(top) Detail of "Personajes," by the Ecuadorian artist Estuardo Maldonado; (bottom) Mexican painter David Alfaro Siqueiros at work; (opposite) Mexican painter Juan O'Gorman standing in front of his mural of the Constitution (Mexico City)

329

existe una música mexicana con un carácter y un vigor propios, Chávez se ha dedicado a integrar las diversas fuentes de la tradición nacional. Aunque la esencia de su música es mexicana, sus temas son originales y se ha asimilado completamente el elemento indígena. Su técnica y su genio inventivo le han asegurado un puesto muy alto en el mundo musical.

Para fines del siglo XIX muchos pintores mexicanos, como los músicos, ya muestran tendencias nuevas, buscando inspiración en los temas americanos. En el siglo actual surgió la gran escuela muralista de México, que, con Diego Rivera, José Clemente Orozco y David Alfaro Siqueiros ha florecido hasta nuestros días. Como en el caso de la literatura, la preocupación por° los problemas sociales determinó el cambio de dirección de la pintura de Hispanoamérica. En México la Revolución de 1910 ha servido de° base para la obra artística de los pintores citados,[1] que han producido una larga serie de murales que decoran las paredes de muchos edificios públicos. Las artes, las fiestas populares, la vida de los indios y las nuevas ideas sociales les han proporcionado[2] una gran variedad de temas.

Las ideas sociales y políticas de Diego Rivera (1886-1957) lo llevaron a hacer de la pintura un medio de propaganda para educar al pueblo. La inmensa composición que se halla en la escalera del Palacio Nacional, en la ciudad de México, describe toda la historia del país—desde el período prehispánico hasta el actual—y, también, la visión de un futuro ideal.

El hombre y el mundo contemporáneo son también el tema central de José Clemente Orozco (1883-1949), que se interesó especialmente por los aspectos más sórdidos y tristes de la vida mexicana. Se ha dicho que ningún otro pintor lo ha superado en la expresión del aspecto eterno, humano y trágico de las luchas civiles de un país. Para ver sus mejores obras hay que ir a Guadalajara, México.

Los temas revolucionarios adquieren un vigor extraordinario en las obras de David Alfaro Siqueiros (1898-1974), quien se ha esforzado por encontrar nuevas vías de expresión dentro del arte mural. Ha experimentado con el uso de materiales nuevos, así como con la fusión de la pintura y la escultura. Entre sus murales más importantes figura el de la rectoría[3] de la Ciudad Universitaria de México.

El pintor mexicano Rufino Tamayo (1899-   ) representa una forma moderada del muralismo de su país, expresado en términos de valores universales. Hay murales suyos en Smith College y en varios edificios públicos del estado de Texas.

Hacia 1920 empezó también en el Perú un movimiento indígena en el arte. Aunque se desarrolló bajo la influencia del muralismo mexicano, difiere de éste por su tono más moderado. José Sabogal (1888-1956), jefe de la nueva expresión artística de su país, ha buscado su inspiración en el paisaje, en los tipos indígenas y en las costumbres rurales del Perú, empleando como fondo los majestuosos Andes. Aunque

---

[1]**citados,** *above-mentioned, cited.* [2]**les han proporcionado,** *have furnished them.* [3]**rectoría,** *rector's (president's) office.*

también ha interpretado la vida por los ojos del indio, no se observa en sus obras la nota de propaganda como en las de los artistas mexicanos.

Para los que se interesan en los representantes de otras corrientes artísticas del período contemporáneo, sigue una lista de nombres notables: el pintor guatemalteco Carlos Mérida (1893-   ), el cubano Wilfredo Lam (1902-   ), el uruguayo Joaquín Torres García (1874-1948), el chileno Ramón Vergara Grez (1923-   ), el venezolano Jesús Soto (1923-   ), el argentino Eduardo Mac Entyre (1929-   ) y los mexicanos Pedro Friedeberg (1937-   ) y José Luis Cuevas (1934-   ).

En nuestros días la vitalidad de las artes visuales en Hispanoamérica es extra-ordinaria. El hecho más importante es que el arte hispanoamericano ha dejado de ser nacional y se ha incorporado a la escena internacional.

La aptitud artística del hispanoamericano se manifiesta también en otras artes más populares, como la cerámica, la orfebrería[1] y la producción de tejidos.[2] Aun antes de la llegada de los españoles, las civilizaciones indígenas de América habían producido obras maravillosas de cerámica y de orfebrería que el viajero puede admirar hoy en los museos. Hoy día es muy apreciada la cerámica de Puebla y de Oaxaca, en México; son admirados los tejidos de Guatemala y de otros países de gran población india; entre otros lugares, las ciudades de Taxco (México) y Lima son famosas por la producción de artículos de oro y plata.

Preguntas

1. ¿Cuál es la nota característica del arte en la América española?   2. ¿Qué estilos reproducían los españoles en el período colonial en América?   3. ¿Hay mucho amor por la música en la América latina?   4. ¿Qué corrientes ha habido desde el período colonial?   5. ¿De qué procedencia es, en gran parte, la música popular de México? 6. ¿En qué regiones de América es muy importante la influencia negra?   7. ¿Qué han llegado a desarrollar muchos compositores en el siglo XX?   8. ¿Qué fundó Carlos Chávez?   9. ¿A qué se ha dedicado Chávez?

10. ¿Cuándo surgió la gran escuela muralista de México?   11. ¿Quiénes son tres grandes muralistas?   12. ¿Qué ha servido de base para la obra artística de estos muralistas?   13. ¿A qué lo llevaron las ideas sociales y políticas de Diego Rivera? 14. ¿Qué describe la composición de Rivera que se halla en la escalera del Palacio Nacional, en la ciudad de México?

15. ¿Qué se ha dicho del pintor José Clemente Orozco?   16. ¿Adónde hay que ir para ver las mejores obras de Orozco?   17. ¿Cuáles son algunas vías de expresión que Siqueiros se ha esforzado por encontrar?   18. ¿Dónde se encuentran murales de Rufino Tamayo en los Estados Unidos?   19. ¿En qué ha buscado su inspiración el pintor José Sabogal?   20. ¿Quién es otro pintor del período contemporáneo?

[1]**orfebrería,** *gold or silver work.* [2]**tejidos,** *textiles, weaving(s).*

21. ¿Qué otras artes se han cultivado en Hispanoamérica? 22. ¿De qué ciudades de México viene mucha cerámica? 23. ¿De dónde vienen los tejidos que son admirados mucho? 24. ¿Qué ciudades son famosas por la producción de artículos de oro y plata?

Comprensión

Read, completing each sentence correctly:

1. Los colonizadores españoles dieron una importancia especial a _____.
2. El amor _____ es una de las características de la América latina.
3. La música popular de _____ es en gran parte de procedencia andaluza.
4. _____ es el fundador de la Orquesta Sinfónica de México.
5. Tres muralistas mexicanos son _____, _____ y _____.
6. En México _____ ha servido de base para la obra artística de los muralistas.
7. Las ideas sociales y políticas de Rivera lo llevaron a hacer de la pintura _____.
8. _____ se interesó especialmente por los aspectos más sórdidos y tristes de la vida mexicana.
9. _____ ha experimentado con la fusión de la pintura y la escultura.
10. En los Estados Unidos hay murales de Rufino Tamayo en _____.
11. José Sabogal inició en _____ un movimiento indígena en el arte.
12. Sabogal ha interpretado la vida de su patria por _____.
13. En el período prehispánico las civilizaciones indígenas de América habían producido obras maravillosas de _____ y _____.
14. Hoy día la cerámica de _____ y de _____ en México es muy apreciada.
15. Las ciudades de _____ y _____ son famosas por la producción de artículos de oro y plata.

Cartas españolas

In this section some of the essential principles for personal and business letters in Spanish will be given. In general, formulas used in Spanish letters, particularly for the salutation and conclusion, are less formal and flowery than formerly, and at times they may seem rather stilted. There is no attempt to give a complete treatment of Spanish correspondence, but careful study of the material included should serve for ordinary purposes.

The new words and expressions whose English equivalents are given throughout this section are not included in the Spanish-English vocabulary unless used elsewhere in the text. However, meanings are listed in the English-Spanish vocabulary for all words used in Ejercicios A, B, C, F, and G (pages 339-340).

 Address on the envelope

The title of the person to whom the letter is addressed begins with **señor (Sr.)**, **señora (Sra.)**, or **señorita (Srta.)**. **Sr. don (Sr. D.)** may be used for a man, **Sra. doña (Sra. Da.)** for a married woman, and **Srta.** for an unmarried woman:

Señor don Carlos Rojas	**Sr. D. Jorge Ortiz y Moreno**[1]
Srta. Carmen Villegas	**Sra. doña María Ocampo de Pidal**

In the first example on the right, note that Spanish surnames often include the name of the father (**Ortiz**), followed by that of the mother (**Moreno**). Often the mother's name is dropped (examples on the left). A woman's married name is her maiden name followed by **de** and the surnames of her husband (second example on the right).

The definite article is not used with the titles **don** and **doña,** which have no English equivalents.

Two complete addresses follow:

Sr. D. Luis Monterde	**Srta. María Muñoz**
Calle 5 de Mayo, 26	**Avenida Bolívar, 134**
México 5, D.F.	**Caracas, Venezuela**

Business letters are addressed to a firm:

Ocampo Hermanos (Hnos.)	**Señores (Sres.) López Díaz y Cía., S.A.**
Apartado (Postal) 583	**Paseo de la Reforma, 12**
Buenos Aires, Argentina	**México 2, D.F.**

[1]The conjunction **y** is often not used between the surnames. The person might prefer to be known as **D. Jorge Ortiz Moreno.**

In an address in Spanish one writes first **Calle** (**Avenida,** *Avenue;* **Paseo,** *Boulevard;* **Camino,** *Road;* **Plaza,** *Square),* then the house number. **Apartado (Postal),** *Post Office Box,* may be abbreviated to **Apdo. (Postal).** The abbreviation **Cía. = Compañía; S.A. = Sociedad Anónima,** equivalent to the English *Inc. (Incorporated);* and **D.F. = Distrito Federal,** *Federal District.*

Airmail letters are marked **Vía aérea, Correo aéreo,** or **Por avión.** Special delivery letters are marked **Urgente,** or **Entrega inmediata,** and registered letters, **Certificada.**

B.   Heading of the letter

The usual form of the date line is:

Madrid, 4 de mayo de 1979

The month is usually not capitalized unless it is given first in the date. For the first day of the month 1° (**primero**) is commonly used; the other days are written 2, 3, 4, etc. Other less common forms of the date line are:

Lima, junio 15, 1978
Quito, 1° abril 1979

The address which precedes the salutation of the business and formal social letter is the same as that on the envelope. In familiar letters only the salutation need be used.

C.   Salutations and conclusions for familiar letters

Forms used in addressing relatives or close friends are:

Querido hermano (Juan):	**Querida Marta:**
Mi querida amiga (Luisa):	**(Mi) querida hija:**
Querido Carlos:	**Queridísima[1] mamá:**

In conclusions of familiar letters a great variety of formulas may be used. Some commonly used endings for letters in the family are:

(Un abrazo[2] de) tu hijo,   *(one boy signs)*
Tu hijo (hija) que te quiere,[3]   *(one boy or girl signs)*
Con todo el cariño[4] de tu hermano (hermana),   *(one boy or girl signs)*
Con todo el amor[5] de tu hijo (hermano),   *(one boy signs)*

---

[1]**Queridísima,** *Dearest.* [2]**abrazo,** *embrace.* [3]When **querer** has a personal object it means *to love.* [4]**cariño,** *affection.* [5]**amor,** *love.*

The following, with many possible variations, are suitable for friends and for the family:

> **Un abrazo de tu (su) amiga que te (lo) quiere,**
> **Tuyo (Suyo) afectísimo (afmo.),** [1] *or* **Tuya (Suya) afectísima (afma.),**
> **Con el cariño de siempre,**
> **Cariñosos saludos** [2] **de tu buen amigo, (buena amiga),**
> **Sinceramente, Cariñosamente,** *or* **Afectuosamente,**[3]

In the first few letters to a Spanish friend one normally uses the polite forms of address; as the correspondence continues more familiar forms may be used.

D. Salutations for business letters or those addressed to strangers

Appropriate salutations, equivalent to "My dear Sir," "Dear Sir," "Dear Madam," "Gentlemen," etc., are:

> **Muy señor (Sr.) mío:**   *(from one person to one gentleman)*
> **Muy señor nuestro:**   *(from a firm to one gentleman)*
> **Muy señores (Sres.) míos:**   *(from one person to a firm)*
> **Muy señora (Sra.) mía:**   *(from one person to a woman)*

Formulas which may be used in less formal letters are:

> **Muy estimado Sr. Salas:**   Dear Mr. Salas:
> **Estimada amiga (Isabel):**   Dear Friend (Betty):
> **Estimado(-a) profesor(a):**   Dear Professor:
> **Mi distinguido amigo (colega):**   Dear Friend (Colleague):
> **(Muy) apreciado señor (amigo):**   Dear Sir (Friend):

E. Conclusions for informal social and business letters

Common forms equivalent to "Sincerely yours," "Cordially yours," "Affectionately yours," etc., are:

> **Suyo afectísimo (afmo.),** *or* **Suyos afectísimos (afmos.),**
> **Queda** [4] **(Quedo) suya afma. (suyo afmo.),**
> **Lo saluda cariñosamente (muy atentamente),**
> **Se despide afectuosamente tu amigo,**
> **Cordialmente,**

---

[1]**Tuyo (Suyo) afectísimo,** *Affectionately yours.* [2]**Cariñosos saludos,** *Affectionate greetings.* [3]**Afectuosamente,** *Affectionately, Sincerely.* [4]The third person **Queda** is used if the firm is the subject. Also note the next two examples.

F. Body of business letters

The Spanish business letter usually begins with a brief sentence which indicates the purpose of the letter. A few examples, with English translations, follow. Note that the sentences cannot always be translated word for word:

Acabo (Acabamos) de recibir su carta del 15 de abril.
  I (We) have just received your letter of April 15.

Le doy a usted las gracias por el pedido que se sirvió hacerme . . .
  Thank you for the order which you kindly placed with me . . .

He recibido con mucho agrado su amable carta . . .
  I was very glad to receive your (good) letter . . .

Le acusamos recibo de su atenta [1] del 2 del corriente . . .
  We acknowledge receipt of your letter of the 2nd (of this month) . . .

Mucho agradeceré a usted [2] el mandarme . . .
  I shall thank you if you will send me . . .

Le envío giro postal por $25.00 . . .
  I am sending you a postal money order for $25.00 . . .

Con fecha 8 del actual me permití escribir a Ud., informándole . . .
  On the 8th (of this month) I took the liberty of writing to you, informing you . . .

Some proper conclusions which might accompany these opening lines are:

Muy agradecidos por la buena atención que se dignará Ud. prestar a la presente, saludamos a Ud. con nuestro mayor aprecio y consideración,
  Thanking you for your kind attention to this letter, we remain,
                                                              Very truly yours,

En espera de su envío y con gracias anticipadas, quedo de Ud. atto. S.S., [3]
  Awaiting the shipment and thanking you in advance, I remain,
                                                              Sincerely yours,

Aprovechamos esta ocasión para ofrecernos sus attos. y ss.ss.,
  We take advantage of this opportunity to remain,
                                                              Yours truly,

Quedamos de ustedes afmos. attos. y Ss. Ss.,
  We remain,
                                                              Very truly yours,

---

[1] **Carta** is often replaced with **favor, grata,** or **atenta.** [2] Since **usted** is technically a noun (coming from **vuestra merced**), the object pronoun **le** may be omitted before the verb. This practice is noted particularly in letter writing. [3] **Seguro servidor** *(sing.)* may be abbreviated to **S.S.** or **s.s.; seguros servidores** *(pl.)* to **SS. SS., Ss. Ss.,** or **ss. ss. Atto. = Atento; attos. = atentos.**

Me repito [1] **su afmo. s.s.,** *or* **Nos repetimos sus afmos. ss. ss.,**

    I (We) remain,

                  Sincerely,

The Spanish conclusion usually requires more than a mere "Very truly yours," or "Sincerely yours." However, there is a tendency nowadays to shorten conclusions of business letters, particularly as correspondence continues with an individual or firm.

Great care must be taken to be consistent in the agreement of salutations and conclusions of letters, keeping in mind whether the letters are addressed to a man, a woman, or a firm, and whether the letters are signed by one person or by an individual for a firm.

G. Sample letters

The following letters translated freely from Spanish to English will show how natural, idiomatic phrases in one language convey the same idea in another. Read the letters aloud for practice and be able to write them from dictation. The teacher may want to test comprehension by asking questions in Spanish on the content of the letters. At the end of this section some useful words and phrases are listed, not all of which are used in the sample letters.

———————————— 1 ————————————

                                      12 de marzo de 1979

Librería de Porrúa Hnos. y Cía.
Apartado 7990
México, D.F., México

Muy señores míos:

Tengo el gusto de avisarles a ustedes que acabo de recibir su atenta del 8 del actual y el ejemplar de su catálogo con la lista de precios que se sirvieron remitirme por separado.

Tengan ustedes la bondad de enviarme a la mayor brevedad posible los libros que están incluidos en la lista que envío anexa. También hallarán adjunto un cheque por pesos 596,40 [2] en pago de la factura del 20 del pasado.

Quedo de ustedes su atto. y S.S.,

---

[1] After the first letter (in which the verb **aprovechar** may have been used) **Me repito** is a good follow-up.
[2] Read **quinientos noventa y seis pesos, cuarenta centavos.** While the comma between the **pesos** and **centavos** has largely been replaced in Spanish by a period, it is still used. The English comma is often written as a period with numerals in Spanish: **pesos** 1.250,35.

March 12, 1979

Porrúa Brothers and Co., Bookstore
Post Office Box 7990
Mexico City, Mexico

Gentlemen:

I am glad to inform you that I have just received your letter of March 8 and the copy of your catalogue with the price list which you kindly sent me under separate cover.

Please send me as soon as possible the books (which are) included on the list enclosed (in this letter). You will also find enclosed a check for 596.40 pesos in payment of your bill of February 20 (of the 20th of last month).

Sincerely yours,

2

16 de marzo de 1979

Muy señor nuestro:

Acusamos recibo de su favor del 12 del presente, en que hallamos adjunto su cheque por pesos 596,40 que abonamos en su cuenta, y por el cual le damos a usted las gracias.

Hoy le enviamos a vuelta de correo el pedido de libros que se sirvió hacernos, cuyo importe cargamos en su cuenta.

En espera de sus nuevos gratos pedidos, nos place ofrecernos sus afmos. attos. y ss. ss.,

March 16, 1979

Dear Sir:

We acknowledge receipt of your letter of March 12, in which we found enclosed your check for 596.40 pesos, which we are crediting to your account, and for which we thank you.

Today we are sending by return mail the books for which you kindly sent us an order, the amount of which we are charging to your account.

Awaiting other kind orders from you, we remain,

Sincerely yours,

EJERCICIOS

A. Address envelopes to the following:

1. Mr. John Medina
   137 University Avenue
   Santiago, Chile

2. Professor Charles Martín
   Box 562
   Bogotá, Colombia

3. Miss Barbara Moreno
   516 Reform Boulevard
   Mexico City 2, Mexico

4. Mrs. Mary Ortiz
   8 Independence Square
   Madrid, Spain

B. Write the following date lines and salutations, then read aloud:

1. Buenos Aires, December 10, 1978; Dear Mr. Aguilar: 2. Bogotá, January 1, 1979; Dear Mrs. Rivas: 3. Montevideo, October 12, 1977; Dear Miss Ortega: 4. Mexico City, July 14, 1979; Dear Mother: 5. Sevilla, April 20, 1979; Dear Robert: 6. Caracas, August 15, 1978; Dear daughter:

C. Give in Spanish:

1. Dear Sir: *(from one person)* 2. Dear Sir: *(from a firm)* 3. Dear Madam: *(from one person)* 4. My dear Madam: *(to a young woman)* 5. Gentlemen: *(from one person)* 6. Gentlemen: *(from a firm)*

D. Read, then give in correct business English:

1. Le acusamos recibo de su atenta del 3 de mayo.
2. Le doy a usted las gracias por su grato pedido.
3. Tengo el gusto de referirme a su atenta del 31 del pasado.
4. Adjunta le remitimos una muestra.
5. Su carta del 15 del presente fue referida a nuestro gerente.
6. Ruego a ustedes tengan la bondad de darme informes ...
7. De acuerdo con su solicitud, le remitimos hoy ...
8. Acusamos a usted recibo de su giro postal por la cantidad de ...

E. Read, then give approximate translations for the following conclusions and indicate whether the signature would be that of an individual or a firm:

1. Aprovecho esta oportunidad para quedar de usted como su afectísimo y s.s.,
2. Aprovechamos esta ocasión para saludar a ustedes muy atentamente, suyos afmos. y ss. ss.,
3. Agradeciéndoles su atención, saluda a Uds. muy atentamente,
4. En espera de sus noticias, quedo a sus órdenes y lo saludo muy cordialmente,
5. Sin otro asunto, quedo de Ud. como su atento amigo y seguro servidor,
6. Esperando poder servirles en otra ocasión, nos repetimos, atentamente,

F. Give in Spanish:

1. to acknowledge receipt of   2. by return mail   3. under separate cover   4. by airmail   5. (by) parcel post   6. upon receiving the telegram   7. I am pleased to inform you *(pl.)*   8. to place an order   9. to address a letter   10. upon mailing the package   11. in payment of the invoice   12. thanking you *(pl.)*for your attention

---

G. Write in Spanish:

May 21, 1979

Dear Mr. Moreno:

We acknowledge receipt of your letter of May 17 and under separate cover we are sending you the price list you asked for. Upon receiving the order, we shall send the shipment by return mail.

Thanking you in advance, we remain,

Sincerely yours,

September 25, 1979

Dear Miss Ortega:

In reply to your letter of September 23, I am pleased to send you by airmail the information you need . . .

Please give my best regards to all your family.

Sincerely yours,

H. Suggestions for original letters in Spanish:

1. Write to a foreign student, describing some of your daily activities. Try to use words which you have had in this text.
2. Write to a member of your family, describing some shopping you have done recently.
3. Assume that you are the Spanish secretary for an American exporting firm. Write a reply to a Spanish-American firm which has asked for a recent catalogue and prices.

VOCABULARIO ÚTIL

abonar   to credit

adjunto, -a   enclosed, attached

anexo, -a   enclosed, attached

el asunto   matter

avisar   to advise, inform

la cantidad   quantity, amount

cargar (ue)   to charge

el catálogo   catalogue

certificar   to register

comunicar   to inform, tell

dirigir   to address, direct; *reflex.* to address *(a person)*, direct oneself

el ejemplar   copy

el envío   shipment, remittance

la factura   bill, invoice

la firma   signature

el folleto   folder, pamphlet

el franqueo   postage

el giro   draft

grato, -a   kind, pleased

el importe   cost, amount

la muestra   sample

ofrecer(se)   to offer, be, offer one's services

el pago   payment

el pasado   last month

el pedido   order

permitirse   to take the liberty (to)

el recibo   receipt

referirse (ie, i) a   to refer to

remitir   to remit, send

rogar (ue)   to beg, ask, request

servirse (i, i)   to be so kind as to

la solicitud   request

suplicar   to ask, beg

a la mayor brevedad posible   as soon as possible

a vuelta de correo   by return mail

acusar recibo de   to acknowledge receipt of

anticipar las gracias   to thank in advance

de acuerdo con   in compliance with

de antemano   in advance, beforehand

del corriente (actual, presente)   of the present month

en contestación a   in reply to

en pago de   in payment of

en su cuenta   to one's account

estar encargado, -a de   to be in charge of

giro postal   money order

hacer un pedido   to place (give) an order

lista de precios   price list

(nos) place *or* **es grato**   (we) are pleased to

paquete postal   parcel post

por separado   under separate cover

sírva(n)se Ud(s). + *inf.*   please, be pleased to

tener el agrado (gusto) de   to be pleased to

tenga(n) Ud(s). la bondad de   please, have the kindness to

PREGUNTAS CULTURALES 4
Compras: la ropa

¿CÓMO SE VISTEN LOS JÓVENES EN LOS PAÍSES HISPANOS?

En general, la gente de la cultura hispana es muy consciente de la moda y le gusta vestirse bien . . . Y ¿qué quiere decir vestirse bien? Pues, la ropa debe estar siempre impecable: limpia, planchada y debe ser de muy buena calidad. En los países hispanos los jóvenes se visten también de *blue jeans,* como en los Estados Unidos, pero mientras para un joven norteamericano no es muy importante coser o planchar un par de *blue jeans* o una camisa, para un joven hispano es muy importante tener los pantalones y la camisa bien limpios y planchados, especialmente si va a un cine o a una heladería donde otros chicos y chicas van a estar reunidos. En general, si un chico o una chica va con *blue jeans* a una fiesta, no está bien visto,[1] aunque esto, como muchas otras cosas, comienza a cambiar. Pero en general los jóvenes casi siempre van a fiestas o a reuniones sociales más formalmente vestidos que los jóvenes norteamericanos. También en los países hispanos los perfumes y las colonias son parte del arreglo diario[2] de muchos jóvenes y viejos.

[1]No está bien visto, *it isn't looked upon with approval.* [2]las colonias . . . diario, *the colognes are a part of the daily grooming.*

página de enfrente: La ropa debe estar siempre impecable. (arriba y abajo a la derecha) Los jóvenes se visten también de blue jeans, como en los Estados Unidos. (abajo a la izquierda) Comprando ropa, México, D. F.

En muchos países hispanos están construyendo cada día más almacenes como Sears.
página de enfrente: La gente compra ropa al aire libre en las plazas de mercado.

EN LOS PAÍSES HISPANOS, ¿DÓNDE SE COMPRA LA ROPA?

En la mayoría de los países hispanos están construyendo cada día más almacenes como Sears, donde se compran no solamente ropa, sino otros artículos domésticos; pero todavía en muchos países la ropa se compra en almacenes más pequeños que en Norteamérica.

Existen también almacenes de ropa muy caros, especialmente de ropa importada de Europa o de los Estados Unidos. A muchos jóvenes les encantan estos modelos «exclusivos», pero son muy pocos los que pueden pagar los altos precios. En los pueblos pequeños en algunos países, la gente compra también ropa al aire libre en las plazas de mercado. Muchos hispanos tienen un sastre o una modista que les hace la ropa, porque en general es más barato. Además, se pueden escoger los materiales y los modelos, pero hay que esperar unos días para tener la ropa terminada. En los países hispanos mucha gente también confecciona su propia ropa simplemente con las manos, una tela, una aguja e hilo. En algunas regiones se encuentran verdaderas obras de arte y de paciencia, especialmente en países donde tienen gran cantidad de población indígena.

Compras: la comida

Desde *hamburgers* y *pizzas* hasta huevos de tortuga; desde *milk shakes* hasta agua de coco, desde Coca-Cola hasta jugo de papaya . . . la variedad de alimentos en los países hispanos no es sólo el producto de la gran variedad de climas, tierras y costumbres, sino también de la influencia norteamericana de las últimas décadas.

Cada país tiene varias preparaciones que dan diferentes sabores y apariencias a los alimentos. Sin embargo, hay alimentos que son comunes en muchos países hispanos, y van más allá de las fronteras políticas—por ejemplo, el maíz que se cultiva en casi todas las zonas andinas y con que se prepara todo tipo de tortillas, arepas, panecillos, pasteles, etcétera. Hay muchas varie-

dades de plátano o banana, como el plátano verde, que se come frito, o el plátano manzano, que es pequeño, rosado y tiene cierto sabor a manzana. Las frutas tropicales, como la guayaba o la piña, son parte de la comida diaria de muchos jóvenes hispanos que viven en tierras cálidas, lo mismo que el arroz o el pescado. La papa, el trigo, la carne de res o de cordero son alimentos más comunes en climas fríos y en terrenos planos.

En las grandes ciudades se encuentran alimentos y preparaciones de comidas internacionales, especialmente las preparaciones norteamericanas. . . Si uno quiere comer un *hamburger*, unas papas fritas o tomar una Coca-Cola o un *milk shake* es muy fácil encontrar un *McDonald's* o un *Burger King* en una calle principal de cualquier gran ciudad.

En los cafés ... en las cafeterías ... en los restaurantes ... hay una gran variedad de comidas.

El mercado es uno de los espectáculos más coloridos, olorosos y animados. página de enfrente: Los supermercados se encuentran en los sectores residenciales de las ciudades.

¿DÓNDE SE COMPRA LA COMIDA EN LOS PAÍSES HISPANOS?

En muchos países hispanos los supermercados se encuentran en casi todos los sectores residenciales de las ciudades, y son muy parecidos a los supermercados norteamericanos. Sin embargo, los mercados donde mucha gente compra hoy la comida son mercados que existían desde antes de la llegada de los españoles a América. En los países donde hay una población indígena considerable, el mercado es uno de los espectáculos más coloridos, olorosos y animados que se encuentran en el mundo hispánico.

Generalmente los mercados se hacen sólo un día a la semana, y en sitios abiertos especiales para esta actividad. En los pueblos pequeños las plazas centrales son el sitio de reunión; allí los campesinos o los indios venden directamente sus propios productos. Los mercados parecen una gran feria: se encuentran frutas, verduras, quesos frescos, huevos, carnes, pescados, flores, hierbas medicinales, pájaros exóticos enjaulados, ollas de barro y de aluminio, pollos vivos, cerdos, vacas, caballos, colchones, zapatos, botones, ropa y muchas otras cosas. Los precios no son fijos y siempre se puede regatear con los vendedores. Unos vendedores ofrecen a gritos su mercancía: ¡frutas! ¡tomates! ¡limones! ¡tamales! ¡bollos de maíz! Los gritos se mezclan con los colores de la comida y de la ropa, y con los olores de las frutas y hierbas frescas.

La tienda de la esquina es otro lugar de compras, y es muchas veces más pequeña que un garaje, pero allí también uno puede comprar pan, azúcar, aceite, cigarrillos y sal. A la tienda de la esquina se va casi todos los días a comprar algún ingrediente necesario para la comida. Los dueños de estas tiendas conocen siempre lo que está pasando en el pueblo o en el barrio y conocen a todos los vecinos por sus nombres y apellidos.

Selecciones

Stories included in the preceding Lecturas and the following Selecciones have been chosen from the works of recognized Spanish and Spanish-American authors. As you read each one, ask yourself such questions as: What is the author attempting to do? To give a picture of Spanish or Spanish-American life? To show the character of an individual? To deal with a social, economic, or political problem? To establish moral values? Have you, in your experience, encountered anything similar to the situation in the story? Is the situation true to life in the period it represents? Do the characters seem natural? What qualities do they show?

Do not expect the Spanish short story always to be action-packed, with a strong climax. In the United States, with its many magazines, the short story has become a highly developed and publicized literary form. In Spanish literature, a small incident or a human emotion may provide the body of a story and the thoughts of one of the characters may make up most of its action. Read these stories for what they are and enjoy their humor, local color, variety, and punch lines.

Quien no te conozca que te compre[1]

Juan Valera (1827-1905), best known for his novels which dealt with his native Andalusia in southern Spain, was also a poet, critic, and writer of short stories. In the latter he preferred to use traditional folklore material, as you will find in the following selection.

MODISMOS Y FRASES ÚTILES

a pie   on foot, walking
andar a pie   to go on foot, walk
conocer de vista   to know (recognize) by sight
decir para sí   to say to oneself
en este mismo momento   at this very (same) moment
en lugar de   instead of, in place of

hacer daño a   to harm, do (cause) harm to
hacer ejercicio   to exercise, take exercise
sin esperar más   without waiting (any) longer
sin querer   unintentionally

---

[1]**Quien . . . compre,** *Let someone who does not know you buy you.*

NOTAS

1. Diminutives. In Spanish, diminutive endings are often used to express not only small size, but pity, affection, scorn, ridicule, and the like. The most common endings are: **-ito, -a; -illo, -a; -(e)cito, -a; -(e)cillo, -a.** For the choice of ending you must rely upon observation.

Two diminutives already given are: Carlitos, *Charlie*, and Juanito, *Johnnie*. Two others which illustrate that a final vowel is often dropped before the ending are: hermanito, *little brother*, and mesita, *small (little) table*.

Sometimes a change in spelling is necessary to preserve the sound of a consonant when a final vowel is dropped: **poco,** *little* (quantity), **poquito,** *very little*.

In the selection which follows you will find: **la casita,** *small house, cottage*; **el pedacito,** *small (little) piece*; **el pobrecito,** *poor fellow (man, thing)*.

2. Neuter object pronoun **lo.** The neuter pronoun **lo** is used with certain verbs, such as **ser, parecer**, etc., in answer to a question or to refer back to a noun, adjective, or whole idea, sometimes with the meaning of *so:*

. . . lo era en extremo   . . . he was extremely so (i.e., innocent, simple-minded).
. . . volvería a serlo o la gente seguiría diciendo que lo era, ... he would become one (i.e., a donkey) again or people would continue to say that he was (one), . . .

3. Remember that when anything is taken away, stolen, bought, hidden, etc., from anyone, the indirect object is used (see Lectura 5, page 194). Other examples in this story are:

Decidieron robarle el burro.   They decided to steal the donkey from him.
. . . le quitaron la cuerda al burro . . .   . . . they took the rope off (from) the donkey . . .

4. When the preposition **a** is used after a verb of motion, it is a true preposition and is followed by the prepositional form of the pronoun:

Un gitano se acercó a él, . . .   A gypsy approached him (drew near to him), . . .

5. Remember that the **-ra** imperfect subjunctive forms of **deber, querer**, and occasionally **poder** are used to make a statement milder or more polite (see Lección 23, page 304):

. . . debieras convertirte en burro.   . . . you should (ought to) change (convert, turn) yourself into a donkey.

An example of **querer** used in a softened or more polite statement is:

Yo quisiera ir contigo.   I should like to go with you.

Me gustaría can also be used instead of (**Yo**) **quisiera** for *I should like.* **Yo quiero ir** means *I want (wish) to go,* expressing a strong wish.

El tío Cándido [1] era natural [2] y vecino de la ciudad de Carmona. Tal vez no le dieron el nombre de Cándido cuando nació, pero todos los que le [3] conocían le llamaban Cándido porque lo° era en extremo. En toda Andalucía no era posible hallar persona más inocente y sencilla.

Además, era muy bueno y generoso y todo el mundo le quería. Como había heredado de su padre un pedacito de tierra, un pequeño olivar y una casita en el pueblo, y como no tenía hijos, aunque estaba casado, vivía cómodamente.

Con su buena vida se había puesto muy gordo. Solía ir a ver su olivar, montado en un hermoso burro que poseía; pero el tío Cándido, que era muy bueno y pesaba mucho, no quería cansar demasiado al burro. Además le gustaba hacer ejercicio para no ponerse más gordo. Así es que había tomado la costumbre de andar a pie parte del camino, llevando al burro detrás, por una cuerda.

Ciertos estudiantes pobres le vieron pasar un día a pie cuando volvía a su pueblo. Iba el tío Cándido tan distraído que no observó a los estudiantes.

Uno de éstos, que le conocía de vista y de nombre y sabía que era inocente y sencillo, les propuso a sus amigos que le hiciesen al tío Cándido una broma. [4] Decidieron robarle° el burro. Dos estudiantes se acercaron en gran silencio, [5] le° quitaron la cuerda al burro y desaparecieron con él, mientras que otro estudiante siguió al tío Cándido llevando la cuerda en la mano.

Al poco rato tiró suavemente de la cuerda. Volvió el tío Cándido la cara y se quedó asombrado al ver que, en lugar de llevar al burro, llevaba a un estudiante.

Éste suspiró y exclamó:

—¡Alabado sea Dios! [6]

—¡Por siempre bendito y alabado! [7]—dijo el tío Cándido.

Y el estudiante continuó:

—Perdóneme Ud., tío Cándido, el daño que sin querer le he hecho. Yo era un estudiante malo y jugaba mucho. Cada día estudiaba menos. Muy indignado, mi padre me maldijo, [8] diciéndome: «Eres un burro y debieras° convertirte en burro.» Dicho y hecho. [9] Apenas mi padre pronunció esas palabras, me puse en cuatro patas [10] sin poderlo remediar y me vi convertido en burro. Cuatro años he vivido en

---

[1] The adjective **cándido, -a** means *candid, innocent, simple-minded.* (Keep this in mind as you read the story.) [2] **natural,** *a native.* [3] Remember that in Spain **le** is usually preferred to **lo** for *him, you* (formal). [4] **les propuso . . . broma,** *proposed to his friends that they play a joke on Uncle Cándido.* [5] **en gran silencio,** *very silently.* [6] **¡Alabado sea Dios!** *God be praised!* [7] **¡Por siempre bendito y alabado!** *Forever blessed and praised!* (the customary reply to the preceding exclamation). [8] **me maldijo,** *put a curse on me.* [9] **Dicho y hecho,** *No sooner said than done.* [10] **en cuatro patas,** *on all fours.*

forma de burro, y en este mismo momento acabo de recobrar mi figura y condición de hombre.

Aunque le sorprendió mucho la historia del estudiante, el tío Cándido le perdonó el daño y le dijo que fuese en seguida a presentarse a su padre. Sin esperar más, el estudiante se despidió del pobre hombre con lágrimas en los ojos y tratando de besarle la mano por la merced[1] que le había hecho.

Muy contento de su obra de caridad, el tío Cándido volvió a su casita sin burro, pero no quiso decir lo que le había pasado porque el estudiante le rogó que guardase el secreto. Dijo que si se supiera[2] que él había sido burro, volvería a serlo° o la gente seguiría diciendo que lo era, y tal vez impediría que llegase a tomar su doctorado,[3] como era su propósito.

Pasó algún tiempo y el tío Cándido fue a una feria para comprar otro burro. Un gitano se acercó a él,° le dijo que tenía un burro que vender y le llevó para que lo viera.

¡Qué sorpresa cuando vio que el burro que el gitano quería venderle era su propio burro que se había convertido en estudiante! Entonces dijo para sí:

—Sin duda este pobrecito, en vez de aplicarse, ha vuelto a su mala vida, y su padre le ha convertido en burro de nuevo.

Luego, acercándose al burro y hablándole en voz baja, pronunció estas palabras, que han quedado como refrán:

—Quien no te conozca que te compre.[4]

Preguntas

1. ¿Dónde vivía el tío Cándido?   2. ¿Cómo era?   3. ¿Cómo se había puesto?
4. ¿Quiénes le vieron pasar un día?   5. ¿Qué llevaba él?   6. ¿Qué hicieron los estudiantes?   7. ¿Qué le explicó el estudiante al tío Cándido?   8. ¿Qué hizo el tío Cándido?   9. ¿Por qué debía guardar el secreto?   10. ¿Por qué fue el tío Cándido a la feria?   11. ¿Quién se acercó a él?   12. ¿Qué tenía el gitano?   13. ¿Qué vio el tío Cándido?   14. ¿Qué creyó?   15. ¿Qué pronunció en voz baja?

---

[1]**merced,** *favor, kindness.* [2]**si se supiera,** *if it were known.* [3]**impediría . . . doctorado,** *it would prevent his getting his doctor's degree (doctorate).* [4]**Quien . . . compre,** See footnote, page 351.

EJERCICIOS

A. Lean Uds. cada frase en español, luego repitan, cambiando cada verbo al imperfecto de indicativo:

1. El tío Cándido es natural y vecino de la ciudad de Carmona.
2. Todos los que le conocen le llaman Cándido porque lo es en extremo.
3. Es muy bueno y generoso y todo el mundo le quiere.
4. Como no tiene hijos, aunque está casado, vive cómodamente.
5. Suele ir a ver su olivar, montado en un hermoso burro que posee.
6. El tío Cándido, que es muy bueno y pesa mucho, no quiere cansar demasiado al burro y le gusta hacer ejercicio para no ponerse más gordo.
7. Uno de los estudiantes le conoce de vista y sabe que es inocente y sencillo.
8. Yo soy un estudiante malo y juego mucho.

B. Lean Uds. en español, cambiando cada infinitivo en paréntesis a la forma del imperfecto de subjuntivo que termina en **-ra**:

1. El estudiante les propuso a sus amigos que le (hacer) al tío Cándido una broma.
2. Eres un burro y (deber) convertirte en burro.
3. El tío Cándido le dijo al estudiante que (ir) en seguida a presentarse a su padre.
4. El estudiante le rogó que (guardar) el secreto.
5. Dijo que si se (saber) que él había sido burro, tal vez impediría que (llegar) a tomar su doctorado.
6. El gitano le dijo que tenía un burro que vender y le llevó para que lo (ver).

Expliquen Uds. en inglés por qué se usa el subjuntivo en cada frase.

El gemelo

Doña Emilia Pardo Bazán (1852-1921), one of Spain's best-known women novelists, presented life and people as she saw them, without affectation and pretense. The wealthy countess in the following story seems very real, but no more so than her trusted servants and weakling son.

MODISMOS Y FRASES ÚTILES

acostumbrarse a   to be (become) accustomed to
dentro de poco   in a little while

estamos a diez   it is the tenth
tener fuerza   to be strong
tratarse de   to be a question of

NOTAS

1. In Lección 19, page 254, the use of the imperfect tense of **hacer** in time clauses was explained. Two additional uses in the following story are:

¡Hacía tanto tiempo que no asistía a las fiestas!   She hadn't attended festivals for so long (It had been so long that she hadn't attended festivals)!

. . . servía en la casa desde hacía ocho años.   . . . (she) had been serving in the house for eight years.

2. Occasionally adjectives are used in Spanish as adverbs, with no change in form other than the usual agreement in gender and number:

—¿Qué estabas haciendo?—preguntó la condesa impaciente.   "What were you doing?" the Countess asked impatiently.

Another example (not used in the story) is:

Todas las muchachas iban muy contentas.   All the girls were going very contented(ly).

3. The title **señorito** is a diminutive form of **señor.** In Spain it is often used to denote an idle, frivolous young gentleman. Also, in the family and by servants it is used to correspond to English *Master* or *young gentleman:*

. . . una cosa que ha perdido el señorito Diego.   . . . something which Master Diego has lost.

¡El gemelo del señorito Diego!   Master Diego's cuff link!

The title **señora** is often used by servants and inferiors, and by children to their elders, to show respect. In this story the maid formally and politely uses **la señora condesa** as the equivalent of English *you*.

4. For the explanation of the future perfect tense for conjecture or probability, see Lección 23, page 304. Note the example used in this story:

¿Lo habré dejado así?   Can I have left it this way? (I wonder whether I left it this way.)

La condesa de Noroña, al recibir y leer la urgente carta de invitación, hizo un movimiento de contrariedad.[1] ¡Hacía° tanto tiempo que no asistía a las fiestas! Desde la muerte de su esposo: dos años y medio. En parte por tristeza verdadera, en parte

---

[1]**contrariedad,** *annoyance.*

por comodidad, [1] se había acostumbrado a no salir de noche, a acostarse temprano y a quedarse en casa, concentrándose en el amor eterno—en Diego, su adorado hijo único.

—Sin embargo, no hay regla sin excepción; se trata de la boda de Carlota, la sobrina predilecta . . . Y lo peor es que han adelantado el día — pensó la condesa.

—Se casan el diez y seis . . . Estamos a diez . . . Veremos si madama Pastiche me saca de este apuro. [2] En una semana puede hacerme un vestido. Con los encajes [3] y mis joyas . . .

Tocó el timbre y dentro de poco vino la doncella. [4]

—¿Qué estabas haciendo? —preguntó la condesa impaciente.°

—Ayudaba a Gregorio a buscar una cosa que ha perdido el señorito° Diego.

—¿Y qué cosa es ésa?

—Un gemelo. Uno de los que la señora° condesa le regaló hace un mes.

—¡Dios mío! ¡Qué chico! ¡Perder ese gemelo, tan precioso y tan original! No los hay así [5] en Madrid. Sigue buscando y ahora tráeme del armario mis encajes.

La doncella obedeció, no sin hacer un movimiento de sorpresa ante la orden inesperada. Al retirarse ella, la dama pasó a la amplia alcoba y tomó de su secreter [6] unas llaves pequeñas; se dirigió a otro mueble, un escritorio grande, y lo abrió, diciendo:

—Afortunadamente las he retirado del banco este invierno.

Al introducir la llave en uno de los cajones, [7] notó con gran sorpresa que estaba abierto.

—¿Lo habré dejado así?°—murmuró ella.

Era el primer cajón de la izquierda, en que creía haber colocado su gran rama de diamantes. [8] Sólo contenía cosas sin valor, un par de relojes y papeles de seda. [9] La señora, turbada, empezó a examinar los otros cajones. Todos estaban abiertos; dos de ellos rotos. Las manos de la dama temblaban. Ya no cabía duda; [10] faltaban de allí todas las joyas: rama de diamantes, sartas [11] de perlas, collares, broche de rubíes y diamantes . . . ¡Robada! ¡Robada!

Una impresión extraña dominó a la condesa. Ella recordaba que al envolver en papeles de seda el broche de rubíes, había notado que parecía sucio, y que era necesario llevarlo para hacerlo limpiar.

—Y el mueble estaba bien cerrado por fuera [12] —pensó la señora. —Ladrón de la casa. Alguien que entra aquí con libertad a cualquier hora; alguien que puede pasar aquí un rato probando las llaves . . . Alguien que sabe el sitio en que guardo mis joyas, su valor, y mi costumbre de no usarlas en estos últimos años.

---

[1]**En parte . . . comodidad,** *Partly because of real sadness, partly for convenience.* [2]**me saca de este apuro,** *gets me out of this difficulty.* [3]**encajes,** *lace, pieces of lace.* [4]**doncella,** *maid.* [5]**No los hay así,** *There aren't any like them.* [6]**secreter,** *writing desk, secretary.* [7]**cajones,** *drawers.* [8]**en que . . . diamantes,** *in which she thought she had put her valuable diamond spray.* [9]**papeles de seda,** *tissue paper.* [10]**Ya no cabía duda,** *There was no longer any doubt.* [11]**sartas,** *strings.* [12]**por fuera,** *on the outside.*

De repente grita ella un nombre:

—¡Lucía!

¡Era ella! No podía ser nadie más.[1] Era cierto que Lucía, doncella leal e hija de honrados padres, servía en la casa desde hacía° ocho años. Pero —pensaba la condesa —uno puede ser leal . . . y ceder a la tentación. Poco a poco la imagen de Lucía se transformaba en una mujer codiciosa, astuta, que no esperaba más que el momento de robar sus joyas. . . —Por eso quedó sorprendida ella cuando la mandé traer los encajes. Ella creía que yo necesitaría las joyas también.

Furiosa, la dama escribió con lápiz algunas palabras en una tarjeta, la puso en un sobre, escribió la dirección, tocó el timbre dos veces, y cuando Gregorio apareció en la puerta, se la entregó.

—Esto, a la delegación,[2] ahora mismo.

Sola otra vez, la condesa volvió a mirar los cajones.

—Tiene fuerza la ladrona; sin duda en la prisa no halló la llave propia de cada uno y los forzó—pensó ella.

En ese momento entró Lucía trayendo una caja de cartón.[3]

—Trabajo me ha costado[4] hallarlos, señora.

La señora no respondió. Quería cogerla por un brazo y arrojarla contra la pared. Las joyas eran de la familia. . . Se domina la voz, pero los ojos no. Su terrible mirada buscó la de Lucía, y la encontró fija en el escritorio, abierto aún, con los cajones fuera. En tono de asombro, de asombro alegre, la doncella exclamó, acercándose:

—¡Señora! ¡Señora! Ahí . . . en ese cajón . . . ¡El gemelo que faltaba! ¡El gemelo del señorito° Diego!

La condesa abrió la boca, extendió los brazos, comprendió . . . sin comprender. Y de repente cayó hacia atrás, perdido el conocimiento,[5] casi roto el corazón.

Preguntas

1. ¿Qué recibió la condesa?   2. ¿Salía ella todas las noches?   3. ¿Cómo se llamaba su hijo?   4. ¿Quién iba a casarse?   5. ¿En qué día del mes iban a celebrar la boda?   6. ¿Qué necesitaba la condesa?   7. ¿Qué estaba haciendo la doncella?   8. ¿Adónde pasó la condesa?   9. ¿Qué notó ella?   10. ¿Qué contenía el cajón?   11. ¿Qué faltaba de allí?   12. ¿Qué creyó ella?   13. ¿Qué escribió con lápiz?   14. ¿Quién apareció en la puerta?   15. ¿Qué le dijo la condesa?   16. ¿Qué trajo Lucía?   17. ¿Qué quería hacer la condesa?   18. ¿Qué exclamó la doncella?   19. ¿Qué hizo la condesa entonces?   20. ¿Cómo cayó ella?

---

[1]**nadie más,** *anyone else.* [2]**delegación,** *police station.* [3]**caja de cartón,** *cardboard box.* [4]**Trabajo me ha costado,** *It has been hard for me.* [5]**perdido el conocimiento,** *unconscious.*

EJERCICIOS

A. Lean Uds. en español, luego repitan, cambiando cada verbo al pretérito:

1. La condesa de Noroña hace un movimiento de contrariedad.
2. Toca el timbre y dentro de poco viene la doncella.
3. La dama pasa a la amplia alcoba y toma de su secreter unas llaves pequeñas.
4. Se dirige a otro mueble y lo abre.
5. La señora empieza a examinar los otros cajones.
6. Una impresión extraña domina a la condesa.
7. La dama escribe con lápiz algunas palabras en una tarjeta y la pone en un sobre.
8. Cuando Gregorio aparece en la puerta, ella se la entrega.
9. Sola otra vez, la condesa vuelve a mirar los cajones.
10. Su terrible mirada busca la de Lucía, y la encuentra fija en el escritorio.
11. La condesa abre la boca, extiende los brazos, comprende . . . sin comprender.
12. De repente cae hacia atrás, perdido el conocimiento.

B. Usen Uds. los modismos y las frases siguientes en oraciones *(sentences)* completas:

asistir a	dentro de poco	dirigirse a	de repente
lo peor	a cualquier hora	poco a poco	tratarse de
otra vez	en ese momento	sin duda	dos veces

La lección de música

Vicente Riva Palacio (Mexico, 1832-1896), soldier, politician, and diplomat, wrote a number of Mexican historical novels and realistic short stories. The confidence game, which he has chosen to depict in La lección de música, *has long existed in fact and in fiction, because there is always someone gullible enough and greedy enough to be taken in by what appears to be a chance to make a "fast dollar." The music lesson in this story, which is adapted from* Un stradivarius, *is indeed a costly one.*

MODISMOS Y FRASES ÚTILES

al fin   finally, at last
en el acto   at once
en medio de   in the middle (midst) of
ocho días   a week
pierda Ud. cuidado   don't worry

por casualidad   by chance
por todos lados   on all sides, all around
puesto que   since
ser (muy) aficionado a   to be (very) fond of

NOTAS

1. The present tense is often used in Spanish for the future:

. . . en este momento se los doy y me lo llevo.   . . . at this moment I'll give them to you and I'll take it with me.
. . . le doy a usted cincuenta . . .   . . . I'll give you fifty . . .

2. The passive voice is more common in English than in Spanish. Frequently a sentence in the active voice is better translated by the English passive, especially if the sentence is long:

. . . le llamó la atención la caja del violín tan vieja y maltratada, ... his attention was attracted by the violin case which was so old and mistreated, . . . (Note the extra words needed for translation.)
. . . me lo dejaron a guardar, ... it was left for me to keep, . . .

3. The subjunctive may be translated by the English present (or present perfect) participle, particularly after **sin que** (second and third examples):

¿Tendría usted inconveniente en que dejara yo . . . ?   Would you have any objection to my leaving . . . ?
. . . ahí lo encontrará sin que nadie lo haya tocado.   . . . you will find it there without anyone's having touched (played) it.
Pasaron ocho días sin que el caballero . . . se presentara . . .   A week passed without the gentleman's . . . presenting himself . . .

I

—¿Qué desea usted? Pase usted, caballero; aquí hay todo lo que pueda necesitar. Tome usted asiento si quiere . . .

—Mil gracias. Deseaba yo ver unos ornamentos de iglesia de mucho lujo.[1]

—Aquí encontrará usted cuanto necesite, todo muy bueno, muy barato y para todas las fiestas del año.

—Pues, veremos; porque tengo un encargo de un tío muy rico, de Guadalajara, que quiere hacer un regalo a la catedral.

El vendedor era el tío Samuel, un rico comerciante y dueño de una gran joyería situada en una de las principales calles de México; pero en ella podían encontrarse collares y pulseras, pendientes y alfileres de brillantes,[2] de rubíes, de perlas y esmeraldas, ornamentos de iglesia, lujosos muebles y objetos de arte.

---

[1] **de mucho lujo,** *very elegant.* [2] **alfileres de brillantes,** *pins of diamonds.*

El tío Samuel era bajo de estatura, gordo y rubio; también era muy codicioso. El caballero era un joven pálido, alto y delgado, con mirada triste, pelo lacio,[1] levita[2] negra y vieja, y pantalones negros y viejos. Además, llevaba en la mano izquierda un violín metido en una caja de tafilete[3] negro. Sin duda era un músico.

Dejó el músico la caja sobre el mostrador y comenzó don Samuel a presentar ornamentos. Se tomaron medidas, se hicieron comparaciones y, por fin, después de una hora de conferencia, el músico tenía ya todos los informes para escribir al tío y esperar la respuesta y el giro. Antes de retirarse, dijo:

—¿Tendría usted inconveniente en que dejara yo° aquí este violín para no tener que llevarlo a mi casa, porque vivo lejos?

—Ninguno —contestó el vendedor.

—Pero es que quisiera que no se maltratara, porque lo estimo en mucho.[4]

—Pierda usted cuidado. Vea usted dónde lo coloco, y ahí lo encontrará sin que nadie lo haya tocado.°

Y como trataba de atraer a un buen comprador, colocó cuidadosamente la caja en una vitrina donde todo el mundo la vería.

Al día siguiente, entre la multitud de compradores que entraron en la casa de don Samuel, llegó un caballero de unos cuarenta años de edad, de aspecto aristocrático, elegantemente vestido. Buscaba un alfiler para corbata y no pudo hallar ninguno que le gustase; pero al retirarse le llamó la atención la caja del violín tan vieja y maltratada,° en medio de tantos objetos brillantes y lujosos.

—¡Qué! ¿También vende usted instrumentos de música, o es ese violín tan bueno que lo guarda usted en esa caja tan horrible?

—No es mío; me lo dejaron a guardar,° y con tales recomendaciones que sólo ahí me pareció seguro.

—¡Hombre! Enséñemelo usted, que yo soy también aficionado a violines. Debe de ser[5] una cosa de poco valor.

El tío Samuel abrió la caja, el caballero tomó el violín, lo miró, lo volvió por todos lados, y al fin, mirando al vendedor, le dijo:

—Éste es un violín de Stradivarius legítimo, y si usted quiere por él seiscientos duros, en este momento se los doy y me lo llevo.°

El vendedor abrió los ojos, la boca y los oídos, y hasta las manos, no sólo por el descubrimiento, sino porque pensaba comprarle el violín al[6] pobre músico, que seguramente necesitaba dinero y que no sabía el gran valor del instrumento. Se le ocurrió[7] en seguida decirle al caballero:

—Mire usted, el violín no es mío; pero si usted quiere poseerlo, le hablaré al dueño, aunque me parece que ha de pedir[8] mucho por él.

—¿Me pregunta si quiero poseerlo? En París cuando por casualidad hay un Stradivarius, vale unos diez o doce mil francos.

---

[1]**lacio,** *straight.* [2]**levita,** *Prince Albert coat.* [3]**tafilete,** *Morocco leather.* [4]**lo estimo en mucho,** *I esteem it highly.* [5]**Debe de ser,** *It must be.* [6]**al,** *from the.* [7]**se le ocurrió,** *it occurred to him.* [8]**ha de pedir,** *he will ask.* **Haber de** plus the infinitive is sometimes used for the future tense.

—¿Y hasta cuánto puedo ofrecer?

—Pues, oiga usted mi último precio. Si me lo consigue usted por mil duros, le doy a usted cincuenta° y pasado mañana vendré a averiguar lo que pide el dueño, porque tengo que salir para Veracruz y no puedo perder más tiempo.

II

Al día siguiente el pobre músico llegó a la joyería. No había noticia todavía del tío que quería los ornamentos, pero venía a recoger su violín.

El tío Samuel lo sacó de la vitrina afectando la mayor indiferencia y, antes de entregárselo, le dijo:

—Hombre, si usted quisiera vender este violín, yo tengo un amigo que es aficionado a los violines y quiero hacerle un regalo, puesto que usted dice que es bueno.

—¡Oh, no, señor! Yo no lo vendo.

—Pero yo le pago muy bien. Le daré a usted trescientos duros.

—¿Trescientos duros? Por doble no he querido venderlo.[1]

—¡Bah! No vale tanto, pero para que vea usted que quiero favorecerle, le daré seiscientos.

—No, señor, de ninguna manera.

—Setecientos.

—Mire usted; estoy muy pobre, tengo que sostener a mi madre que está enferma y pagar otros gastos. Si usted me diera ochocientos duros, se lo dejaría,[2] pero en el acto.

Don Samuel pensó un momento: «Ochocientos me cuesta; en mil se lo doy al caballero que debe venir esta tarde, y que me ha ofrecido, además, cincuenta duros; gano doscientos cincuenta de una mano a otra.»[3] Y continuó, diciendo en voz alta:

—Bien, joven; para que vea usted que quiero ayudarle, aquí están mis ochocientos duros.

Y abriendo una caja de hierro, sacó en oro el dinero que le entregó al músico. El joven lo recibió con lágrimas en los ojos, diciendo en voz baja: «¡Madre mía! ¡Madre mía!», y salió de la joyería rápidamente.

III

Pasaron ocho días sin que el caballero que deseaba comprar el violín se presentara° en la tienda a cumplir su promesa. En ese momento entró en ella, por casualidad, uno de los famosos violinistas extranjeros que había llegado a México a dar algunos conciertos.

---

[1]**no he querido venderlo,** *I have refused to sell it.* [2]**se lo dejaría,** *I would let you have it.* [3]**de una mano a otra,** *in the deal (exchange).*

—A ver, ¿qué le parece a usted este violín? —le preguntó don Samuel, que ya lo conocía, abriendo la caja y mostrándole el Stradivarius.

El extranjero tomó el violín, lo examinó cuidadosamente, lo tocó un poco, y se lo entregó al vendedor, diciendo:

—Pues, no vale más que cinco duros.

Casi se cayó al suelo el tío Samuel . . . cuando recordó cuanto había pagado por el instrumento.

Muchos años después enseñaba el violín, diciendo:

—Fui muy tonto. Esta lección de música me ha costado ochocientos duros.

Preguntas

1. ¿Qué deseaba ver el joven?   2. ¿Cómo se llamaba el dueño de la tienda?   3. ¿Qué cosas se vendían allí?   4. ¿Cómo era el dueño?   5. ¿Qué llevaba el joven?
6. ¿Dónde puso la caja?   7. ¿Para quién eran los ornamentos que deseaba ver?
8. ¿Por qué quería dejar allí el violín?   9. ¿Quién llegó a la tienda al día siguiente?
10. ¿Qué buscaba?   11. ¿Qué le llamó la atención?   12. ¿Cuánto le ofreció primero al vendedor por el instrumento?   13. ¿Cuál fue el último precio del caballero?

14. ¿Cuándo volvió el músico?   15. ¿Quería vender el violín?   16. ¿Cuánto le ofreció primero el tío Samuel?   17. Al fin, ¿cuánto pidió el músico?   18. ¿Por qué necesitaba dinero?   19. ¿Cuánto esperaba ganar don Samuel?

20. ¿Cuándo se presentó por fin el caballero?   21. ¿Quién entró en la tienda?
22. ¿Qué le preguntó al extranjero don Samuel?   23. Según el violinista, ¿cuánto valía el violín?   24. ¿Qué pasó entonces?   25. ¿Qué dijo el tío Samuel muchos años después?

EJERCICIOS

A.   Busquen Uds. en la primera parte de este cuento lo contrario de estas palabras:

pobre	gordo	poco	contento
malo	cerca	comprador	nuevos
bajo	blanco	vender	derecha

B.   Completen Uds. cada frase en español:

1. El dueño de la joyería se llamaba _____ y era un hombre _____.
2. Entró en la tienda un joven _____ que quería comprar _____.
3. Éste pidió permiso para _____.
4. Al día siguiente un caballero le ofreció al tío Samuel _____ por _____.

5. Cuando el joven volvió a la tienda, _____ le pagó _____.
6. Una semana más tarde entró en la tienda un _____ que había llegado a México a

    _____.

7. El tío Samuel le preguntó: —¿ _____?
8. El músico le dijo que _____.
9. Al saber esto, el hombre codicioso _____.
10. Por fin decidió que su lección de música _____.

Las noches largas de Córdoba

*Narciso Campillo (1835-1900) wrote about the southern Spain in which he lived. In this
story we have a practical joker whose pranks scarcely seem possible unless you know
how very dark a* **persiana** *can make a room. (A* **persiana,** *a heavy metal blind similar
to our Venetian blinds, covers the window completely on the outside.) If you have
experienced this darkness, you will realize that this is not a preposterous tale with a
stupid principal character, but rather the perfectly possible story of a simple and
unsuspecting countryman who visits in the home of a city friend.*

MODISMOS Y FRASES ÚTILES

a cada momento   at every moment,
   all the time
a sus órdenes   at your service
a todas partes   everywhere
al anochecer   at nightfall
al cabo   finally
al cabo de   after, at the end of
¡anda!   go ahead (on)!
aquí mismo   right here
¡basta!   stop! that's enough!
¡cómo!   what!
cuanto antes   as soon as possible
dar (las tres)   to strike (three)

de la noche   in the evening, P.M.
dispensa (tú), dispense Ud.   excuse
   me
hace poco tiempo   a short time ago
por lo menos   at least
¿qué manda Ud.?   what would you
   like? what can I do for you?
quince días   two weeks
tener apetito   to be hungry, have an
   appetite
tener el gusto de + *inf.*   to have the
   pleasure to + *inf.* (of + *pres. part.*)
tener hambre   to be hungry

NOTAS

1. The preterit perfect tense, formed with the preterit of **haber** plus the past
participle, is used only after conjunctions such as **cuando, en cuanto, después (de)
que,** and **apenas,** *scarcely, hardly.* Except after such conjunctions, the pluperfect is
used as the equivalent of the English past perfect: (**él**) **había comido en el camino,**
he had eaten on the way (road).

Apenas se hubo sentado, . . .   Scarcely had he sat down, . . .

2. You found in Lección 23, page 304, that the future tense is often used in Spanish to express something that is probably true in the present and that the conditional and future perfect tenses are used to express what was probably true in the past. The words *probably, must, I wonder, it may (might) be*, and similar expressions are used in the translation of these tenses in this usage:

. . . aquí pasará . . .   . . . it probably happens (must happen) here . . .
¿Sería todavía de noche o estaría soñando?   Could it still be night or could he be dreaming?
. . . ya faltará poco.   . . . it must be almost that time.
Bien podría ser . . .   It might well be . . .

3. **Tener** is used with a past participle to describe the resultant state of an action that has been completed. Contrary to its use with **haber** to form the perfect tenses, the past participle agrees with the noun in gender and number:

. . . la habitación que le tenía preparada, ... the room that he had ready (prepared) for him, . . .

4. **Alguno, -a,** used after a noun is negative and is very emphatic, often equivalent to *any at all, any whatever:*

. . . no se oía ruido alguno fuera.   . . . no noise whatever was heard outside.
. . . ni oía ruido alguno.   . . . nor did he hear any noise at all (whatever).

5. In addition to its use as a pronoun object, meaning *it*, **lo** is used:

a. With an adjective to form an abstract noun:

. . . yo no diré lo contrario.   . . . I shall not say the opposite (contrary).
. . . lo importante es que me muero de hambre . . .   . . . the important thing is that I am dying of hunger . . .
. . . en lo mejor de su sueño.   . . . in the best part (very middle) of his sleep.

b. with adverbs to form an adverbial phrase:

. . . respondió lo mejor que pudo, ... (he) answered the best (that) he could, . . .

c. With **que** to form a compound relative pronoun, meaning *what, that (which):*

Lo que aseguro es . . .   What I affirm is . . .
Éste se reía mucho de lo que oía . . .   The latter laughed much (heartily) at what he heard . . .
Lo que quiero es que amanezca.   What I want is that dawn come.
La paciencia es lo que a mí me falta.   Patience is what I lack (need).
. . . tendrá usted todo lo que quiera.   . . . you will have all that you may wish.

I

El señor Frutos llegó una tarde a Córdoba. Dejó su mulo en un establo, y en seguida se presentó en casa de su amigo, el señor Lopera. Como era tan gordo y hacía mucho calor, llegó rojo como un tomate. Apenas se hubo sentado,° sacó un pañuelo, se limpió el cuello y la cara y empezó a preguntarle a su amigo muchas tonterías. El señor Lopera respondió lo° mejor que pudo, y al anochecer le llevó al comedor donde había una comida excelente. Pero el señor Frutos había comido en el camino y no tenía ganas de cenar; en cambio, bebía mucho.

—Amigo Frutos, déjese usted de beber [1] y tome esta carne o algo más.

—No tengo hambre, gracias, sino sed. Mañana verá usted si tengo apetito.

—Es que de aquí a mañana [2] no es tan breve como usted cree. ¿No ha oído hablar de las noches largas de Córdoba?

—No, señor, pero aquí pasará° como en mi pueblo: las noches son largas en diciembre y enero, y cortas en el verano; esto lo [3] saben hasta los niños y los tontos.

—Sin duda así es, y yo no diré lo° contrario. Lo° que aseguro es que, aún teniendo el mismo número de horas, aquí las noches parecen mucho más largas que en otros lugares, y de ahí viene su fama.

—Pues, señor Lopera, aunque sean más largas que la Letanía, [4] seguramente no lo advertiré porque vengo tan cansado que nada podrá despertarme. Y hablando de sueño, con su permiso quisiera acostarme.

El señor Lopera le acompañó a la habitación que le tenía° preparada, y le dijo:

—Aquí, amigo mío, estará usted fresco y descansará bien, sin que nada ni nadie le moleste. ¿Ve usted allí un cordón, cerca de la cama? Pues si necesita algo, tire de él y vendrá inmediatamente un criado que he puesto a sus órdenes. Conque, [5] amigo Frutos, que duerma usted bien.

El señor Frutos le dio las gracias y quedó solo. Pronto se metió en la cama. Eran las once y se durmió en seguida.

II

Dejémosle descansar, mientras el señor Lopera da sus instrucciones al criado, que era listo y muy a propósito para [6] hacer una broma. Éste se reía mucho de lo° que oía y prometió seguir las órdenes de su amo.

El señor Frutos tenía razón al decir que tenía ganas de dormir . . . Desde las once de la noche hasta las doce del día siguiente durmió trece horas sin despertarse una sola vez. Pero como todo tiene su fin, a las doce se despertó y se sentó en la cama. Al abrir los ojos no vio nada. La habitación estaba negra y no se oía ruido alguno° fuera. Aquel cuarto obscuro y silencioso parecía una tumba. ¡Cómo! ¿Era posible que aún no hubiese amanecido? Quedó sentado en la cama más de una hora y media. Nada: ni entraba un rayo de luz, ni oía ruido alguno.° Al fin tiró del cordón, pero nadie vino. Tiró otra vez, con más fuerza. Entonces, al cabo de algunos minutos, sintió [7] los pasos de un hombre que andaba despacio. Era el criado. Venía en camisa

---

[1] **déjese usted de beber,** *stop drinking.* [2] **de aquí a mañana,** *from now until tomorrow.* [3] **lo.** (Do not translate—used to indicate that the object **esto** precedes the verb.) [4] **Letanía,** *Litany* (a prayer of supplication). [5] **conque,** *so.* [6] **listo y muy a propósito para,** *clever and very ready to.* [7] **sintió,** *he heard.*

de noche, sin zapatos, con una vela en la mano, y con esa cara del hombre a quien han despertado en lo° mejor de su sueño. Bostezó, [1] y le dijo al señor Frutos:

—Acabo de oír la campanilla. ¿Qué manda usted? ¿Se ha puesto enfermo?

—¡No lo permita Dios, [2] hombre! ¿Por qué había de ponerme [3] enfermo?

—¿Qué sé yo? [4] Como usted acaba de acostarse hace poco tiempo, y me llama a medianoche, creí . . .

—¡Hace poco tiempo! ¡A medianoche! ¡Dios mío! ¿Es medianoche todavía? Y la gente de la casa, ¿no se ha levantado?

—¿Para qué se ha de levantar, [5] señor? Yo me he levantado, pensando que usted me necesitaba, cuando llamó.

—Dispensa, hombre, y vuélvete a tu cama. Creí haber dormido [6] nueve o diez horas por lo menos.

El criado salió con la vela en la mano, cerró la puerta, y se retiró silenciosamente. Quedó otra vez en la obscuridad el señor Frutos, pues por la ventana y la puerta no entraba un rayo de luz. Procuró entonces dormirse, y logró hacerlo después de un largo rato. Pero como ya había descansado muchas horas, durmió solamente hasta las tres y media o las cuatro de la tarde. La misma obscuridad, el mismo silencio. ¿Cómo? ¿Sería° todavía de noche o estaría soñando?

El buen hombre se tocaba el rostro, el pecho, los brazos, para convencerse de que estaba verdaderamente despierto. Al cabo tiró del cordón. Poco después llegó el criado, como antes, y preguntó qué deseaba.

—¿Qué he de desear? [7] Levantarme. Ya me parece que hace una semana que duermo. Tengo sed, tengo hambre. ¡Qué país! ¡Las horas parecen siglos!

El criado le dio agua, y mientras bebía, le dijo:

—¡Levantarse! ¿Y para qué? ¿Para aburrirse, esperando la llegada del día? ¿Sabe usted qué hora es?

—Dame ese reloj, que está allí en la mesa, y lo sabremos.

El criado le llevó el reloj con mucho gusto.

—¡Las tres y media! —exclamó el señor Frutos, mirando su reloj. —¡Las tres y media, nada más! ¡Conque faltan dos horas y media hasta que amanezca, [8] si es que jamás amanece en esta ciudad!

—Pues me parece, señor, que ese reloj anda [9] muy de prisa. Desde mi cuarto se oye el de la iglesia y además, al venir miré el del comedor y todavía no han dado las tres, aunque ya faltará° poco.

—La paciencia es lo° que a mí me falta. Dame agua otra vez, hombre. . . Gracias. ¡Si lo hubiera sabido! Pero, ¿qué hacen aquí de noche? ¿En qué se divierten?

[1]**Bostezó,** *He yawned.* [2]**¡No lo permita Dios!** *God forbid!* [3]**¿Por qué había de ponerme . . . ?** *Why should I become . . . ?* [4]**¿Qué sé yo?** *How should I know?* [5]**¿Para qué se ha de levantar . . . ?** *Why should they get up. . . ?* [6]**Creí haber dormido,** *I thought (that) I had slept.* [7]**¿Qué he de desear?** *What do you think I want?* [8]**¡Conque . . . amanezca, . . . !** *And so it is two and a half hours until dawn (until it dawns), . . . !* [9]**ese reloj anda,** *that clock runs.*

—¿En qué? Pues, en dormir. ¿Quiere usted pasarla jugando a la pelota?

—Lo° que quiero es que amanezca. Mira: puedes retirarte; pero en cuanto amanezca, no dejes de llamarme, aunque seguramente estaré despierto. ¡Y qué hambre tengo!

—¿Quiere usted que le traiga vino y bizcochos, o alguna otra cosa?[1]

—No, retírate, retírate; pero quiero que me llames antes que salga el sol.[2]

—Pierda usted ciudado —contestó, saliendo con la vela.

III

El señor Frutos se quedó solo con sus pensamientos otra vez. ¿En qué pensaba? En mil cosas . . . Se acordaba de su pueblo, de su familia, de sus amigos y hasta de su mulo que había dejado en el establo. Pasó una hora, dos horas, y al fin se durmió otra vez. Cuando se despertó de nuevo, era verdaderamente de noche. Llamó por tercera vez y por tercera vez vino el criado. Pero en esta ocasión venía de mal humor.

—Parece que no voy a dormir esta noche. Si usted estuviera enfermo, yo le ayudaría, pero estando bueno, ¿por qué se divierte en llamarme a cada momento?

—¡A cada momento! ¿Dices que me divierto? Mira, tráeme el reloj otra vez. El criado tomó el reloj, lo miró y dijo:

—Se ha parado.

—Lo creo de veras, porque no anda para siempre. Pero, hombre, ¿es posible que no haya amanecido todavía? Dos veces he querido[3] abrir la ventana, y no pude hacerlo. Abre tú, y veremos.

El criado fue derecho a la ventana y la abrió. Era de noche esta vez y el pobre señor Frutos exlamó:

—¡Pues, es de noche y está lloviendo! ¡Si esto sigue me voy a morir de viejo[4] antes de que amanezca! Tengo hambre. Mientras me visto, porque no quiero quedarme más en la cama, tráeme varias libras de jamón, pan, y . . .

—Señor, eso no puede ser: la gente de esta casa se ha acostado y el cuarto donde todo se guarda está cerrado; pero en el comedor hay vino y bizcochos. Si usted quiere . . .

—¡Por supuesto, hombre! ¡Bizcochos y vino! Pero ¡anda, y no tardes, o vas a encontrarme muerto! ¡Anda, hombre, anda!

Salió el criado y al poco rato volvió con un plato de bizcochos y una botella de vino y lo puso todo sobre la mesa.

—Puedes retirarte, hombre, y muchas gracias. No volveré a llamarte. Aquí mismo aguardaré hasta que amanezca.

---

[1] **alguna otra cosa,** *anything (something) else.* [2] **antes que salga el sol,** *before sunrise (the sun rises).* [3] **he querido,** *I have tried.* [4] **me voy a morir de viejo,** *I'm going to die of old age.*

IV

Como todo tiene su fin en el mundo, lo tuvo también aquella noche. Con la primera luz del día, que le parecía tan bella al señor Frutos, corrió del cuarto, llamando a todas las puertas y exclamando:

—¡Ya amaneció,[1] señores; ya va a salir el sol!

Despertó a todas las personas de la casa, algunas de las cuales creyeron que el señor Frutos se había vuelto loco. El primero que se presentó fue el señor Lopera, medio despierto, con un pañuelo de seda en la cabeza y vestido en su camisa de noche. Preguntó:

—¿Qué es esto? ¿Qué ruido es éste, hombre?

—¡Pues, amaneció y va a salir el sol! ¡Por fin se acabó la noche![2]

—¿Y para eso tanto ruido? Todas las noches se acaban; todos los días sale el sol, si no está nublado, y luego viene otra vez la noche con su luna y las estrellas.

—¡Usted dice que viene otra vez la noche! —exclamó con terror el señor Frutos.
—¡La noche se parece a un siglo! En cuanto me desayune, monto en mi mulo, y vuelvo a mi pueblo. Ya no quiero ver las maravillas de Córdoba. Llegué el martes, y me voy el miércoles.

—Dispense usted, amigo Frutos. No es miércoles, sino jueves. Soy su amigo y me alegro de tenerle en mi casa; en ocho o quince días[3] tendré el gusto de acompañarle a todas partes, y . . .

—¡Ocho o quince días, es decir, ocho o quince noches como la que he pasado! ¡De ninguna manera! Y usted asegura que hoy es jueves y no miércoles. Bien podría ser° sábado y hasta domingo. He perdido la cuenta del tiempo, pero lo° importante es que me muero de hambre; sí, señor, de hambre, y de eso no tengo duda. Mande usted que me preparen algo: sopa, huevos, jamón, pan, vino . . .

—¡Basta, amigo Frutos! Tendrá usted todo lo° que quiera. Aguárdeme en el comedor.

Mientras que el señor Frutos comía libras de carne y pan y bebía muchas copas de vino, el señor Lopera le describía todas las maravillas de la ciudad de Córdoba, pero todo esto fue escribir sobre la arena. El señor Frutos se quedó firme en su propósito. Todavía no eran las nueve de la mañana cuando, montado en su mulo, se daba prisa para verse cuanto antes en su pueblo.

Muy antigua es en Andalucía la costumbre de saludarse los viajeros,[4] aunque no se conozcan ni jamás se hayan visto.[5] El señor Frutos se encontró con muchos en el camino que se dirigían a Córdoba, pero cuando alguien le saludaba, contestaba siempre:

—¡Qué noches tan largas!

Durante toda su vida cuando hablaba de una gran distancia, de una persona muy alta, o de algo que duró mucho tiempo, siempre decía:

—¡Es más largo que las noches de Córdoba!

---

[1]**¡Ya amaneció . . . !** *Dawn has arrived at last . . . !* [2]**se acabó la noche,** *the night has ended.* [3]**en ocho o quince días,** *in a week or two.* [4]**la costumbre de saludarse los viajeros,** *the custom of travelers greeting each other.* [5]**aunque . . . visto,** *even though they do not know each other or have never seen each other.*

Preguntas

1. ¿Adónde llegó el señor Frutos?   2. ¿Dónde se presentó?   3. ¿Qué tiempo hacía?   4. Al sentarse, ¿qué hizo?   5. ¿Qué hizo en vez de comer?   6. ¿De qué no había oído hablar?   7. ¿Qué dijo el señor Lopera en la habitación?   8. ¿Qué hora era?

9. ¿Cómo era el criado?   10. ¿Cuántas horas durmió el señor Frutos?   11. ¿Qué vio al abrir los ojos?   12. ¿Cómo parecía el cuarto?   13. ¿Cuánto tiempo quedó sentado en la cama?   14. Al fin, ¿qué hizo?   15. ¿Cómo estaba vestido el criado?   16. Según el criado, ¿qué hora era?   17. ¿Hasta qué hora durmió entonces el señor Frutos? 18. ¿Qué le trajo el criado?

19. ¿En qué pensaba el señor Frutos?   20. ¿Cuándo se despertó por tercera vez? 21. ¿Qué quería el señor Frutos para comer?   22. ¿Qué le trajo el criado esta vez? 23. ¿Hasta cuándo aguardará el señor Frutos?

24. ¿Qué hizo el señor Frutos al ver la luz del día?   25. ¿Cómo se presentó el señor Lopera?   26. ¿Qué preguntó éste?   27.¿Qué le parecía la noche al señor Frutos? 28. ¿Qué iba a hacer después de desayunarse?   29. ¿Qué comió?   30. ¿Qué le describía el señor Lopera?   31. Cuando alguien le saludaba en el camino, ¿qué contestaba?   32. ¿Qué decía el señor Frutos cuando hablaba de algo que duró mucho tiempo?

EJERCICIOS

A.   Cambien Uds. cada verbo de la primera persona del pretérito a la tercera persona, comenzando la frase con **El señor Frutos.** Cambien también los adjetivos y los pronombres cuando sea necesario.

Modelo: Llegué a casa de mi amigo.   El señor Frutos llegó a casa de su amigo.

1. Dejé mi mulo en un establo.
2. Me presenté en casa de mi amigo.
3. Llegué rojo como un tomate.
4. Saqué un pañuelo.
5. Me limpié el cuello y la cara.
6. Empecé a preguntarle a mi amigo muchas tonterías.
7. Me acosté temprano.

8. Le di las gracias al señor Lopera.
9. Me metí en la cama.
10. Me dormí en seguida.

B. Lean Uds. en español, escogiendo la expresión apropiada *(appropriate)* para completar las frases.

acababa de   para convencerle de
ha de   perdiera cuidado
me falta   saliera el sol
muy a propósito para   serían

1. El criado era un hombre _____ hacer una broma.
2. El criado dijo que _____ oír la campanilla.
3. Luego le dijo al señor Frutos que _____, porque él mismo le llamaría antes que

   _____.

4. El señor Frutos no sabía qué hora era. Creía que _____ las siete de la mañana.
5. Una vez el señor Frutos dijo: —Lo que a mí _____ es la paciencia. _____ ser hora de levantarme.
6. El criado tuvo que hablar mucho _____ que no había amanecido.

C. Hagan Uds. frases originales, empleando las siguientes expresiones:

1. tener que
2. aquí tiene usted
3. tener . . . años (de edad)
4. tener tiempo para
5. tener ganas de
6. tener mucho gusto en
7. tener razón (suerte, miedo, sed, hambre)

D. ¿Verdad o no?

Repitan Uds. cada frase, indicando si es verdad o no.

1. El señor Frutos pensó en su pueblo y en su familia toda la noche.
2. No sabía dónde estaba su mulo.
3. Cuando el criado abrió la ventana era de noche y estaba lloviendo.
4. La luz del día le pareció muy bella al señor Frutos.
5. No pudo comer nada en el desayuno.
6. Había estado en Córdoba unas treinta o treinta y dos horas.
7. Al despertarse, tenía muchas ganas de ver las maravillas de Córdoba.
8. La expresión «escribir sobre la arena» quiere decir «gastar tiempo y palabras».

El buen ejemplo

El buen ejemplo *is vastly different from* La lección de música, *which was also written by Vicente Riva Palacio. You will have to decide for yourself what you find in it. Is it merely fantasy—an imaginary tale about a man and his parrot? Is it primarily a picture of customs and manners? Is it satire, wherein only a parrot imitates the teacher? Or is it another example of the old saying, "Imitation is the sincerest form of flattery"?*

MODISMOS Y FRASES ÚTILES

a medida que   as, in proportion as   **fuera de**   out(side) of
al principio   at first, at the beginning   **raras veces**   seldom, rarely

NOTAS

1. The infinitive is regularly used after the verbs **oír**, *to hear*, **ver**, *to see*, and **mirar**, *to watch, look at:*

. . . que los miraba alejarse, ... who watched them leave, . . .
. . . han visto desaparecer las sombras de la ignorancia.   . . . (they) have seen the shadows of ignorance disappear.

2. The passive voice in Spanish is often best rendered by an active construction in English:

. . . en coro se estudiaban y en coro se cantaban no sólo las letras . . .   . . . in a chorus they studied and in a chorus they sang (chanted) not only the letters . . .
. . . se veía al ingrato . . .   . . . they saw the ungrateful one (wretch) . . .

3. In direct address, **señor** is used before a title for courtesy without an English equivalent.

Que may be used at the beginning of a sentence or a clause for emphasis or to express surprise (as in the example which follows), indignation, and the like. In other cases you will find that it has a variety of meanings.

¡Señor maestro, que se vuela Perico!   Master, Pete is flying away!

En la parte sur de la República Mexicana, y en las cuestas de la Sierra Madre, hay un pueblecito como son en general todos aquéllos: casitas blancas cubiertas de tejas rojas o de brillantes hojas de palma, que se refugian de los ardientes rayos del sol tropical a la fresca sombra de los árboles.

En este pueblo había una escuela que debe estar allí todavía; pero entonces la dirigía don Lucas Forcida, hombre muy bien querido de[1] todos los vecinos. Jamás faltaba al cumplimiento de su pesada obligación.[2]

En esa escuela, siguiendo las costumbres tradicionales de aquellos tiempos, el estudio para los muchachos era una especie de orfeón;[3] y en diferentes tonos, pero siempre con gran monotonía, en coro se estudiaban y en coro se cantaban no sólo las letras° y las sílabas, sino también la doctrina cristiana y la tabla de multiplicar. Había veces cuando los chicos gritaban a cual más y mejor.[4]

A las cinco de la tarde los chicos salían corriendo de la escuela, tirando piedras, coleando perros y dando gritos y silbidos,[5] pero ya fuera del poder de don Lucas, que los miraba alejarse,° trémulo de satisfacción.

Entonces don Lucas se pertenecía a sí mismo: sacaba a la calle una gran butaca de mimbre;[6] un criado le traía una taza de chocolate con pan, y don Lucas, gozando del fresco de la tarde, comenzaba a tomar su modesta merienda, partiéndola cariñosamente con su loro.

Don Lucas tenía un loro que era, como se dice hoy, su debilidad, y que se quedaba en una percha a la puerta de la escuela, a respetable altura para escapar de los muchachos, y al abrigo del[7] sol por un pequeño cobertizo de hojas de palma. Aquel loro y don Lucas se entendían perfectamente. Raras veces mezclaba sus palabras, más o menos bien aprendidas, con los cantos de los chicos.

Pero cuando la escuela quedaba desierta y don Lucas salía a tomar su chocolate, entonces aquellos dos amigos daban expansión libre a todos sus afectos. El loro recorría la percha de arriba abajo,[8] diciendo cuanto sabía y cuanto no sabía; se colgaba de las patas, cabeza abajo, para recibir el pan mojado con chocolate que con cariño le llevaba don Lucas.

Y esto pasaba todas las tardes.

Pasaron así varios años, y don Lucas llegó a tener tal confianza en su querido *Perico*,[9] como lo llamaban los muchachos, que ni le cortaba las alas ni le ponía cadena.

Una mañana, a eso de las diez, uno de los chicos, que por casualidad estaba fuera de la escuela, gritó espantado:

—¡Señor maestro, que° se vuela *Perico*!

Oír esto y lanzarse a la puerta maestro y discípulos, fue todo uno;[10] y, en efecto, a lo lejos, como un grano de esmalte[11] verde herido por los rayos del sol, se veía al ingrato° volando hacia el cercano bosque.

---

[1]**querido de,** *loved by.* [2]**Jamás . . . obligación,** *He never faltered in the carrying out (fulfillment) of his difficult task.* [3]**una especie de orfeón,** *a kind of singing society.* [4]**a cual más y mejor,** *each trying to outdo the other (lit., each more and better).* [5]**coleando . . . silbidos,** *pulling dogs' tails and shouting and whistling.* [6]**butaca de mimbre,** *wicker (easy) chair.* [7]**al abrigo del,** *protected from the.* [8]**recorría . . . abajo,** *ran up and down the perch.* [9]**Perico,** *Pete.* [10]**Oír . . . uno,** *The moment the teacher and pupils heard this they rushed to the door.* [11]**esmalte,** *enamel.*

Como toda persecución [1] era imposible, porque no sabía don Lucas adónde había ido ni habría podido distinguirlo entre la multitud de loros que vivían en el bosque, don Lucas volvió a ocupar su asiento y las clases continuaron como si no hubiera pasado aquel terrible acontecimiento.

Pasaron varios meses, y don Lucas, que había olvidado la ingratitud de *Perico*, tuvo que hacer una excursión a uno de los pueblos cercanos, aprovechando sus vacaciones.

Muy temprano por la mañana ensilló su caballo, tomó un ligero desayuno y salió del pueblecito, despidiéndose de los pocos vecinos que encontraba por las calles.

En aquel país, los pueblos cercanos son los que sólo están separados por una distancia de doce a catorce leguas, y don Lucas necesitaba andar la mayor parte del día.

Eran las dos de la tarde; el sol derramaba torrentes de fuego; ni el viento más ligero agitaba las hojas de las palmas, inmóviles como árboles de hierro bajo el cielo claro y azul. Los pájaros se quedaban callados entre las hojas de los árboles, y sólo las cigarras cantaban constantemente en medio de aquel terrible silencio.

El caballo de don Lucas avanzaba lentamente, pero de repente don Lucas creyó oír a lo lejos el canto de los chicos de la escuela cuando estudiaban las letras y las sílabas.

Al principio aquello le pareció una alucinación producida por el calor, pero, a medida que avanzaba los cantos seguían siendo más claros; aquello era una escuela en medio del bosque desierto.

Se detuvo asombrado y temeroso, cuando de los árboles cercanos salió, tomando vuelo, una bandada de loros que iban cantando acompasadamente: [2] *ba, be, bi, bo, bu; la, le, li, lo, lu;* y tras ellos, volando majestuosamente, un loro, que al pasar cerca del espantado maestro, volvió la cabeza, diciéndole alegremente:

—¡Don Lucas, ya tengo escuela!

Desde esa época los loros de aquella región, adelantándose a su siglo,[3] han visto desaparecer las sombras de la ignorancia.°

---

[1]**persecución,** *pursuit.* [2]**iban cantando acompasadamente,** *were (going) singing rhythmically.*
[3]**adelantándose a su siglo,** *getting ahead of their own century.*

Preguntas

1. ¿Dónde está el pueblecito?   2. ¿De qué están cubiertas las casitas?   3. ¿Qué tiempo hace allí?   4. ¿Quién dirigía la escuela?   5. ¿Cómo estudiaban los muchachos?   16. ¿Qué aprendían?   7. ¿A qué hora salían de la escuela?   8. ¿Qué hacían al salir?   9. ¿Qué sacaba a la calle el maestro? 10. ¿Qué le traía un criado? 11. ¿Con quién partía don Lucas su merienda?

12. ¿Dónde se quedaba el loro?   13. ¿Qué hacía el loro mientras don Lucas estaba fuera de la escuela?   14. ¿Qué le daba don Lucas?

15. ¿Cómo llamaban al loro los muchachos?   16. ¿Qué hizo Perico una mañana? 17. ¿Por qué era imposible la persecución de Perico?

18. ¿Qué excursión tuvo que hacer don Lucas varios meses más tarde?   19 ¿Qué hizo muy temprano por la mañana?   20. ¿Qué tiempo hacía esa tarde?   21. De repente, ¿qué creyó oír don Lucas?   22. ¿De dónde salió una bandada de loros? 23. ¿Quién volaba tras los otros loros?   24. ¿Qué le dijo a don Lucas al pasar cerca de él?

EJERCICIOS

A.   Lean Uds. en español, luego repitan, empleando la forma apropiada del pretérito o del imperfecto:

1. El pueblo se parece a muchos pueblos mexicanos.
2. En él hay una escuela donde todo se estudia en coro.
3. Los chicos vuelven a casa todos los días a las cinco.
4. El maestro se llama don Lucas y cuando toma su merienda, la parte con su loro Perico.
5. Los dos, don Lucas y el loro, se entienden perfectamente.
6. Con los años don Lucas llega a tener gran confianza en Perico.
7. Ni le corta las alas ni le pone cadena.
8. Un día el pájaro ingrato sale de la escuela y vuela hacia el bosque.
9. Don Lucas no sabe dónde está Perico.
10. Un día tiene que hacer una excursión a otro pueblo.
11. Monta en su caballo y sale de su pueblo.
12. Son las dos de la tarde; el sol derrama torrentes de fuego.
13. Cree oír a lo lejos el canto de los chicos de la escuela.
14. Se detiene cuando ve una bandada de loros que cantan.
15. Uno de los loros le dice que tiene su propia escuela.

B. Contesten Uds. en una frase completa:

1. Si sales corriendo, ¿te vas lentamente?
2. Si el pájaro tiene un cobertizo de hojas, ¿está bajo o encima de ellas?
3. ¿Es ingrato o no el amigo que usa tu coche sin darte las gracias?
4. ¿Por qué le ponemos una cadena a un animal o a un pájaro?
5. ¿Es fácil distinguir a un loro de otros?

C. Busquen Uds. en este cuento lo contrario de estas palabras:

arriba	posible	aparecer	al fin	tarde
pesado	rápidamente	acercarse	recordar	dentro de

D. Describan Uds. a don Lucas Forcida.

El alacrán[1] de fray Gómez

Ricardo Palma (Peru, 1833-1919) was a great teller of tales. For background, he needed only a little history. To give purpose to his story, he often chose some human quality, such as generosity, pity, sympathy, greed, or false pride. He could then turn his imagination loose, moving at full speed ahead, to turn out a delightful story. His many tales, called tradiciones, *present a series of pictures of Peru's development from the time when it was an Inca empire through its colonial period, its struggle for independence from Spain, and on into its existence as an independent republic. The* Tradiciones peruanas, *from which* De Soto y los incas ajedrecistas *and* El alacrán de fray Gómez *have been adapted, are a pleasant mixture of fact, fiction, and in some cases, as in the story which you are about to read, a bit of the supernatural.*

NOTAS

1. When a direct object other than a personal pronoun object precedes the verb in Spanish, the corresponding object pronoun is used (also see footnote 3, page 366).

. . . todas las he encontrado cerradas.   . . . I have found all of them (them all) closed.

2. **Que** is often used as a conjunction meaning *for, because:*

. . . que así merecerá . . .   . . . for (because) in this way you will merit (have) . . .
. . . que si él lo quiere, ... for if he wishes (to) . . .

---

[1]**alacrán,** *scorpion.*

Cuando yo era muchacho, oía con frecuencia a las viejas exclamar, hablando del precio de una cosa: «¡Esto vale tanto como el alacrán de fray Gómez!» Y explicar este dicho es lo que me propongo con esta tradición.

Fray Gómez nació en España en 1560 y vino a Lima en 1587. Por muchos años vivió en un convento[1] franciscano, haciendo tantos milagros que ganó mucha fama entre la gente devota y supersticiosa.

Estaba una mañana fray Gómez en su celda, entregado a la meditación,[2] cuando alguien dio a la puerta unos discretos golpecitos, y una voz débil dijo:

—¡Alabado sea el Señor!

—Por siempre jamás, amén.[3] Entre, hermano —contestó fray Gómez.

Y entró en la celda un individuo humildemente vestido, pero en cuyo rostro se veía la proverbial honradez del castellano viejo.[4] En la celda no había más que cuatro sillones de cuero, una mesa sucia, una cama sin colchón ni sábanas,[5] y con una piedra por almohada.[6]

—Tome asiento, hermano, y dígame sin rodeos[7] lo que por acá le trae —le dijo fray Gómez.

—Soy un hombre de bien . . .

—Bien se ve,[8] y deseo que persevere, que° así merecerá en esta vida terrena la paz de la conciencia, y en la otra la bienaventuranza.[9]

—Es el caso que soy buhonero,[10] que tengo una familia numerosa, y que mi comercio no prospera por falta de dinero, que no por holgazanería.[11]

—Me alegro, hermano, porque a quien honradamente trabaja, Dios le ayuda.[12]

—Pero es el caso, padre, que hasta ahora Dios no me ha oído.

—No desespere, hijo, no desespere.

—Pues es el caso que he llamado a muchas puertas pidiendo un préstamo de quinientos duros, y todas las° he encontrado cerradas. Y es el caso que anoche me dije a mí mismo: «¡Ea![13] Jerónimo, buen ánimo[14] y anda a pedirle el dinero a fray Gómez; que° si él lo quiere, encontrará medio para sacarte del apuro.» Y es el caso que aquí estoy porque he venido, y a su paternidad le pido y ruego que me preste quinientos duros por seis meses.

—¿Cómo ha podido imaginarse, hijo, que en esta triste celda encontraría esa suma de dinero?

—No sé, padre, pero tengo fe en que no me dejará ir desconsolado.

—La fe le salvará, hermano. Espere un momento.

---

[1]**convento,** *monastery.* [2]**entregado a la meditación,** *lost in meditation.* [3]**Por siempre jamás, amén,** *Forever and ever, amen.* (This salutation and the preceding are commonly used between members of religious orders.) [4]**castellano viejo.** (This term refers to one who represents the long, noble tradition of the old Spanish province of Castile.) [5]**sin colchón ni sábanas,** *without mattress or sheets.* [6]**almohada,** *pillow.* [7]**sin rodeos,** *without beating around the bush.* [8]**Bien se ve,** *It is evident.* [9]**merecerá . . . bienaventuranza,** *you will have peace of conscience in this earthly life (this world) and bliss in the other (life) (in heaven).* [10]**Es . . . buhonero,** *The fact is that I am a peddler.* [11]**que no por holgazanería,** *and not because of laziness.* [12]**a quien . . . ayuda,** *God helps those who work honestly (help themselves).* [13]**¡Ea!** *Hey!* or *Come now!* [14]**buen ánimo,** *cheer up.*

Y mirando las paredes blancas de la celda, vio un alacrán que caminaba tranquilamente sobre el marco de la ventana. Fray Gómez arrancó una página de un libro viejo, se dirigió a la ventana, cogió con cuidado al alacrán, lo envolvió en el papel y volviéndose hacia el castellano viejo le dijo:

—Tome, buen hombre, y empeñe esta alhaja, pero no olvide devolvérmela dentro de seis meses.

El buhonero no pudo hallar palabras con que expresar su gratitud. Se despidió de fray Gómez y más que de prisa se encaminó a la tienda de un usurero.

La alhaja era espléndida, verdadera alhaja de reina.[1] Era un prendedor en forma de alacrán. Formaba el cuerpo una magnífica esmeralda, y la cabeza un grueso diamante con dos rubíes por ojos.

El usurero, que era hombre conocedor,[2] miró la alhaja con codicia, y ofreció darle mil duros por ella. Sin embargo, nuestro español se empeñó en[3] no aceptar más de quinientos duros por seis meses. Se firmaron los documentos, pero el usurero estaba seguro de que el dueño de la alhaja volvería otra vez por más dinero y de que por fin sería dueño de la preciosa alhaja.

Con los quinientos duros prosperó tanto en su comercio que a la terminación del plazo Jerónimo pudo sacar la alhaja, y, envuelta en el mismo papel en que la había recibido, se la devolvió a fray Gómez.

Éste tomó el alacrán, lo puso en el marco de la ventana, le echó una bendición,[4] y dijo:

—Animalito de Dios, sigue tu camino.

Y el alacrán echó a andar libremente por las paredes de la celda.

Preguntas

1. ¿Qué dicho se explica en esta tradición?   2. ¿Dónde nació fray Gómez?   3. ¿A qué ciudad sudamericana vino?   4. ¿Dónde vivió allí?   5. ¿Cómo ganó mucha fama entre la gente devota?   6. ¿Dónde estaba él una mañana?   7. ¿Quién llegó a su celda?   8. ¿Qué había en la celda?   9. ¿Qué era el hombre?   10. ¿Por qué vino a hablar con fray Gómez?   11. ¿Qué vio fray Gómez en el marco de la ventana?   12. ¿Qué hizo fray Gómez después?   13. ¿Qué debe hacer el hombre?   14. ¿Cuándo debe devolver el alacrán?   15. ¿En qué se convirtió el alacrán?   16. ¿Cuánto ofreció el usurero por la alhaja?   17. ¿Cuánto aceptó el español?   18. ¿De qué estaba seguro el usurero?   19. ¿Qué hizo Jerónimo a la terminación del plazo?   20. ¿Qué pasó cuando le devolvió la alhaja a fray Gómez?

---

[1]**verdadera alhaja de reina,** *a jewel truly fit for a queen.* [2]**hombre conocedor,** *an expert.* [3]**se empeñó en,** *insisted on.* [4]**le echó una bendición,** *he blessed it.*

EJERCICIOS

A. Lean Uds. en español, escogiendo la palabra apropiada:

1. Fray Gómez nació en _____.
   a. Chile   b. Lima   c. Bolivia   d. España
2. Vivió en el siglo _____.
   a. diez y nueve   b. diez y seis   c. sesenta   d. quince
3. Pasaba mucho tiempo _____.
   a. hablando de los precios   b. meditando   c. escribiendo tradiciones
   d. pidiendo préstamos
4. Vivía en su celda en _____.
   a. una fortaleza   b. un colegio   c. una prisión   d. un convento
5. Entró en su celda un día un castellano _____.
   a. honrado   b. bien vestido   c. codicioso   d. rico
6. El hombre le pidió a fray Gómez un préstamo por _____.
   a. seis meses   b. un año   c. varios días   d. muchos años
7. Fray Gómez cogió _____ y lo envolvió.
   a. un libro viejo   b. el marco de la ventana   c. un sillón de cuero
   d. al alacrán
8. Después vio el castellano que era _____.
   a. un cuerpo grande   b. un alacrán vivo   c. una alhaja espléndida
   d. un buhonero
9. Jerónimo aceptó solamente _____.
   a. mil duros   b. el alacrán   c. su bendición   d. quinientos duros
10. A los seis meses Jerónimo le devolvió a fray Gómez _____.
    a. el dinero   b. la tienda   c. la alhaja   d. un documento

B. ¿Verdad o no?

1. Fray Gómez vivió en España por veinte y siete años.
2. Era dominico.
3. El castellano viejo era pobre, pero honrado.
4. La celda de fray Gómez tenía muebles elegantes.
5. Los buhoneros venden muchas cosas.
6. El alacrán se convirtió en una alhaja preciosa.
7. Formaba el cuerpo un grueso diamante.
8. El usurero ofreció dar solamente cien duros por la alhaja.
9. Jerónimo prosperó mucho en su comercio durante los seis meses.
10. Cuando fray Gómez le echó una bendición al alacrán, éste empezó a andar por las paredes.

Mañana de sol

The brothers Serafín (1871-1938) and Joaquín (1873-1944) Álvarez Quintero are known for their light comedies and their short farces, such as Mañana de sol, *which portray so well the types of people and the customs common to their native Andalucía, in southern Spain. Their works are noted for their warmth, charm, grace, and humor. In this play you will also see how well they handle older characters and how pleasantly they deal with the predicament in which doña Laura and don Gonzalo find themselves.*

The device of unrevealed identity employed by the authors is a favorite means of many Spanish writers for creating a humorous situation. Another device commonly used is that of light satire or irony, for example in some of doña Laura's sharp remarks, such as, "I thought you were going to get out a telescope (to read)" . . . "You probably killed only time" . . . "Did you accompany Columbus on one of his voyages?" Also contributing to the play's comic element are the fabulously sad and equally untrue fates which these two oldsters picture for the young Gonzalo and the beautiful Laura of days long past. Mañana de sol *takes on, in the moment of farewells, an aspect of tragicomedy when Gonzalo, who has boasted of his acquaintances among the literary lights of Spain, and Laura, no longer the fair* Niña de la Plata, *lack the courage to tell each other that their identities are no longer secret.*

MODISMOS Y FRASES UTILES

a los dos meses (años)　two months (years) later, after two months (years)

dejar caer　to drop, let fall

desde luego　of course, certainly

dirigir la palabra a　to talk to

disponerse a　to prepare (get ready) to

eso es　that's it, that's right

tener que ver con　to have to do with

NOTAS

1. As indicated earlier (footnote, page 129), the names **Dios, Jesús,** and the like, in exclamations are not considered improper. They are seldom expressed literally in English:

¡Dios mío!	Heavens! My goodness!
¡Gracias a Dios!	Thank goodness!
¡Hombre de Dios!	For heaven's sake! Good heavens!
¡Jesús!	Heavens! Bless you!
¡Santo Dios!	Good heavens! Heavens above!

2. Summary of English equivalents of Spanish **que**

a. In dialogue, **que** is not translated when it introduces a phrase or a sentence dependent on a verb understood or previously expressed:

¡Que te llevas las migas de pan!   You are taking the bread crumbs with you!
. . . hombre, que siempre has de bajar tú el primero.   . . . fellow, you are always the first one to come down.
¡Que me ha espantado usted los pájaros . . .!   You have scared off my birds . . .!

b. Indirect commands are usually introduced by **que,** except in the first person plural:

¡Pues que se levanten!   Well, let (have) them get up!
Que conserve aquella ilusión.   Let him keep that illusion.
Que recuerde siempre . . .   Let her always remember . . .

c. After **mismo, que** is translated by *as:*

la misma edad que   the same age as

d. **Sí que** is used for emphasis:

Sí que es extraña casualidad.   It certainly is a strange coincidence.

e. **Que** sometimes means *when:*

una noche que mi pariente pasaba   one night when my relative was passing

PERSONAJES

Doña Laura   Don Gonzalo

Petra, *criada*   Juanito, *criado*

Lugar apartado de un paseo público, en Madrid. Es una mañana de otoño templada y alegre. Salen doña Laura y Petra. Doña Laura es una viejecita de unos setenta años de edad, de cabellos muy blancos y manos muy finas. Lleva una sombrilla en la mano, y la acompaña Petra, su criada.

Doña Laura. Ya llegamos … ¡Gracias a Dios!° Temí que me hubieran quitado el sitio.[1] Es una mañana tan templada …

Petra. Pica el sol.

Doña Laura. A ti, que tienes veinte años. *(Se sienta en el banco.)* ¡Ay! … Hoy me he cansado más que otros días. *(Pausa. Observando a Petra, que parece impaciente.)* Vete, si quieres, a charlar con tu guarda.

Petra. Señora, el guarda no es mío; es del jardín.

Doña Laura. Es más tuyo que del jardín.[2] Anda a buscarle, pero no te alejes.

Petra. Está allí esperándome.

Doña Laura. Diez minutos de conversación, y aquí en seguida.

Petra. Bueno, señora.

Doña Laura. *(Deteniéndola.)* Pero escucha.

Petra. ¿Qué quiere usted?

Doña Laura. ¡Que° te llevas las migas de pan!

Petra. Es verdad; no sé dónde tengo la cabeza.[3]

Doña Laura. En la escarpela[4] del guarda.

Petra. Tome usted.[5] *(Le da un cartucho de papel[6] pequeño y se va.)*

Doña Laura. *(Mirando hacia los árboles de la derecha.)* Ya están llegando los tunantes.[7] ¡Bien saben la hora! … *(Se levanta, va hacia la derecha y arroja poco a poco las migas de pan.)* Éstas, para los más atrevidos… Éstas, para los más glotones[8]… Y éstas, para los más pequeños… *(Vuelve a su banco y observa el festín de los pájaros.)* Pero, hombre, que° siempre has de bajar tú el primero. Ya baja otro. Y otro. Ahora dos juntos. Ahora tres. Ese pequeño va a llegar hasta aquí. Bien; muy bien: aquél coge su miga y se va a una rama a comérsela. Es un filósofo. ¡Qué nube! Pero, ¿de dónde salen tantos? Mañana traigo más.

(Salen don Gonzalo y Juanito. Don Gonzalo es un viejo de la misma edad que° doña Laura. Al andar arrastra los pies. Viene de mal humor, del brazo de Juanito, su criado.)

---

[1]**Temí . . . sitio,** *I was afraid that they had taken my place (from me).* [2]**Es más tuyo que del jardín,** *He belongs to you more than to the garden.* [3]**no sé dónde tengo la cabeza,** *I don't know where my mind is.* [4]**escarpela,** *badge.* [5]**Tome usted,** *Here.* [6]**cartucho de papel,** *paper cone.* [7]**tunantes,** *rascals.* [8]**los más glotones,** *the greediest ones.*

Don Gonzalo. Vagos,[1] más que vagos ... ¿Por qué no están diciendo misa? ...

    Juanito. Aquí puede sentarse; no hay más que una señora.

(Doña Laura vuelve la cabeza y escucha el diálogo.)

Don Gonzalo. No me da la gana,[2] Juanito. Yo quiero un banco solo.

    Juanito. ¡Si no lo hay![3]

Don Gonzalo. ¡Aquél es mío!

    Juanito. Pero se han sentado tres curas ...

Don Gonzalo. ¡Pues que se levanten!° ... ¿Se levantan, Juanito?

    Juanito. ¡Qué se han de levantar![4] Allí están charlando.

Don Gonzalo. Como si los hubieran pegado al banco ... Ven por aquí, Juanito, por
    aquí.

(Se encamina hacia la derecha resueltamente. Juanito le sigue.)

    Doña Laura. *(Indignada.)* ¡Hombre de Dios!°

Don Gonzalo. *(Volviéndose.)* ¿Es a mí?[5]

    Doña Laura. Sí, señor; a usted.

Don Gonzalo. ¿Qué pasa?

    Doña Laura. ¡Que° me ha espantado usted los pájaros, que estaban comiendo migas
    de pan!

Don Gonzalo. ¿Y qué tengo yo que ver con los pájaros? Además, ¡el paseo es público!

    Doña Laura. Entonces no se queje usted de que le quiten el asiento los curas.

Don Gonzalo. Señora, no estamos presentados. No sé por qué se toma usted la
    libertad de dirigirme la palabra. Sígueme, Juanito. *(Se van los dos.)*

    Doña Laura. ¡Qué hombre! No hay como llegar[6] a cierta edad para ponerse
    impertinente. *(Pausa.)* Me alegro; le han quitado aquel banco también...
    Está furioso ... Sí, sí; busca, busca un banco ... ¡Pobrecillo! Se limpia
    el sudor ... Ya viene, ya viene ... Con los pies levanta más polvo
    que un coche.

Don Gonzalo. *(Sale y se encamina a la izquierda.)* ¿Se han ido los curas, Juanito?

    Juanito. No sueñe usted con eso, señor. Allí siguen.[7]

Don Gonzalo. ¡Este Ayuntamiento, que no pone más bancos para estas mañanas de
    sol...! Pues, tengo que sentarme en el de la vieja. *(Refunfuñando,[8] se
    sienta al otro extremo que[9] doña Laura, y la mira con indignación.)*
    Buenos días.

    Doña Laura. ¡Hola! ¿Usted por aquí?

Don Gonzalo. Insisto en que no estamos presentados.

    Doña Laura. Como me saluda usted, le contesto.

---

[1]**Vagos,** *Idlers.* [2]**No me da la gana,** *I don't want to.* [3]**¡Si no lo hay!** *But there isn't any!* [4]**¡Qué se han de levantar!** *Of course they aren't getting up!* [5]**¿Es a mí?** *Are you talking to me?* [6]**No hay como llegar,** *There is nothing like reaching.* [7]**Allí siguen,** *They are still there.* [8]**Refunfuñando,** *Muttering.* [9]**al otro extremo que,** *at the end opposite.*

Don Gonzalo. A los buenos días se contesta con los buenos días; eso es lo que ha debido usted hacer. [1]

Doña Laura. También usted ha debido pedirme permiso para sentarse en este banco, que es mío.

Don Gonzalo. Aquí no hay bancos de nadie.

Doña Laura. Pues, usted decía que el de los curas era suyo.

Don Gonzalo. Bueno, bueno, bueno. *(Entre dientes.)* [2] Esa vieja podía estar haciendo calceta. [3]

Doña Laura. No gruña usted, porque no me voy.

Don Gonzalo. *(Sacudiéndose las botas con el pañuelo.)* Si regaran un poco más, tampoco perderíamos nada.

Doña Laura. Ocurrencia es: [4] limpiarse las botas con el pañuelo.

Don Gonzalo. ¿Eh?

Doña Laura. ¿Se sonará usted con un cepillo? [5]

Don Gonzalo. ¿Eh? Pero, señora, ¿con qué derecho . . .?

Doña Laura. Con el de la vecindad. [6]

Don Gonzalo. *(A su criado.)* Mira, Juanito, dame el libro, porque no tengo ganas de oír más tonterías.

Doña Laura. Es usted muy amable.

Don Gonzalo. Si no fuera usted tan entrometida . . .

Doña Laura. Tengo el defecto de decir todo lo que pienso.

Don Gonzalo. Y el de hablar más de lo que conviene. [7] Dame el libro, Juanito.

(Juanito saca del bolsillo un libro y se lo entrega. Luego se va hacia la derecha y desaparece. Don Gonzalo, mirando a doña Laura siempre con rabia, se pone unas gafas prehistóricas, saca una gran lente y se dispone a leer.)

Doña Laura. Creí que iba usted a sacar ahora un telescopio.

Don Gonzalo. ¡Oiga usted!

Doña Laura. Debe usted de tener muy buena vista. [8]

Don Gonzalo. Como [9] cuatro veces mejor que usted.

Doña Laura. Ya se conoce. [10]

Don Gonzalo. Algunas liebres y algunas perdices lo pudieran atestiguar.

Doña Laura. ¿Es usted cazador?

Don Gonzalo. Lo he sido . . . Y aún . . . aún . . .

Doña Laura. ¿Ah, sí?

Don Gonzalo. Sí, señora, Todos los domingos, ¿sabe usted? [11] cojo mi escopeta y mi perro, ¿sabe usted? y me voy a una finca de mi propiedad . . . A matar el tiempo, ¿sabe usted?

---

[1]**ha debido usted hacer,** *you should have done.* [2]**Entre dientes,** *Muttering to himself.* [3]**haciendo calceta,** *knitting.* [4]**Ocurrencia es,** *That's a strange idea.* [5]**¿Se . . . cepillo?** *I wonder whether you blow your nose with a brush?* [6]**Con el de la vecindad,** *That of my nearness to you.* [7]**de lo que conviene,** *than is proper.* [8]**Debe . . . vista,** *You must have very good eyesight.* [9]**Como,** *About.* [10]**Ya se conoce,** *It's (That's) evident.* [11]**¿sabe usted?** *you know (see)?*

Doña Laura. Sí, probablemente no mata usted más que el tiempo . . .

Don Gonzalo. ¿No? Ya le podría enseñar a usted una cabeza de jabalí que tengo en mi despacho.

Doña Laura. Y yo le podría enseñar a usted una piel de tigre que tengo en mi sala. ¡Vaya un [1] argumento!

Don Gonzalo. Está bien, señora. No tengo ganas de hablar más. Déjeme usted leer.

Doña Laura. Pues con callar, hace usted su gusto. [2]

Don Gonzalo. Antes voy a tomar un polvito. [3] *(Saca una caja de rapé.)* [4] De esto sí le doy. [5] ¿Quiere usted?[6]

Doña Laura. Según. ¿Es fino?

Don Gonzalo. No lo hay mejor. [7] Le gustará.

Doña Laura. A mí me descarga mucho la cabeza.

Don Gonzalo. Y a mí.

Doña Laura. ¿Usted estornuda? [8]

Don Gonzalo. Sí, señora; tres veces.

Doña Laura. Hombre, y yo otras tres: ¡qué casualidad![9]

(Después de tomar cada uno su polvito, aguardan los estornudos. Pronto estornudan alternativamente.)

Doña Laura. ¡Ah . . . chis!

Don Gonzalo. ¡Ah . . . chis!

Doña Laura. ¡Ah . . . chis!

Don Gonzalo. ¡Ah . . . chis!

Doña Laura. ¡Ah . . . chis!

Don Gonzalo. ¡Ah . . . chis!

Doña Laura. ¡Jesús!°

Don Gonzalo. Gracias. Buen provecho. [10]

Doña Laura. Igualmente. (Nos ha reconciliado el rapé.)

Don Gonzalo. Pero va usted a permitirme leer en voz alta, ¿verdad?

Doña Laura. Lea usted como quiera; no me molesta.

Don Gonzalo. *(Leyendo:)*

> Todo el amor es triste;
> mas, [11] triste y todo, es lo mejor que existe.

> De Campoamor;[12] es de Campoamor.

---

[1]**¡Vaya un . . .!** *What an . . .!* [2]**Pues . . . gusto,** *Well, by keeping quiet you can do as you like.* [3]**polvito,** *pinch of snuff.* [4]**caja de rapé,** *snuff box.* [5]**De esto sí le doy,** *I will give you some of this.* [6]**¿Quiere usted?** *Will you take some?* [7]**No lo hay mejor,** *There isn't any (There is none) better.* [8]**¿Usted estornuda?** *Do you sneeze?* [9]**¡qué casualidad!** *what a coincidence!* [10]**Buen provecho,** *May it benefit you, To your health.* [11]**mas,** *but.* [12]Campoamor, Ramón de (1817-1901), well-known Spanish poet.

Doña Laura.   ¡Ah!

Don Gonzalo.   También hay otros poemas en este libro. Escuche éste:

> Pasan veinte años: vuelve él . . .

Doña Laura.   No sé qué me da[1] verle a usted leer con tantos cristales . . .

Don Gonzalo.   ¿Pero es que[2] usted, por casualidad, lee sin gafas?

Doña Laura.   ¡Claro!

Don Gonzalo.   ¿A su edad? . . . Me permito dudarlo.

Doña Laura.   Déme usted el libro. *(Lo toma y lee:)*

> Pasan veinte años: vuelve él,
> y al verse, exclaman él y ella:
> (—¡Santo Dios!° ¿y éste es aquél?[3] . . .)
> (—¡Dios mío!° ¿y ésta es aquélla? . . .)

(Le devuelve el libro.)

Don Gonzalo.   En efecto, tiene usted una vista envidiable.

Doña Laura.   (¡Como sé los versos de memoria!)

Don Gonzalo.   Yo soy muy aficionado a los buenos versos. . . Hasta los compuse en mi juventud.

Doña Laura.   ¿Buenos?

Don Gonzalo.   De todo había.[4] Fui amigo de Espronceda,[5] de Zorrilla, de Bécquer . . . A Zorrilla le conocí en América.[6]

Doña Laura.   ¿Ha estado usted en América?

Don Gonzalo.   Varias veces. La primera vez tenía seis años.

Doña Laura.   ¿Acompañó usted a Colón en una de sus expediciones?

Don Gonzalo.   *(Riéndose.)* No tanto,[7] no tanto . . . Soy viejo, pero no conocía a los Reyes Católicos . . .

Doña Laura.   Je, je . . .

Don Gonzalo.   También fui gran amigo de Campoamor. En Valencia nos conocimos . . . Soy valenciano.

Doña Laura.   ¿Sí?

Don Gonzalo.   Allí nací; allí pasé mis primeros años. ¿Conoce usted aquella región?

Doña Laura.   Sí, señor. Cerca de Valencia había una finca donde pasé algunas temporadas. Pero hace muchos años, muchos. Estaba próxima al mar, oculta entre naranjos y limoneros . . . La llamaban . . . ¿Cómo la llamaban? . . . *Maricela.*

Don Gonzalo.   ¿*Maricela?*

Doña Laura.   *Maricela.* ¿Conoce usted el nombre?

---

[1]**No sé qué me da,** *I can't tell you how it makes me feel.* [2]**es que.** (Omit in translation.) [3]**¿y éste es aquél?** *and is this man that one (of long ago)?* [4]**De todo había,** *There was a bit of everything.* [5]José de Espronceda (1808-1842), José Zorrilla (1817-1893), and Gustavo Adolfo Bécquer (1836-1870) were Spanish romantic poets. [6]**América.** (Often used, as here, to refer to Spanish America or Latin America exclusively.) [7]**No tanto,** *Not that bad.*

Don Gonzalo. ¡Ya lo creo! Allí vivió la mujer más preciosa que jamás he visto. ¡Y ya he visto algunas en mi vida! . . . Su nombre era Laura. El apellido no lo recuerdo . . . ¡Ah, sí! Laura . . . Laura . . . ¡Laura Llorente!

Doña Laura. Laura Llorente . . .

Don Gonzalo. ¿Qué? *(Se miran con atracción misteriosa.)*

Doña Laura. Nada . . . Era ella mi mejor amiga.

Don Gonzalo. ¡Es casualidad!

Doña Laura. Sí que° es extraña casualidad. Se llamaba la *Niña de Plata*.

Don Gonzalo. La *Niña de Plata* . . . Así la llamaban todas sus amigas. ¿Querrá usted [1] creer que la veo ahora mismo, como si la tuviera presente, en aquella ventana de las campanillas [2] azules? . . . ¿Se acuerda usted de aquella ventana?

Doña Laura. Me acuerdo. Era la de su cuarto. Me acuerdo.

Don Gonzalo. En ella se pasaba horas enteras . . . En mis tiempos, digo. [3]

Doña Laura. *(Suspirando.)* Y en los míos también.

Don Gonzalo. Era ideal, ideal . . . Blanca como la nieve . . . Los cabellos muy negros . . . Los ojos muy negros y muy dulces . . . Su cuerpo era fino, esbelto . . . Era un sueño, era un sueño . . .

Doña Laura. (¡Si supieras que la tienes al lado, [4] ya verías lo que los sueños valen!) Yo la quise de veras. Fue muy desgraciada. Tuvo unos amores muy tristes.

Don Gonzalo. Muy tristes. *(Se miran de nuevo.)*

Doña Laura. ¿Usted lo sabe?

Don Gonzalo. Sí.

Doña Laura. (¡Qué cosas hace Dios! Este hombre es aquél.)

Don Gonzalo. Precisamente el enamorado galán era . . . era un pariente mío . . .

Doña Laura. Sí, un pariente . . . A mí me contó ella en una de sus últimas cartas la historia de aquellos amores, verdaderamente románticos.

Don Gonzalo. Platónicos. No se hablaron nunca.

Doña Laura. Él, su pariente de usted, pasaba todas las mañanas a caballo por la veredilla de los rosales, [5] y arrojaba a la ventana un ramo de flores, que ella cogía.

Don Gonzalo. Y luego, por la tarde, volvía a pasar el enamorado galán, y recogía un ramo de flores que ella le echaba. ¿No es verdad?

Doña Laura. Eso es. Su familia quería casarla con [6] un comerciante . . . un cualquiera [7] . . .

Don Gonzalo. Y una noche que° mi pariente pasaba la finca para oírla cantar, se presentó de improviso aquel hombre.

---

[1]**¿Querrá usted . . . ?** *Would you . . . ?* [2]**campanillas,** *bell flowers.* [3]**digo,** *I mean.* [4]**la tienes al lado,** *she is at your side.* [5]**por la veredilla de los rosales,** *along the little path with the rosebushes.* [6]**quería casarla con,** *wanted to marry her to.* [7]**un cualquiera,** *a nobody.*

Doña Laura.   Y le provocó.

Don Gonzalo.   Y se riñeron.

Doña Laura.   Y hubo desafío.

Don Gonzalo.   Al amanecer: en la playa. Y allí se quedó malamente herido el comerciante. Mi pariente tuvo que esconderse primero, y luego que huir.

Doña Laura.   Conoce usted al dedillo[1] la historia.

Don Gonzalo.   Y usted también.

Doña Laura.   Ya le he dicho a usted que ella me la contó.

Don Gonzalo.   Y mi pariente a mí . . . (Esta mujer es Laura . . . ¡Qué cosas hace Dios!)

Doña Laura.   (No sospecha quién soy. ¿Para qué decírselo? Que° conserve aquella ilusión . . .)

Don Gonzalo.   (No sabe que habla con el galán . . . Callaré.) (*Pausa.*)

Doña Laura.   ¿Y fue usted, acaso, quien le aconsejó a su pariente que no volviera a pensar en Laura?

Don Gonzalo.   ¿Yo? ¡Pero mi pariente no la olvidó un segundo!

Doña Laura.   Pues, ¿cómo se explica su conducta?

Don Gonzalo.   ¿Usted sabe? . . . Mire usted, señora; el muchacho se refugió primero en mi casa—temoroso de las consecuencias del duelo con aquel hombre, muy querido allá. Luego se marchó a Sevilla; después vino a Madrid . . . Le escribió a Laura ¡qué sé yo[2] el número de cartas! algunas en verso . . . Pero sin duda las debieron de interceptar los padres de ella, porque Laura no contestó . . . Don Gonzalo entonces, desesperado, llegó a ser soldado y se fue a África donde encontró la muerte, abrazado a la bandera española y repitiendo el nombre de Laura. . . Laura . . . Laura . . .

Doña Laura.   (¡Qué embustero!)

Don Gonzalo.   (¡No he podido matarme de un modo más gallardo!) ¿Quién sabe si estaría ella a los dos meses cazando mariposas[3] en su jardín, indiferente a todo . . . ?

Doña Laura.   Ah, no, señor; no, señor . . .

Don Gonzalo.   Pues, es condición[4] de mujeres . . .

Doña Laura.   Pues aunque sea condición de mujeres, la *Niña de Plata* no era así. Mi amiga esperó noticias un día, y otro, y otro . . . y un mes, y un año . . . y la carta nunca llegó. Una tarde, a la puesta del sol, se la vio[5] dirigirse a la playa, aquella playa donde su enamorado tenía el duelo. Escribió su nombre—el nombre de él—en la arena, y se sentó luego en la roca, la mirada fija en el horizonte. . . Las olas poco a poco iban

---

[1]**al dedillo,** *perfectly (to a T).* [2]**¡qué sé yo . . . !** *I don't know . . . !* [3]**si . . . mariposas,** *whether two months later she was probably chasing butterflies.* [4]**condición,** *the nature.* [5]**se la vio,** *she was seen (people saw her.)*

cubriendo la roca en que estaba la niña . . . ¿Quiere usted saber más? . . . Acabó de subir la marea [1] . . . y la arrastró consigo . . .

Don Gonzalo. ¡Jesús!

Doña Laura. Cuentan los pescadores de la playa que en mucho tiempo no pudieron borrar las olas [2] aquel nombre escrito en la arena. (¡A mí no me ganas tú a finales poéticos!) [3]

Don Gonzalo. (¡Miente más que yo!) *(Pausa.)*

Doña Laura. ¡Pobre Laura!

Don Gonzalo. ¡Pobre Gonzalo!

Doña Laura. (¡Yo no le digo que a los dos años me casé con un fabricante de cervezas!)

Don Gonzalo. (¡Yo no le digo que a los tres meses me fui a París con una bailarina!)

Doña Laura. Pero, ¿ha visto usted cómo nos ha unido la casualidad, y cómo hemos estado hablando como si fuéramos antiguos amigos?

Don Gonzalo. Y a pesar de que empezamos riñendo.

Doña Laura. Porque usted me espantó los pájaros.

Don Gonzalo. Venía de muy mal humor.

Doña Laura. Sí, ya le vi. ¿Va usted a volver mañana?

Don Gonzalo. Si hace sol, desde luego. Y no sólo no espantaré los pájaros, sino que también les traeré migas de pan . . .

Doña Laura. Muchas gracias, señor. . . Son buena gente [4] . . . Pero, ¿dónde está Petra? *(Se levanta.)* ¿Qué hora será ya?

Don Gonzalo. *(Levantándose.)* Cerca de las doce. Pero, ¿dónde está Juanito?

Doña Laura. *(Desde la izquierda.)* Allí la veo con su guarda. *(Haciendo señas con la mano para que se acerque.)*

Don Gonzalo. *(Contemplando a la señora.)* (No . . . no me descubro [5] . . . Que° recuerde siempre al joven que pasaba a caballo y le echaba flores a la ventana de las campanillas azules . . .)

Doña Laura. ¡Qué trabajo le ha costado despedirse! [6] Ya viene.

Don Gonzalo. Juanito, en cambio . . . ¿Dónde estará Juanito? Se habrá engolfado con alguna niñera. [7] *(Mirando hacia la derecha, y haciendo señas como doña Laura después.)* Diablo de muchacho [8] . . .

Doña Laura. *(Contemplando al viejo.)* (No . . . no me descubro . . . Vale más que recuerde siempre a la niña de los ojos negros, que le arrojaba las flores cuando él pasaba por la veredilla de los rosales . . .)

---

[1] **Acabó de subir la marea,** *The tide finally rose.* [2] **no pudieron borrar las olas,** *the waves couldn't erase.* [3] **¡A mí . . . poéticos!** *You aren't going to surpass me in poetic endings!* [4] **gente,** *folk.* [5] **no me descubro,** *I won't make myself known.* [6] **¡Qué trabajo . . . despedirse!** *How difficult it has been for her to say good-bye!* [7] **Se habrá . . . niñera.** *He has probably taken up with some nursemaid.* [8] **Diablo de muchacho,** *That confounded boy.*

(Juanito sale por la derecha y Petra por la izquierda. Petra trae un ramo de violetas.)

Doña Laura. Vamos, mujer; creí que no llegabas nunca.[1]

Don Gonzalo. Pero, Juanito, ¿por qué llegas tarde?

Petra. Estas violetas son un regalo que me ha dado mi novio para usted.

Doña Laura. ¡Qué bonitas! Muchas gracias. *(Al tomarlas, ella deja caer dos o tres.)* Son muy hermosas . . .

Don Gonzalo. *(Despidiéndose.)* Pues, señora, yo he tenido un honor muy grande . . . un placer inmenso . . .

Doña Laura. Y yo una verdadera satisfacción . . .

Don Gonzalo. ¿Hasta mañana?

Doña Laura. Hasta mañana.

Don Gonzalo. Si hace sol . . .

Doña Laura. Si hace sol . . . ¿Irá usted a su banco?

Don Gonzalo. No, señora; vendré a éste.

Doña Laura. Este banco es muy de usted.[2] *(Se ríen.)*

Don Gonzalo. Y repito que traeré migas para los pájaros . . . *(Vuelven a reírse.)*

Doña Laura. Hasta mañana.

Don Gonzalo. Hasta mañana.

(Doña Laura sale con Petra. Don Gonzalo, antes de irse con Juanito, con gran esfuerzo se agacha[3] a recoger las violetas caídas. Doña Laura vuelve naturalmente el rostro y lo ve.)

Juanito. ¿Qué hace usted, señor?

Don Gonzalo. Espera, hombre, espera.

Doña Laura. (No me cabe duda; es él.)

Don Gonzalo. (Estoy seguro; es ella.)

(Después de hacerse un nuevo saludo de despedida:) [4]

Doña Laura. (¡Santo Dios! ¿y éste es aquél? . . .)

Don Gonzalo. (¡Dios mío! ¿y ésta es aquélla? . . .)

(Se van, apoyado cada uno en el brazo de su servidor y volviendo el rostro, sonrientes como si él pasara por la veredilla de los rosales y ella estuviera en la ventana de las campanillas azules.)

---

[1]**no llegabas nunca,** *you would never arrive.* [2]**Este banco es muy de usted,** *You are very welcome on this bench.* [3]**se agacha,** *bends over.* [4]**Después de . . . despedida,** *After waving good-bye to each other again.*

Preguntas

1. ¿Quiénes son los personajes de esta comedia?   2. ¿Dónde tiene lugar la acción?
3. ¿Hace buen o mal tiempo?   4. ¿Cuántos años tiene doña Laura?   5. ¿Cuántos años tiene Petra?   6. ¿Por qué está impaciente la criada?   7. ¿Qué han traído consigo las dos?   8. ¿Para qué son las migas de pan?   9. ¿De qué edad es don Gonzalo?   10. ¿Por qué viene de mal humor?   11. Por fin, ¿dónde tiene que sentarse?   12. Después de sentarse, ¿qué hace don Gonzalo?   13. ¿Qué saca para leer?   14. ¿Por qué estornudan doña Laura y don Gonzalo?   15. ¿De quién es el poema?   16. ¿Quién lo lee?   17. ¿Cómo es que doña Laura puede leer bien sin gafas?

18. ¿Dónde nació don Gonzalo?   19. ¿Qué había cerca de Valencia?   20. ¿Quién vivió en Maricela?   21. ¿Cómo llamaban a la joven sus amigas?   22. ¿Dónde pasaba ella horas enteras?   23. ¿Quién pasaba a caballo todas las mañanas?   24. ¿Cuándo volvía a pasar por allí el galán?   25. ¿Con quién quería casar a Laura su familia?
26. ¿Qué pasó una noche cuando el galán pasaba la finca?   27. ¿Qué tuvo que hacer el galán?   28. Según don Gonzalo, ¿dónde encontró la muerte?   29. ¿Qué hizo Laura cuando no recibió noticias de su enamorado?

30. ¿Va a volver don Gonzalo al día siguiente?   31. ¿Qué traerá consigo?   32. ¿A qué hora salen para volver a casa?   33. ¿Qué trae Petra para doña Laura?   34. ¿Qué dice don Gonzalo cuando se despide de doña Laura?   35. ¿A qué banco irá don Gonzalo al día siguiente?   36. Antes de irse, ¿qué hace don Gonzalo?   37. ¿Qué dice para sí doña Laura?   38. ¿Y qué dice don Gonzalo?

EJERCICIOS

A.   ¿Verdad o no?

1. Petra fue la hija de doña Laura.
2. Doña Laura era una vieja de setenta años y de cabellos blancos.
3. Ella traía migas de pan para una merienda en el paseo.
4. Juanito fue mayor que don Gonzalo.
5. Petra estaba algo enamorada del guarda.
6. Al principio doña Laura y don Gonzalo se miraron con indignación.
7. Doña Laura habló de los amores de una amiga suya.
8. En efecto, ella estaba hablando de sí misma.
9. Don Gonzalo habló como si conociera bien a varios poetas famosos.
10. Por fin don Gonzalo y doña Laura se descubrieron y se abrazaron.

B.   Hagan Uds. frases originales, empleando las expresiones siguientes:

1. poco a poco	6. en voz alta	11. pensar en
2. haber de	7. saber de memoria	12. llegar a ser
3. tener que ver con	8. sí que	13. dejar caer
4. encaminarse a	9. acordarse de	14. no . . . más que
5. tener ganas de	10. de improviso	15. soñar con

Appendices

Appendix A

The Spanish alphabet

LETTER	NAME	LETTER	NAME	LETTER	NAME
a	a	j	jota	r	ere
b	be	k	ka	rr	erre
c	ce	l	ele	s	ese
ch	che	ll	elle	t	te
d	de	m	eme	u	u
e	e	n	ene	v	ve, uve
f	efe	ñ	eñe	w	doble ve
g	ge	o	o	x	equis
h	hache	p	pe	y	i griega
i	i	q	cu	z	zeta

In addition to the letters used in the English alphabet, **ch, ll, ñ,** and **rr** represent single sounds in Spanish and are considered single letters. In dictionaries and vocabularies, words or syllables which begin with **ch, ll,** and **ñ** follow words or syllables which begin with **c, l,** and **n,** while **rr,** which never begins a word, is alphabetized as in English. **k** and **w** are used only in words of foreign origin. The names of the letters are feminine: **la be** *(the) b;* **la ere,** *(the) r.*

The Spanish alphabet is divided into vowels (**a, e, i, o, u**) and consonants. The letter **y** is a vowel when final in a word and when used as the conjunction **y,** *and.*

The Spanish vowels are divided into two groups: strong vowels (**a, e, o**) and weak vowels (**i, u**).

Spanish sounds

Even though the Spanish alphabet is practically the same as the English, few sounds are identical in the two languages. It will be necessary, however, to make comparisons between the familiar English sounds and the unfamiliar Spanish sounds to show how Spanish is pronounced. Avoid using English sounds in Spanish words; try to follow the explanations in the text and imitate good Spanish pronunciation.

In general, Spanish pronunciation is much clearer and more uniform than the English. The vowel sounds are clipped short and none of the slurring occurs which is commonly heard in English, as in *so (so^u), came (ca^ime),* and *fly (fly^e).* Even unstressed vowels are pronounced clearly and distinctly; the slurred sound of English *a* in *fireman,* for example, never occurs in Spanish.

Spanish consonants also are usually pronounced more precisely and distinctly than English consonants, although a few (especially **b, d,** and **g** between vowels) are pronounced very weakly. Several consonants (**t, d, l,** and **n**) are pronounced farther forward in the mouth, with the tongue close to the upper teeth and gums. The consonants **p, t** and **c** (before letters other than **e** and **i**) are never followed by the *h* sound which is often heard in English; *pen (p^hen), boat (boat^h), can (c^han).*

Division of words into syllables

Spanish words are hyphenated at the end of a line and are divided into syllables according to the following principles:

a. A single consonant (including **ch, ll, rr**) goes with the vowel which follows: **pa-sa, ni-ño, ca-lle, no-che, bu-rro.**

b. Two consonants are usually divided: **tar-de, es-pa-ñol, pron-to.** However, consonants followed by **l** or **r** are generally pronounced together and go with the following vowel: **li-bro, po-si-ble, a-pren-do.** (Exceptions, which need not be learned at this point, are the groups **nl, rl, sl, tl, nr,** and **sr: Car-los, En-ri-que.**)

c. In combinations of three or more consonants, only the last consonant or the two consonants of the inseparable groups just mentioned (consonant plus **l** or **r,** with the exceptions listed) begin a syllable: **en-trar, tim-bre, in-glés, ins-pi-ra-ción.**

d. Two adjacent strong vowels (**a, e, o**) occur in separate syllables: **le-o, cre-e, tra-en, o-es-te.**

e. Combinations of a strong and a weak vowel (**i,u**) or of two weak vowels normally are part of the same syllable. Such combinations of two vowels are called *diphthongs:* **bue-nos, es-tu-dio, ciu-dad, Lui-sa, gra-cias.**

f. In combinations of a strong and a weak vowel, when a written accent mark occurs on the weak vowel, it divides the two vowels into separate syllables: **dí-a, pa-ís, tí-o.** An accent mark on the strong vowel of such combinations does not result in two syllables: **lec-ción, tam-bién.**

Word stress

a. Most words ending in a vowel or in **n** or **s** (plural endings of verbs and nouns, respectively), are stressed on the next to the last syllable: ***cla*-se, *to*-mo, *ca*-sas, *ha*-blan, *Car*-men.**

b. Most words ending in a consonant other than **n** or **s** are stressed on the last syllable: **pro-fe-*sor,* to-*mar,* pa-*pel,* ciu-*dad,* es-pa-*ñol.***

c. Words not pronounced according to the above rules have a written accent on the stressed syllable: **ca-*fé,* in-*glés,* lec-*ción,* tam-*bién,* lá-*piz.***

The written accent is also used to distinguish between two words spelled alike but different in meaning (**si,** *if,* **sí,** *yes;* **el,** *the,* **él,** *he,* etc.) and it occurs on the stressed syllable of all interrogative words (**¿qué?** *what?).*

Vowels

a is pronounced approximately like *a* of *father:* **ca-sa, ha-bla, cá-ma-ra.**

e is pronounced approximately like *e* in *café,* but without the glide sound which follows the *e* in English: **me-sa, cla-se, le-e.**

i (y) is pronounced like *i* in *machine:* **a-*sí,* Fe-li-pe, sí, dí-as, y.**

o is pronounced approximately like *o* in *obey,* but without the glide sound which follows the *o* in English: **no, so-lo, to-mo, co-che.**

u is pronounced like *u* in *rule:* **u-no, a-*lum*-no, us-*ted.***

The vowels **e** and **o** also have sounds like *e* in *get* and *o* in *for.* These sounds, as in English, generally occur when the **e** and **o** are followed by a consonant in the same syllable: **el, ser, con, es-pa-ñol.** In pronouncing the **e** in **el** and **ser,** and the **o** in **con** and **español,** the mouth is opened wider and the distance between the tongue and palate is greater than when pronouncing the **e** in **mesa** and **clase,** and the **o** in **no** and **solo.** There is a greater difference in the two sounds of **e** than in the two sounds of **o.**

Consonants

b and **v** have the same sound. At the beginning of a breath group (see pages 399-400), or after **m** or **n** (also pronounced like **m** in this case), the sound is that of a weakly pronounced English *b:* **bien, *bue*-nos, *ver*-de, *vi*-da, en-*viar,* *hom*-bre.** In other positions, particularly between vowels, the sound is much weaker than the English *b.* The lips touch very lightly, leaving a narrow opening in the center, and the breath continues to pass between them. Avoid the English *v* sound: **li-*bro,* sa-*ber,* es-*cri*-bo, la-vo, Cu-ba.** Note the two different sounds of **b** and **v** in **bre-ve** and **vi-*vir.***

c before **e** or **i,** and **z** in all positions, are pronounced like the English soft *s* in *sent* in Spanish America and in southern Spain. In northern and central Spain this sound is like *th* in *thin:* **ha-*cer,* ci-ne, gra-cias, lá-piz, luz.**

c before all other letters, **k,** and **qu** (used only before **e** and **i**) are pronounced like English *c* in *cat,* but without the *h* sound which frequently follows the *c* in

English: *ca*-sa, *blan*-co, ki-*ló*-me-tro, *que*, *par*-que. Note both sounds of **c** in lec-*ción* and *cin*-co.

ch is pronounced like English *ch* in *church*: **mu**-cho, **mu**-*cha*-cho, *Chi*-le.

d has two sounds. At the beginning of a breath group or after **l** or **n**, it is pronounced like a weak English *d*, but with the tip of the tongue touching the inner surface of the upper front teeth rather than the ridge above the teeth as in English: *dos*, *don*-de, *sal*-drán. In all other cases, the tongue drops even lower and the sound is like a weak English *th* in *this*: *ca*-da, *to*-do, *ma*-dre. The sound is particularly weak in the ending **-ado** and when final in a word: es-*ta*-do, us-*ted*, Ma-*drid*.

f is pronounced like English *f*: ca-*fé*, Fe-*li*-pe.

g before **e** or **i**, and **j** in all positions, are pronounced approximately like a strongly exaggerated *h* in *halt*: *gen*-te, *hi*-jo, *Jor*-ge, di-ri-*gir*. (The letter **x** in the words **México** and **mexicano**, spelled **Méjico** and **mejicano** in Spain, is pronounced like Spanish **j**.)

g in other positions and **gu** before **e** or **i** are pronounced like a weak English *g* in *go* at the beginning of a breath group or after **n**: *gra*-cias, *gui*-ta-rra, *ten*-go. In other cases, especially between vowels, the sound is much weaker: *di*-go, *lue*-go, *trai*-go. (In the combinations **gua** and **guo** the **u** is pronounced like English *w* in *wet*: *a*-gua, *len*-gua, an-*ti*-guo; when the diaeresis is used over the **u** in the combinations **güe** and **güi**, the **u** has the same sound: a-ve-*ri*-güe.)

h is always silent: *hoy*, *ha*-blan, *has*-ta.

l is pronounced like *l* in *leap*, with the tip and front part of the tongue well forward in the mouth: pa-*pel*, Fe-*li*-pe.

ll is pronounced like *y* in *yes* in most of Spanish America and in some sections of Spain; in other parts of Spain it is somewhat like *lli* in *million*: ca-*lle*, e-*lla*, *lla*-ma.

m is pronounced like English *m*: *ma*-pa, *to*-man.

n is pronounced like English *n*: *no*, Car-*men*. Before **b, v, m**, and **p**, however, it is pronounced like English *m*: un *po*-co, con *Bár*-ba-ra, con-ver-*tir*. Before **c, gu, g**, and **j** it is pronounced like English *n* in *sing*: *blan*-co, *ten*-go, con *Juan*.

ñ is pronounced somewhat like the English *ny* in *canyon*: se-*ñor*, ma-*ña*-na, es-pa-*ñol*.

p is pronounced like English *p*, but without the *h* sound which often follows the *p* in English: pa-*pel*, *ma*-pa, pa-*pá*.

q (always written with **u**): see page 396 and above, under **c, k**, and **qu**.

r and **rr** represent two different sounds. Single **r,** except at the beginning of a word, is pronounced with a single tap produced by the tip of the tongue against the gums of the upper teeth. The sound is much like *dd* in *eddy* pronounced rapidly: *ca*-ra, ha-*blar*, *o*-ro. **rr** and **r** when initial or after **l, n**, or **s** are strongly trilled: *ri*-co, Ro-*ber*-to, pi-*za*-rra, co-*rre*-o.

s is pronounced somewhat like English *s* in *sent*: *ca*-sa, *es*-to; before the voiced **b, d, g, l, ll, m, n, r, v**, and **y**, however, Spanish **s** is like English *s* in *rose*: *mis*-mo, *des*-de, los *dos*, los *li*-bros, es ver-*dad*.

t is pronounced with the tip of the tongue touching the back of the upper front teeth rather than the ridge above the teeth as in English; it is never followed by the *h* sound which is frequently heard in English: ***to*-do, *tar*-des, tem-*pra*-no.**

v: see page 396, under **b.**

x is pronounced as follows: (1) before a consonant, like English *s* in *sent:* **ex-plo-*rar*, ex-tran-*je*-ro, ex-*tre*-mo;** (2) between vowels it is usually a double sound consisting of a weak English g followed by a soft *s:* **e-*xa*-men, e-xis-*tir*.**

y is pronounced like a strong English *y* in *you;* ***yo, ya, ma*-yo.** The conjunction **y,** *and,* combined with the initial vowel of a following word is similarly pronounced: ***Car*-los y Ar-*tu*-ro.**

z: see page 396, under **c** before **e** or **i**.

Diphthongs

Remember that the weak vowels **i** (**y**) and **u** may combine with the strong vowels **a, e,** and **o,** or with each other to form diphthongs. In such combinations the strong vowels retain their full syllabic value, while the weak vowels, or the first vowel of two weak vowels, lose part of their syllabic value.

As the first letter of a diphthong, unstressed **i** is pronounced like a weak English *y* in *yes* and unstressed **u** is pronounced like *w* in *wet*. The Spanish diphthongs beginning with unstressed **i** or **u** are: **ia, ie, io, iu; ua, ue, ui, uo,** as in ***gra*-cias, *bien,*** **a-*diós*, ciu-*dad*; *cuar*-to, *bue*-no, *Luis,* an-*ti*-guo.**

The diphthongs in which unstressed **i** or **u** occurs as the second letter of the diphtlong are nine in spelling, but in sounds only six, since **i** and **y** have the same sound here. They are: **ai, ay; au; ei, ey; eu; oi, oy; ou.** These diphthongs are pronounced as follows:

ai, ay like a prolonged English *i* in *mine:* **hay, *bai*-le.**

au like a prolonged English *ou* in *out:* **au-to-*bús*, cau-sa.**

ei, ey like a prolonged English *a* in *late:* **seis, rey.**

eu has no close English equivalent. It is pronounced like the clipped English *e* in *eh,* followed closely by a glide sound which ends in *oo,* to sound like *ehoo:* **Eu-*ro*-pa.**

oi, oy like a prolonged English *oy* in *boy;* **sois, soy.**

ou like a prolonged English *o* in *note:* **lo usamos.**

Recall that two strong vowels coming together form two separate syllables: ***cre*-o, Do-ro-*te*-a.** Also, when a weak vowel adjacent to a strong vowel has a written accent, the letters occur in separate syllables: ***dí*-as, pa-*ís*, Ma-*rí*-a, *tí*-o.** An accent on the strong vowel merely indicates stress: **tam-*bién*, a-*diós*, *diá*-lo-go, lec-*ción*.**

Triphthongs

A triphthong is a combination in a single syllable of a stressed strong vowel between two weak vowels. There are four triphthongal combinations: **iai, iei, uai (uay), uei (uey): es-tu-*diáis*, U-ru-*guay*, pro-nun-*ciéis*, con-ti-*nuéis*.**

Linking

In reading or speaking Spanish, words are linked together, as they are in English, so that two or more may be sounded as one long word, called a breath group. Position at the beginning of, or within, a breath group determines the pronunciation of certain Spanish consonants. Similarly, pronunciation of many sounds depends on the sounds with which they are linked within the breath group. Frequently, a short sentence will be pronounced as one breath group, while a longer one may be divided into two or more groups. The meaning of what is being pronounced will help you to determine where the pauses ending the breath groups should be made.

The following examples illustrate some of the general principles of linking. The syllabic division in parentheses shows the correct linking; the syllable or syllables italicized bear the main stress.

a. Within a breath group the final consonant of a word forms a syllable with the initial vowel of the following word: **el alumno (e-la-*lum*-no).**

b. Within a breath group when two identical vowels of different words come together they are pronounced as one: **el profesor de español (el-pro-fe-*sor*-de es-pa-*ñol*).**

c. Within a breath group when two identical consonants of different words come together, they are pronounced as one: **el libro (e-*li*-bro), las sillas (la-*si*-llas).**

d. When different vowels between words come together within a breath group, they are usually pronounced in a single syllable. Two cases occur: (1) a strong vowel may be followed or preceded by a weak vowel, phonetically creating a diphthong (see page 399): **su amigo (su a-*mi*-go), Juan y Elena (*Jua*-n y E-*le*-na), mi padre y mi madre (mi-*pa*-dre y-mi-*ma*-dre);** and (2) both vowels may be strong, with each losing part of its syllabic value: **vamos a la escuela (*va*-mo-sa-la es-*cue*-la); El hombre está aquí (E-*lom*-bre es-*tá* a-*quí*).**

PUNCTUATION

Spanish punctuation is much the same as the English. The most important differences are:

a. Inverted question marks and exclamation points precede questions and exclamations. They are placed at the actual beginning of the question or exclamation, not necessarily at the beginning of the sentence:

¿Vienen Carlos y Felipe?   Are Charles and Philip coming?
¡Qué muchacha más bonita!   What a pretty girl!
Ella es española, ¿verdad?   She is Spanish, isn't she?

b. In Spanish a comma is not used between the last two words of a series, while in English it frequently is:

Tengo libros, cuadernos y lápices.   I have books, notebooks, and pencils.

c. A dash is generally used instead of the quotation marks of English. To denote a change of speaker in a dialogue, it appears at the beginning of each speech, but is omitted at the end:

—¿Eres tú mexicano?   "Are you a Mexican?"
—Sí, señor. Soy de la ciudad de México.   "Yes, sir. I am from Mexico City."

If a direct quotation is followed by its main clause, a second dash is used to enclose the quotation and separate it from the main clause, just as quotation marks are used in English:

—¿No puedes acompañarme? —preguntó Carlos.   "Can't you come with me?" Charles asked.

When Spanish quotation marks are used, they are placed on the line, as in the example which follows. In current practice English quotation marks are widely used in Spanish:

Carlos dijo: «Buenos días».   Charles said, "Good morning."

Signos de puntuación (Punctuation marks)

,	coma	( )	(el) paréntesis
;	punto y coma	« »	comillas
:	dos puntos	´	acento escrito
.	punto	¨	(la) diéresis
. . .	puntos suspensivos	~	(la) tilde
¿ ?	signo(s) de interrogación	-	(el) guión
¡ !	signo(s) de admiración	—	raya

CAPITALIZATION

Only proper names and the first word of a sentence begin with a capital letter in Spanish. The subject pronoun **yo** (*I* in English), names of months and days of the week, adjectives of nationality and nouns formed from them, and titles (unless abbreviated) are not capitalized. In titles of books or works of art, only the first word is ordinarily capitalized:

Marta y yo hablábamos.   Martha and I were talking.
Mañana será martes.   Tomorrow will be Tuesday.
Buenos días, señor (Sr.) Martín.   Good morning, Mr. Martín.
Conozco a muchos mexicanos.   I know many Mexicans.
Las hilanderas   The Spinning Girls

Abreviaturas y signos *(Abbreviations and signs)*

adj.	adjective		*lit.*	literally
adv.	adverb		*m.*	masculine
Am.	American		*Mex.*	Mexican
cond.	conditional		*obj.*	object
conj.	conjunction		*p.p.*	past participle
dir.	direct		*part.*	participle
e.g.	for example		*pl.*	plural
etc.	and so forth		*prep.*	preposition
f.	feminine		*pres.*	present
fam.	familiar (singular)		*pret.*	preterit
i.e.	that is		*pron.*	pronoun
imp.	imperfect		*reflex.*	reflexive
ind.	indicative		*sing.*	singular
indef.	indefinite		*subj.*	subjunctive
indir.	indirect		*U.S.A.*	United States of America
inf.	infinitive			

( )   Words in parentheses are explanatory or they are to be translated in the exercises.

—   In the general vocabularies a dash indicates a word repeated, while in the exercises it usually indicates a grammatical form to be supplied.

+   = followed by.

Escenas de
la América española

(left) Ruins of Panamá Vieja, Panama. This city was burned and pillaged by the pirate Henry Morgan in 1671; (right) Mexico City

(left) Monument honoring Vasco Núñez de Balboa, discoverer of the Pacific Ocean, Panama City, Panama; *(right)* Bogotá, Colombia

(top left) Indian weaver plying her trade in much the same manner as her Mayan ancestors did in pre-Columbian times; (top center) Ruins of the Inca citadel of Pachácamac, Peru; (bottom left) Balsa reed boats in Lake Titicaca, between Peru and Bolivia

(bottom center) Pyramid of the Sun, Teotihuacán, Mexico; (right) Fragment from a mural by Diego Rivera, in the Presidential Palace, Mexico City.

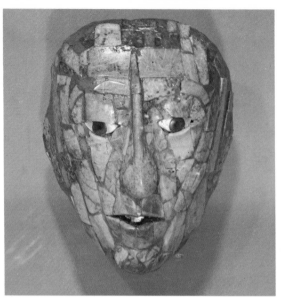

(top left) Jade mask discovered at the Mayan ruins of Palenque, Mexico; (bottom left) The "Square of the Three Cultures," Mexico City; (top right) Soccer game in Uruguay; (bottom right) Ski resort at Portillo on the Andes slopes, Chile

*(top) Pre-Columbian ruins at Tula, Mexico;
(bottom) Llamas and alpacas grazing in the Andes,
Bolivia*

Appendix B

Cardinal numerals

0	**cero**	29	**veinte y nueve (veinti-nueve)**
1	**un(o), una**		
2	**dos**	30	**treinta**
3	**tres**	31	**treinta y un(o), -a**
4	**cuatro**	40	**cuarenta**
5	**cinco**	50	**cincuenta**
6	**seis**	60	**sesenta**
7	**siete**	70	**setenta**
8	**ocho**	80	**ochenta**
9	**nueve**	90	**noventa**
10	**diez**	100	**ciento (cien)**
11	**once**	101	**ciento un(o), ciento una**
12	**doce**	110	**ciento diez**
13	**trece**	200	**doscientos, -as**
14	**catorce**	300	**trescientos, -as**
15	**quince**	400	**cuatrocientos, -as**
16	**diez y seis (dieciséis)**	500	**quinientos, -as**
17	**diez y siete (diecisiete)**	600	**seiscientos, -as**
18	**diez y ocho (dieciocho)**	700	**setecientos, -as**
19	**diez y nueve (diecinueve)**	800	**ochocientos, -as**
20	**veinte**	900	**novecientos, -as**
21	**veinte y un(o), -a (veintiún, veintiuno, veintiuna)**	1.000	**mil**
		1.020	**mil veinte**
22	**veinte y dos (veintidós)**	2.000	**dos mil**
23	**veinte y tres (veintitrés)**	100.000	**cien mil**
24	**veinte y cuatro (veinticuatro)**	200.000	**doscientos, -as mil**
25	**veinte y cinco (veinticinco)**	1.000.000	**un millón (de)**
26	**veinte y seis (veintiséis)**	2.000.000	**dos millones (de)**
27	**veinte y siete (veintisiete)**	2.500.000	**dos millones quinientos, -as mil**
28	**veinte y ocho (veintiocho)**		

Uno and numerals ending in **uno** drop **-o** before a masculine noun; **una** is used before a feminine noun: **un soldado**, *one soldier;* **treinta y un muchachos,** *thirty-one boys;* **veinte y una repúblicas,** *twenty-one republics.*

Ciento becomes **cien** before nouns and before **mil** and **millones: cien dólares,** *one hundred dollars;* **cien mil habitantes,** *one hundred thousand inhabitants.*

Un is normally not used with **cien(to)** and **mil: mil estudiantes,** *1,000 students;* however, one must say **ciento un mil habitantes,** *101,000 inhabitants.* **Un** is used with the noun **millón,** which requires **de** when a noun follows: **un millón de dólares,** *$1,000,000.* For *$2,000,000* one says **dos millones de dólares.**

The hundreds agree with a feminine noun: **doscientas muchachas,** *200 girls;* **quinientas cincuenta palabras,** *550 words.* Beyond nine hundred, **mil** must be used in counting: **mil novecientos setenta y nueve,** *1979.*

Regardless of the English use of *and* in numbers, **y** is normally used in Spanish only between multiples of ten and numbers less than ten: **diez y seis,** *16;* **noventa y nueve,** *99;* but **seiscientos seis,** *606.*

From 16 through 19 and 21 through 29, the numerals are often written as one word: **dieciséis,** *16.* Note that an accent mark must also be written on the forms **veintiún, veintidós, veintitrés,** and **veintiséis.** Above 29 the one-word forms are not used.

In writing numerals in Spanish a period is often used where a comma is used in English, and a comma is used for the decimal point: $2.400,75. In current commercial practice, however, the English method is being used more and more.

Ordinal numerals

1st **primero (primer), -a**	4th **cuarto, -a**	8th **octavo, -a**
2nd **segundo, -a**	5th **quinto, -a**	9th **noveno, -a**
3rd **tercero (tercer), -a**	6th **sexto, -a**	10th **décimo, -a**
	7th **séptimo, -a**	

Ordinal numerals agree in gender and number with the nouns they modify. **Primero** and **tercero** drop final **-o** before a masculine singular noun: **el primer (tercer) coche,** *the first (third) car,* but **los primeros días,** *the first days,* **la tercera parte,** *the third part (one-third).*

The ordinal numerals may precede or follow the noun. Contrast the following:

Lección primera	Lesson One (I)	**la primera lección**	the first lesson
el capítulo cuarto	Chapter Four	**el cuarto capítulo**	the fourth chapter
la Calle Quinta	Fifth Street	**la quinta calle**	the fifth street

A cardinal numeral precedes an ordinal when both are used together: **las tres primeras páginas,** *the first three pages.* (Note that Spanish says *the three first,* not *the first three,* as in English.)

With titles, chapters of books, volumes, etc., ordinal numerals are normally used through *tenth.* Beyond *tenth,* the cardinal numerals are regularly used; in these cases all numerals follow the noun. Before numerals in the names of rulers and popes the definite article is omitted in Spanish:

Felipe Segundo   Philip II (the Second)
la página sesenta   page 60
el tomo segundo   Volume Two
el siglo veinte   the twentieth century

Days of the week

domingo   Sunday   **jueves**   Thursday
lunes   Monday   **viernes**   Friday
martes   Tuesday   **sábado**   Saturday
miércoles   Wednesday

Months

enero   January   **julio**   July
febrero   February   **agosto**   August
marzo   March   **septiembre**   September
abril   April   **octubre**   October
mayo   May   **noviembre**   November
junio   June   **diciembre**   December

Seasons

la primavera   spring   **el otoño**   fall, autumn
el verano   summer   **el invierno**   winter

Dates

In expressing dates the ordinal numeral **primero** is used for the *first* (day of the month), and the cardinal numerals are used in all other instances. The definite article translates *the, on the,* with the day of the month. (Remember that the definite article translates *on* with a day of the week: **Yo saldré el lunes,** *I shall leave Monday* or *on Monday*.)

Hoy es el primero de enero.   Today is the first of January (January 1).
Nació el dos de mayo.   He was born (on) the second of May (May 2).

A complete date is expressed:

el diez de marzo de mil novecientos setenta y nueve   March 10, 1979

El español al día

Time of day

¿Qué hora es (era)?   What time is (was) it?

Es (Era) la una.   It is (was) one o'clock.

Son (Eran) las cinco.   It is (was) five o'clock.

Son las ocho menos diez de la mañana.   It is ten minutes before eight A.M. (in the morning).

Son las dos de la tarde en punto.   It is two P.M. (in the afternoon) sharp.

Eran las nueve de la noche.   It was nine at night (in the evening).

Ella saldrá a la una (a las tres).   She will leave at one (at three) o'clock.

Acaba de dar la una.   It has just struck one.

Ya han dado las once.   It has already struck eleven.

Faltan diez minutos para las doce.   It is ten minutes to twelve.

Estarán aquí hasta las cuatro.   They will be here until four.

Yo trabajo desde las ocho hasta las doce.   I work from eight until twelve.

Appendix C

I. Uses of the definite article

The definite article **el** (*pl.* **los**) or **la** (*pl.* **las**) is used in Spanish as in English to denote a specific noun. In addition, the definite article in Spanish has a number of other important functions. A few of the special uses are:

a. With nouns in a general sense, indicating a whole class:

La nieve es fría.   Snow is cold.
Nos gusta la música española.   We like Spanish music.

b. With abstract nouns:

la juventud, el arte   youth, art
Lucharon por la libertad.   They struggled for liberty.

c. With titles (except for **don, doña, san, santo,** and **santa**) when speaking about, but not directly to, a person:

El doctor Martín volvió a casa.   Dr. Martín returned home.
La señora Blanco viene.   Mrs. Blanco is coming.

But: **Buenos días, señor López.**   Good morning, Mr. López.
    Don Carlos Díaz me llamó.   Don Carlos Díaz called me.

d. With days of the week and seasons of the year, except after **ser,** and with dates, meals, hours of the day, and with expressions of time when modified:

Vienen el domingo.   They are coming (on) Sunday.
Salieron el doce.   They left the twelfth.
Ya han tomado el almuerzo.   They have already eaten lunch.
Eran las cuatro.   It was four o'clock.
Los vi la semana pasada.   I saw them last week.

But: **Hoy es martes.**   Today is Tuesday.
    Es invierno.   It is winter.

e. With parts of the body, articles of clothing, and other things closely associated with a person, when the reference is clear, in place of the possessive adjective:

Elena se lavó las manos.	Helen washed her hands.
Él tiene el pelo negro.	He has black hair (His hair is black).
Se pusieron los zapatos.	They put on their shoes.
Enrique ha perdido el reloj.	Henry has lost his watch.

f. With the name of a language, except after **de** or **en** and immediately after **hablar** (and sometimes after such verbs as **aprender, comprender, escribir, estudiar, leer,** and **saber**):

El español no es fácil.   Spanish is not easy.

But: **Ella no habla portugués.**   She does not speak Portuguese.

      Éste es un libro de español.   This is a Spanish book.

      La carta está escrita en español.   The letter is written in Spanish.

Special Note: When any word other than the subject pronoun comes between forms of **hablar** and the name of a language, the article is used: **Marta habla bien el español,** *Martha speaks Spanish well.*

g. With nouns of rate, weight, and measure (English uses the indefinite article):

Cuestan diez dólares el par.   They cost ten dollars a pair.

Pagué sesenta centavos la docena.   I paid sixty cents a dozen.

h. With adjectives to form nouns:

El joven no me conoce.   The young man doesn't know me.

Ella prefiere la roja.   She prefers the red one *(f.).*

i. Instead of a demonstrative before **de** and **que:**

Mi casa y la de Carlos . . .   My house and that of Charles . . .

Los que Ud. tiene son míos.   Those which you have are mine.

j. With names of rivers and mountains, with proper names and names of places when modified, and with the names of certain countries and cities:

El Amazonas está en el Brasil.   The Amazon is in Brazil.

El tío Cándido vivía en Carmona.   Uncle Cándido lived in Carmona.

Conocemos la España moderna.   We know modern Spain.

Escriben acerca de la América española.   They write about Spanish America.

Some commonly used names of countries, regions, and cities which are preceded by the definite article in conservative literary usage (but which are often used without the article in journalistic and colloquial use) are:

(el) Canadá	**(el) Brasil**	**(el) Perú**	**(el) Callao**
(los) Estados Unidos	**(el) Ecuador**	**(el) Paraguay**	**(el) Cuzco**
(la) Argentina	**(la) Florida**	**(el) Uruguay**	**(la) Habana**

The article is seldom omitted in the case of **El Salvador,** which means *The Savior.*

k. In certain set phrases:

en (a) la escuela.   in, at (to) school
a los dos años   after (in) two years

l. The article **el** is used for **la** before feminine nouns beginning with stressed **a-** or **ha-** when the article immediately precedes: **el agua,** *the water,* **el hambre,** *hunger;* but **las aguas,** *the waters,* **la amiga,** *the (girl)friend.*

Recall the two contractions in Spanish of the masculine singular definite article: **a + el = al; de + el = del.** Examples: **Vamos al cine,** *We are going (Let's go) to the movies;* **Entro en el cuarto del muchacho,** *I enter the boy's room.*

II. The neuter article **lo** is used:

a. With adjectives, adverbs, and past participles used as adjectives, to form an expression almost equivalent to an abstract noun:

Lo malo es que él no viene.   What is bad (The bad thing) is that he isn't coming.
Lean Uds. lo escrito.   Read what is written.

b. With adverbs expressing possibility and with certain adjectives and adverbs to form set phrases:

Haré lo mejor posible.   I'll do the best possible (the best I possibly can).
Los vi a lo lejos.   I saw them in the distance.

III. The definite article is omitted:

a. Before titles in direct address and before the titles **don, doña, san, santo,** and **santa:**

Señor Salas, ¿dónde está San Luis?   Mr. Salas, where is St. Louis?

b. Before nouns in apposition, when the information is explanatory of the preceding noun:

Madrid, capital de España, es una ciudad grande.   Madrid, the capital of Spain, is a large city.

But: **Madrid, la ciudad que visité, es grande.**   Madrid, the city I visited, is large.

c. In many prepositional phrases, especially after **a, con, de,** or **en:**

en casa   at home   **de noche**   at night

d. With days of the week and seasons of the year after **ser,** and before numerals in titles of rulers, etc.:

Hoy es viernes.   Today is Friday.
Es invierno.   It is winter.
Felipe Segundo (II)   Philip the Second

IV. Uses of the indefinite article

The indefinite article **un, una,** *a, an,* is usually repeated before each noun:

María tiene una pulsera y un reloj.   Mary has a bracelet and a watch.

The plural forms **unos, unas,** mean *some, any, a few, several, about* (in the sense of approximately). Normally *some* and *any* are expressed in Spanish only when emphasized:

Ayer vi unas blusas bonitas.   Yesterday I saw some (a few) pretty blouses.
El señor Díaz tiene unos sesenta años.   Mr. Díaz is about sixty years old.

But: **¿Tienes libros?**   Do you have any books?
     Debo comprar flores para ella.   I should buy some flowers for her.

In Spanish the indefinite article is omitted in certain cases in which it is generally used in English:

a. With an unmodified predicate noun which shows profession, occupation, religion, nationality, rank, political affiliation, and the like, or in answer to the English *What is (he)?*

El señor Salas es español.   Mr. Salas is a Spaniard.
Mi hermano se hizo médico.   My brother became a doctor.
—¿Qué es él? —Es profesor.   "What is he?" "He is a teacher."

The indefinite article is used, however, when the predicate noun is modified or a person's identity is stressed:

Ella es una buena profesora.   She is a good teacher.
—¿Quién es ella? —Es una profesora.   "Who is she?" "She is a teacher."

b. Often before nouns, particularly in interrogative and negative sentences, after prepositions, and after certain verbs (such as **tener** and **buscar**), when the numerical concept of *a, an (one)* is not emphasized:

¿Buscas maleta ahora?   Are you looking for a suitcase now?
Luis no tiene sombrero.   Louis doesn't have a hat.
Salió sin abrigo.   He went out without a topcoat.

c. With adjectives such as **otro, -a,** *another,* **tal,** *such a,* **cien(to),** *a (one) hundred,* **mil,** *a (one) thousand,* **cierto, -a,** *a certain,* **medio, -a,** *a half,* and with **¡qué!** *what a!* in exclamations:

Cierto estudiante lo vio.   A certain student saw him.
Compró otro disco.   He bought another record.
¡Qué hombre!   What a man!

d. After **como** or **de** meaning *as:*

Juan trabaja como agente de la casa.   John works as an agent of the firm.

e. With nouns in apposition, if the information is explanatory and not stressed:

Don Carlos Martín, profesor de español, . . .   Don Carlos Martín, a Spanish teacher, . . .

f. In many prepositional phrases:

al poco rato   after a short while
en voz baja   in a low voice
sin duda   without a doubt

Appendix D

Regular verbs

INFINITIVE

tomar, *to take*	**comer,** *to eat*	**vivir,** *to live*

PRESENT PARTICIPLE

tomando, *taking*	comiendo, *eating*	viviendo, *living*

PAST PARTICIPLE

tomado, *taken*	comido, *eaten*	vivido, *lived*

SIMPLE TENSES

INDICATIVE MOOD

PRESENT

I take, do take, am taking, etc.	*I eat, do eat, am eating, etc.*	*I live, do live, am living, etc.*
tomo	como	vivo
tomas	comes	vives
toma	come	vive
tomamos	comemos	vivimos
tomáis	coméis	vivís
toman	comen	viven

IMPERFECT

I was taking, used to take, took, etc.	*I was eating, used to eat, ate, etc.*	*I was living, used to live, lived, etc.*
tomaba	comía	vivía
tomabas	comías	vivías
tomaba	comía	vivía
tomábamos	comíamos	vivíamos
tomabais	comíais	vivíais
tomaban	comían	vivían

PRETERIT

I took, did take, etc.	*I ate, did eat, etc.*	*I lived, did live, etc.*
tomé	comí	viví
tomaste	comiste	viviste
tomó	comió	vivió
tomamos	comimos	vivimos
tomasteis	comisteis	vivisteis
tomaron	comieron	vivieron

FUTURE

I shall (will) take, etc.	*I shall (will) eat, etc.*	*I shall (will) live, etc.*
tomaré	comeré	viviré
tomarás	comerás	vivirás
tomará	comerá	vivirá
tomaremos	comeremos	viviremos
tomaréis	comeréis	viviréis
tomarán	comerán	vivirán

CONDITIONAL

I should (would) take, etc.	*I should (would) eat, etc.*	*I should (would) live, etc.*
tomaría	comería	viviría
tomarías	comerías	vivirías
tomaría	comería	viviría
tomaríamos	comeríamos	viviríamos
tomaríais	comeríais	viviríais
tomarían	comerían	vivirían

SUBJUNCTIVE MOOD

PRESENT

(that) I may take, etc.	*(that) I may eat, etc.*	*(that) I may live, etc.*
tome	coma	viva
tomes	comas	vivas
tome	coma	viva
tomemos	comamos	vivamos
toméis	comáis	viváis
tomen	coman	vivan

-ra IMPERFECT

(that) I might take, etc.	*(that) I might eat, etc.*	*(that) I might live, etc.*
tomara	comiera	viviera
tomaras	comieras	vivieras
tomara	comiera	viviera
tomáramos	comiéramos	viviéramos
tomarais	comierais	vivierais
tomaran	comieran	vivieran

-se IMPERFECT[1]

tomase	comiese	viviese
tomases	comieses	vivieses
tomase	comiese	viviese
tomásemos	comiésemos	viviésemos
tomaseis	comieseis	vivieseis
tomasen	comiesen	viviesen

IMPERATIVE MOOD

take	*eat*	*live*
toma (tú)	come (tú)	vive (tú)
tomad (vosotros)	comed (vosotros)	vivid (vosotros)

COMPOUND TENSES

PERFECT INFINITIVE

haber tomado (comido, vivido), *to have taken (eaten, lived)*

PERFECT PARTICIPLE

habiendo tomado (comido, vivido), *having taken (eaten, lived)*

---

[1]There is also a future subjunctive, used rarely today except in proverbs, legal documents, etc., which was common in Old Spanish. Forms are:

tomar: tomare tomares tomare tomáremos tomareis tomaren
comer: comiere comieres comiere comiéremos comiereis comieren
vivir: viviere vivieres viviere viviéremos viviereis vivieren

The future perfect subjunctive is: hubiere tomado (comido, vivido), etc.

INDICATIVE MOOD

PRESENT PERFECT

I have taken, eaten, lived, etc.

he
has
ha
hemos
habéis
han
} tomado
comido
vivido

PLUPERFECT

I had taken, eaten, lived, etc.

había
habías
había
habíamos
habíais
habían
} tomado
comido
vivido

PRETERIT PERFECT[1]

I had taken, eaten, lived, etc.

hube
hubiste
hubo
hubimos
hubisteis
hubieron
} tomado
comido
vivido

FUTURE PERFECT

I shall (will) have taken, etc.

habré
habrás
habrá
habremos
habréis
habrán
} tomado
comido
vivido

CONDITIONAL PERFECT

I should (would) have taken, etc.

habría
habrías
habría
habríamos
habríais
habrían
} tomado
comido
vivido

SUBJUNCTIVE MOOD

PRESENT PERFECT

(that) I may have taken, etc.

haya
hayas
haya
hayamos
hayáis
hayan
} tomado
comido
vivido

-ra and -se PLUPERFECT

(that) I might have taken, etc.

hubiera *or* hubiese
hubieras *or* hubieses
hubiera *or* hubiese
hubiéramos *or* hubiésemos
hubierais *or* hubieseis
hubieran *or* hubiesen
} tomado
comido
vivido

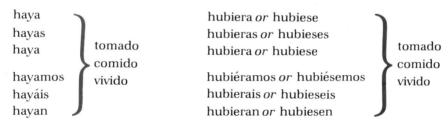

Irregular past participles of regular verbs

abrir: **abierto**   describir: **descrito**   escribir: **escrito**
cubrir: **cubierto**   descubrir: **descubierto**   romper: **roto**

[1]The preterit perfect tense is used only after conjunctions such as **cuando, en cuanto, apenas,** *scarcely, hardly,* etc., but is not used in this text. In spoken Spanish the simple preterit tense usually replaces the preterit perfect. The Spanish pluperfect is the equivalent of the English past perfect.

Comments concerning forms of verbs

INFINITIVE decir	PRES. PART. diciendo	PAST PART. dicho	PRES. IND. digo	PRETERIT dijeron
IMP. IND. decía	PROGRESSIVE TENSES estoy, *etc.*, diciendo	COMPOUND TENSES he, *etc.*, dicho	PRES. SUBJ. diga	IMP. SUBJ. dijera dijese
FUTURE diré			IMPERATIVE di decid	
CONDITIONAL diría				

a. From five forms (infinitive, present participle, past participle, first person singular present indicative, and third person plural preterit) all other forms may be derived.

b. The first and second persons plural of the present indicative of all verbs are regular, except in the case of **haber, ir,** and **ser.**

c. The third person plural is formed by adding **-n** to the third person singular in all tenses, except in the preterit and in the present indicative of **ser.**

d. All familiar forms (second person singular and plural) end in **-s,** except the second person singular preterit and the imperative.

e. The imperfect indicative is regular in all verbs, except **ir (iba), ser (era),** and **ver (veía).**

f. If the first person singular preterit ends in unaccented **-e,** the third person singular ends in unaccented **-o;** the other endings are regular, except that after **j** the ending for the third person plural is **-eron.** Eight verbs of this group, in addition to those which end in **-ducir,** have a **u**-stem preterit (**andar, caber, estar, haber, poder, poner, saber, tener**); four have an **i**-stem (**decir, hacer, querer, venir**); and **traer** retains the vowel **a** in the preterit. (The third person plural preterit forms of **decir** and **traer** are **dijeron** and **trajeron,** respectively. The third person singular preterit form of **hacer** is **hizo.**) **Ir** and **ser** have the same preterit forms, while **dar** has second-conjugation endings in this tense.

g. The conditional always has the same stem as the future. Only twelve verbs have irregular stems in these tenses. Five drop **e** of the infinitive ending (**caber, haber, poder, querer, saber**); five drop **e** or **i** and insert **d** (**poner, salir, tener, valer, venir**); and two (**decir, hacer**) retain the Old Spanish stems **dir-** and **har- (far-).**

h. The stem of the present subjunctive of all verbs is the same as that of the first person singular present indicative, except for **dar, estar, haber, ir, saber,** and **ser.**

i. The imperfect subjunctive of all verbs is formed by dropping **-ron** of the third person plural preterit and adding the **-ra** or **-se** endings.

j. The singular imperative is the same in form as the third person singular present indicative, except in the case of ten verbs (**decir, di; haber, he; hacer, haz; ir, ve; poner, pon; salir, sal; ser, sé; tener, ten; valer, val** *or* **vale; venir, ven**). The plural imperative is always formed by dropping final **-r** of the infinitive and adding **-d.** (Remember that the imperative is used only for familiar affirmative commands.)

k. The compound tenses of all verbs are formed by using the various tenses of the auxiliary verb **haber** with the past participle.

Irregular verbs

(Participles are given with the infinitive; tenses not listed are regular.)

1. **andar,** andando, andado, *to go, walk*

PRETERIT	**anduve anduviste anduvo anduvimos anduvisteis anduvieron**
IMP. SUBJ.	**anduviera,** etc. **anduviese,** etc.

2. **caber,** cabiendo, cabido, *to be contained in, fit*

PRES. IND.	**quepo** cabes cabe cabemos cabéis caben
PRES. SUBJ.	**quepa quepas quepa quepamos quepáis quepan**
FUTURE	**cabré cabrás,** etc. COND. **cabría cabrías,** etc.
PRETERIT	**cupe cupiste cupo cupimos cupisteis cupieron**
IMP. SUBJ.	**cupiera,** etc. **cupiese,** etc.

3. **caer, cayendo, caído,** *to fall*

PRES. IND.	**caigo** caes cae caemos caéis caen
PRES. SUBJ.	**caiga caigas caiga caigamos caigáis caigan**
PRETERIT	caí **caíste cayó caímos caísteis cayeron**
IMP. SUBJ.	**cayera,** etc. **cayese,** etc.

4. **dar,** dando, dado, *to give*

PRES. IND.	**doy** das da damos dais dan
PRES. SUBJ.	**dé** des **dé** demos deis den
PRETERIT	**di diste dio dimos disteis dieron**
IMP. SUBJ.	**diera,** etc. **diese,** etc.

5. **decir, diciendo, dicho,** *to say, tell*

PRES. IND.	**digo**	**dices**	**dice**	decimos	decís	**dicen**
PRES. SUBJ.	**diga**	**digas**	**diga**	**digamos**	**digáis**	**digan**
IMPERATIVE	**di**			decid		
FUTURE	**diré**	**dirás,** etc.		COND.	**diría**	**dirías,** etc.
PRETERIT	**dije**	**dijiste**	**dijo**	**dijimos**	**dijisteis**	**dijeron**
IMP. SUBJ.	**dijera,** etc.			**dijese,** etc.		

Like **decir:** maldecir, *to put a curse on.*

6. **estar,** estando, estado, *to be*

PRES. IND.	**estoy**	**estás**	**está**	estamos	estáis	**están**
PRES. SUBJ.	**esté**	**estés**	**esté**	estemos	estéis	**estén**
PRETERIT	**estuve**	**estuviste**	**estuvo**	**estuvimos**	**estuvisteis**	**estuvieron**
IMP. SUBJ.	**estuviera,** etc.		**estuviese,** etc.			

7. **haber,** habiendo, habido, *to have* (auxiliary)

PRES. IND.	**he**	**has**	**ha**	**hemos**	habéis	**han**
PRES. SUBJ.	**haya**	**hayas**	**haya**	**hayamos**	**hayáis**	**hayan**
IMPERATIVE	**he**			habed		
FUTURE	**habré**	**habrás,** etc.		COND.	**habría**	**habrías,** etc.
PRETERIT	**hube**	**hubiste**	**hubo**	**hubimos**	**hubisteis**	**hubieron**
IMP. SUBJ.	**hubiera,** etc.			**hubiese,** etc.		

8. **hacer,** haciendo, **hecho,** *to do, make*

PRES. IND.	**hago**	haces	hace	hacemos	hacéis	hacen
PRES. SUBJ.	**haga**	**hagas**	**haga**	**hagamos**	**hagáis**	**hagan**
IMPERATIVE	**haz**			haced		
FUTURE	**haré**	**harás,** etc.		COND.	**haría**	**harías,** etc.
PRETERIT	**hice**	**hiciste**	**hizo**	**hicimos**	**hicisteis**	**hicieron**
IMP. SUBJ.	**hiciera,** etc.			**hiciese,** etc.		

Like **hacer:** satisfacer, *to satisfy.*

9. **ir,** yendo, ido, *to go*

PRES. IND.	**voy**	**vas**	**va**	**vamos**	**vais**	**van**
PRES. SUBJ.	**vaya**	**vayas**	**vaya**	**vayamos**	**vayáis**	**vayan**
IMPERATIVE	**ve**			id		
IMP. IND.	**iba**	**ibas**	**iba**	**íbamos**	**ibais**	**iban**
PRETERIT	**fui**	**fuiste**	**fue**	**fuimos**	**fuisteis**	**fueron**
IMP. SUBJ.	**fuera,** etc.			**fuese,** etc.		

10. **oír, oyendo,** oído, *to hear*

PRES. IND.	**oigo**	**oyes**	**oye**	oímos	oís	**oyen**
PRES. SUBJ.	**oiga**	**oigas**	**oiga**	**oigamos**	**oigáis**	**oigan**
IMPERATIVE	**oye**				oíd	
PRETERIT	oí	oíste	**oyó**	oímos	oísteis	**oyeron**
IMP. SUBJ.	**oyera,** etc.			**oyese,** etc.		

11. **poder, pudiendo,** podido, *to be able*

PRES. IND.	**puedo**	**puedes**	**puede**	podemos	podéis	**pueden**
PRES. SUBJ.	**pueda**	**puedas**	**pueda**	podamos	podáis	**puedan**
FUTURE	**podré**	**podrás,** etc.		COND.	**podría**	**podrías,** etc.
PRETERIT	**pude**	**pudiste**	**pudo**	**pudimos**	**pudisteis**	**pudieron**
IMP. SUBJ.	**pudiera,** etc.			**pudiese,** etc.		

12. **poner,** poniendo, **puesto,** *to put, place*

PRES. IND.	**pongo**	pones	pone	ponemos	ponéis	ponen
PRES. SUBJ.	**ponga**	**pongas**	**ponga**	**pongamos**	**pongáis**	**pongan**
IMPERATIVE	**pon**			poned		
FUTURE	**pondré**	**pondrás,** etc.		COND.	**pondría**	**pondrías,** etc.
PRETERIT	**puse**	**pusiste**	**puso**	**pusimos**	**pusisteis**	**pusieron**
IMP. SUBJ.	**pusiera,** etc.			**pusiese,** etc.		

Like **poner:** componer, *to compose;* disponerse a, *to prepare to;* imponerse a, *to be imposed upon;* proponer, *to propose;* suponer, *to suppose.*

13. **querer,** queriendo, querido, *to wish, want*

PRES. IND.	**quiero**	**quieres**	**quiere**	queremos	queréis	**quieren**
PRES. SUBJ.	**quiera**	**quieras**	**quiera**	queramos	queráis	**quieran**
FUTURE	**querré**	**querrás,** etc.		COND.	**querría**	**querrías,** etc.
PRETERIT	**quise**	**quisiste**	**quiso**	**quisimos**	**quisisteis**	**quisieron**
IMP. SUBJ.	**quisiera,** etc.			**quisiese,** etc.		

14. **saber,** sabiendo, sabido, *to know*

PRES. IND.	**sé**	sabes	sabe	sabemos	sabéis	saben
PRES. SUBJ.	**sepa**	**sepas**	**sepa**	**sepamos**	**sepáis**	**sepan**
FUTURE	**sabré**	**sabrás,** etc.		COND.	**sabría**	**sabrías,** etc.
PRETERIT	**supe**	**supiste**	**supo**	**supimos**	**supisteis**	**supieron**
IMP. SUBJ.	**supiera,** etc.			**supiese,** etc.		

15. **salir,** saliendo, salido, *to go out, leave*

PRES. IND.	**salgo**	sales	sale	salimos	salís	salen
PRES. SUBJ.	**salga**	**salgas**	**salga**	**salgamos**	**salgáis**	**salgan**
IMPERATIVE	**sal**			**salid**	
FUTURE	**saldré**	**saldrás,** etc.		COND.	**saldría**	**saldrías,** etc.

16. **ser,** siendo, sido, *to be*

PRES. IND.	**soy**	**eres**	**es**	**somos**	**sois**	**son**
PRES. SUBJ.	**sea**	**seas**	**sea**	**seamos**	**seáis**	**sean**
IMPERATIVE	**sé**			**sed**	
IMP. IND.	**era**	**eras**	**era**	**éramos**	**erais**	**eran**
PRETERIT	**fui**	**fuiste**	**fue**	**fuimos**	**fuisteis**	**fueron**
IMP. SUBJ.	**fuera,** etc.			**fuese,** etc.	

17. **tener,** teniendo, tenido, *to have*

PRES. IND.	**tengo**	**tienes**	**tiene**	tenemos	tenéis	**tienen**
PRES. SUBJ.	**tenga**	**tengas**	**tenga**	**tengamos**	**tengáis**	**tengan**
IMPERATIVE	**ten**			tened	
FUTURE	**tendré**	**tendrás,** etc.		COND.	**tendría**	**tendrías,** etc.
PRETERIT	**tuve**	**tuviste**	**tuvo**	**tuvimos**	**tuvisteis**	**tuvieron**
IMP. SUBJ.	**tuviera,** etc.			**tuviese,** etc.	

Like **tener:** contener, *to contain;* detener, *to detain;* obtener, *to obtain;* sostener, *to sustain.*

18. **traer,** trayendo, traído, *to bring*

PRES. IND.	**traigo**	traes	trae	traemos	traéis	traen
PRES. SUBJ.	**traiga**	**traigas**	**traiga**	**traigamos**	**traigáis**	**traigan**
PRETERIT	**traje**	**trajiste**	**trajo**	**trajimos**	**trajisteis**	**trajeron**
IMP. SUBJ.	**trajera,** etc.			**trajese,** etc.	

Like **traer:** atraer, *to attract.*

19. **valer,** valiendo, valido, *to be worth*

PRES. IND.	**valgo**	vales	vale	valemos	valéis	valen
PRES. SUBJ.	**valga**	**valgas**	**valga**	**valgamos**	**valgáis**	**valgan**
IMPERATIVE	**val** (vale)			valed	
FUTURE	**valdré**	**valdrás,** etc.		COND.	**valdría**	**valdrías,** etc.

20. **venir, viniendo,** venido, *to come*

PRES. IND.	**vengo**	**vienes**	**viene**	venimos	venís	**vienen**
PRES. SUBJ.	**venga**	**vengas**	**venga**	**vengamos**	**vengáis**	**vengan**
IMPERATIVE	**ven**			venid		
FUTURE	**vendré**	**vendrás,** etc.		COND.	**vendría**	**vendrías,** etc.
PRETERIT	**vine**	**viniste**	**vino**	**vinimos**	**vinisteis**	**vinieron**
IMP. SUBJ.	**viniera,** etc.			**viniese,** etc.		

Like **venir:** convenir, *to be fitting.*

21. **ver,** viendo, **visto,** *to see*

PRES. IND.	**veo**	ves	ve	vemos	veis	ven
PRES. SUBJ.	**vea**	**veas**	**vea**	**veamos**	**veáis**	**vean**
PRETERIT	**vi**	viste	**vio**	vimos	visteis	vieron
IMP. IND.	**veía**	**veías**	**veía**	**veíamos**	**veíais**	**veían**

Verbs with changes in spelling

Changes in spelling are required in certain verbs to preserve the sound of the final consonant of the stem. The changes occur in only seven forms: in the first four types in this section the change is in the first person singular preterit, and in the remaining types in the first person singular present indicative, while all types change throughout the present subjunctive.

1. Verbs ending in **-car** change **c** to **qu** before **e: buscar,** *to look for.*

PRETERIT	**busqué**	buscaste	buscó, etc.			
PRES. SUBJ.	**busque**	**busques**	**busque**	**busquemos**	**busquéis**	**busquen**

Like **buscar:** acercarse, *to approach;* aplicarse, *to apply oneself;* arrancar, *to tear out;* atacar, *to attack;* colocar, *to place;* convocar, *to call together;* criticar, *to criticize;* dedicar, *to dedicate;* desembarcar, *to disembark;* destacarse, *to stand out;* educar, *to educate;* embarcarse, *to embark;* explicar, *to explain;* indicar, *to indicate;* marcar, *to dial;* practicar, *to practice;* publicar, *to publish;* sacar, *to take out;* secar, *to dry;* tocar, *to play* (music).

2. Verbs ending in **-gar** change **g** to **gu** before **e: llegar,** *to arrive.*

PRETERIT	**llegué**	llegaste	llegó, etc.			
PRES. SUBJ.	**llegue**	**llegues**	**llegue**	**lleguemos**	**lleguéis**	**lleguen**

Like **llegar:** apagar, *to turn off;* colgar (ue), *to hang;* descargar, *to relieve;* entregar, *to* *hand (over);* jugar (ue), *to play* (a game); navegar (ie), *to sail;* negar (ie), *to deny;* obligar, *to oblige;* pagar, *to pay (for);* rogar (ue), *to ask, beg.*

3. Verbs ending in **-zar** change **z** to **c** before **e: gozar,** *to enjoy.*

PRETERIT   **gocé**   gozaste   gozó, etc.
PRES. SUBJ.   **goce**   **goces**   **goce**   **gocemos**   **gocéis**   **gocen**

Like **gozar:** abrazar, *to embrace;* almorzar (ue), *to eat lunch;* avanzar, *to advance;* bautizar, *to baptize;* bostezar, *to yawn;* cazar, *to hunt;* colonizar, *to colonize;* comenzar (ie), *to commence;* cruzar, *to cross;* empezar (ie), *to begin;* esforzarse (ue) por, *to strive for;* forzar (ue), *to force;* lanzar, *to hurl;* mobilizarse, *to move about;* organizar, *to organize;* realizar, *to realize;* sintonizar, *to tune in.*

4. Verbs ending in **-guar** change **gu** to **gü** before **e: averiguar,** *to find out.*

PRETERIT   **averigüé**   averiguaste   averiguó, etc.
PRES. SUBJ.   **averigüe**   **averigües**   **averigüe**   **averigüemos**   **averigüéis** **averigüen**

Like **averiguar:** apaciguar, *to pacify;* atestiguar, *to bear witness to.*

5. Verbs ending in **-ger** or **-gir** change **g** to **j** before **a** and **o**: **coger,** *to catch.*

PRES. IND.	**cojo**	coges	coge, etc.			
PRES. SUBJ.	**coja**	**cojas**	**coja**	**cojamos**	**cojáis**	**cojan**

Like **coger:** dirigir, *to direct;* escoger, *to choose;* recoger, *to pick up;* surgir, *to surge, arise.*

6. Verbs ending in **-guir** change **gu** to **g** before **a** and **o**: **distinguir,** *to distinguish.*

PRES. IND.	**distingo**	distingues	distingue, etc.			
PRES. SUBJ.	**distinga**	**distingas**	**distinga**	**distingamos**	**distingáis**	**distingan**

Like **distinguir:** conseguir (i, i), *to get;* seguir (i, i), *to follow, continue.*

7. Verbs ending in **-cer** or **-cir** preceded by a consonant change **c** to **z** before **a** and **o**: **vencer,** *to overcome.*

PRES. IND.	**venzo**	vences	vence, etc.			
PRES. SUBJ.	**venza**	**venzas**	**venza**	**venzamos**	**venzáis**	**venzan**

Like **vencer:** convencer, *to convince;* ejercer, *to exercise.*

8. Verbs ending in **-quir** change **qu** to **c** before **a** and **o**: **delinquir,** *to be guilty.*

PRES. IND.	**delinco**	delinques	delinque, etc.			
PRES. SUBJ.	**delinca**	**delincas**	**delinca**	**delincamos**	**delincáis**	**delincan**

Verbs with special endings

1. Verbs ending in **-cer** or **-cir** following a vowel insert **z** before **c** in the first person singular present indicative and throughout the present subjunctive: **conocer,** *to know, be acquainted with.*

PRES. IND.	**conozco**	conoces	conoce, etc.		
PRES. SUBJ.	**conozca**	**conozcas**	**conozca**	**conozcamos**	**conozcáis**
	conozcan				

Like **conocer:** agradecer, *to be thankful for;* amanecer, *to dawn;* aparecer, *to appear;* crecer, *to grow;* desaparecer, *to disappear;* ejercer, *to exercise;* establecer, *to establish;* favorecer, *to favor;* florecer, *to flourish;* merecer, *to merit;* nacer, *to be born;* obedecer, *to obey;* ofrecer, *to offer;* parecer, *to seem;* pertenecer, *to belong to;* prevalecer, *to prevail;* reconocer, *to recognize;* rejuvenecer, *to rejuvenate;* renacer, *to be revived.*

2. Verbs ending in **-ducir** have the same changes as **conocer,** with additional changes in the preterit and imperfect subjunctive: **conducir,** *to conduct.*

PRES. IND.	**conduzco** conduces conduce, etc.
PRES. SUBJ.	**conduzca conduzcas conduzca conduzcamos conduzcáis conduzcan**
PRETERIT	**conduje condujiste condujo condujimos condujisteis condujeron**
IMP. SUBJ.	**condujera,** etc. **condujese,** etc.

Like **conducir:** introducir, *to introduce;* producir, *to produce;* reproducir, *to reproduce.*

3. Verbs ending in **-uir** (except **-guir**) insert **y** except before **i,** and change unaccented **i** between vowels to **y: huir,** *to flee.*

PARTICIPLES	**huyendo,** huido
PRES. IND.	**huyo huyes huye** huimos huis **huyen**
PRES. SUBJ.	**huya huyas huya huyamos huyáis huyan**
IMPERATIVE	**huye** huid
PRETERIT	huí huiste **huyó** huimos huisteis **huyeron**
IMP. SUBJ.	**huyera,** etc. **huyese,** etc.

Like **huir:** construir, *to construct;* contribuir, *to contribute;* destruir, *to destroy.*

4. Certain verbs ending in **-er** preceded by a vowel replace unaccented **i** of the ending by **y: creer,** *to believe.*

PARTICIPLES	**creyendo, creído**
PRETERIT	creí **creíste creyó creímos creísteis creyeron**
IMP. SUBJ.	**creyera,** etc. **creyese,** etc.

Like **creer:** leer, *to read;* poseer, *to possess.*

5. Some verbs ending in **-iar** require a written accent on the **i** in the singular and third person plural in the present indicative and present subjunctive and in the singular imperative: **enviar,** *to send.*

PRES. IND.	**envío envías envía** enviamos enviáis **envían**
PRES. SUBJ.	**envíe envíes envíe** enviemos enviéis **envíen**
IMPERATIVE	**envía** enviad

Like **enviar:** esquiar, *to ski;* guiar, *to guide.*

However, such common verbs as **anunciar,** *to announce;* **apreciar,** *to appreciate;* **asociarse con,** *to join;* **cambiar,** *to change;* **estudiar,** *to study;* **iniciar,** *to initiate;*

limpiar, *to clean;* **pronunciar,** *to pronounce;* **rabiar,** *to rage;* **reconciliar,** *to reconcile;* **refugiarse,** *to take refuge;* and **remediar,** *to remedy,* do not have the accented **i.**

6. Verbs ending in **-uar** have a written accent on the **u** in the same forms as verbs in section 5:[1] **continuar,** *to continue.*

PRES. IND.	**continúo**	**continúas**	**continúa**	continuamos	continuáis
	continúan				
PRES. SUBJ.	**continúe**	**continúes**	**continúe**	continuemos	continuéis
	continúen				
IMPERATIVE	**continúa**			continuad	

7. Verbs whose stems end in **ll** or **ñ** drop the **i** of the diphthongs **ie (ié)** and **ió:**

bullir, *to boil*

PRES. PART	**bullendo**					
PRETERIT	bullí	bulliste	**bulló**	bullimos	bullisteis	**bulleron**
IMP. SUBJ.	**bullera,** etc.			**bullese,** etc.		

gruñir, *to scold*

PRES. PART.	**gruñendo**					
PRETERIT.	gruñí	gruñiste	**gruñó**	gruñimos	gruñisteis	**gruñeron**
IMP. SUBJ.	**gruñera,** etc.			**gruñese,** etc.		

Like **gruñir:** reñir (i, i), *to scold.*

Stem-changing verbs

CLASS I (-ar, -er)

Many verbs of the first and second conjugations change the stem vowel **e** to **ie** and **o** to **ue** when the vowels **e** and **o** are stressed; i.e., in the singular and third person plural of the present indicative and present subjunctive and in the singular imperative. Class I verbs are designated: **cerrar (ie), volver (ue).**

cerrar, *to close*

PRES. IND.	**cierro**	**cierras**	**cierra**	cerramos	cerráis	**cierran**
PRES. SUBJ.	**cierre**	**cierres**	**cierre**	cerremos	cerréis	**cierren**
IMPERATIVE	**cierra**			cerrad		

---

[1]**Reunir(se),** *to gather,* has a written accent on the **u** in the same forms as **continuar:**

PRES. IND.	**reúno**	**reúnes**	**reúne** . . . **reúnen**
PRES. SUBJ.	**reúna**	**reúnas**	**reúna** . . . **reúnan**
IMPERATIVE	**reúne**		

Like **cerrar:** apretar, *to press;* atravesar, *to cross;* comenzar, *to commence;* confesar, *to confess;* despertar, *to awaken;* empezar, *to begin;* encerrar, *to enclose;* manifestar, *to manifest;* negar, *to deny;* pensar, *to think;* recomendar, *to recommend;* regar, *to irrigate;* sentar, *to seat;* temblar, *to tremble.*

perder, *to lose*

PRES. IND.	**pierdo**	**pierdes**	**pierde**	perdemos	perdéis	**pierden**
PRES. SUBJ.	**pierda**	**pierdas**	**pierda**	perdamos	perdáis	**pierdan**
IMPERATIVE	**pierde**			perded		

Like **perder:** defender, *to defend;* entender, *to understand;* extender, *to extend.*

contar, *to count*

PRES. IND.	**cuento**	**cuentas**	**cuenta**	contamos	contáis	**cuentan**
PRES. SUBJ.	**cuente**	**cuentes**	**cuente**	contemos	contéis	**cuenten**
IMPERATIVE	**cuenta**			contad		

Like **contar:** acordarse, *to remember;* acostarse, *to go to bed;* almorzar, *to eat lunch;* costar, *to cost;* demostrar, *to demonstrate;* encontrar, *to find;* esforzarse, *to make an effort;* forzar, *to force;* mostrar, *to show;* probar, *to test;* recordar, *to recall;* rogar, *to ask, beg;* sonar, *to sound;* soñar, *to dream;* volar, *to fly.*

volver,[1] *to return*

PRES. IND.	**vuelvo**	**vuelves**	**vuelve**	volvemos	volvéis	**vuelven**
PRES. SUBJ.	**vuelva**	**vuelvas**	**vuelva**	volvamos	volváis	**vuelvan**
IMPERATIVE	**vuelve**			volved		

Like **volver:** devolver, *to give back;* envolver, *to wrap;* llover, *to rain* (impersonal); mover, *to move;* oler,[2] *to smell;* resolver, *to resolve;* soler, *to be accustomed to.*

jugar, *to play* (a game)

PRES. IND.	**juego**	**juegas**	**juega**	jugamos	jugáis	**juegan**
PRES. SUBJ.	**juegue**	**juegues**	**juegue**	juguemos	juguéis	**jueguen**
IMPERATIVE	**juega**			jugad		

CLASS II (-ir)

Certain verbs of the third conjugation have the changes in the stem indicated below. Class II verbs are designated: **sentir (ie, i), dormir (ue, u).**

PRES. IND.	1, 2, 3, 6	$\left.\right\}$	**e > ie**
PRES. SUBJ.	1, 2, 3, 6		**o > ue**
IMPERATIVE SING.			

PRES. PART.		$\left.\right\}$	**e > i**
PRETERIT	3, 6		**o > u**
PRES. SUBJ.	4, 5		
IMP. SUBJ.	1, 2, 3, 4, 5, 6		

sentir, *to feel*

PRES. PART.	**sintiendo**					
PRES. IND.	**siento**	**sientes**	**siente**	sentimos	sentís	**sienten**
PRES. SUBJ.	**sienta**	**sientas**	**sienta**	**sintamos**	**sintáis**	**sientan**
IMPERATIVE	**siente**			sentid		
PRETERIT	sentí	sentiste	**sintió**	sentimos	sentisteis	**sintieron**
IMP. SUBJ.	**sintiera,** etc.			**sintiese,** etc.		

Like **sentir:** adquirir,[3] *to acquire;* advertir, *to warn;* convertir, *to convert;* divertirse, *to amuse oneself;* mentir, *to lie;* preferir, *to prefer;* referir, *to refer.*

---

[1] The past participles of **volver, devolver, envolver,** and **resolver** are: **vuelto, devuelto, envuelto, resuelto.** [2] Spanish words do not begin with **u** followed by **a, e,** or **o;** thus **h** is written **hue** before **ue** in forms of **oler:**

PRES. IND.	**huelo**	**hueles**	**huele**	olemos	oléis	**huelen**
PRES. SUBJ.	**huela**	**huelas**	**huela**	olamos	oláis	**huelan**
IMPERATIVE	**huele**					

[3] Forms of **adquirir:**

PRES. IND.	**adquiero**	**adquieres**	**adquiere**	**adquirimos**	**adquirís**	**adquieren**
PRES. SUBJ.	**adquiera**	**adquieras**	**adquiera**	**adquiramos**	**adquiráis**	**adquieran**

dormir, *to sleep*

PRES. PART.	**durmiendo**					
PRES. IND.	**duermo**	**duermes**	**duerme**	dormimos	dormís	**duermen**
PRES. SUBJ.	**duerma**	**duermas**	**duerma**	**durmamos**	**durmáis**	**duerman**
IMPERATIVE	**duerme**			dormid		
PRETERIT	dormí	dormiste	**durmió**	dormimos	dormisteis	**durmieron**
IMP. SUBJ.	**durmiera,** etc.			**durmiese,** etc.		

Like **dormir:** morir(se),[1] *to die.*

CLASS III (-ir)

Certain verbs in the third conjugation change **e** to **i** in all forms in which changes occur in Class II verbs. These verbs are designated: **pedir (i, i).**

pedir, *to ask*

PRES. PART.	**pidiendo**					
PRES. IND.	**pido**	**pides**	**pide**	pedimos	pedís	**piden**
PRES. SUBJ.	**pida**	**pidas**	**pida**	**pidamos**	**pidáis**	**pidan**
IMPERATIVE	**pide**			pedid		
PRETERIT	pedí	pediste	**pidió**	pedimos	pedisteis	**pidieron**
IMP. SUBJ.	**pidiera,** etc.			**pidiese,** etc.		

Like **pedir:** concebir, *to conceive;* conseguir, *to get;* despedirse, *to say good-bye;* impedir, *to impede;* reñir, *to scold;* repetir, *to repeat;* seguir, *to follow;* servir, *to serve;* vestir, *to dress.*

reír, *to laugh*

PARTICIPLES	**riendo,** reído					
PRES. IND.	**río**	**ríes**	**ríe**	reímos	reís	**ríen**
PRES. SUBJ.	**ría**	**rías**	**ría**	**riamos**	**riáis**	**rían**
IMPERATIVE	**ríe**			reíd		
PRETERIT	reí	reíste	**rió**	reímos	reísteis	**rieron**
IMP. SUBJ.	**riera,** etc.			**riese,** etc.		

Like **reír:** sonreír, *to smile.*

[1]Past participle: **muerto.**

Vocabulary

vocabulary
Spanish-English

a

a to, at, in, of, from, after, for; *not translated when used before a personal dir. obj.*

  a la escuela to school

  a (la) medianoche at midnight

  a las (siete) at (seven) o'clock

  a los dos meses (años) after two months (years), two months (years) later

  a menudo often, frequently

  a propósito by the way

  a tiempo on (in) time

  a veces at times

abajo *adv.* below, downstairs

  cabeza abajo head down

  escalera abajo down (the) stairs

abandonar to abandon, leave (behind)

abierto, -a *p.p. of* **abrir** *and adj.* open(ed)

la abogada woman attorney (lawyer)

el abogado lawyer, attorney

abrazado, -a a embracing

abrazar (c) to embrace

  abrazarse a to embrace

  la gente se abraza people embrace one another

el abrazo embrace

  dar un abrazo a to embrace

  darse un abrazo to embrace, give one another an embrace

el abrigo (top)coat; protection, shelter

  al abrigo de protected from

abrir to open

abstracto, -a abstract

el abuelo grandfather; *pl.* grandparents

la abundancia abundance

aburrirse to become bored

el abuso abuse

acá here (*often used with verbs of motion*)

  por acá (around) here

acabar to end, finish; *reflex.* to end, be over

  acabar de + *p.p.* to have just + *inf.*

  acabó de subir la marea the tide finally rose

  se acabó la noche the night has ended

acaloradamente heatedly

acaso perhaps, by chance

el aceite (olive) oil

el acento accent

aceptar to accept

la acera sidewalk

acerca de *prep.* about, concerning

acercarse (qu) (a + *obj.)* to approach, draw near (to), get close (to), move toward

acomodado, -a comfortable, well-to-do

acompañado, -a de accompanied by

acompañar to accompany, go with

acompasadamente rhythmically

aconsejar to advise

el acontecimiento event, happening

acordarse (ue) (de + *obj.)* to remember

acostarse (ue) to go to bed, lie down

acostumbrarse a to be (become) accustomed to

la actitud attitude

la actividad activity

el acto act, deed

  en el acto at once

actual *adj.* present, present-day

  el actual the present one (*m.*)

  las actuales the present ones (*f.*)

el acueducto aqueduct

acuerdo: estar de —, to agree, be in agreement

la acusación (*pl.* **acusaciones**) accusation

Adela Adele

adelantar to advance, set forward

  adelantarse a to go ahead of

Adelita *diminutive of* Adela

el ademán gesture

además *adv.* besides, furthermore

  además de *prep.* besides, in addition to

adiós good-bye

el adjetivo adjective

la administradora administrator (*f.*), manager

admiración: signo(s) de —, exclamation mark(s)

admirar to admire

admitir to admit

el adobe *brick made of clay and straw*

adonde where, to which

¿adónde? where? (*with verbs of motion*)

adorado, -a adored

adornado, -a adorned, decorated

431

adornar (de) to adorn (with), decorate (with)
adquieren *pres. ind. of* **adquirir**
adquirir (ie) to acquire
el **adulto** adult
el **adverbio** adverb
advertir (ie,i) to advise, point out, warn; to notice
aéreo, -a air
   correo aéreo airmail
   línea aérea airline
   por correo aéreo by airmail
   sello de correo aéreo airmail stamp
el **aeropuerto** airport
   en el aeropuerto in (at) the airport
afectar to affect
el **afecto** *(also pl.)* fondness, affection, love
afeitarse to shave (oneself)
la **afición (a)** fondness *or* liking (for)
aficionado, -a: ser (muy) — a to be (very) fond of
el **aficionado** fan
afortunadamente fortunately
África Africa
las **afueras** outskirts
agacharse to bend over, stoop down
la **agencia** agency
   agencia de viajes travel agency
el **agente** agent
agitar to agitate, stir, move, shake
agosto August
agradable agreeable, pleasant
agradecer (zc) to be grateful, thank for
   agradecer mucho (por todo) to be grateful *or* thank very much (for everything)
agradecido, -a grateful
la **agricultura** agriculture
el **agua** *(f.)* water
aguardar to await, wait (for)
el **águila** *(f.)* eagle
la **aguja** needle
Agustín Augustine
   San Agustín St. Augustine
¡ah! ah! oh!
ahí there
   de ahí from that (fact)
el **ahijado** godchild *(m.)*; *pl.* godchildren
ahora now
   ahora mismo right now, right away
ahorita right away, right now
ahorrar to save
el **aire** air
   al aire libre outdoor, open-air
el **ajedrecista** chess player
el **ajedrez** chess

al = a + el to the
   al + *inf.* on (upon) + *pres. part.*
   al amanecer at dawn
   al mediodía at noon
   al mismo tiempo at the same time
   al poco rato after (in) a short while
   al servicio de in the service of
   al siguiente domingo (on) the following Sunday
el **ala** *(f.)* brim; wing
alabar to praise
   ¡alabado (sea Dios)! (God be) praised!
el **alacrán** scorpion
el **Álamo** *Franciscan mission building, San Antonio, Texas, where massacre of 1836 took place*
Albéniz, Isaac (1860-1909) *Spanish pianist and composer*
la **alcaldesa** woman mayor, mayoress
alcanzar (c) to reach, attain
la **alcoba** bedroom
alegrarse to be glad
   alegrarse de que + *subj.* to be glad that
   alegrarse (mucho) de + *inf.* to be (very) glad to
   ¡cuánto me alegro de . . .! how glad I am to . . .!
   ¡cuánto me alegro de que . . .! how glad I am that . . .!
alegre happy, cheerful, joyful, gay
alegremente happily, joyfully
la **alegría** joy, gaiety, happiness
alejarse to move (go, draw) away, withdraw, leave
el **alfiler** pin
algo something, anything; *adv.* somewhat, rather
alguien someone, somebody, anyone, anybody
algún *used for* **alguno** *before m. sing. nouns*
alguno, -a *adj. and pron.* some, someone, any, any at all (whatever), anyone; *pl.* some, any, several, a few
la **alhaja** jewel
el **aliado** ally
el **alimento** food; *pl.* foodstuffs
el **alma** *(f.)* soul, heart, spirit
el **almacén** *(pl.* **almacenes***)* store, department store
la **almohada** pillow
   por almohada for a pillow
almorzar (ue;c) to eat (have) lunch
   ir a almorzar to go to (have) lunch
   para almorzar for lunch, to have (eat) lunch

el almuerzo lunch

    para el almuerzo for lunch

    tomar el almuerzo to take (have, eat) lunch

aló hello (*telephone*)

alrededor around

el altar altar

alternativamente alternately, in turn

el altiplano high plateau

alto, -a tall, high; upper

    el Alto Perú Upper Peru

    en voz alta in a loud voice, loudly

    la Alta California Upper California

    piso alto upper floor

la altura height

la alucinación hallucination

el aluminio aluminium

    olla de aluminio aluminum kettle

la alumna pupil, student (*f.*)

el alumno pupil, student (*m.*)

allá there (*often after verbs of motion*)

    más allá de beyond

allí there

el ama (*f.*) **de casa** homemaker

amable kind, friendly

amanecer (zc) to dawn; to be (appear) at daybreak

    antes de que amanezca before dawn (it dawns)

    hasta que amanezca until dawn (it dawns)

    lo que quiero es que amanezca what I want is that dawn come

    ¡ya amaneció! dawn has arrived at last!

el amanecer dawn

    al amanecer at dawn

amanezca *pres. subj. of* **amanecer**

amarillo, -a yellow

amén amen

América America

    en toda América in all America

    la América Central (española) Central (Spanish) America

    la América del Norte North America

    la América del Sur South America

    la América latina Latin America

americano, -a American

la amiga friend (*f.*)

el amigo friend (*m.*)

la amistad friendship

el amo master

el amor love; *pl.* love affairs

    amor por love for

    El amor brujo Wedded by Witchcraft

amplio, -a large

la anatomía anatomy

anciano, -a old, elderly

ancho, -a wide, broad, large

    tener . . . de ancho to be . . . wide

Andalucía Andalusia (*southern part of Spain*)

andaluz, -uza Andalusian

andar to go (on), walk; to run (*as a clock*)

    ¡anda! go ahead (on)!

    andar a pie to go on foot, walk

    andar por (la calle) to walk along (the street)

los Andes Andes (*mountains in South America*)

andino, -a Andean, of the Andes

Andrés Andrew

la anécdota anecdote

la angustia anguish

el anillo ring

animado, -a animated, lively

el animal animal

el animalito little creature (animal)

animar (a) to encourage (to)

el ánimo courage, spirit

    buen ánimo cheer up

Anita Ann(e), Anna, Anita

el aniversario anniversary

anoche last night

anochecer: al —, at nightfall

ante *prep.* before, in front of, in the presence of

los anteojos glasses, spectacles

anterior preceding, previous

antes *adv.* before, formerly; first, rather

    antes de *prep.* before

    antes (de) que *conj.* before

    poco antes de shortly before

anticuado, -a antiquated

antiguo, -a old, ancient

las Antillas Antilles

    Antillas Mayores (Menores) Greater (Lesser) Antilles

anunciar to announce

el anuncio ad(vertisement)

añadir to add

    debe añadirse it should be added

el año year

    a los doce o trece años at the age of twelve or thirteen

    a los dos años after two years, two years later

    al año per year, yearly

    al año siguiente the following (next) year

    ¿cuántos años cumple *or* **tiene (ella)?** how old is (she)?

    cumplir (diez y seis) años to reach one's (sixteenth) birthday, to be (sixteen) years old

en estos últimos años in recent years

en todo el año for the whole (entire) year

modelo de este año this year's model

tener . . . años (de edad) to be . . . years old (of age)

apaciguar (gü) to pacify

apagar (gu) to turn off

el aparato aparatus, set

aparecer (zc) to appear, be

aparente apparent

la apariencia appearance

apartado, -a secluded

el apartamento apartment

edificio de apartamentos apartment house (building)

el apellido family name

apenas scarcely, hardly; as soon as, the moment

el apetito appetite, hunger

tener apetito to be hungry, have an appetite

aplaudir to applaud

aplicarse (qu) to apply oneself

el apóstol apostle

apoyado, -a leaning

apreciar to appreciate, esteem

aprender (a + *inf.*) to learn (to)

aprendido, -a learned

apresuradamente at a fast pace

apretar (ie) to push, press

apropiado, -a appropriate

aprovechar to take advantage of, make use of

la aptitud aptitude

el apuro difficulty

sacar a uno del (de este) apuro to get one out of the (this) difficulty

aquel, aquella, -os, -as that, those *(distant)*

aquellos que those who

aquél, aquélla, -os, -as that (one), those

aquello *neuter pron.* that, that matter (part)

aquí here

de aquí a mañana from now until tomorrow

pasar por aquí to pass (come) this way (around here)

por aquí around (through) here, this way, here, over here

Aragón Aragon *(region and former kingdom in northeastern Spain)*

el árbol tree

arcaico, -a archaic

ardiente ardent, burning, hot

el ardor ardor, zeal, courage

el área *(f.)* area

la arena sand

la arepa corn griddle cake

el arete earring

la argamasa mortar

la Argentina Argentina

argentino, -a *(also m. noun)* Argentine

el argumento argument

aristocrático, -a aristocratic

el arma *(f.)* arm, weapon; *pl.* arms

armas de fuego firearms

armado, -a de armed with

el armario chest *(of drawers)*, wardrobe

la arquitecta woman architect

la arquitectura architecture

arrancar (qu) to tear out

arrastrar to drag, draw (out)

el arreglo grooming

arriba *adv.* above, upstairs

de arriba abajo up and down

arrojar to throw, hurl

el arroz rice

arroz con pollo rice and (with) chicken

el arte art, skill, artifice, craft; *pl.* arts, crafts

las bellas artes (the) fine arts

(objeto) de arte art (object)

la artesanía *(also pl.)* craftsmanship

el artículo article

el (la) artista artist

artístico, -a artistic

Arturo Arthur, Art

el ascensor elevator

asegurar to assure

así so, thus, this way

así, así so-so

así como as well as

así es que so (that), thus, and so

el asiento seat

tomar asiento to take a seat

la asignatura subject *(of study)*

asimilarse to be assimilated

asistir a to attend

asociarse con to join, form a partnership with

asombrado, -a amazed, astonished

asombrar to amaze, be amazing

el asombro astonishment, surprise, amazement

el asopao *a dish containing rice, chicken, asparagus, peas, peppers*

el aspecto aspect, appearance

aspirar a to aspire to

astuto, -a astute, clever

atacar (qu) to attack

la atención attention

llamar la atención (a) to attract one's attention (to)

prestar (mucha) atención a to pay (a lot of) attention to

aterrado, -a terrified
atestiguar (gü) to bear witness to
la **atracción** attraction
atraer to attract
atrás back, backward, behind
hacia atrás backwards
atravesar (ie) to traverse, cross, pass through
atreverse a to dare to
atrevido, -a bold, daring
los más atrevidos the boldest ones *(m.)*
aun, aún even, still, yet
aunque *conj.* although, even though, even if
el **auricular** receiver *(telephone)*
auténtico, -a authentic
el **auto** auto, car
el **autobús** *(pl.* **autobuses***)* bus
en autobús by (in a) bus
el **automóvil** automobile, car
la **autoridad** authority
avanzado, -a advanced
avanzar (c) to advance, move forward
la **aventura** adventure
el **aventurero** adventurer
averiguar (gü) to find out
la **aviación** aviation
el **avión** *(pl.* **aviones***)* plane
aviones jets jet planes
el avión de las (siete) the (seven-o'clock) plane
en avión by (in a) plane
la **avioneta** small plane
avisar to advise, inform; to warn
¡ay! ah! oh! alas!
Ayacucho *Andean city in Peru*
ayer yesterday
ayer por la tarde yesterday afternoon
la **ayuda** aid, help, assistance
ayudar (a + *inf.)* to help *or* aid (to)
el **ayuntamiento** city government
el **azteca** *(also m. and f. adj.)* Aztec
el **azúcar** sugar
azul blue

b

el **bachiller** bachelor *(degree)*
título de bachiller bachelor's degree
el **bachillerato** bachelor's degree
estudiante de bachillerato student for the bachelor's degree
¡bah! bah!
la **bahía** bay
bailar to dance

bailar por bailar dancing for the pleasure of dancing
la **bailarina** dancer *(f.)*
el **baile** dance, dancing
bajar to get down (out), go (come) down, descend, go down (stairs)
bajo *prep.* under, beneath, below
bajo, -a low, short
Baja California Lower California
en voz baja in a low voice, softly
Países Bajos Low Countries *(the Netherlands or Holland)*
piso bajo lower (ground) floor
Balboa, (Vasco) Núñez de (1475-1517) *discoverer of the Pacific Ocean in 1513*
el **balboa** *monetary unit of Panama*
el **balcón** *(pl.* **balcones***)* balcony
el **ballet** ballet
la **banana** banana
el **banco** bank; bench
la gerente de banco (woman) bank manager
la **bandada** flock
la **bandera** banner, flag
bañarse to bathe (oneself), take a bath
el **baño** bath
cuarto de baño bathroom
barato, -a inexpensive, cheap
la **barba** chin
Bárbara Barbara
el **barco** boat
el **barril** barrel
el **barrio** district
el **barro** clay; pottery
olla de barro earthen (clay) pot
Bartolomé Bartholomew
la **base** base, basis
el **básquetbol** basketball
bastante *adj.* enough, sufficient; *adv.* quite
bastar to be enough, be sufficient
¡basta! stop! that's enough!
(esto) basta (this is) enough *or* sufficient
la **batalla** battle
el **baúl** trunk, chest
bautizar (c) to baptize
beber to drink
la **beca** scholarship
el **béisbol** baseball
bello, -a beautiful, pretty
las bellas artes (the) fine arts
la **bendición** blessing
echar una bendición a to bless
bendito, -a blessed
Bernardo Bernard
besar to kiss

besar a uno la mano   to kiss one's hand
la gente se besa   people kiss one another
el beso   kiss
    a besos   with kisses
    dar un beso a   to kiss, give a kiss to
    saludarse de beso   to greet one another
    with a kiss
la Biblia   Bible
la biblioteca   library
la bicicleta   bicycle
    en bicicleta   by bicycle, on their *or* your
    bicycles
bien *adv.*   well, very well, fine, all right,
    certainly; very; perfectly
    bien se ve   it is evident
    está bien   that's fine, excellent, very well,
    all right, O.K.
    (estoy) muy bien   (I'm) very well
    hombre de bien   good (honest) man
    más bien   rather than
    ¡muy bien!   very well! (that's) fine!
la bienaventuranza   bliss, blessedness
bilingüe   bilingual
el billete   bill, bank note; ticket
    billete de (veinte) dólares   (twenty-)dollar
    bill
    Bimini   *island north of Cuba, supposed site of*
    the Fountain of Youth
el bizcocho   cookie
blanco, -a   white
la blusa   blouse
    Bobadilla   *Spanish administrator, sent to*
    Hispaniola to establish order, who enchained
    Columbus and his brother and sent them to
    Spain
la boca   mouth
la boda   wedding
el boleo   bowling
el bolero   *a dance*
el boleto   ticket *(Am.)*
    boleto de ida y vuelta   round-trip ticket
el bolígrafo   ballpoint pen
    Bolívar, Simón   (1783-1830)   *Venezuelan*
    liberator of northwest South America
la bolsa   pocketbook, purse
el bolsillo   pocket
el bollo   muffin
    bollo de maíz   corn muffin
    bondadoso, -a   kind
    bonito, -a   beautiful, pretty
El borracho   *The Drinker*
    borrar   to erase
el bosque   forest, woods
    bostezar (c)   to yawn
la bota   boot, shoe

sacudirse las botas   to dust one's shoes
la botella   bottle
el botón (*pl.* **botones**)   button
el botones   bellboy *(Am.)*
el boxeo   boxing
el Brasil   Brazil
el brazo   arm
    del brazo de   on the arm of
    Breda   *town in Holland*
    breve   brief, short, curt
    brevemente   briefly
    brillante *adj.*   brilliant, shining, bright
el brillante   diamond
el broche   pin, clasp, brooch
la broma   trick, joke
    hacer una broma (a uno)   to play a joke
    (on one)
el brujo   witch
    El amor brujo   *Wedded by Witchcraft*
la brutalidad   brutality
    buen   *used for* **bueno** *before m. sing. nouns*
    ¡buen viaje!   (have a) fine *or* good trip!
    bueno *adv.*   well, well now, all right
    ¡bueno!   hello! *(telephone)*
    ¡qué bueno!   how fine (nice)! (that's) great!
bueno, -a   good, well
    ¡buena idea!   (a) good *or* fine idea!
    buenas tardes   good afternoon
    buenos días   good morning (day)
    lo bueno   the good thing (part), what is
    good
    muy buenas   good afternoon (evening)
    (used in reply to **buenas tardes** *or*
    buenas noches*)*
el buhonero   peddler
el bulto   sack, bundle
    bullir   to boil
el burro   burro, donkey, ass
la busca   search
    en busca de   in search of
    buscar (qu)   to look for, seek, watch
    buscar a uno   to come (go) for one, pick
    one up
la butaca   (easy) chair

C = Celsius   centigrade *(temperature scale)*
el caballero   gentleman; sir *(as a title)*
el caballo   horse; knight *(in chess)*
    a caballo   on horseback
    carrera de caballos   horse racing
el cabello *(also pl.)*   hair

cepillo para el cabello   hairbrush
secador para el cabello   hair dryer
caber   to be contained in
    no me cabe duda   there is no doubt
    ya no cabía duda   there was no longer any doubt
Cabeza de Vaca: (Álvar Núñez)   *Spanish explorer of southwestern U.S.A. in early 16th century*
la cabeza   head, mind
    cepillo para la cabeza   hairbrush
    lavar la cabeza   to wash one's hair, shampoo
    tener dolor de cabeza   to have a headache
el cabo   end
    al cabo   finally
    al cabo de   after, at the end of
Cabrillo: (Juan Rodríguez)   *Portuguese-born navigator and explorer, discoverer of California, 1542*
el cacique   Indian chief
cada   each
    a cada momento   at every moment, at all times
la cadena   chain, tie
caer(se)   to fall (off, down)
    (ella) cayó hacia atrás   (she) fell backwards
    dejar caer   to drop, let fall
el café   café; coffee
la cafetería   cafeteria
la caída   fall
caído *p.p. of* **caer** *and adj.*   fallen (down), down
la caja   box, case
    caja de cartón   cardboard box
    caja de violín   violin case
Cajamarca   *city in northern Peru*
el cajón (*pl.* **cajones**)   drawer
calceta: hacer —,   to knit
la calidad   quality
cálido, -a   warm, hot *(climate)*
caliente *adj.*   warm, hot
la calma   calm, calmness
el calor   heat, warmth
    hacer (mucho) calor   to be (very) warm *(weather)*
callado, -a   silent, still
callar(se)   to become (keep) quiet *or* still, remain (be) silent
la calle   street
    andar (caminar) por (la calle)   to walk along (the street)
    salir a la calle   to go (come) out into the street

la cama   bed
    en la cama   in (the) bed
    guardar cama   to stay in bed
la cámara   camera; chamber
    cámara de cine   movie camera
    cámara de comercio   chamber of commerce
    cámara de 35 milímetros   35-millimeter camera
la camarera   waitress
cambiar   to change
el cambio   change
    en cambio   on the other hand
caminar   to walk, go, travel
el camino   road, way, route
    Camino Real   King's (Royal) Highway
la camisa   shirt
    camisa de noche   nightshirt
el campamento   camp
la campana   bell
la campanilla   (small) bell; bell flower
campesino, -a   country *(adj.)*, rural
el campesino   countryman, peasant, farmer; *pl.* countryfolk
el campo   country, field
    campo de golf   golf course
    casa de campo   country house (home)
el Canadá   Canada
la canción (*pl.* **canciones**)   song
la cancha   court *(sport)*
    cancha de tenis   tennis court
el candidato   candidate
cándido, -a   candid, innocent, simple-minded; *(also proper name)*
la canoa   canoe
cansar   to tire
    cansarse (más)   to get *or* become (more) tired *or* weary
cantar   to sing, chant; to chirp
la cantidad   quantity, amount, number
    por gran cantidad   by a great number
el canto   song, singing, chant
el cañón (*pl.* **cañones**)   cannon
la capilla   chapel
la capital   capital
el capitán (*pl.* **capitanes**)   captain
capturar   to capture
la cara   face
el carácter (*pl.* **caracteres**)   character
la característica   characteristic
característico, -a   characteristic
caracterizar (c)   to characterize
¡caramba!   gee! darn it!
Caribe *adj.*   Caribbean
el Caribe   Caribbean (Sea)

la caridad   charity
el cariño   affection, liking
    con cariño   affectionately
cariñosamente   affectionately
carísimo, -a   very expensive
Carlitos   Charlie
Carlos   Charles
Carlota   Charlotte
Carmen   Carmen
Carmona   *town in southern Spain*
el carnaval   carnival
el Carnaval   Carnival *(a period of festivity and gaiety immediately preceding Lent)*
la carne   meat
    carne de cordero   lamb
    carne de res   beef
caro, -a   expensive, dear
Carolina   Caroline
el carpintero   carpenter
la carrera   career; race
    carrera de caballos   horse racing
la carreta   cart
la carretera   highway, road
el carro   car *(railroad)*
la carta   letter; card *(playing)*
    jugar (ue;gu) a las cartas   to play cards
el cartaginés (*pl.* cartagineses)   Carthaginian
la cartera   handbag, purse, billfold, wallet
el cartón (*pl.* cartones)   cardboard; *painting or drawing on strong paper*
    caja de cartón   cardboard box
la casa   house, home; firm, shop
    casa de campo   country house (home)
    casa de correos   post office
    casa particular   private house (home)
    en casa   at home
    en casa de (Miguel)   at (Michael's), at *or* in the house of (Michael)
    ¿hablo con la casa del señor Martín?   is this Mr. Martin's (home)?
    (ir) a casa   (to go) home
    (ir) a casa de (Marta)   (to go) to (Martha's)
    salir de casa   to leave home
casado, -a   married
    hasta después de casados   until after they are married
casar (con)   to marry, give in marriage to; *reflex.* to marry, get married (to)
    hasta cuando se casan   until they get married
Casas: (Bartolomé de las)   *Spanish missionary, bishop, and defender of the Indians*
casi   almost, nearly
la casita   small house, cottage

el caso   case
    es el caso   the fact is
el castellano   Castilian *(language)*, Castilian *(native of Castile)*
Castilla   Castile
el castillo   castle
la casualidad   chance, coincidence
    por casualidad   by chance
    ¡es (qué) casualidad!   it is (what) a coincidence!
la catedral   cathedral
católico, -a   Catholic
catorce   fourteen
la causa   cause
    a causa de *prep.*   because of
causar   to cause
    que le causó la muerte   which caused his death
el cautiverio   captivity
cavar   to dig
la caza   hunting
el cazador   hunter
cazar   to hunt, chase, catch
ceder   to cede, yield
Celaya   *town northwest of Mexico City*
la celda   cell
la celebración (*pl.* celebraciones)   celebration
celebrar   to celebrate, hold
célebre   celebrated, famous
el celta   Celt
el cementerio   cemetery
    cementerio de autos   auto cemeteries (junk yards)
la cena   supper
cenar   to eat supper
Ceniza: Miércoles de —,   Ash Wednesday
el centímetro   centimeter *(0.39 inch)*
central   central
el centro   center, downtown
    del centro   from downtown
    (estar) en el centro   (to be) downtown
    (ir) al centro   (to go) downtown
cepillarse   to brush *(something of one's own)*
el cepillo   brush
    cepillo de dientes   toothbrush
    cepillo para la cabeza (el cabello, el pelo)   hairbrush
la cerámica   ceramics, pottery
cerca *adv.*   near, nearby
    cerca de *prep.*   near, about, approximately
    más cerca   nearer, closer
cercano, -a   nearby, neighboring
el cerdo   pig
la ceremonia   ceremony
cerquita de   (very) close to

cerrado, -a closed, locked
cerrar (ie) to close
la cerveza *(also pl.)* beer
Cíbola: Siete Ciudades de —, *supposed cities in southwestern U.S.A. for which the Spaniards searched in vain in the 16th century*
el ciclismo cycling
el ciclista cyclist
el Cid The Cid *(title given to Rodrigo or Ruy Díaz de Vivar, 1040?-1099, Spain's national hero)*
el cielo sky, heaven
cien(to) a (one) hundred
ciento (cincuenta) one hundred (fifty)
cierto, -a certain, sure
la cigarra locust
el cigarrillo cigarette
el cigarro cigar
cinco five
cincuenta fifty
el cine movie(s)
cámara de cine movie camera
ir al cine to go to the movie(s)
la cinta tape, ribbon
el cinturón *(pl.* **cinturones***)* belt
la circunstancia circumstance
la cita date, appointment
citado, -a cited, above-mentioned
la ciudad city
ciudad de México Mexico City
civil civil
la civilización *(pl.* **civilizaciones***)* civilization
claramente clearly
la claridad clarity, clearness
claro, -a clear
¡claro! sure! of course!
¡claro que (lo haré)! (I shall) certainly (do it)!
¡claro que sí! of course! certainly!
el claro clearing
la clase class, kind
dar clases to teach
(ir) a clase (to go) to class
la clase de español Spanish class
la sala de clase classroom
¿qué clase de . . . ? what kind of . . . ?
sin . . . de ninguna clase without . . . of any kind
toda clase de every kind (all kinds) of
clásicamente clasically
clásico, -a classic
el clérigo cleric, priest
el clima climate
el club club
el cobertizo covering, shelter
la cobija blanket

cobrar to cash
la cocina kitchen
el coco coconut
agua de coco coconut milk
el coche car, coach
en coche by (in a) car
la codicia greed, covetousness, envy
con codicia greedily, enviously
codicioso, -a covetous, greedy
el codo elbow
coger (j) to pick (up), gather; to catch, seize, take
el colchón *(pl.* **colchones***)* mattress
colear to pull an animal's tail
colear perros to pull dogs' tails
la colección *(pl.* **colecciones***)* collection
el colectivo small bus *(Am.)*
el colegio (private) school
colgar (ue;gu) to hang, hang up
colgarse de to hang by
colocar (qu) to place, put
Colombia: Gran —, Greater Colombia
colombiano, -a *(also noun)* Colombian, from Colombia
colombino, -a Columbian, of (pertaining to) Columbus
Colón Columbus
la colonia colony; colony; cologne *(perfume)*
colonial colonial
el colonizador colonizer
colonizar (c) to colonize
el colono colonist
el color color
colorido, -a colorful
el colorido coloring
el collar necklace
la coma comma
la comadre *affectionate name given to the godmother of a child*
combinar to combine
el comedor dining room
comentar to comment on
comenzar (ie;c) (a + inf.) to commence (to), begin (to), start (to)
comer to eat, eat dinner, dine; *reflex.* to eat (up), devour
se come muy bien allí the food is very good there
comercial commercial, business *(adj.)*
el comerciante merchant, trader
el comercio commerce, trade, business
cámara de comercio chamber of commerce
la comida meal, food, dinner
como as, like, since; about

como para as if
como si as if
tan + *adj. or adv.* + **como** as (so) . . . as
¿cómo? how? in what way?
¡cómo! what (do you mean)!
¡cómo no! of course! certainly!
cómodamente comfortably
la comodidad convenience
cómodo, -a comfortable
el compadre *affectionate name given to the godfather of a child*
el compañero companion
la compañía company
en compañía in the company of, accompanied by
la comparación *(pl.* **comparaciones)** comparison
compartir to share
competir (i,i) to compete
complementar to complement
completamente completely
completar to complete
completo, -a complete
componer to compose
la composición *(pl.* **composiciones)** composition
el compositor composer
la compra purchase
ir de compras to go shopping
lugar de compras shopping center
el comprador buyer, purchaser
comprar (a) to buy (from), purchase (from)
comprender to comprehend, understand; to comprise, include
la comprensión comprehension
compuesto, -a *p.p. of* **componer** *and adj.* composed
compuse, compuso *pret. of* **componer**
común *(pl.* **comunes)** common
con with
concentrarse to concentrate
el concierto concert
el conde count
condenar to condemn
condenar a muerte to condemn to death
la condesa countess
la condición *(pl.* **condiciones)** condition
el condominio condominium
conducir (zc, j) to conduct, lead, drive *(car)*
la conducta conduct
confeccionar to make
la confederación confederation
Gran Confederación Great Confederation

la conferencia lecture; conference
confesar (ie) to confess
el confesor confessor
el confeti confetti
la confianza confidence
con confianza confidently
el conflicto conflict
la conga conga *(a dance)*
el congreso congress
Congreso Panamericano Panamerican Congress
conmemorar to commemorate
conmigo with me
conocedor, -ora expert, skilled
hombre conocedor expert
conocer to know, be (become) acquainted with, meet, recognize
conocer de vista to know (recognize) by sight
dar a conocer to make known
mucho gusto en conocerte I'm very glad *or* pleased to know you
ya se conoce it's (that's) evident
conocido, -a known, familiar, recognized
la más conocida the best known *(f.)*
el conocimiento knowledge, consciousness
perdido el conocimiento unconscious
conque so, and so
la conquista conquest
el conquistador conqueror
conquistar to conquer
consciente conscious
la consecuencia consequence
conseguir (i, i;g) to get, obtain, attain
el consejo advice; court
conservar to conserve, keep, preserve
considerable considerable, sizeable
considerado, -a considered
considerar to consider
consigo with himself, itself, etc.
consiguen *pres. ind. of* **conseguir**
consistir en to consist of
el conspirador conspirator
constantemente constantly
constar de to consist of
construido, -a de constructed (built) with
construir (y) to construct, build
el contacto contact
el contador accountant
contagioso, -a contagious
contar (ue) to count; to relate, tell
contemplar to contemplate, look at
contemporáneo, -a contemporary
contener to contain, hold
contentísimo, -a very happy

contento, -a happy, contented(ly), glad

contestar to answer, reply

contigo with you (*fam.*)

el continente continent

continuar (ú) to continue, go on

contra *prep.* against; to

la contrariedad annoyance

contrario, -a contrary, opposite

  lo contrario the opposite (contrary)

contrastar to contrast

el contraste contrast

la contribución contribution

contribuir (y) to contribute

contribuyen *pres. ind. of* **contribuir**

convencer (zc) (de que) to convince (that);
  reflex. to be convinced *or* convince oneself
  (that)

convencido, -a de que convinced that

convencional conventional

convenir to be fitting (proper, suitable)

el convento monastery

la conversación (*pl.* **conversaciones**)
  conversation

conversar to converse, talk

  para conversar for conversation

convertido, -a en converted (changed)
  (in)to (a)

  verse convertido en to see oneself (be)
  changed into (a)

convertir (ie, i) to convert, change

  convertirse en to become (be) converted
  (into), change (turn) oneself into

convirtió *pret. of* **convertir**

convocar (qu) to convoke, call together

la copa (wine) glass

el corazón heart

  casi roto el corazón her heart almost
  broken

la corbata (neck)tie

  alfiler para corbata tie pin

el cordero lamb

  carne de cordero lamb

Córdoba *city in southern Spain*

el cordón cord

el coro chorus, choir

  en coro in a chorus, as if in a choir

Coronado: (Francisco Vásquez de) *Spanish
  explorer of southwestern U.S.A., 1540-1542*

el corredor corridor

el correo mail

  casa de correos post office

  correo aéreo airmail

  echar (al correo) to mail

  oficina de correos post office

  por correo aéreo by airmail

correr to run

corresponder to correspond; to fall to one's
  share

correspondiente corresponding

la corrida de toros bullfight

la corriente current

cortar (se) to cut, cut off

la corte court

Cortés, Hernán (1485-1547) *conqueror of
  Mexico*

corto, -a short

la cosa thing

  alguna otra cosa something (anything) else

  una cosa something

la cosecha harvest, crop

coser to sew

la costa coast

costar (ue) to cost

  costar trabajo a uno to be hard (difficult)
  for one

el costo cost

la costumbre custom, habit

crear to create

crecer (zc) to grow, increase

el crecimiento growth

creer (y) to believe, think

  creer que sí (no) to believe *or* think so
  (not)

  ¡ya lo creo! I should say so! of course!

creído *p.p. of* **creer**

Creta Crete (*island near Greece*)

la criada maid

  alcoba de criadas maids' bedroom

el criado servant

el crimen (*pl.* **crímenes**) crime

el cristal glass, crystal

el cristianismo Christianity

cristiano, -a Christian

Cristo Christ

Cristóbal Christopher

criticar (qu) to criticize

  se le critica a Cortés Cortés is criticized

crítico, -a critical

cruel cruel

la crueldad cruelty

la cruz cross

cruzar (c) to cross

el cuaderno notebook

la cuadra block (*city*) (*Am.*)

la cuadrilla gang, band

el cuadro picture

cual: el —, la —, (los, las cuales) that, which,
  who, whom

  a cual más y mejor each trying to outdo
  the other

lo cual which (fact)

  por lo cual as a result of which

¿cuál(es)? which (one, ones)? what?

cualquier(a) (*pl.* **cualesquier**) any *or* anyone (at all)

  a cualquier hora at any time (hour)

  un cualquiera a nobody

cuando when

  de vez en cuando from time to time, occasionally

  hasta cuando until

cuanto *pron.* all that

  cuanto antes as soon as possible

  en cuanto as soon as

  en cuanto a as for

cuanto, -a all that (who, which); *pl.* all those (the ones) who

¿cuánto, -a (-os, -as)? how much (many)?

  ¿cuánto tiempo? how long? how much time?

¡cuánto + *verb!* how . . . !

  ¡cuánto me alegro de . . . ! how glad I am to . . . !

¡cuánto, -a (-os, -as)! how much (many)!

cuarenta forty

la Cuaresma Lent

cuarto, -a fourth

el cuarto quarter (*of an hour*); room

  a las siete y cuarto at seven-fifteen, at a quarter after seven

  cuarto de baño bathroom

  cuarto para dos personas double room

  cuarto para una persona single room

  (son las ocho) menos cuarto it is a quarter to (eight)

cuatro four

  a las cuatro at four o'clock

  antes de las cuatro before four o'clock

cubano, -a (*also m. noun*) Cuban

cubierto, -a de covered with

  cubierto, -a por covered by

el cubismo cubism (*cult of the cubist*)

cubista (*m. and f.*) of the cubist school, cubist (*one whose compositions are characterized by squared effects*)

cubrir to cover

el cuello neck

la cuenta account

  darse cuenta de to realize

  perder (ie) la cuenta (de) to lose count (of)

  por su propia cuenta by himself

el cuento (short) story, tale

la cuerda cord, rope

el cuero leather

  (tacón) de cuero leather (heel)

el cuerpo body

la cuesta slope

la cuestión (*pl.* **cuestiones**) question, problem

la cueva cave

el cuidado care

  con cuidado carefully

  pierda Ud. cuidado don't worry

cuidadosamente carefully

cuidar to care for, take care of

cultivar to cultivate

el cultivo cultivation

culto, -a cultured, learned

  la culta the cultured one (*f.*)

la cultura culture

cultural cultural

la cumbre summit

el cumpleaños birthday

el cumplimiento fulfilment

cumplir to fulfill, reach (*one's birthday*), be (*years old*)

  ¿cuántos años (cumple ella)? how old (is she)?

  cumplir (diez y seis) años to reach one's (sixteenth) birthday, be (sixteen) years old

el cuñado brother-in-law; *pl.* brother(s)-in-law and sister(s)-in-law

el cura priest

el curandero medicine man

el curso course

cuyo, -a whose

el Cuzco Cuzco

ch

Chacabuco *town on Andean slopes near Santiago, Chile*

el champú shampoo

la chaqueta jacket

charlar to chat

el cheque check

  libreta de cheques checkbook

la chica girl, child (*f.*), youngster (*f.*)

chico, -a small

el chico boy, child, youngster; *pl.* boys, boy(s) and girl(s), children, youngsters

chileno, -a (*also m. noun*) Chilean

¡chis! kerchoo! (*sound one makes when sneezing*)

el chocolate chocolate

d

D. = don *(title not translated)*

Da. = doña *(title not translated)*

la dama woman, lady

dame = da + me *(fam. command of* **dar + me***)* give me

la danza dance

el daño harm

  hacer daño a to harm, do (cause) harm to

dar to give; to produce

  dar a to face, open on(to)

  dar a conocer to make known

  dar clases to teach

  dar el grito (de) to shout, cry out

  dar golpecitos to tap

  dar (las tres) to strike (three o'clock)

  darle (a uno) la oportunidad de to give one an opportunity to

  darle (las gracias) a uno (por) to thank one (for)

  dar muerte a to kill, put to death

  dar título a uno to call one

  dar un abrazo a to embrace

  dar un paseo to take a walk (ride)

  dar una película to give (present, show) a film

  darse cuenta de to realize

  darse (mucha) prisa to hurry (a great deal, a lot)

  darse un abrazo to give one another an embrace, embrace one another

  en mil se lo doy al caballero I'll give it to the gentleman for a thousand

  no me da la gana I don't want (wish) to

  no sé qué me da I can't tell you how it makes me feel

Darién Darien *(region, and gulf, off Panama coast)*

date = da (tú) + te *fam. command of* **darse**

Dávila, Pedrarias *16th-century governor of colony in present-day Panama*

de of, from, to, about, in, with, for, as; than *(before a numeral)*

debajo de *prep.* under, beneath

deber to owe; must, should, ought to

  deber de + inf. must *(probability)*

  debían ir they should (were to) go

  debieras you should (ought to)

  donde debían establecerse where they should settle

  las debieron de interceptar (they) must have intercepted them *(f.)*

lo que ha debido Ud. hacer what you should have done

  no debo decírtelo I shouldn't tell you (say) so

  yo debía ayudar I was (obliged) to help

debido a due to

débil weak

la debilidad weakness

la década decade

decidir to decide

decir to say, tell

  decir para sí to say to oneself

  diga, dígame hello *(telephone)*

  digo I mean

  es decir that is (to say)

  no debo decírtelo I shouldn't tell you (say) so

  querer decir to mean

  se lo diré I'll tell him

  so lo diré (a ella) I'll tell her

decisivo, -a decisive

la declaración *(pl.* **declaraciones***)* declaration

declarar to declare

decorar to decorate

dedicar (qu) to dedicate

  dedicarse a to dedicate (devote) oneself to

dedillo: al—, perfectly, to a T

el dedo finger

  dedo del pie toe

el defecto defect

defender (ie) to defend

la defensa defense

el defensor defender

dejar to let, allow, permit; to leave *(behind)*

  déjame (tú), déjenme (Uds.) + *inf.* let (allow, permit) me to + *verb*

  dejar caer to drop, let fall

  dejar(se) de + *inf.* to stop, cease + *pres. part.*, cease to + *inf.*

  (no) dejar de + *inf.* (not) to fail to

  (yo) se lo dejaría (I) would let you have it

del = de + el of the

delante de *prep.* in front of

la delegación police station

delgado, -a thin, slender

delinquir (c) to be guilty

la demanda demand

demás *adj. and pron.* (the) rest, other(s)

demasiado *adv.* too, too much

democrático, -a democratic

demostrar (ue) to demonstrate, show

denso, -a dense, thick

el dentista dentist

dentro de *prep.* within, in

dentro de poco   in a little while

el departamento   apartment

    edificio de departamentos   apartment house (building)

depender de   to depend on

el dependiente   clerk, salesperson (*m.*)

el deporte   sport

    deporte de invierno   winter sport

    sección de deportes   sports section

el deportista   athlete, participant in sports

derecho, -a   right; *adv.* straight

    a (por) la derecha   to (on) the right

    siga(n) Ud(s). derecho   go (continue) straight ahead

el derecho   right

derramar   to pour down

derrotar   to defeat, rout

el desafío   duel, challenge

desafortunadamente   unfortunately

desalentado, -a   discouraged

el desaliento   discouragement

desaparecer (zc)   to disappear

desarrollar   to develop

desayunarse   to eat (take, have) breakfast

el desayuno   breakfast

    en el desayuno   at (for) breakfast

    tomar el desayuno   to take (have, eat) breakfast

descansar   to rest

descargar (gu)   to clear, relieve

desconocido, -a   unknown, strange

desconsolado, -a   disconsolate, downhearted

describir   to describe

descubierto   *p.p. of* **descubrir**

el descubridor   discoverer

el descubrimiento   discovery

descubrir   to discover, find out about, disclose, reveal; *reflex.* to make oneself known

desde   from, since; for (*time*)

    desde hace (hacía) (una hora)   for (an hour)

    desde . . . hasta   from . . . (up) to

    desde luego   of course, certainly

    desde niños   from the time they are children

desear   to desire, wish, want

desembarcar (qu)   to disembark, land

el deseo   desire

    tener muchos deseos de   to be very eager (wish very much) to

desesperado, -a   desperate, in despair

desesperar   to despair, give up hope

la desgracia   misfortune

    por desgracia   unfortunately

desgraciado, -a   unfortunate

desierto, -a   deserted

el desierto   desert

desilusionado, -a   disillusioned

desinflado, -a   flat (*tire*)

despacio   slowly

el despacho   study, den

la despedida   farewell

despedirse (i, i) (de)   to take leave (of), say good-bye (to)

la despensa   pantry

el despertador   alarm clock

despertar (ie)   to awaken, wake up (someone); *reflex.* to awaken, wake up (oneself)

despierto, -a   awake

después *adv.*   afterward(s)

    después de *prep.*   after

    después (de) que *conj.*   after

    poco después   a little later, shortly afterward(s)

destacarse (qu)   to stand out

destinarse a   to be destined (used) to

destruir (y)   to destroy

destruyó   *pret. of* **destruir**

el detalle   detail

detener (*like* **tener**)   to detain, stop; *reflex.* to stop (oneself)

determinar   to determine

detrás de *prep.*   behind

devolver (ue)   to return, give back

devorar   to devour, eat up

devoto, -a   devout

devuelto   *p.p. of* **devolver**

el día   day

    al día   daily, per day

    al día siguiente   (on) the following (next) day

    buenos días   good morning (day)

    de día   by day, in the daytime

    de (hoy) en ocho días   a week from (today)

    el español al día   up-to-date Spanish

    en estos días   these days

    en nuestros días   in our time, today

    hasta nuestros días   (up) to today, to our time (the present)

    hoy día   nowadays, today

    ocho días   a week

    quince días   two weeks

    todo el día   all day, the whole (entire) day

    todos los días   every day

el diablo   devil

    diablo de muchacho   that confounded boy

el dialecto   dialect

el diálogo   dialogue

el diamante diamond

>**(rama) de diamantes** diamond (spray)

Diana Diana, Diane

la diapositiva slide, transparency

diario, -a daily

el dibujante draftsman, master in the art of drawing; *pl.* draftsmen, draftswomen

el dibujo drawing

diciembre December

el dictador dictator

dicho *p.p. of* **decir**

>**dicho y hecho** no sooner said than done

el dicho saying

Diego James

el diente tooth

>**cepillo de dientes** toothbrush

>**entre dientes** muttering to himself

diez ten

>**a eso de las diez** at about ten o'clock

>**diez (y seis)** (six)teen

la diferencia difference

>**a diferencia de** unlike

diferente different

diferir (ie, i) to differ

difícil difficult, hard

>**lo difícil** the difficult (hard) thing, what is difficult (hard)

la dificultad difficulty

digno, -a worthy

la diligencia stagecoach

dime = di (tú) + me *(fam. command)* tell me

el diminutivo diminutive

el dinero money

dinos = di (tú) + nos *(fam. command)* tell us

Dios God

>**¡alabado sea Dios!** God be praised!

>**¡Dios mío!** heavens! for heaven's sake! my goodness (gracious)!

>**¡hombre de Dios!** for heaven's sake! good heavens!

>**¡por Dios!** heavens!

>**¡Santo Dios!** good heavens! heavens above!

el dios god

la dirección direction; address

directamente directly

directo, -a direct, non-stop

dirigir (j) to direct, address, conduct, manage

>**dirigir la palabra a** to talk to

>**dirigirse a** to direct oneself to, go to, turn to

el discípulo disciple, pupil

el disco record

la discordia *(also pl.)* discord, disagreement

la discoteca discotheque

discreto, -a discreet, prudent

disculparse to apologize, excuse oneself

el discurso speech, talk

discutir to discuss

disgustarse to become displeased

disparar to fire, shoot

dispensar to excuse

>**dispensa (tú), dispense Ud.** excuse me

disponerse a *(like* **poner***)* to prepare (get ready) to

disponible available

la disposición disposition, service

>**(ponerse) a su disposición** (to place oneself) at one's service

la distancia distance

>**a poca distancia (de)** a short distance (from)

distinguido, -a distinguished

distinguir (g) to distinguish, make (pick) out; *reflex.* to distinguish oneself, become distinguished

distinto, -a distinct, different

distraído, -a distracted

la diversión *(pl.* **diversiones***)* diversion, amusement

diverso, -a diverse, different

divertir (ie, i) to amuse, divert; *reflex.* to amuse oneself, have a good time, have fun

>**¡cuánto nos divertiremos!** how much (what) fun we'll have!

>**divertirse mucho** to have a very good time

dividido, -a divided

doblado, -a dubbed

doblar to turn (*a corner*)

doble double

>**por doble** for twice that amount

doce twelve

el doctor doctor (*title*)

el doctorado doctorate, doctor's degree

la doctrina doctrine

el documento document

el dólar dollar (*U.S.A.*)

doler (ue) to ache, pain, hurt

>**¿le duele la garganta?** does your throat hurt?

>**me duele un poco** it aches a little

>**me duelen los ojos** my eyes hurt

el dolor ache, pain, sorrow

>**tener dolor de cabeza** to have a headache

Dolores *town northwest of Mexico City*

doméstico, -a domestic

la dominación domination

dominar to dominate, control, subdue, rule, overcome

el domingo   (on) Sunday
  Domingo de Ramos   Palm Sunday
  Domingo de Resurrección   Easter
    Sunday
dominicano, -a   Dominican
  la República Dominicana   Dominican
    Republic
dominico, -a   (*also m. noun*)   Dominican, of the
    Dominican Order
el dominio   domination, rule, authority
  don   *untranslated title used before first names*
    of men
la doncella   maid
  donde   where, in which
    en donde   in which
  ¿dónde?   where?
    ¿por dónde se va a . . . ?   how does one
      go (get) to . . . ?
  doña   *untranslated title used before first names*
    of women
  dormido, -a   asleep
  dormir (ue, u)   to sleep; *reflex.* to fall asleep, go
    to sleep
    dormir la siesta   to take a nap
    que duerma usted bien   (may you) sleep
      well
  Dorotea   Dorothy
  dos   two
    los (las) dos   the two, both
  doscientos, -as   two hundred
  dramático, -a   dramatic
la ducha   shower (*bath*)
la duda   doubt
    no me cabe duda   there is no doubt
    sin duda   doubtless, without a doubt
    ya no cabía duda   there was no longer
      any doubt
  dudar (de)   to doubt
  dudoso, -a   doubtful
el dueño   owner
los dulces   sweets, candy
el duque   duke
  durante   during, for
  durar   to last
el duro   dollar (*the five-peseta coin in Spain*)

e

  e   and (*used for* **y** *before words beginning with*
    i- *and* **hi-,** *but not* **hie-**)
  ¡ea!   hey! come now!
la economía   economics
  económicamente   economically

económico, -a   economic
el economista   economist
el Ecuador   Ecuador
  echar   to put (in), throw
    echar a + *inf.*   to begin (start) to
    echar (al correo)   to mail
    echar una bendición a   to bless
la edad   age
    tener . . . años (de edad)   to be . . . years
      old (of age)
el edificio   building
    edificio de apartamentos
      (departamentos)   apartment house
      (building)
  editorial *adj.*   editorial
  Eduardo   Edward
la educación   education
    Educación Física   Physical Education
  educar (qu)   to educate
la efectividad   effectiveness
el efecto   effect
    en efecto   actually, in fact
  ¿eh?   eh? won't I? what? what do you say?
    have you? etc.
  ejecutar   to carry out, perform
el ejemplo   example
    buen ejemplo   a good example
    por ejemplo   for example
  ejercer (z)   to exercise, exert
el ejercicio   exercise
    hacer ejercicio   to (take) exercise
el ejército   army
  el (*pl.* **los**)   the
    el (los) de   that (those) of, the one(s) of
      (with, in)
    el (los) que   that, who, which, he (those)
      who (whom), the one(s) who (that, whom,
      which)
  él *pron.*   he; him, it (*m.*) (*after prep.*)
la elección (*pl.* **elecciones**)   election
  electivo, -a   elective
el electricista   electrician
  eléctrico, -a   electric
  elegante   elegant
  elegantemente   elegantly
el elemento   element
  Elena   Helen, Ellen
el elevador   elevator
  elevar   to elevate, raise, lift
  ella *pron.*   she; her, it (*f.*) (*after prep.*)
  ello *neuter pron.*   it
    por ello   because of that (it)
    todo ello   all of it, it all
  ellos, -as *pron.*   they; them (*after prep.*)
    todos, -as ellos, -as   all of them, them all

embarcar(se) (qu)   to embark

embargo: sin —,   nevertheless, however

el emblema   emblem

el embustero   liar, deceiver

la emisora   broadcasting station

empeñar   to pawn

empeñarse en   to insist on

el emperador   emperor

empezar (ie;c) (a + inf.)   to begin (to)

la empleada   clerk (f.), employee (f.), saleslady

el empleado   employee, salesperson, attendant (m.)

emplear   to employ, use

emprender   to undertake

la empresa   firm, company

en   in, on, at, by, to, for

en casa   at home

en (el aeropuerto)   in or at (the airport)

en seguida   at once, immediately

enamorado, -a   enamored

enamorarse (de)   to fall in love (with)

encadenar   to chain, put in chains

el encaje (also pl.)   lace, piece of lace

encaminarse a (hacia)   to walk (go, make one's way) to (towards), head (for)

¡encantado, -a!   (I'll be) delighted (to)!

encantador, -ora   enchanting, delightful

encantar   to charm, delight

el encargo   commission, order

encerrar (ie)   to enclose, include

encima de prep.   on top of

Enciso, Martín Fernández de   Spanish geographer and colonizer in America

encontrar (ue)   to encounter, find, meet; reflex. to find oneself, be found, be, meet

encontrarse con   to meet, run across (into)

el enemigo   enemy

enérgico, -a   energetic

enero   January

enfermarse   to become or fall ill (sick)

enfermo, -a   ill, sick

enfrente de prep.   in front of

engolfarse con   to take up with

enjaulado, -a   caged, in a cage

el enojo   anger

enorme   enormous, huge

Enrique   Henry

la enseñanza   teaching

enseñar (a + inf.)   to show (how) or teach (to)

ensillar   to saddle

entender (ie)   to understand

enterar   to inform

enternecido, -a   moved with pity

entero, -a   entire, whole

enterrado, -a   buried

el entierro   burial

entonces   then, at that time

la entrada   entrance, admission

boleto de entrada   admission ticket

entrar (en + obj.)   to enter

entre prep.   between, among

entregado, -a   delivered

entregado, -a a   lost in, given over to

entregar (gu)   to hand (over), deliver, give

el entrenamiento   training

entrenarse   to study, take training

la entrevista   interview

entrometido, -a   meddlesome

el entusiasmo   enthusiasm

enumerar   to enumerate, list

enviar (í)   to send

enviar por   to send for

envidiable   enviable

envolver (ue)   to wrap, wrap up

envuelto   p.p. of **envolver**

la Epifanía   Epiphany (January 6)

la época   epoch, era, period, time

el equipaje   baggage, luggage

el equipo   team

la equitación   horseback riding

la erre   the letter "r"

esbelto, -a   slender

escalar   to scale, climb

la escalera   stairway

escalera abajo   down (the) stairs

el escaparate   show window

la escarpela   badge

la escena   scene

la esclavitud   slavery

el esclavo   slave

escoger (j)   to choose, select

esconder   to hide, conceal; reflex. to hide (oneself)

escondido, -a   hidden, concealed

escribir   to write

máquina de escribir   typewriter

papel de escribir   writing paper

escrito, -a   p.p. of **escribir** and adj. written

lo escrito   what is written

la escritora   writer (f.)

el escritorio   writing desk

escuchar   to listen (to)

escuchen Uds.   listen

la escuela   school

(de) escuela primaria   primary (elementary) school

en la escuela   at (in) school

(ir) a la escuela   (to go) to school

la escuela superior   high school

llegar a la escuela   to arrive at school

periódico de la escuela   school (news)paper
la escultura   sculpture
ese, esa, -os, -as *adj.*   that (*nearby*), those
ése, ésa, -os, -as *pron.*   that (one), those
la esencia   essence
esforzarse (ue;c) por   to strive for, make an effort to
el esfuerzo   effort
el esmalte   enamel
la esmeralda   emerald
(alfiler) de esmeraldas   emerald (pin)
eso *neuter pron.*   that
a eso de   at about (*time*)
en eso de   in that matter of
eso dicen   that's what they say
eso es   that's it, that's right
por eso   because of that, for that reason, that's why
el espacio   space, room
la espalda   back (*of body*)
espantado, -a   frightened, scared, shocked
espantar   to frighten, scare (off)
España   Spain
la Nueva España   New Spain (= Mexico)
español, -ola   Spanish
el español   Spanish (*language*)
el español al día   up-to-date Spanish
(libro) de español   Spanish (book)
la Española   Hispaniola (*island on which Haiti and the Dominican Republic are situated*)
especial   special
especialmente   especially
la especie   kind, species
el espectáculo   spectacle
la esperanza   hope
esperar   to wait, wait for, await; to hope, expect
esperar mucho   to wait long (a long time)
esperar que sí (no)   to hope so (not)
sin esperar más   without waiting (any) longer
el espíritu   spirit
Espíritu Santo   Holy Spirit
espiritual   spiritual
espléndido, -a   splendid
espontáneamente   spontaneously
la espontaneidad   spontaneity
la esposa   wife
el esposo   husband
el esquí (*pl.* **esquíes**)   ski, skiing
esquiar   to ski
la esquina   corner (*street*)
en la esquina   at (on) the corner
tienda de la esquina   corner store

establecerse (zc)   to settle, establish oneself
el establecimiento   establishment, settlement
el establo   stable
la estación (*pl.* **estaciones**)   season; station
estacionar   to park
el estadio   stadium
el estado   state, condition
en buen (mal) estado   in good (bad) condition
los Estados Unidos   United States
la estampilla   (postage) stamp (*Am.*)
la estancia   stay
estar   to be
está bien   that's fine, excellent, very well, all right, O.K.
¿está (ella)? = ¿está (ella) en casa?   is (she) at home?
estamos a diez   it is the tenth
estar de acuerdo   to agree, be in agreement
estar de pie   to be standing
estar de vuelta   to be back
estar para   to be about to
estar seguro, -a (de que)   to be sure (that)
la estática   static
la estatura   stature
bajo de estatura   short (in stature)
este, esta, -os, -as *adj.*   this, these
éste, ésta, -os, -as *pron.*   this (one), these; the latter
Esteban   Stephen
el estilo   style
estimar   to esteem, regard (highly); to judge
estimar en mucho   to esteem (value) highly
esto *neuter pron.*   this
esto es   this (that) is
el estómago   stomach
estornudar   to sneeze
el estornudo   sneeze
estrechar   to strengthen, improve
estrechar las relaciones   to improve (strengthen) relations
estrecho, -a   narrow, tight
la estrella   star
el estudiante   student
estudiar   to study
el estudio   study; *pl.* studies, curricula
estudio de palabras   word study
la etapa   stage, period
etcétera   etcetera, and so forth
eterno, -a   eternal
Europa   Europe
europeo, -a *(also m. noun)*   European
evidente   evident

el examen (*pl.* **exámenes**)   exam(ination), test
  examinar   to examine
  excelente   excellent
la excepción   exception
  exclamar   to exclaim
  exclusivo, -a   exclusive
la excursión (*pl.* **excursiones**)   excursion, trip
    excursión de invierno   winter excursion
    hacer una excursión   to make (take) an
      excursion (a trip)
  existir   to exist, be (in existence)
  exótico, -a   exotic
la expansión   expansion; recreation, relaxation
la expedición (*pl.* **expediciones**)   expedition
la experiencia   experience
  experimentar   to experiment
el experto   expert
  explicar (qu)   to explain
la exploración (*pl.* **exploraciones**)   exploration
el explorador   explorer
  explorar   to explore
la explotación   exploitation
la exposición (*pl.* **exposiciones**)   exhibition
  expresar   to express
la expresión (*pl.* **expresiones**)   expression
  expulsar   to expel, drive out
  extenderse (ie)   to extend, stretch out
  extendido, -a   extended, stretched
  extensamente   extensively
  extenso, -a   extensive, vast
  exterior   exterior, outside
  extra   extra
  extranjero, -a   strange, foreign
el extranjero   stranger
  extraño, -a   strange, unusual
  extraordinario, -a   extraordinary, unusual
  Extremadura   *province in southwestern Spain*
el extremo   end
    al otro extremo   at the end opposite
    en extremo   extremely, to an extreme

f

F = Fahrenheit   *temperature scale*
la fábrica   factory
el fabricante   manufacturer
  fabricar (qu)   to fabricate, make
  fabuloso, -a   fabulous
  fácil   easy
  fácilmente   easily
la falda   skirt
  falso, -a   false
la falta   lack

    por falta de   for lack of
  faltar   to be lacking (missing), lack, need; to
  falter
    ya faltará poco   it must be almost that
      time
  Falla, Manuel de (1876-1946)   *Spanish
  composer*
la fama   fame, reputation, name
    tener fama de   to have the (a) reputation
      of (as)
la familia   family
  familiar   family *(adj.)*
el familiar   member of a (the) family
  famoso, -a   famous
la farmacia   pharmacy, drugstore
  fascinante   fascinating
el favor   favor, compliment
    es un gran favor que me hace   you are
      paying me a great compliment
    haga(n) *or* **hága(n)me Ud(s). el favor de +**
     inf.   please
    por favor   please (*used at end of a request*)
  favorecer (zc)   to favor, help
  favorito, -a   favorite
la fe   faith
  febrero   February
la fecha   date
  felicitar   to congratulate
  Felipe   Philip
  feliz (*pl.* **felices**)   happy
    ¡feliz viaje!   (have) a happy trip!
  femenino, -a   feminine
el fenicio   Phoenician
la feria   fair, market
  Fernando   Ferdinand
el ferrocarril   railroad
el festín   feast
la festividad   festivity
  festivo, -a   festive
la fiebre   fever
la fiesta   feast, fiesta, party, festival, holiday
    hacer las fiestas   to have (the) parties
la figura   figure, shape
  figurar (entre)   to figure *or* be (among)
  fijamente   fixedly
    mirar fijamente (a)   to stare (at)
  fijarse (bien) en   to observe *or* notice
    (carefully)
  fijo, -a   fixed
la fila   row
el filósofo   philosopher
el fin   end
    a (hacia) fines de   toward(s) the end of
    desde fines de   from the end of
    el fin de semana   weekend

para fines de   towards (by) the end of
poner fin a   to put an end to
por fin   finally, at last
final *adj.*   final
el final   end, ending
  a finales poéticos   in (with) poetic endings
la finca   farm
fino, -a   fine, delicate
firmar   to sign
firme   firm
  Tierra Firme   Mainland
físico, -a   physical
el flamenco   Flemish
la flor   flower
florecer (zc)   to flourish
la Florida   Florida
florido, -a   flowery
  Pascua Florida   Easter
el fondo   background
la forma   form. way
  en forma de   in the form (shape) of
  en forma distinta   in a different way
la formación   formation
formalmente   formally
formar   to form, make up
la fortaleza   fort, fortress
la fortuna   fortune *(money)*
forzar (ue;c)   to force, break open
la foto   photo
  sacar fotos   to take photos
la fotografía   photograph
  sacar fotografías   to take photographs
fracasar   to fail
el fraile   friar, priest
francés, -esa   French
el francés   French *(language)*
  profesora de francés   French teacher
Francia   France
franciscano, -a *(also m. noun)*   Franciscan
Francisco   Francis
el franco   franc *(French coin)*
la franja   strip
la franqueza   frankness
la frase   phrase, sentence
fray   friar *(title)*
la frecuencia   frequency
  con frecuencia   frequently
  frecuencia modulada   FM
frecuentemente   frequently
la frente   forehead
fresco, -a   cool, fresh
el fresco   cool, coolness
  hacer (bastante) fresco   to be (quite) cool *(weather)*

el frío   cold
  hacer (mucho) frío   to be (very) cold *(weather)*
frito, -a   fried
la frontera   frontier, border
frutal *adj.*   fruit
las frutas   fruit(s)
el fuego   fire
  armas de fuego   firearms
  Danza del fuego   *Fire Dance*
la fuente   fountain; source
  fuente de soda   soda fountain
fuera *adv.*   out, outside
  fuera de *prep.*   out(side) of
  por fuera   on the outside
fuerte   strong, heavy
fuertemente   strongly
la fuerza   force, strength; *pl.* forces, (military) forces
  con más fuerza   more violently, harder
  tener fuerza   to be strong
funcionar   to function, work, run *(said of something mechanical)*
la fundación   founding, foundation
fundado, -a   founded
el fundador   founder
fundar   to found, establish
furioso, -a   furious(ly)
fusilar   to shoot
  lo hará fusilar   he will have you shot
la fusión   fusion
el fútbol   football
  partido de fútbol   football game
el futuro   future

las gafas   glasses, spectacles
el galán   suitor, gallant man
la galería   gallery, corridor
Galicia   *province in northwestern Spain*
gallardo, -a   gallant
la gana   desire, inclination
  no me da la gana   I don't want (wish) to
  tener (muchas) ganas de   to be (very) eager *or* wish (very much) to
ganar   to gain, earn, win, surpass, beat
  ganarse la vida   to earn a living
la ganga   bargain
el garaje   garage
la garganta   throat
gastar   to spend *(money)*, waste, use (up)

el gasto   expense

el gemelo   cuff link

la generación (*pl.* **generaciones**)   generation

general *adj.*   general

el general   general

generalmente   generally

la generosidad   generosity

generoso, -a   generous

el genio   genius

Génova   Genoa

la gente   people, folk

   mucha gente   many people

   tanta gente   so many people

la geografía   geography

el (la) gerente   manager (*m. and f.*)

   germánico, -a   Germanic

el giro   draft

el gitano   gypsy

la gloria   glory

   Sábado de Gloria   Holy Saturday

   glotón, -ona   gluttonous, greedy

   los más glotones   the greediest ones (*m.*)

el gobernador   governor

la gobernadora   woman governor

el gobierno   government

   empleado de gobierno   government employee

el golf   golf

   (palo) de golf   golf (club)

el (la) golfista   golfer, golf player (*m. and f.*)

el golfo   gulf

el golpe   blow

   golpe de muerte   death blow

el golpecito   (light) knock, rap, tap

   dar golpecitos   to tap

la goma   rubber

   (tacón) de goma   rubber (heel)

Gonzalo   *proper name*

gordo, -a   fat, stout

gótico, -a   Gothic

Goyesco, -a   of (pertaining to) Goya, Goyesque

gozar (c) (de + *obj.*)   to enjoy

la grabadora   (tape) recorder

   grabadora de cinta   tape recorder

grabar   to tape, record; to impress, fix

   grabar en su memoria   to impress (fix) on (in) one's mind

gracias   thanks, thank you

   darle (las) gracias a uno (por)   to thank one (for)

   gracias a   thanks to

   ¡muchísimas gracias!   many thanks! thanks a lot!

el grado   degree

graduarse (ú)   to graduate

gran (*used for* **grande** *before sing. nouns*)   great, large

   Gran Colombia   Greater Colombia

Granada; Nueva —,   New Granada (*viceroyalty in northwestern South America, created in 1718*)

Granados, Enrique (1867-1916)   *Spanish composer*

grande   large, big, great

la granja   farm

   animal de granja   farm animal

el grano   grain

la gratitud   gratitude

grave   grave, serious

Gregorio   Gregory

el griego   Greek

gritar   to shout

el grito   shout, cry

   a gritos   shouting, with shouts

   dar gritos *or* **el grito (de)**   to shout, cry out

grotesco, -a   grotesque

grueso, -a   heavy, large

gruñir   to grumble

el grupo   group

   de (en) grupo   group

Guadalajara   *second largest city in Mexico*

Guadalupe: Virgen de —,   Virgin of Guadalupe (*patron saint of the Mexican Indians*)

Guanahaní   *old Indian name of the island of San Salvador, in the Bahama Islands*

Guanajuato   *city northwest of Mexico City*

el guante   glove

guapo, -a   handsome

el guarda   guard, keeper

guardar   to guard, save, keep

   guardar cama   to stay in bed

guatemalteco, -a (*also m. noun*)   Guatemalan

el guayaba   guava

Guayaquil   *port and commercial city of Ecuador*

la guerra   war

guiar (í)   to guide, lead

Guillermo   William

la guitarra   guitar

el (la) guitarrista   guitarist, guitar player (*m. and f.*)

gustar   to be pleasing, like

   gustar más   to like better (best)

   me gustaría (mucho)   I should like (very much) to

   ¿te gustaría?   would you like to?

el gusto   pleasure

   con mucho gusto   gladly, with much (great) pleasure

hace Ud. su gusto   you can do as you like
mucho gusto (en conocerte)   (I'm) very pleased *or* glad to know you
tener el gusto de + *inf.*   to have the pleasure to + *inf.* (of + *pres. part.*)
tener (mucho) gusto en + *inf.*   to be (very) glad to

h

haber   to have (*auxiliary*)
de todo había   there was a bit of everything
ha habido   there has (have) been
haber de + *inf.*   to be (be supposed) to; *used for the future*
había   there was (were)
habrá   there will be
habría   there would be
hay   there is (are)
hay (había) que + *inf.*   one must, it is (was) necessary to
hay sol   it is sunny, the sun is shining
no hay como llegar a   there's nothing like reaching
no hay de qué   you're welcome, don't mention it
no los hay así   there aren't any like them
¿para qué se ha de levantar?   why should (they) get up?
¿para qué (yo) había de ponerme . . .?   why should I (was I to) become . . .?
¿qué hay de nuevo?   what's new? what do you know?
¿qué he de desear?   what do you think I want?
¡qué no se han de levantar!   of course they aren't getting up!
¡si no lo hay!   but there isn't any!
te he de decir una cosa   there is something I must tell you
la habitación (*pl.* **habitaciones**)   room
el habitante   inhabitant
habla: de — española   Spanish-speaking
hablar   to speak, talk
habla (Marta)   this is (Martha), (Martha) is speaking
hablar por teléfono   to talk by (on the) telephone
¿hablo con la casa del señor Martín?   is this Mr. Martín's (house)?
oír hablar de   to hear of (about)

hacer   to do, make, cause, have, put on (*party*)
¿cuánto tiempo hace . . .?   how long is it . . .?
es un gran favor que me hace   you are paying me a great compliment
hace (hacía) dos años que vive (vivía) aquí   he has (had) been living here two years
hace (dos semanas)   (two weeks) ago
hace Ud. su gusto   you can do as you wish
hacer (bastante) fresco   to be (quite) cool (*weather*)
hacer buen (mal) tiempo   to be good *or* fine (bad) weather
hacer calceta   to knit
hacer daño a   to harm, do (cause) harm to
hacer ejercicio   to (take) exercise
hacer el (un) viaje   to take the (a) trip
hacer las fiestas   to have (the) parties
hacerle una pregunta a uno   to ask a question of one
hacer (mucho) calor   to be (very) warm (*weather*)
hacer (mucho) frío   to be (very) cold (*weather*)
hacer señas   to make signs, wave
hacer una broma a   to play a joke (trick) on
hacer una excursión   to take (make) an excursion
hacerse + *noun*   to become
hacerse un nuevo saludo de despedida   to wave good-bye to each other again
hacía muchos años que yo buscaba   for many years I had been looking for
haga(n) *or* **hága(n)me Ud(s). el favor de** + *inf.*   please + *verb*
¿qué tiempo hace?   what kind of weather is it? what's the weather like?
hacia *prep.*   toward(s); about (*time*)
hacia atrás   backwards
hacia fines de   toward(s) the end of
Haití   Haiti
hallar   to find; *reflex.* to find oneself, be found, be
el hambre (*f.*)   hunger
morirse (ue,u) de hambre   to die of hunger
¡qué hambre tengo!   how hungry I am!
tener hambre   to be hungry
hasta *prep.*   until, to, up to, as far as; *adv.* even
desde . . . hasta   from . . . (up) to
hasta cuando   until
hasta la vista   (I'll) see you later, until I see you, so long

hasta luego   see you later, until later,
hasta mañana   until (see you) tomorrow
hasta que *conj.*   until
hay   there is, there are
   hay que *+ inf.*   one must, it is necessary to
   no lo hay mejor   there isn't any (is none) better
   no los hay así   there aren't any like them
   ¿qué hay de nuevo?   what's new? what do you know?
   ¡si no lo hay!   but there isn't any!
haz *(fam. command form of* hacer*)*   do
la hazaña   deed
   hazlo = haz + lo   *see* haz
hecho *p.p. of* hacer   done, made
   dicho y hecho   no sooner said than done
el hecho   fact
la heladería   ice cream parlor
heredar   to inherit
herido, -a   struck, wounded
la hermana   sister
el hermanito   little brother
el hermano   brother; *pl.* brothers, brother(s) and sister(s)
hermosísimo, -a   very pretty (beautiful)
hermoso, -a   beautiful, pretty
Hernán, Hernando   Ferdinand
el héroe   hero
Hidalgo, Miguel   (1753-1811)   *village priest and Mexican revolutionary leader*
el hidalgo   nobleman
el hidroplano   hydroplane
el hielo   ice
la hierba   grass, herb
el hierro   iron
   caja de hierro   iron box
la hija   daughter
el hijo   son, child; *pl.* sons, son(s) and daughter(s), children
   hijos míos   my children (sons)
Las hilanderas   *The Spinning Girls*
el hilo   thread
hispánico, -a   Hispanic
   la hispánica   (the) Hispanic (*f.*)
   la Sociedad Hispánica   Hispanic Society
hispano, -a   Hispanic, Spanish
   los hispanos   Spanish (Hispanic) people
Hispanoamérica   Spanish America
hispanoamericano, -a   Spanish-American
la historia   history; story, tale
la hoja   leaf
¡hola!   hello!
la holgazanería   laziness, loafing
el hombre   man, fellow

de hombre   as (of) a man
¡hombre!   man! hey!
hombre de bien   good (honest) man
¡hombre de Dios!   for heaven's sake! good heavens!
hombre de negocios   businessman
el hombro   shoulder
el honor   honor
honradamente   honestly
la honradez   honesty, uprightness
honrado, -a   honest, honorable, respected
honrar   to honor
la hora   hour, time (*of day*)
   a cualquier hora   at any time (hour)
   a esta hora   at this time
   ¿a qué hora?   at what time?
   a toda hora   at every hour (all hours)
   ¿qué hora es?   what time is it?
   ser hora de   to be time to
el horizonte   horizon
horrible   horrible
la hospitalidad   hospitality
la hostilidad   hostility
el hotel   hotel
hoy   today
   ¿cuál es la fecha de hoy?   what is the date today?
   de (hoy) en ocho días   a week from (today)
   hoy día   nowadays, today
hubo *pret. of* haber   there was (were)
el huevo   egg
huir (y)   to flee
humano, -a   human
humilde   humble
humildemente   humbly
el humor   humor, mood
   de mal humor   in a bad mood

el ibero   Iberian
la ida   going; departure
   boleto de ida y vuelta   round-trip ticket
la idea   idea, plan, scheme; mind
   ¡buena idea!   (a) good *or* fine idea!
ideal *adj. (also m. noun)*   ideal
la identificación   identification
ido *p.p. of* ir
el ídolo   idol
la iglesia   church
   a la iglesia   to (the) church
   de iglesia   church

Ignacio Ignatius
la ignorancia ignorance
igual equal
    igual que the same as
    sin igual matchless, unrivalled
igualmente equally, the same to you
la ilusión illusion
ilustrar to illustrate
ilustre famous, illustrious
la imagen (*pl.* **imágenes**) image
imaginado, -a imagined
imaginario, -a imaginary
imaginarse to imagine
imitar to imitate
impaciente impatient(ly)
impecable impeccable
impedir (i,i) to impede, hinder, prevent
el imperfecto imperfect
el imperio empire
el impermeable raincoat
impertinente impertinent
imponerse a (*like* **poner**) to be imposed
    upon
importado, -a imported
la importancia importance
importante important
    lo importante the important thing, what
    is important
importar to be important, matter
imposible impossible
la impresión impression
impresionante impressive
improviso: de —, suddenly, unexpectedly
impuso *pret. of* **imponer**
inaugurar to inaugurate, open
el inca (*also m. and f. adj.*) Inca
incalculable incalculable
incluir (y) to include
incomparable incomparable
el inconveniente objection
    tener inconveniente (en) to object (to)
la incorporación (a) incorporation (in, into)
incorporarse a to be (become) incorporated
    into
la independencia independence
independiente independent
la India India; *pl.* (East) Indies
indicar (qu) to indicate
el indicativo indicative
    (imperfecto) de indicativo (imperfect)
    indicative
la indiferencia indifference
indiferente indifferent
indígena (*m. and f.*) indigenous, native, Indian
la indignación indignation

con indignación indignant(ly)
indignado, -a indignant(ly)
indio, -a (*also m. noun*) Indian
individual *adj.* individual
individualista (*m. and f.*) individualist(ic)
el individuo individual
la industria industry
industrial *adj.* industrial
el industrial industrialist
Inés Inez, Agnes
inesperado, -a unexpected
inevitable inevitable
el infinitivo infinitive
infinito, -a infinite
la influencia influence
la información information, news
informalmente informally
informar to inform
el informe report; *pl.* information
la ingeniera woman engineer
el ingeniero engineer
inglés, -esa English
el inglés English (*language*)
    clase de inglés English class
la ingratitud ingratitude
el ingrato ungrateful one (wretch)
el ingrediente ingredient
ingresar en to enter, become a member of
el ingreso entrance, admission
    la solicitud de ingreso entrance
    application, application for admission
iniciar to initiate, start, begin
la injusticia injustice
inmediatamente immediately
inmenso, -a immense, very large (great)
inmóvil immobile, motionless
innumerable innumerable
inocente innocent, gullible
el inocente person easily duped
    Día de los Inocentes *December 28,*
    equivalent to April Fools' Day
el insecto insect
insistir (en + *obj.*) to insist (on)
    insistir en que to insist that
la inspiración inspiration
la institución (*pl.* **instituciones**) institution
la instrucción (*pl.* **instrucciones**) instruction
el instrumento instrument
integrar to integrate
intentar to try, attempt
interceptar to intercept
intercolegiado, -a intercollegiate
el interés (*pl.* **intereses**) interest
    tener interés por (en) to have an interest
    for (in), be interested in

interesante   interesting

    lo interesante   the interesting thing (part), what is interesting

interesar   to interest

    interesarse en (por)   to be (become) interested in, be concerned with

el interior   interior

intermedio, -a   intermediary, in between

interminable   interminable, endless

internacional   international

la interpretación   interpretation

interpretar   to interpret

el (la) intérprete   interpreter (*m. and f.*)

interrogación: signo(s) —,   question mark(s)

introducir (zc;j)   to introduce, put

introdujeron   *pret. of* **introducir**

invadir   to invade

la invasión   invasion

el invasor   invader

inventivo, -a   inventive

el invierno   winter

    (deporte) de invierno   winter (sport)

la invitación (*pl.* **invitaciones**)   invitation

invitado, -a   invited

invitar (a + *inf.*)   to invite (to)

ir (a)   to go (to); *reflex.* to go (away), leave

    ir a almorzar   to go to (have) lunch

    ir a casa   to go home

    ir a casa de Marta   to go to Martha's

    ir a clase   to go to class

    ir a la escuela   to go to school

    ir a nadar   to go swimming

    ir al centro   to go downtown

    ir al cine   to go to the movie(s)

    ir de compras   to go shopping

    ir en coche (autobús, avión)   to go by *or* in a car (bus, plane)

    ir por   to go for

    ¿por dónde se va . . .?   how does one go . . .?

    vámonos   let's go (be going, be on our way)

    vamos   let's go; well, come now, come on

    vamos (a)   we go (are going) (to), let's go (to)

    vamos a tomarlo   we are going to (let's) take it

    ¡vaya un(a) . . .!   what a (an) . . .!

    vete (tú)   go away, leave

Isabel   Isabel, Betty, Elizabeth

la isla   island

Italia   Italy

italiano, -a (*also m. noun*)   Italian

izquierdo, -a   left

    a (de) la izquierda   to (on) the left

j

el jabalí   wild boar

el jabón   soap

jactancioso, -a   boastful

Jaime   James, Jim

jamás   never, (not) . . . ever, ever (*often in a question*)

    por siempre jamás   forever and ever

el jamón   ham

el jarabe   *popular dance in Mexico*

el jardín (*pl.* **jardines**)   garden

¡je!   ha! (*laughter*)

el jefe   chief, leader, head

Jerónimo   Jerome

Jesucristo   Jesus Christ

    antes de Jesucristo   B.C.

    después de Jesucristo   A.D.

jesuita (*m. and f.; also m. noun*)   Jesuit

¡Jesús!   heavens! bless you! (*said after a sneeze*)

el jet   jet (*plane*)

    aviones jets   jet planes

Joaquín   Joachim

Jorge   George

José   Joseph, Joe

joven (*pl.* **jóvenes**)   young

    el (un) joven   the (a) young man

    la joven   the young lady (woman, girl)

    los (dos) jóvenes   the (two) young men *or* people

    los jóvenes   (the) young people

    no quiere jóvenes   (he) doesn't want young men

la joya   jewel

la joyería   jewelry store (shop)

Juan   John

Juanita   Juanita, Jane

Juanito   Johnny

el juego   game; set (*of matching articles*)

el jueves   Thursday

el juez (*pl.* **jueces**)   judge

la jugada   play

jugar (ue; gu) (**a +** *obj.*)   to play (a game)

    jugar a la pelota   to play *jai alai*

    jugar a las cartas   to play cards

    jugar al (fútbol)   to play (football)

el jugo   juice

    jugo de naranja   orange juice

julio   July

junio   June

junto a *prep.*   near, next to

    junto con   along with

juntos, -as   together
justo, -a   just
juvenil   juvenile
la juventud   youth

k

el kilo(gramo)   kilo(gram) *(about 2.2 pounds)*
el kilómetro   kilometer *(about ⅝ mile)*

l

la *(pl.* **las***)*   the
  la(s) de   that (those) of, the one(s) of (with, in)
  la(s) que   who, that, which, she who, the one(s) who (that, whom, which), those who (which, whom)
la *obj. pron.*   her, it *(f.)*, you *(formal f.)*
el labio   lip
  lápiz para labios   lipstick
la labor *(also pl.)*   work, labor, task
el labrador   farmer, peasant
lacio, -a   straight
el lado   side
  al lado   at one's side
  al lado de *prep.*   beside, at the side of
  al otro lado de   on the other side of
  por todos lados   on all sides, all around
el ladrillo   brick
el ladrón *(pl.* **ladrones***)*   thief, robber, bandit
la ladrona   thief *(woman)*
el lago   lake
la lágrima   tear
  entre risas y lágrimas   half-laughing, half-crying
lamentar   to lament, regret
la lanza   lance
lanzar (c)   to launch, hurl, throw, make *(accusation, etc.)*
  lanzarse a   to rush to, run to
el lápiz *(pl.* **lápices***)*   pencil
  con lápiz   with a pencil
  lápiz para labios   lipstick
largo, -a   long
  a lo largo de   along
  tener . . . de largo   to be . . . long
las *obj. pron.*   them *(f.)*, you *(formal f.) (also see* **la***)*
la lástima   pity

es lástima   it is a pity (too bad)
latino, -a   Latin
  la América latina   Latin America
Latinoamérica   Latin America
latinoamericano, -a   Latin-American
Laura   Laura
lavar   to wash; *reflex.* to wash (oneself)
  lavar la cabeza   to wash one's hair, shampoo
le   *dir. obj.* him, you *(formal m.); indir. obj.* to him, her, you *(formal)*, it
leal   loyal
la lección *(pl.* **lecciones***)*   lesson
  lección de español   Spanish lesson
  Lección primera   Lesson One
la lectura   reading
leer (y)   to read
legítimo, -a   legitimate
la legua   league *(about 3½ miles)*
la legumbre   vegetable
leído   *p.p. of* **leer**
lejano, -a   distant
lejos *adv.*   far (away), distant
  a lo lejos   in the distance
  lejos de *prep.*   far from
la lengua   language, tongue
el lenguaje   language
lentamente   slowly
la lente   reading (magnifying) glass
lento, -a   slow
León   Leon *(region and former kingdom of northwestern Spain)*
les *indir. obj.*   to them, you *(pl.)*
la Letanía   Litany
la letra   letter *(of alphabet)*
levantar   to raise, lift (up), stir up; *reflex.* to get up, rise
la levita   Prince Albert coat, (frock) coat
la ley   law
la leyenda   legend
la libertad   liberty, freedom
  con libertad   freely
el libertador   liberator
la libra   pound
libre   free
  al aire libre   open-air, outdoor
libremente   freely
la librería   bookstore
la libreta de cheques   checkbook
el libro   book
  libro de español   Spanish book
la licencia   license
  licencia para manejar   driver's license
la liebre   hare
el lienzo   canvas

la liga   league
ligeramente   lightly
ligero, -a   light, slight
Lima   *capital of Peru*
limitarse a   to be limited (limit oneself) to
el limón (*pl.* **limones**)   lemon
el limonero   lemon tree
limpiar   to clean, pull out; *reflex.* to clean
   (*something of one's own*)
      hacerlo limpiar   to have it cleaned
limpio, -a   clean
lindo, -a   beautiful, pretty
la línea   line
      línea aérea   airline
      oficina de la línea aérea   airline office
la lista   list
listo, -a   ready; clever
la litera   litter
la literatura   literature
lo *neuter article*   the
      lo cual   which (fact)
      lo que   what, that which, which (fact)
      todo lo que   all that
lo *dir. obj.*   him, it (*m. and neuter*), you
   (*formal m.*); so
      lo era   (he) was so
loco, -a   crazy
lograr   to attain, obtain, succeed in
el loro   parrot
los   the (*m. pl.*)
      los de   those of, the ones of (with, in)
      los (las) dos   the two, both
      los que   who, that, which, the ones *or*
         those who (that, whom, which)
      todos los que   all (those) who
los *dir. obj.*   them, you (*pl.*)
Los Angeles   Los Angeles
Lucas   Luke
Lucía   Lucy, Lucille
la lucha   wrestling; struggle
luchar   to struggle, fight
luego   then, next, later
      desde luego   of course, certainly
      hasta luego   (I'll) see you later, until later,
         so long
el lugar   place
      en lugar de   instead of, in place of
      lugar de compras   shopping center
      tener lugar   to take place
Luis   Louis
Luisa   Louise
lujoso, -a   elegant, luxurious, showy
la luna   moon
el lunes   (on) Monday
la luz (*pl.* **luces**)   light

ll

la llama   llama (*animal of the Andes*)
llamado, -a   called, named
llamar   to call, knock
      llamar a   to knock on (at)
      llamar por teléfono   to telephone, call by
         telephone
      mandar llamar a uno   to send for one,
         have one called (summoned)
      se le llama   (it) is called
      te llamo más tarde   I'll call you later
llano, -a   flat, level, smooth
la llanta   tire
la llanura   plain
la llave   key
la llegada   arrival
llegar (gu) (a)   to arrive (at), reach
      llegar a casa   to arrive (get) home
      llegar a ser   to become, come to be
      llegar tarde   to arrive (be) late
llenar (de)   to fill (with)
lleno, -a (de)   full (of), filled (with)
llevar   to take, carry, bear; to lead; to wear;
   reflex. to take with one(self)
llorar   to cry, weep
Llorente   *family name*
llover (ue)   to rain
la lluvia   rain

m

el machete   machete (*long knife*)
la madama   madame
la madera   wood
      cruz de madera   wooden cross, cross of
         wood
      (de) madera   (of) wood, wooden
la madre   mother
      ¡madre mía!   my dear mother!
      madre patria   mother country
la maestra   teacher (*f.*)
      obra maestra   masterpiece
la maestría   mastery, skill
el maestro   master, teacher
      ¡señor maestro!   master!
magnífico, -a   magnificent, fine, great
el mago   magician
Magos: Reyes —,   Wise Men (Kings), Magi
el maíz   maize, corn
      bollo de maíz   corn muffin
majestuosamente   majestically

majestuoso, -a   majestic

mal *adv.*   badly

mal   *used for* **malo** *before m. sing. nouns*

malamente   badly

maldecir (*like* **decir**)   to put a curse on

maldijo   *pret. of* **maldecir**

la maleta   suitcase, bag

    hacer la maleta   to pack the suitcase

malo, -a   bad, evil

    lo malo es   the bad thing (part) is, what is
    bad is

maltratar   to mistreat

Mallorca   Majorca (*largest of the Balearic
Islands in the Mediterranean Sea*)

la mamá   mother, mama, mom

mandar   to send, order, command, have

    mandar llamar a uno   to send for one,
    have one called (summoned)

    ¿qué manda usted?   what would you
    like? what can I do for you?

manejar   to handle, drive (*car*) (*Am.*)

    licencia para manejar   driver's license

la manera   manner, way

    de esta (esa) manera   in this (that) way

    de manera que *conj.*   so, so that

    de ninguna manera   by no means, not
    at all

    de una manera (solemne)   in a (solemn)
    way

manifestar (ie)   to manifest, show

la mano   hand

    a manos de   at (into) the hand(s) of

    de una mano a otra   in the deal
    (exchange)

la manta   blanket

mantener (*like* **tener**)   to maintain, keep

manual   manual

la manzana   apple; block (*city, Spain*)

    cierto sabor a manzana   a certain
    apple-like taste

    manzano: plátano —,   *a certain type of banana
with an apple-like taste*

mañana   tomorrow

    hasta mañana   until (see you) tomorrow

    mañana por la mañana   tomorrow
    morning

    pasado mañana   day after tomorrow

la mañana   morning

    de (por) la mañana   in the morning

    (mañana) por la mañana   (tomorrow)
    morning

    vuelo de la mañana   morning flight

el mapa   map

la máquina   machine

    máquina de escribir   typewriter

el mar   sea

    Mar Caribe   Caribbean Sea

    Mar del Sur   Southern Sea

    Mar Mediterráneo   Mediterranean Sea

la maravilla   marvel, wonder

maravilloso, -a   marvelous, wonderful

la marca   brand, kind, make

marcar (qu)   to dial (*telephone*); to mark

el marco   frame

la marcha   march, journey

    poner (la máquina) en marcha   to start
    (the machine)

    ponerse en marcha   to start, set out

marchar   to march; *reflex.* to go away, leave

    marcharse a   to leave for, go to

la marea   tide

Margarita   Margaret, Marguerite

María   Mary

Maricela   *name of an estate in Valencia*

la mariposa   butterfly

Marta   Martha

el martes   (on) Tuesday

    el martes por la noche   (on) Tuesday
    evening (night)

Martín   Martin

Martinica   Martinique (*island at the eastern
end of the Caribbean*)

marzo   March

mas *conj.*   but

más   more, most; other; longer

    algo más   something more (else)

    más o menos   more or less,
    approximately

    más tarde   later

    más vale (vale más)   (it) is better

    nadie más   no one (anyone) else

    no . . . más que   only, (not) . . . more than

la máscara   mask

masculino, -a   masculine

la mata   stalk

matar   to kill

el mate   checkmate (*in chess*); maté (*green
Paraguayan tea*)

el material (*also pl.*)   material(s), matter

el matrimonio   marriage

el maya   Maya(n)

mayo   May

mayor   greater, greatest; older, oldest; larger,
largest

    Antillas Mayores   Greater Antilles

    de mayor tamaño   largest

    la mayor parte de   most (of), the greater
    part of

la mayoría   majority

    en su mayoría   for the most part

me *obj. pron.* me, to me, (to) myself
el mecánico mechanic
mediano, -a medium size
medianoche: a (la) —, at midnight
la médica woman doctor
la medicina medicine
medicinal medicinal
el médico doctor, physician
la medida measurement
    a medida que as, in proportion as
medio, -a half, a half; average, median
    a las siete y media at half past seven
    media hora a half hour, half (an) hour
el medio medium, means, way
    en medio de in the midst (middle) of
    por medio de by means of, through
el mediodía noon
    al mediodía at noon
la meditación meditation
meditar to meditate, think
Mediterráneo, -a Mediterranean
el Mediterráneo Mediterranean (Sea)
la mejilla cheek
mejor better, best
    el mejor the better *or* best (one) *(m.)*
    lo mejor the best thing (part), what is best
    otros mejores other better ones *(m.)*
el mejoramiento betterment, improvement
mejorarse to improve, get better
la melodía melody
la memoria memory, mind
    aprender de memoria to memorize
    grabar en su memoria to impress *or* fix in (on) one's mind
    saber de memoria to know from memory (by heart)
mencionar to mention
Las meninas *Little Ladies in Waiting*
menor smaller, smallest; younger, youngest; least
    las Antillas Menores Lesser Antilles
menos less, fewer, least; to, of *(time)*
    más o menos more or less, approximately
    por lo menos at least
    (son *or* **eran las ocho) menos (cuarto)** (it is *or* was a quarter) to (eight)
mental mental
mentir (ie, i) to lie
la mentira lie
    ¡es mentira! it's a lie!
menudo: a —, often, frequently
el mercado market
    plaza de mercado market square
la mercancía merchandise

la merced mercy, favor, kindness
    vuesa (vuestra) merced your grace, you
merecer (zc) to merit, deserve
la merienda light lunch, snack
el mérito merit
el mes month
    a los dos meses after two months, two months later
la mesa table, desk
la meseta tableland, plateau
la mesita small (little) table
la meta goal
meter to put (in), place (in); *reflex.* to get (go) into
el método method
el metro meter *(39.3 inches)*
metropolitano, -a metropolitan
mexicano, -a *(also m. noun)* Mexican
México Mexico, Mexico City
    ciudad de México Mexico City
Mexitli *Aztec god of war*
la mezcla mixture
mezclar to mix, mingle
mi, mis my
mí *obj. pron.* me *(after prep.)*
    a mí mismo to myself
el micrófono microphone
el miedo fear
    tener miedo (de) to be afraid (to, of)
    tener miedo de que to be afraid that
mientras (que) *conj.* while, as long as
    mientras tanto meanwhile, in the meantime
el (los) miércoles (on) Wednesday(s)
    Miércoles de Ceniza Ash Wednesday
la miga crumb
Miguel Michael, Mike
mil a (one) thousand
    dar en mil to give for a thousand
    mil cosas many (a thousand) things
    miles de (ellos) thousands *or* many of (them)
el milagro miracle
el milímetro millimeter
    cámara de 35 milímetros 35-millimeter camera
militar *adj.* military
el militar military man, soldier
la milla mile
el millón *(pl.* **millones)** **de** million (of)
el millonario millionaire
el mimbre wicker
el minuto minute
mío, -a *adj.* my, (of) mine
    ¡Dios mío! heavens! my goodness (gracious)!

(el) mío, (la) mía, (los) míos, (las) mías
  pron.   mine
  todos los míos   all my family
la mirada   look, glance, gaze
  mirar   to look at, watch
    mirar fijamente (a)   to stare (at)
    se miró a los zapatos   he looked (stared)
      at his shoes
la misa   Mass *(church)*
    llamar a misa   to call to Mass
la misión *(pl.* **misiones)**   mission
el misionero   missionary
  Misisipí   Mississippi
  mismo, -a   same, very (same)
    a mí mismo   to myself
    a sí mismo   to oneself
    ahora mismo   right now, right away
    al mismo tiempo   at the same time
    aquí mismo   right here
    de la misma edad que   of the same age as
    él mismo   he himself
    lo mismo   the same thing
    lo mismo que   the same as
  misterioso, -a   mysterious
  místico, -a   mystic
  Misurí   Missouri
la mitad   half
  mixto, -a   mixed
  mobilizarse (c)   to move about
  Moctezuma   Montezuma *(leader of the Aztecs*
    at the time of the Spanish conquest)
la moda   style, fashion
    estar de moda   to be fashionable ("in")
el modelo   model
  moderado, -a   moderate
  modernísimo, -a   very modern
  moderno, -a   modern
  modesto, -a   modest
el modismo   idiom
la modista   dressmaker
el modo   manner, means, way
    de modo que *conj.*   so, so that
    de un modo más gallardo   in a more
      gallant way
  modulada: frecuencia —,   FM
  mojado, -a   soaked
  mojar   to wet, moisten, dampen
    mojarse (mucho)   to get (very) wet
  molestar   to bother
el momento   moment
    a cada momento   at every moment, at all
      times
    en este (ese) momento   at this (that) moment
    en este mismo momento   at this very
      (same) moment

por un momento   for a moment
la monarquía   monarchy
el monasterio   monastery
la moneda   money, coin, currency
el monólogo   monologue
la monotonía   monotony
  montado, -a en   mounted on, riding
la montaña   mountain
  montañoso, -a   mountainous
  montar (en)   to mount, get on
  Monterrey   *industrial city in nothern Mexico*
el monumento   monument
  morir(se) (ue, u)   to die
    morir de viejo   to die of old age
    morirse de hambre   to die of hunger
el moro   Moor
el mosquete   musket, gun
el mostrador   showcase, counter
  mostrar (ue)   to show, demonstrate
el motel   motel
el motivo   motive, reason
la motocicleta   motorcycle
  mover (ue)   to move
el movimiento   movement
el mozo   porter, bellboy
la muchacha   girl
    muchacha de servicio   chambermaid
el muchacho   boy; *pl.* boys, boy(s) and girl(s)
  muchísimo *adv.*   very much
  muchísimo, -a *adj.*   very much (many)
    ¡muchísimas gracias!   many thanks!
      thanks a lot!
  mucho *adv.*   much, very much, a great deal,
    hard
  mucho, -a   much, many, a lot (of), a great
    deal (of)
    en mucho tiempo   in (for) a long time
    hace mucho (poco) tiempo   a long (short)
      time ago
    mucha gente   many people
    muchas veces   often, many times
    mucho tiempo   long, a long time
    por mucho tiempo   for a long time
  mudarse   to change *(one's clothing, etc.)*
    mudarse de ropa   to change one's
      clothes (clothing)
el mueble   piece of furniture; *pl.* furniture
la muela   molar *(tooth)*
la muerte   death
    condenar a muerte   to condemn to
      death
    dar muerte a   to kill, put to death
    golpe de muerte   death blow
    pena de muerte   death penalty
  muerto *p.p. of* **morir**

la mujer   woman
la mula   mule, she-mule
el mulo   mule
multiplicar (qu)   to multiply
   tabla de multiplicar   multiplication table
la multitud   multitude, large number, crowd
el mundo   world
   todo el mundo   everybody, the whole
      (entire) world
la muñeca   wrist
mural *adj. and m. noun*   mural
el muralismo   muralism *(painting of murals)*
muralista *(m. and f.)*   muralist
murió   *pret. of* **morir**
el museo   museum
la música   music
   de música   musical, (of) music
   musical   musical
el músico   musician
el musulmán *(pl.* **musulmanes**)   Moslem
muy   very
   ¡muy bien!   very well! (that's) fine!

n

nacer (zc)   to be born
nacido, -a   born
el nacimiento   birth
la nación *(pl.* **naciones**)   nation
nacional   national
nada   nothing, (not) . . . anything
   de nada   you're welcome, don't mention it
   nada en particular   nothing special,
      nothing in particular
   nada más   only
   no es nada grave   it isn't serious at all
nadar   to swim
   ir a nadar   to go swimming
nadie   no one, nobody, (not) . . . anyone
   (anybody)
   nadie más   no one (anyone) else
Napoleón (1769-1821)   Napoleon (Bonaparte)
   (French emperor)
la naranja   orange
   jugo de naranja   orange juice
el naranjo   orange tree
la nariz   nose
Narváez: (Pánfilo de)   *Spanish captain,
   explorer of Florida, 1528*
la natación   swimming
el natural   native
naturalista *(m. and f.)*   naturalist(ic)

naturalmente   naturally
la navaja   knife; razor
   navaja eléctrica   electric razor
Navarra   Navarre *(province and former
   kingdom in northern Spain)*
la nave   boat
el navegante   sailor
navegar (gu)   to sail, navigate
la Navidad   Christmas, Nativity
necesario, -a   necessary
   todo lo necesario   everything necessary
la necesidad   necessity, need
necesitar   to need
negar (ie;gu)   to deny, refuse
   negarse a   to refuse to
los negocios   business
   (viaje) de negocios   business (trip)
negro, -a   black, Negro, dark
nervioso, -a   nervous
ni   neither, nor; not even
   ni a mí tampoco   nor I either, neither do I
   ni . . . ni   neither . . . nor, (not) . . . either . . .
      or
la nieve   snow
ningún   *used for* **ninguno** *before m. sing. nouns*
ninguno, -a   no, no one, none, (not) . . . any
   (anybody)
la niña   (little) girl
la niñera   nursemaid
el niño   (little) boy, child; *pl.* children
no   no, not
   ¡cómo no!   of course! certainly!
   todavía no   not yet
   yo no   not I
noble   noble
la noche   night, evening
   buenas noches   good night (evening)
   de la noche   in the evening, p.m.
   de noche   at (by) night, night, in the
      evening
   (el martes) por la noche   (on) Tuesday
      evening
   esta noche   tonight
   por la noche   in (during) the evening
   todas las noches   every night (evening)
nombrar   to name, appoint
   nombrar por   to name as
el nombre   name, first (given) name
   de nombre   by name
   en nombre de   in the name of
el nopal   prickly pear tree, cactus
normal   normal
   las normales   the normal (schools)
el norte   north
   la América del Norte   North America

Norteamérica   North America

norteamericano, -a *(also noun)*   (North) American

nos *obj. pron.*   us, to us, (to) ourselves

nosotros, -as *pron.*   we; us *(after prep.)*

la nota   note

notable   notable, noteworthy

notar   to note, observe

la noticia   notice, news, news item; *pl.* news, news items

  sección de noticias   news section

la novena   novena

noventa   ninety

  noventa y dos   ninety-two

la novia   girlfriend, sweetheart, fiancée

noviembre   November

el novio   boyfriend, sweetheart, fiancé; *pl.* "boy- and girlfriends"

la nube   cloud

nublado, -a   cloudy

nuestro, -a   our, (of) ours

  (el) nuestro, (la) nuestra, (los) nuestros, (las) nuestras *pron.*   ours

nueve   nine

  hasta las nueve   until nine o'clock

nuevo, -a   new, another, different; brand-new

  de nuevo   again, anew

  Nueva España   New Spain (= Mexico)

  Nueva Granada   New Granada

  Nueva Orleáns   New Orleans

  Nueva York   New York

  Nuevo México   New Mexico

  Nuevo Mundo   New World

  ¿qué hay de nuevo?   what's new?

  uno nuevo   a new one *(m.)*

el número   number, size *(of shoes)*

numeroso, -a   numerous, many, large, big

nunca   never, (not) . . . ever

o   or

Oaxaca   *capital of state of Oaxaca, Mexico*

obedecer (zc)   to obey

el objeto   object

la obligación   obligation, task, duty

obligar (gu) (a + *obj.*)   to oblige *or* force (to)

la obra   work *(usually musical, art, etc.)*

  obra maestra   masterpiece

la obrera   working woman

el obrero   workman, worker

la obscuridad   darkness

obscuro, -a   dark

la observación *(pl.* **observaciones*)**   observation

observar   to observe, see

obtener *(like* **tener*)**   to obtain, get

la ocasión *(pl.* **ocasiones*)**   occasion, opportunity

el océano   ocean

  Océano Pacífico   Pacific Ocean

ocultar   to hide, conceal

oculto, -a   hidden

ocupado, -a   occupied, busy

ocupar   to occupy

la ocurrencia   strange idea

  ocurrencia es   that's a strange idea

ocurrir   to occur, happen

  ocurrirse a uno   to occur to one

  ¿qué ocurre?   what's happening (going on)?

ocho   eight

  a las ocho   at eight o'clock

  son las ocho (menos cuarto)   it is (a quarter to) eight

ochocientos, -as   eight hundred

el oeste   west

oficial *(also m. noun)*   official

el oficio   craft, trade, task, occupation

la oficina   office

  oficina de la línea aérea   airline office

ofrecer (zc)   to offer

¡oh!   oh! ah!

O'Higgins, Bernardo (1778-1842)   *Chilean general, later dictator (1817-1823)*

oído   *p.p. of* **oír**

el oído   ear *(inner)*

oír   to hear

  no se oye bien   we don't (one doesn't) hear it well (lit., it is not heard well)

  oiga (Ud.), oigan (Uds.)   listen

  oír decir que   to hear that

  oír hablar de   to hear of (about)

  oye (tú)   listen

  se oye mucho el español   Spanish is heard a lot

¡ojalá (que)!   would that! I wish (hope) that!

el ojo   eye

la ola   wave

¡olé!   bravo!

oler (hue) (a)   to smell (of, like)

olímpico, -a   Olympic

el olivar   olive grove

el olor   odor

oloroso, -a   fragrant

olvidar   to forget

  olvidarse (de + *obj.*)   to forget (to, about)

la olla   pot, kettle

once   eleven

  a las once   at eleven (o'clock)

la onda   wave

    de onda corta   shortwave

la onza   ounce

    onza de oro   doubloon (*gold coin worth $50 or more*)

Oñate: (Juan de)   *Spanish explorer and founder of present New Mexico*

la oportunidad   opportunity

    darle (a uno) la oportunidad de   to give (one) the opportunity to

    tener la oportunidad de   to have the opportunity to

la oposición   opposition

la oración (*pl.* oraciones)   sentence

la orden (*pl.* órdenes)   order, command, religious order

    a sus órdenes   at your service

    por orden (órdenes) de   at (by) the order (orders) of

ordenarse de   to become ordained as

la oreja   ear *(outer)*

la orfebrería   gold or silver work

el orfeón   singing society

la organización   organization

    Organización de los Estados Americanos   Organization of American States

organizar (c)   to organize

el origen (*pl.* orígenes)   origin

original   original

el Orinoco   Orinoco (River) (*in northern South America*)

el ornamento   ornament

el oro

    (reloj) de oro   gold (watch)

    Siglo de Oro   Golden Age

la orquesta   orchestra

os *obj. pron.*   you (*fam. pl.*), to you, (to) yourselves

el otoño   fall, autumn

    una mañana de otoño   an autumn morning

otro, -a   another, other; *pl.* other

    el otro   the other one *(m.)*

    otra vez   again, another time

    otras tres   three others *(f.)*

oye   *see* **oír**

Pablo   Paul

la paciencia   patience

pacífico, -a   peaceful

    el (Océano) Pacífico   Pacific (Ocean)

el padre   father, priest; *pl.* fathers, father and mother, parents

el padrino   godfather; *pl.* godparents

pagar (gu)   to pay (for)

la página   page

el país   country *(nation)*

el paisaje   landscape

el pájaro   bird

la palabra   word

    con la pluma y con la palabra   writing and speaking

    dirigir la palabra   to speak to

    estudio de palabras   word study

el palacio   palace

pálido, -a   pale

la palma   palm, palm tree

    hoja de palma   palm leaf

el palo   club, stick

    palo de golf   golf club

el pan   bread

    miga de pan   bread crumb

la panadería   bakery

Panamá   Panama

panamericano, -a   Pan-American

el panecillo   roll

los pantalones   trousers, pants

la pantalla   screen *(movie)*

el pañuelo   handkerchief

la papa   potato *(Am.)*

el Papa   Pope

el papá   papa, dad, father; *pl.* fathers, parents, father(s) and mother(s)

la papaya   papaya *(a fruit)*

    jugo de papaya   papaya juice

el papel   paper; role

    papel de escribir   writing paper

    papeles de seda   tissue paper

    representar el mismo papel que   to play the same role as

el paquete   package

el par   pair, couple

    treinta y cinco dólares el par   thirty-five dollars a (per) pair

para   for, to, in order to, by

    para que *conj.*   so that, in order that

    ¿para qué?   why? for what purpose?

la parada   stop, stop over

    hacer una parada   to stop over, make a stop

el (los) paraguas   umbrella

parar(se)   to stop

parecer (zc)   to appear, seem, seem to be

    me parece que   it seems to me (I think) that

    parecerse a   to resemble, seem like

¿qué te (le, les) parece? what do you think of it? how does it seem to you?

parecido, -a a similar to

la pared wall

el (los) paréntesis parenthesis (*pl.* parentheses)

el pariente relative

París Paris

el parque park

la parte part

    en gran parte largely, in large measure

    en parte por partly (in part) because of *or* for

    en (a, por) todas partes everywhere

    formar parte de to form (a) part of

    la mayor parte de most (of), the greater part of

    (no) . . . en ninguna parte (not) . . . anywhere

el participante participant

particular particular, special

    casa particular private house (home)

    nada en particular nothing special, nothing in particular

la partida departure

el partido game, match

partir (de + *obj.*) to leave, depart; to share, divide

    partir para to leave for

pasado, -a past, last

    pasado mañana day after tomorrow

el pasado past

pasar to pass, pass by, go; to spend (*time*); to happen

    pasa (tú), pase usted come in

    pasar por to pass (come, go) by *or* along

    pasar por aquí to pass (come) this way (around here)

    pasen ustedes come in (*pl.*)

    ¡que lo pase(s) bien! good-bye! (lit., may you fare well!)

    ¿qué le pasa a Ud.? what's the matter with you?

    ¿qué pasa? what's the matter? what's going on?

    ¿qué pasó? what happened?

el pasatiempo pastime

la Pascua Florida Easter

pasear to roam, move slowly; *reflex.* to walk, stroll, wander

el paseo walk, stroll, ride, drive; promenade; boulevard

    al paseo for a walk

    dar un paseo to take a walk (ride)

la Pasión Passion, sufferings (of Christ)

el paso step; pass; float

el pastel pastry

la pata foot (*of an animal or bird*)

    en cuatro patas on all fours

    paternidad: su —, your reverence (grace), you

el patín (*pl.* patines) skate

patinar to skate

el patio patio, courtyard

el pato duck

    Paso de los Patos Andean pass in Argentina crossed by San Martín and his army in 1817

la patria native land, country (*where one is a citizen*)

    madre patria mother country

el patriota patriot

el patrón patron, patron saint, protector

    santo patrón patron saint

la pausa pause

la paz peace

el pecho chest, breast

el pedacito small (little) piece

pedir (i, i) to ask, ask for, request, beg

Pedro Peter

pegar (gu) to stick, glue

peinarse to comb one's hair

el peine comb

la película film

el peligro danger

el pelo hair

    cepillo para el pelo hairbrush

la pelota ball, handball, *jai alai*

    pelota de golf (tenis) golf (tennis) ball

la peluquería hair styling

la pena penalty

    pena de muerte death penalty

el pendiente earring

la península peninsula

el pensamiento thought

pensar (ie) to think; + *inf.* to intend, plan

    pensar en + *obj.* to think of (about)

la peña rock

peor worse, worst

    lo peor the worst thing (part)

Pepe Joe

pequeño, -a small, little (*size*)

    el más pequeño the smaller (smallest) one (*m.*)

    este pequeño this small (little) one (*m.*)

    otro más pequeño another smaller one (*m.*)

la percha perch

perder (ie) to lose; to miss

    perdido el conocimiento unconscious

    perder la cuenta (de) to lose count (of)

    pierda Ud. cuidado don't worry

el perdiz (*pl.* **perdices**)   partridge
perdonar   to pardon, forgive (for)
perfeccionar   to perfect
perfectamente   perfectly
    perfectamente bien   fine, very well
el perfume   perfume
Perico   Pete
el periódico   newspaper
el período   period
la perla   pearl
    (alfiler) de perlas   pearl (pin)
permanente   permanent
el permiso   permission
    con permiso   excuse me, with your
    permission
    pedir (i, i) permiso para   to ask
    permission to
permitir   to permit, let, allow; *reflex.* to permit
oneself, take the liberty to
    ¿me permite (Ud.) *or* **¿me permites** +
    inf.?   may I + *verb?*
    ¡no lo permite Dios!   God forbid!
    permíteme (tú), permítanme (Uds.) +
    inf.   permit (let, allow) me to + *verb*
    ¿te permiten ir . . .?   are they letting (will
    they let) you go . . .?
pero   but
el perro   dog
la persecución   pursuit
perseverar   to persevere, keep on
la persiana   heavy blind
la persona   person
el personaje   character (*play*), (important)
person, personage
personal *adj.*   personal
    el personal   the personal one *(m.)*
pertenecer (zc)   to belong to
el Perú   Peru
    el Alto Perú   Upper Peru
peruano, -a   Peruvian
pesado, -a   heavy, difficult
pesar   to weigh
pesar: a — de *prep.*   in spite of
    a pesar de que *conj.*   in spite of the fact
    that
la pesca   fishing
el pescado   fish (*that has been caught*)
el pescador   fisherman
pescar (qu)   to fish
la peseta   peseta (*Spanish monetary unit*)
la petaca   bag, suitcase (*Mex.*)
Petra   *proper name*
el pez (*pl.* **peces**)   fish
el pianista   pianist
el piano   piano

picar (qu)   to burn, bite
el pico   beak
el pie   foot
    a pie   on foot, walking
    al pie de   at the bottom (foot) of
    dedo del pie   toe
    estar de pie   to be standing
    ir (andar) a pie   to go on foot, walk
la piedra   stone
la piel   skin
la pierna   leg
la pieza   piece, selection; chessman
la píldora   pill
    pintado, -a   painted
    pintar   to paint
el pintor   painter
la pintura   painting
la piña   pineapple
la piscina   (swimming) pool
el piso   floor, story, flat, apartment
    piso alto   upper floor
    piso bajo   lower (ground) floor
la pista   track
Pizarro, Francisco   *conqueror of Peru*
el placer   pleasure
el plan   plan
    planchado, -a   pressed, ironed
    planchar   to iron, press (*clothes*)
    plano, -a   flat, level
el plano   plan, drawing
la planta   plant
la plata   silver
    de plata   (of) silver
    (pulsera) de plata   silver (bracelet)
el plátano   plantain, banana
la platería   silver shop (store)
el plato   plate, dish
    platónico, -a   Platonic
la playa   beach
la plaza   square
    plaza de toros   bullring
el plazo   period of time
la pluma   plume, feather, pen
    con la pluma y con la palabra   writing
    and speaking
la población   population, people
el poblador   settler
pobre   poor
el pobrecito   poor fellow (man, thing)
poco, -a *adj., pron., and adv.*   little; *pl.* few
(quantity)
    a poca distancia (de)   a short distance
    (from)
    al poco rato   after (in) a short while
    dentro de poco   in a little while

poco a poco   little by little
poco antes de   shortly before
poco después   a little later, shortly afterward(s)
un poco   a little
unos, -as pocos, -as   a few, some
poder   to be able, can
puede (ser) que   it may be that
si (yo) pudiera   if I could
el poder   power; hands
en poder de   in the power (hands) of
fuera del poder de   out of the hands of
el poderío   power, dominion
poderoso, -a   powerful
el poema   poem
poético, -a   poetic
la policía   policewoman
la política   politics, policy
político, -a   political
el polo   polo
el polvito   pinch of snuff
el polvo   dust
el pollo   chicken
arroz con pollo   rice and (with) chicken
Ponce de León: (Juan)   *Spanish explorer in early 16th century*
poner   to put, put in, place, put out, put on *(record)*, turn on *(radio); reflex.* to put on (oneself), place (put) oneself
poner fin a   to put an end to
poner (la máquina) en marcha   to start (the machine)
poner un telegrama   to send a telegram
ponerse + *adj.*   to become
ponte = pon (tú) + te   put on
popular   popular
la popular   the popular one *(f.)*
popularísimo, -a   very popular
poquito *adv.*   very little *(quantity)*
por   for, in, during, through, along, by, because of, on account of, for the sake of, in exchange for, on behalf of, as (a), over, to
andar (caminar) por   to walk along
pasar por   to pass (come) by *or* along
pasar por aquí   to pass (come) this way (around here)
¡por Dios!   heavens!
por eso   because of that, for that reason, that's why
por favor   please
por fin   finally, at last
por persona   per (for each) person
¿por qué?   why? for what reason?
¡por supuesto!   of course! certainly!
por último   finally, ultimately

porque   because, for
el portal   vestibule, entrance hall
portátil *adj.*   portable
Portolá: (Gaspar de)   *Spanish explorer and governor who participated in the early history of California*
el portugués   Portuguese *(language)*
poseer (y)   to possess, own
la posesión   possession
la posibilidad   possibility
posible   possible
la posición *(pl.* **posiciones)**   position
postal *adj.*   post
la práctica   practice
practicar (qu)   to practice, carry on, participate in
Prado: Museo del —,   Prado Museum *(in Madrid)*
el precio   price
¿qué precio tienen (éstos)?   what is the price of (these)?
precioso, -a   precious, charming, darling
precisamente   precisely, exactly, just, to be exact
la precisión   precision
preciso, -a   necessary
predicar (qu)   to preach
predilecto, -a   favorite
predominar   to predominate, stand out
preferir (ie,i)   to prefer
la pregunta   question
hacerle una pregunta a uno   to ask a question of one
preguntar (a)   to ask, ask a question (of)
preguntar por   to ask for (about), inquire about
se lo preguntaré (a ellos)   I shall ask them
prehispánico, -a   pre-Hispanic *(before the Spanish discoveries in America)*
prehistórico, -a   prehistoric
el prendedor   pin, brooch
prender   to seize
la preocupación (por)   preoccupation, concern, worry (about, with)
preocupado, -a   preoccupied, worried
preocuparse (de)   to worry *or* be concerned (about)
la preparación *(pl.* **preparaciones)**   preparation
preparado, -a   prepared, ready
preparar   to prepare
prepararse para   to prepare oneself (get ready) for
preparatorio, -a   preparatory
la presentación   presentation, introduction

carta de presentación letter of introduction

presentado, -a introduced

presentar to present, give, offer, display, introduce; *reflex.* to present oneself

presente present, here, before one (me)

el presidente president

el préstamo loan

prestar to lend

prestar atención a to pay attention to

el presupuesto budget

el pretérito preterit

el pretexto pretext

prevalecer (zc) to prevail

la prima cousin *(f.)*

primario, -a primary, elementary

la primavera spring

primer *used for* **primero** *before m. sing. nouns*

primero *adv.* first

primero, -a first, early

el primero the first one *(m.)*

Lección primera Lesson One

por primera vez for the first time

primitivo, -a primitive

el primo cousin *(m.)*

principal principal, main

principalmente principally, mainly

el principio beginning

a principios de at the beginning of

al principio at first, at the beginning

la prisa haste, hurry

darse (mucha) prisa to hurry (a great deal, a lot)

de prisa quickly, in a hurry, fast, hastily

la prisión prison

el prisionero prisoner

privado, -a private

probable probably

probablemente probably

probar (ue) to try, test; *reflex.* to try on

probar suerte to try one's luck (lot)

el problema problem

la procedencia origin, source

la procesión (*pl.* **procesiones)** procession

proclamar to proclaim; *reflex.* to proclaim oneself

procurar to try, attempt

la producción production

producido, -a produced, caused

producir (zc;j) to produce

el producto product

profesional *adj.* professional

el profesional professional man

el profesor teacher, professor *(m.)*

profesor de español Spanish teacher

la profesora teacher, professor *(f.)*

profesora (de francés) (French) teacher

profundamente deeply, soundly

el programa program

el progreso progress

la promesa promise

prometer to promise

lo prometido what is (was) promised

el pronombre pronoun

pronto soon, quickly, suddenly

lo más pronto posible as soon as possible

la pronunciación pronunciation

pronunciar to pronounce

la propaganda propaganda

la propiedad property, estate

propio, -a proper, suitable; own, (of) one's own

proponer(se) *(like* **poner)** to propose, plan, intend

proporcionar to furnish, provide

el propósito purpose, plan

a propósito by the way

muy a propósito para very ready to

propuso *pret. of* **proponer**

prosperar to prosper

el protector protector

protestar to protest

el provecho profit, use

buen provecho may it benefit you, to your health

proveer (y) to provide

proverbial proverbial

la provincia province

la provisión (*pl.* **provisiones)** provision

provocar (qu) to provoke, incite, excite

próximo, -a next, coming, close, near

próximo, -a (a) near (to), close (to)

el proyecto project, plan

el proyector projector

público, -a *(also m. noun)* public

pudiera *see* **poder**

Puebla *Mexican city east of the capital, famous for its pottery*

el pueblecito little town, (small) village

el pueblo town, village; people, populace

de pueblo en pueblo from town to town

el puente bridge

la puerta door

el puerto port

puertorriqueño, -a *(also noun)* Puerto Rican

pues *adv.* well, well then (now), why; *conj.* for, since, because

la puesta setting

a la puesta del sol   at sunset
puesto -a   *p.p. of* **poner** *and adj.*
puesto que *conj.*   since
tener puesto, -a   to wear, have on
el puesto   position, place, job, post
la pulgada   inch
la pulsera   bracelet
el pulso   pulse
el punto   point; period *(punctuation)*
a punto de   at (on) the point of, about to
dos puntos   colon
punto y coma   semicolon
puntos suspensivos   suspension points

q

que   that, which, who, whom; than; for, because; as; since; when; *indirect command* have, let, may, I wish (hope); *sometimes not translated*
creer que sí (no)   to believe so (not)
del (de la, de los, de las) que   than
el (la, los, las) que   that, which, who, whom; he (she, those) who, etc., the one(s) who, etc.
lo mismo que   the same as
lo que   what, that which
no . . . más que   only, not . . . more than
sí (que) + *verb*   indeed, certainly
todo lo que   all that (which)
todos los que   all (those) who
(un día) que   (one day) when
¿qué?   what? which?
¿para qué?   why? for what purpose?
¿por qué?   why? for what reason?
¿qué tal?   how are you? how goes it?
¡qué!   how! what (a, an)!
no hay de qué   you're welcome, don't mention it
¡qué buen tiempo!   what fine weather!
¡qué bueno!   how fine (nice)! (that's) great!
quedar   to remain, be, have (be) left; *reflex.* to remain, stay, be
no quedarse más   not to stay longer
(nos) queda (poco tiempo)   (we) have (little time) left
la queja   complaint
quejarse (de que)   to complain (that)
quemar   to burn
querer   to wish, want; to try *(in pret. and pres. perfect)*
ella no quiere (ir)   (she) won't *or* is unwilling (to go)

no he querido venderlo   I have refused to sell it
no quieren (esperar)   they won't (are unwilling) to (wait)
no quiso llamarla   he refused to (would not) call her
¿qué quiere usted?   what do you expect?
querer (a uno)   to love *or* like (one)
querer decir   to mean
querido, -a de   loved by
quiéralo o no   whether or not you want to
¿quieres (ir)?   will you *or* are you willing to (go)? do you want *or* wish to (go)?
quisiera   (I) should *or* would like
quiso llamarla   he tried to call her
sin querer   unintentionally
querido, -a   dear, liked, loved
muy querido, -a   very well liked
querido, -a de   loved by
el queso   cheese
quien *(pl.* **quienes)**   who, whom, he (those) who, the one(s) who
¿quién(es)?   who? whom?
¿de quién(es)?   whose?
quince   fifteen
quinientos, -as   five hundred
quinto, -a   fifth
quisiera   *see* **querer**
quitar (a)   to take away (off, from), remove
quizá(s)   perhaps

r

la rabia   rage, anger
con rabia   angrily
rabiar   to rage, be furious
me haces rabiar   you make me furious
el rabo   tail
el radio   radio, radio set
la radio   radio *(means of communication)*
la rama   branch, limb
rama de diamantes   diamond spray
el ramo   bouquet
Ramón   Raymond
Ramos: Domingo de —,   Palm Sunday
el rapé   snuff
caja de rapé   snuff box
rápidamente   rapidly, fast
rápido, -a   rapid(ly), fast
la raqueta de tenis   tennis racket
raro, -a   rare, strange, unusual
raras veces   rarely, seldom

uno muy raro a very rare one *(m.)*
el rato while, (short) time
al poco rato after (in) a short while
el rayo ray, beam
la raza race
la razón *(pl.* **razones)** reason
con razón rightly
tener razón to be right
real real; royal
Camino Real King's (Royal) Highway
la realidad reality
en realidad in reality, in fact
el realismo realism
realista *(m. and f.)* realist(ic)
realizar (c) to realize, carry out
rebelarse (contra) to rebel (against)
la rebelión rebellion
el recado message
la recámara bedroom *(Mex.)*
la receta prescription
recibir to receive
recientemente recently
el recinto place, area
recobrar to recover, regain
recoger (j) to pick up, catch, take
recolectar to gather in, harvest
la recomendación *(pl.* **recomendaciones)**
recommendation
carta de recomendación letter of
recommendation
recomendar (ie) to recommend
reconciliar to reconcile, cause to make up
reconocer (zc) to recognize, acknowledge
la reconquista reconquest
recordar (ue) to recall, remember
recorrer to run over, traverse, retrace
recorrer de arriba abajo to run up and
down
recreo: sala de —, recreation room
la rectoría rector's (president's) office
los recuerdos regards, wishes
el recurso resource; *pl.* resources, means
la red net
redondo, -a round
referirse (ie, i) a to refer to
el refrán *(pl.* **refranes)** proverb
el refresco cold (soft) drink, refreshment
refugiarse (de) to take refuge (from)
refunfuñar to mutter
la regadera shower *(bath)*
regalar to give *(as a gift)*
el regalo gift
regar (ie; gu) to irrigate, water
regatear to bargain
el regimiento regiment

la región *(pl.* **regiones)** region, area
la regla rule
regresar to return
la regulación *(pl.* **regulaciones)** regulation
la reina queen
de reina fit for a queen
reinar to reign, rule
el reino kingdom
reír(se) to laugh
reírse de to laugh at
la reja iron grating
rejuvenecer (zc) to rejuvenate, make young
la relación *(pl.* **relaciones)** relation
el relato tale, story
la religión religion
religioso, -a religious
el reloj watch, clock
remediar to remedy, help
remoto, -a remote, distant
renacer (zc) to be born again, be revived
la rendición surrender
reñir (i, i) to scold, find fault, quarrel; *reflex.* to
quarrel, fight
reparar to repair, fix
el repaso review
repente: de —, suddenly, all of a sudden
el repertorio repertory, collection, list
repetir (i,i) to repeat
el representante representative
representar to represent
representar el mismo papel que to play
the same role as
reproducir (zc; j) to reproduce
la república republic
la República Dominicana Dominican
Republic
res: carne de —, beef
el rescate ransom
la reservación *(pl.* **reservaciones)** reservation
reservar to reserve
el resfriado cold *(disease)*
residencial residential
resolver (ue) to resolve
respecto a *prep.* concerning, with respect to
el respeto respect
respetable respectable, considerable,
adequate
responder (a) to answer, respond, reply (to)
la responsabilidad responsibility
la respuesta answer, reply
el restaurante restaurant
el resto rest; *pl.* remains
resueltamente resolutely, firmly
resuelto *p.p. of* **resolver**
el resultado result

Resurrección: Domingo de —, Easter Sunday

retirar to withdraw; *reflex.* to retire, withdraw (oneself), go (away), leave

el retrato portrait, picture

reunido, -a gathered together

la reunión (*pl.* **reuniones**) meeting, gathering

sitio de reunión meeting (gathering) place

reunir (ú) to get together, collect; *reflex.* to meet, gather

revelar to reveal, make known; to develop (*film*)

la revista magazine

revolucionario, -a revolutionary

la revolución revolution

el rey king; *pl.* kings, king(s) and queen(s)

los Reyes (Magos) The Wise Men (Kings), Magi

Reyes Católicos Catholic King and Queen

ricamente richly

Ricardo Richard

rico, -a (*also noun with* **hacerse**) rich

la rigidez rigidity

el Rimac *a river in Peru on which Lima was founded*

el rincón (*pl.* **rincones**) corner

riñendo *pres. part. of* **reñir**

el río river

la(s) riqueza(s) riches; wealth

la risa laughter

entre risas y lágrimas half-laughing, half-crying

el ritmo rhythm

robado, -a stolen, robbed

robar to rob, steal

robar (a uno) to rob *or* steal (from one)

Roberto Robert

la roca rock

rodeos: sin —, without beating around the bush

la rodilla knee

rogar (ue; gu) to beg, ask, request

rojo, -a red

la roja the red one (*f.*)

el rollo roll

romano, -a (*also m. noun*) Roman

romántico, -a romantic

la romería pilgrimage, excursion

la ropa clothes, clothing

almacenes de ropa clothing stores

mudarse de ropa to change clothes (clothing)

rosa (*m. and f.*) pink, rose (*color*)

la rosa rose

rosado, -a rose-colored

el rosal rose bush

el rostro face

roto *p.p. of* **romper** broken

el rubí (*pl.* **rubíes**) ruby

(broche) de rubí ruby (pin)

rubio, -a blond(e)

el ruido noise, stir, commentary

la rumba rumba (*a dance*)

rural rural

la ruta route

S

el sábado (on) Saturday

el sábado por la mañana (on) Saturday morning

Sábado de Gloria Holy Saturday

todos los sábados every Saturday

la sábana sheet

saber to know (*facts*), know how, can (*mental ability*); *in pret.* to learn, find out

lo sé I know (it)

¿qué sé yo? how should I know?

¡qué sé yo . . .! I don't know . . .!

¿sabe usted? you know (see)

saber de memoria to know by heart (from memory)

el sabor flavor, taste

sacar (qu) to take, take out, get out

sacar fotografías (fotos) to take photographs (photos)

el sacerdote priest

el saco coat

sacudir to shake

sacudirse las botas to dust one's shoes

sal *see* **salir**

la sal salt

la sala living room

sala de clase classroom

sala de recreo recreation room

la salida departure

salir (de + *obj.*) to leave, go (come) out

antes que salga el sol before sunrise (the sun rises)

salir a to come *or* go out on(to)

salir a la calle to go (come) out into the street

salir de casa to leave home

va a salir el sol the sun is going to rise (come up)

la salsa *a dance*

saltar   to jump

saludar   to greet, speak *or* say hello (to)

  saludarse de beso   to greet one another with a kiss

el saludo   bow, gesture, salutation

  hacerse un nuevo saludo de despedida to wave good-bye to each other again

salvaje   savage, wild

salvar   to save

san   *used for* **santo** *before m. sing. name of saint not beginning with* **Do-** *or* **To-**

San Agustín   St. Augustine

San Antón   St. Anthony (*patron saint of animals*)

San Juan   *capital of Puerto Rico*

San Martín, José de (1778-1850)   *Argentine general and liberator of Chile and Peru*

San Roque (1295?-1327)   *a French saint venerated for his work in a plague in Italy*

San Salvador   *island in the Bahamas, first land discovered by Columbus*

sangrienta (*m. and f.*)   bloody

santo, -a   saint, St(e)., holy

  Espíritu Santo   Holy Spirit

  ¡Santo Dios!   good heavens! heavens above!

  Semana Santa   Holy Week

  Viernes Santo   Good (Holy) Friday

el santo   saint

  día de (del) santo   saint's day

  santo patrón   patron saint

  Santo Domingo   *capital of the Dominican Republic*

  Santo Tomás   St. Thomas

  Santo Tomé   *church in Toledo, Spain*

el saqueo   sacking, plundering

la sarta   string (*of pearls, etc.*)

el sastre   tailor

la satisfacción   satisfaction

satisfacer   to satisfy

se *pron. used for* **le** *or* **les**   to him, her, it, them, you (*formal*); *reflex. pron.* (to) himself, herself, etc.; *reciprocal pron.* (to) each other, one another; *indefinite subject* one, people, they, you, etc.

el secador   dryer

  secador para el cabello   hair dryer

secar (qu)   to dry

la sección (*pl.* **secciones**)   section

  sección de deportes   sports section

  sección de noticias   news section

la secretaria   secretary (*f.*)

el secreter   writing desk, secretary

el secreto   secret

el sector   sector, area

secundario, -a   secondary

la sed   thirst

  tener sed   to be thirsty

la seda   silk

  (pañuelo) de seda   silk (handkerchief)

  papeles de seda   tissue paper

seguida: en —,   at once, immediately

seguido, -a de   followed by

seguir (i,i; g)   to continue, follow, go (keep) on

  allí siguen   they are still there

  siga(n) Ud(s). derecho   go (continue) straight ahead

según   according to; that depends

segundo, -a   second

  la segunda   the second one (*f.*)

  por segunda vez   for the second time

el segundo   second, second in command, assistant

seguramente   surely, certainly

la seguridad   security, safety

  (número) de Seguridad Social   Social Security (number)

seguro, -a   sure, certain, safe

  estar seguro, -a (de que)   to be sure (that)

seis   six

seiscientos, -as   six hundred

la selección (*pl.* **selecciones**)   selection

la selva   forest

el sello   (postage) stamp

  sello de correo aéreo   airmail stamp

la semana   week

  a la semana   a (per) week

  fin de semana   weekend

  Semana Santa   Holy Week

sembrar (ie)   to plant, sow, seed

  volver (ue) a sembrar   to replant

semejante a   similar to

la semilla   seed

sencillo, -a   simple, one-way; innocent

sentado, -a   seated

sentar (ie)   to seat; to set; *reflex.* to sit down

  sentar bien a uno   to fit one well

  sentar mal a uno   to fit one badly, be unbecoming (not becoming) to one

  sentémonos   let's sit down

  siéntate (tú), siéntese (Ud.)   sit down (*sing.*)

el sentido   sense, feeling, meaning

sentir (ie, i)   to regret, be sorry; to hear; *reflex.* to feel

  lo siento (mucho)   I'm (very) sorry

la seña   sign, signal

  hacer señas   to make signs, wave

la señal   sign, indication

señalado, -a   designated, marked, fixed

señalar   to point to (out), signal
señor   Mr., sir
  ¡señor maestro!   master!
el señor   gentleman
el Señor   Lord
  ¡alabado sea el Señor!   Lord be praised!
señora   Mrs., ma'am
señorita   Miss, young lady (woman)
la señorita   Miss, young lady (woman)
el señorito   master, young man (gentleman)
separado, -a   separated
separarse   to separate (oneself)
ser   to be
  era él (ella)   it was he (she)
  ¿es a mí?   are you talking to me?
  es él (ella)   it is he (she)
  es que   the fact is that
  puede (ser) que   it may be that
  seguían siendo   (they) continued to be
  ser todo uno   to be one and the same
la serie   series
la serpentina   serpentine, stream
la serpiente   serpent, snake
el servicio   service, help
  al servicio de   in the service of
  muchacha de servicio   chambermaid
  servicio doméstico   domestic service
el servidor   servant
servir (i, i)   to serve
  ¿en qué puedo servirle(s)?   what can I do for you?
  servir de   to serve as (a, an)
Serra, Junípero   *founder of many California missions*
sesenta   sixty
setecientos, -as   seven hundred
setenta   seventy
Sevilla   Seville
el sexo   sex
si   if, whether
sí   yes
  ¡claro que sí!   of course! certainly!
  sí (que) + *verb*   certainly, indeed
  sí *reflex. pron.*   himself, herself, etc.
  a sí mismo   to oneself
  para sí   to himself, etc.
siempre   always, ever
  como siempre   as always, as usual
  para (por) siempre   forever
  por siempre jamás   forever and ever
la sierra   mountain range, mountains
Sierra Madre   *mountain range in Mexico*
la siesta   siesta, nap
  dormir (ue, u) la siesta   to take a nap
siete   seven

a las siete   at seven o'clock
diez y siete   seventeen
el avión de las siete   the seven-o'clock plane
el siglo   century
  Siglo de Oro   Golden Age
el signo   sign, mark
  signo(s) de admiración   exclamation mark(s)
  signo(s) de interrogación   question mark(s)
siguiente   following, next
  al año siguiente   the following (next) year
  al día siguiente   (on) the following (next) day
  al siguiente domingo   on the following (next) Sunday
la sílaba   syllable
el silbido   whistle
  dar silbidos   to whistle
el silencio   silence
  en gran silencio   very silently
silenciosamente   silently
silencioso, -a   silent
la silla   chair
el sillón *(pl. sillones)*   armchair
simpático, -a   nice, congenial, pleasant
simplemente   simply
sin *prep.*   without
  sin duda   without a doubt, doubtless
  sin embargo   nevertheless, however
  sin que *conj.*   without
sinfónico, -a   symphonic, symphony (*adj.*)
sino   but
  no sólo . . . sino que   not only. . .but
  no sólo. . .sino (también)   not only. . .but (also)
  sino que   but
sintonizar (c)   to tune in
el sitio   site, place
la situación   situation
situado, -a   situated, located
sobre   on, upon, above, on top of; about, concerning
  sobre todo   above all, especially
el sobre   envelope
la sobrina   niece
el sobrino   nephew: *pl.* nephew(s) and niece(s)
social   social
la sociedad   society
el socio   member
  soda: fuente de—,   soda fountain
el sol   sun
  a la puesta del sol   at sunset
  antes que salga el sol   before sunrise (the sun rises)

hace (hay) sol   it is sunny, the sun is shining

hijo del Sol   son of the Sun = the Inca

va a salir el sol   the sun is going to rise (come up)

solamente   only

el soldado   soldier

soler (ue)   to be accustomed to, be in the habit of, be used to

la solicitud de ingreso   entrance application, application for admission

solo, -a   lone, alone, single

sólo   only

no sólo . . . sino que   not only . . . but

no sólo . . . sino (también)   not only . . . but (also)

la sombra   shade, shadow

a la sombra   in the shade

el sombrero   hat

la sombrilla   parasol

someterse (a)   to submit *or* be subjected (to)

sonar (ue)   to ring, sound; *reflex.* to blow one's nose

sonreír (i, i)   to smile

sonriente   smiling

sonrió   *see* **sonreír**

soñar (ue)   to dream

la sopa   soup

sórdido, -a   sordid

sorprender   to surprise; *reflex.* to be (become) surprised

me (le, nos) sorprende   I am (he is, we are) surprised, it surprises me (him, us)

sorprendido, -a   surprised

la sorpresa   surprise

¡qué (gran) sorpresa!   what a (great) surprise!

sospechar   to suspect

sostener (*like* **tener**)   to sustain, keep, support, carry on

el sótano   basement

Sr. = señor

Sra. = señora

Srta. = señorita

Stradivarius   *valuable old make of violin*

su, sus   his, her, its, your (*formal*), their

suavemente   softly, lightly

subir (a + *obj.*)   to get on (into), climb up (into), go up (to)

el subjuntivo   subjunctive

(imperfecto) de subjuntivo   (imperfect) subjunctive

la sublevación   revolt, uprising

sublevarse   to rise up, revolt, rebel

el substantivo   substantive, noun

subterráneo, -a   underground

tren subterráneo   underground train, subway

sucio, -a   dirty

la sucursal   branch, branch office

sudamericano, -a   South American

el sudoeste   southwest

el sudor   perspiration

el suelo   ground, floor

el sueño   dream, sleep

la suerte   luck

probar (ue) suerte   to try one's luck (lot)

¡que tengas buena suerte!   good luck to you (may you have good luck)!

¡qué suerte he tenido (tienes)!   how fortunate *or* lucky I've been (you are)!

tener (mucha) suerte   to be (very) fortunate *or* lucky

el suéter   sweater

suficiente   sufficient, enough

sufrir   to suffer, meet with

sugerir (ie, i)   to suggest

la suma   sum, amount

superar   to surpass, exceed

superior: escuela —,   high school

el supermercado   supermarket

supersticioso, -a   superstitious

suplir   to supply

suponer (*like* **poner**)   to suppose

¡supuesto: por —!   of course! certainly!

el sur   south; *adj.* southern

el Mar del Sur   Southern Sea

la América del Sur   South America

surgir (j)   to surge, arise, appear

el suroeste   southwest

surrealista *(m. and f.)*   surrealist(ic) *(refers to one who sought "something" beyond reality in his literary or artistic works)*

suspensivos: puntos —,   suspension points

suspirar   to sigh

el sustento   sustenance, support

suyo, -a *adj.*   his, her, your (*formal*), their, (of) his (hers, yours, theirs)

el (suyo), (la) suya, (los suyos), (las) suyas *pron.*   his, hers, yours (*formal*) theirs

la tabla de multiplicar   multiplication table

el tablero   chessboard

el tacón (*pl.* **tacones**)   heel *(shoe)*

tacón de cuero (goma)   leather (rubber) heel

la táctica   tactics *(military)*
el tafilete   Morocco leather
tal   such (a)
   con tal que *conj.*   provided that
   ¿qué tal?   how are you? how goes it?
   tal vez   perhaps
el talón *(pl.* **talones)**   heel *(body)*
el tamal   tamale
el tamaño   size
también   also, too
tampoco   neither, (nor *or* not) . . . either
   ni a mí tampoco   nor I either, neither do I
tan   so, as
   esa caja tan horrible   that horrible box, that box which is so horrible
   tan + *adj. or adv.* + **como**   as (so) . . . as
   (una carrera) tan (interesante)   such an (interesting career)
el tango   tango *(a dance)*
tanto, -a (-os, -as) *adj. and pron.*   as (so) much (many); *adv.* as (so) much
   mientras tanto   meanwhile, in the meantime
   no tanto   not that bad
   tanto como   as (so) much as
   tanto tiempo   so long
el tapiz *(pl.* **tapices)**   tapestry
tardar   to delay
   si no tarda mucho   if you don't delay (take) long, if it doesn't take long
   tardar (mucho) en   to delay (much) in, be (very) long in, take (very) long to
   tardar tanto   to delay so much (long), be so long
tarde *adv.*   late
   llegar tarde   to arrive (be) late
   más tarde   later
la tarde   afternoon
   ayer por la tarde   yesterday afternoon
   buenas tardes   good afternoon
   de la tarde   in the afternoon, p.m.
   (el viernes) por la tarde   (Friday) afternoon
   por la tarde   in the afternoon
   toda la tarde   all afternoon, the whole (entire) afternoon
   todas las tardes   every afternoon
   vuelo de la tarde   afternoon flight
la tarjeta   card
   tarjeta postal   post card
Taxco   *city south of Mexico City*
el taxi   taxi, small bus
la taza   cup
te *obj. pron.*   you *(fam.)*, to you, (to) yourself
el té   tea

el teatro   theater
la técnica   technique
técnico, -a   technical
el técnico   technician
el techo   roof
la teja   tile
la tejedora   (woman) weaver
el tejido   textile, weaving
la tela   cloth, piece of cloth
telefonear   to telephone
el teléfono   telephone
   llamar por teléfono   to telephone, call by telephone
   número de teléfono   telephone number
el telegrama   telegram
   poner un telegrama   to send a telegram
la telenovela   soap opera
el telescopio   telescope
la televisión   television
   programa de televisión   TV program
el televisor   television set
el tema   theme, subject, topic
temblar (ie)   to tremble
temer   to fear
temoroso, -a   fearful, afraid
la temperatura   temperature
la tempestad   tempest, storm
templado, -a   mild
la temporada   short time, while, spell, period of time; season *(sports)*
temprano   early
la tendencia   tendency
tener   to have *(possess)*, hold; *in pret.* to get, receive
   aquí tiene Ud. (tienes)   here is (are)
   ¿cuántos años tiene (ella)?   how old is (she)?
   dónde tengo la cabeza   where my mind is
   ¿qué precio tienen (éstos)?   what is the price of (these)?
   ¡qué suerte he tenido (tienes)!   how fortunate *or* lucky I've been (you are)!
   ¡que tengas buena suerte!   good luck to you (may you have good luck)!
   ¿qué tienes?   what's the matter with you?
   tener . . . años (de edad)   to be . . . years old (of age)
   tener . . . de largo (ancho)   to be . . . long (wide)
   tener . . . que (hacer)   to have . . . to (do)
   tener el gusto de + *inf.*   to have the pleasure of + *pres. part.*
   tener interés en (por)   to have an interest in, be interested in

tener la oportunidad de to have the opportunity to

tener lugar to take place

tener miedo (de) to be afraid (of)

tener miedo de que to be afraid that

tener (mucha) suerte to be (very) fortunate *or* lucky

tener (muchas) ganas de to be (very) eager *or* wish (very much) to

tener (mucho) gusto en + *inf.* to be (very) glad to

tener muchos deseos de to be very eager (wish very much) to

tener que + *inf.* to have to, must

tener que ver con to have to do with

tener tiempo para to have time to

tener razón to be right

tiene el pelo (rubio) (he) has (blond) hair, (his) hair is (blond)

usted lo tiene you have it, certainly

el tenis tennis

(cancha) de tenis tennis (court)

Tenochtitlán *Aztec capital on the site of present Mexico City*

la tentación temptation

la teoría theory

tercer *used for* **tercero** *before m. sing. nouns*

tercero, -a third

por tercera vez for the third time

Teresa Teresa, Theresa

la terminación end, termination

terminado, -a finished, completed

terminar to end, finish

el término term

la terraza terrace

terreno, -a earthly

el terreno terrain, land, ground

terrible terrible

el territorio territory

el terror terror

la tertulia party, social gathering, get together

el tesorero treasurer

el tesoro treasure

ti you *(fam.) (after prep.)*

la tía aunt

el tiempo time *(in general sense);* weather

a tiempo on (in) time

al mismo tiempo at the same time

al poco tiempo in (after) a short time

al tiempo que at the (same) time that, while, when

con el tiempo in time, eventually

¿cuánto tiempo? how long?

en aquel tiempo at that time

en mucho tiempo in (for) a long time

hace buen (mal) tiempo it is good (bad) weather

hace mucho (poco) tiempo a long (short) time ago

hace tiempo que no me hablas for some time you haven't talked with me

mucho tiempo long, a long time

por mucho tiempo for a long time

¡qué buen tiempo! what fine weather!

¿qué tiempo hace? what's the weather like? how's the weather?

tener tiempo para to have time to (for)

tanto tiempo so long

la tienda store, shop

la tierra earth, land, soil

Tierra Firme Mainland

el tigre tiger

piel de tigre tiger skin

el timbre (door)bell; (postage) stamp *(Am.)*

la tina bathtub

la tintorería cleaning shop, cleaners

el tío uncle; *pl.* uncle(s) and aunt(s)

típico, -a typical

el tipo type, kind

tirado, -a pulled

tirar to throw, pull

tirar de to pull on

el título title, degree

dar título a uno to call one

la toalla towel

el tobillo ankle

el (los) tocadiscos record player

tocar (qu) to play *(music);* to ring; to touch

tocar a uno to fall to one's lot, be one's turn

todavía still, yet

todavía no not yet

todo, -a all, every; *pl.* all, everybody

a toda hora at every hour (all hours)

en todas partes everywhere

sobre todo above all, especially

toda la tarde all afternoon, the whole (entire) afternoon

todas las noches every night (evening)

todas las tardes every afternoon

todo (el verano) all (summer), the whole *or* entire (summer)

todo ello all of it, it all

todo lo que all that (which)

todos, -as ellos, -as all of them, them all

todos los días every day

todos los que all (those) who

tomar to take, take up, eat, drink; *reflex.* to take

los tomo I'll take them *(m.)*
tomar el almuerzo to take (have, eat) lunch
tomar el desayuno to take (have, eat) breakfast
tome usted here
Tomás Thomas, Tom
el tomate tomato
el tono tone
la tontería foolish thing
tonto, -a stupid, foolish
el tonto fool, stupid person
¡qué tonto! what a fool! how stupid!
torear to fight bulls
el toreo bullfighting
el torero bullfighter
el torneo tournament
el toro bull
corrida de toros bullfight
plaza de toros bullring
la torre tower; castle *(in chess)*
la torrente torrent
la tortilla omelet
la tortuga turtle
huevos de tortuga turtle eggs
trabajador, -ora industrious, hard-working
trabajar to work
trabajar con to work with (for)
trabajar mucho to work much (hard)
el trabajo *(also pl.)* work, task, job, effort, labor
costar (ue) trabajo a uno to be hard (difficult) for one
día de trabajo work day
la tradición *(pl.* **tradiciones)** tradition, legend
tradicional traditional
traer to bring
trágico, -a tragic
la traición treachery
el traidor traitor
traído *p.p. of* **traer**
el traje suit
tranquilamente quietly, tranquilly
transformarse to be changed (transformed)
transistor transistor
la transmisión *(pl.* **transmisiones)** transmission
transmitir to transmit
la transparencia transparency, slide
transportar to transport
el transporte (means of) transportation
tras *prep.* after, behind
tratar (de + *obj.)* to treat (of), deal (with)
tratar de + *inf.* to try to
tratarse de to be a question of
el trato dealing
través: a — de *prep.* across

trece thirteen
treinta thirty
treinta (y nueve) thirty(-nine)
trémulo, -a (de) trembling (with)
el tren train
tren subterráneo underground train, subway
tres three
trescientos, -as three hundred
la tribu tribe
el trigo wheat
la trigonometría trigonometry
la Trinidad Trinity
triste sad
la tristeza sadness
triunfante triumphant
el triunfo triumph
el tronco trunk
el trono throne
la tropa troop
tropical tropical
tu, tus your *(fam.)*
tú *pron.* you *(fam.)*
la tumba tomb
el tunante rascal, rogue
turbado, -a disturbed, upset
el (la) turista tourist
turístico, -a tourist *(adj.)*
tuyo, -a *adj.* your *(fam.),* (of) yours
(el) tuyo, (la) tuya, (los) tuyos, (las) tuyas *pron.* yours *(fam.)*

u

u or *(used for* **o** *before words beginning with* **o-** *or* **ho-)**
Ud(s). = usted(es) you *(formal)*
último, -a last *(in a series)*
este último this last one *(m.)*
por última vez for the last time
por último finally, ultimately
un, una, uno a, an, one
es (era) la una it is (was) one o'clock
(hasta) la una (until) one o'clock
únicamente only
único, -a only (one)
la unidad unity
unido, -a united
los Estados Unidos United States
la unificación unification
el uniforme uniform
la unión *(pl.* **uniones)** union
unir to unite, bring together

unirse a   to join, unite with
la universidad   university
universal   universal
universitario, -a   university *(adj.)*
unos, -as   some, a few, several; about *(quantity)*
unos (guantes)   some *or* a pair of (gloves)
unos, -as pocos, -as   a few, some
Upsallata: Paso de —,   Upsallata Pass *(in Argentina)*
la urbanidad   etiquette, courtesy, social behavior
urgente   urgent, special
el Uruguay   Uruguay
uruguayo, -a *(also m. noun)*   Uruguayan
usado, -a   used, worn
usar   to use, wear
el uso   use
usted(es) *pron.*   you *(formal)*
el usurero   userer, miser, money lender
útil   useful, profitable
utilizar (c)   to utilize, use
la uva   grape

la vaca   cow
las vacaciones   vacation(s)
vacaciones (de verano)   (summer) vacation(s)
el vago   loafer, idler
valenciano, -a *(also m. noun)*   Valencian, native of Valencia
valer   to be worth
más vale (vale más)   (it) is better
valiente   valiant, brave
valioso, -a   valuable
el valor   valor, bravery; value
el valle   valley
vámonos   let's go (be going), let's be on our way
vamos (a)   we go (are going) (to), let's go (to)
vamos a (tomar)   we are going to (take), let's (take)
vano, -a   vain
en vano   in vain
la variación *(pl.* **variaciones)**   variation
variado, -a   varied
la variedad   variety
varios, -as   various, several
vasco, -a   Basque
el vaso   glass
vaya   *see* **ir**
¡vaya un(a) . . . !   what a (an) . . . !
Vd(s). = usted(es)   you *(formal)*

la vecindad   neighborhood, nearness, proximity
el vecino   neighbor
un verdadero buen vecino   a truly (real) good neighbor
la vegetación   vegetation
veinte   twenty
veinte (y ocho)   twenty(-eight)
veinticinco   twenty-five
veinticuatro   twenty-four
la vela   candle
ven   *see* **venir**
vencer (z)   to defeat, overcome, conquer
vendar   to bandage
el vendedor   vendor, seller, salesperson *(m.)*
la vendedora   saleswoman
vender   to sell
venerable   venerable
venerado, -a   venerated
Venecia   Venice
venezolano, -a *(also m. noun)*   Venezuelan
venir (a)   to come (to)
el (verano) que viene   next (summer)
venir por   to come for (by)
la venta   sale
la ventana   window
marco de la ventana   window frame
ver   to see; *reflex.* to see oneself, be seen, be
a ver   let's (let us) see
bien se ve   it is evident
no está bien visto   it is not looked upon with approval
nos vemos   we'll see (be seeing) each other
se la vio   she was seen, people saw her
se ve que   it is seen (one can see, it is evident) that
se vio que   it was seen (evident) that
te veo   I'll see (be seeing) you
tener que ver con   to have to do with
Veracruz   *city on Gulf of Mexico*
el verano   summer
todo el verano   all summer, the whole (entire) summer
vacaciones de verano   summer vacation
veras: de —,   truly, really
la verbena   *night festival on the eve of a saint's day*
el verbo   verb
repaso de verbos   verb review
la verdad   truth
es verdad   it is true, that's right
¿no es verdad?   isn't it (true)? isn't he? etc.
verdaderamente   truly, really
verdadero, -a   true, real

un verdadero buen vecino   a true (real) good neighbor
verde   green
la verdura   greenery; *pl.* vegetables
la veredilla   little path
el verso   verse; *pl.* poetry, verses
vestido, -a (de)   dressed (as a)
el vestido   dress
vestir (i, i)   to dress; *reflex.* to dress (oneself), get dressed
  vestirse de   to dress in (wear)
vete   *see* **irse**
la vez (*pl.* **veces**)   time (*in a series*)
  a veces   at times
  alguna vez   ever, sometimes, (at) any time
  de vez en cuando   from time to time, occasionally
  dos veces   twice, two times
  en vez de   instead of, in place of
  muchas veces   often, many times
  otra vez   again, another time
  por (primera) vez   for the (first) time
  raras veces   rarely, seldom
  tal vez   perhaps
  una vez   once, one time
  una vez más   once more, one more time
la vía   way, means
viajar   to travel
el viaje   trip
  ¡buen viaje!   (have) a good *or* fine trip!
  el viaje de negocios   business trip
  ¡feliz viaje!   (have) a happy trip!
  hacer el (un) viaje   to make *or* take the (a) trip
  la agencia de viajes   travel agency
el viajero   traveler
Vicente   Vincent
el vicepresidente   vice-president
la victoria   victory
la vida   life, living
  ganarse la vida   to earn a living
  vida mía   my dear, darling
la viejecita   little old lady (woman)
viejo, -a   old, old woman; *pl.* elderly people
  las viejas   old women (ladies)
  morir (ue, u) de viejo   to die of old age
  un viejo   an old (elderly) man
el viento   wind
el (los) viernes   (on) Friday(s)
  el viernes por la tarde   Friday afternoon
  Viernes Santo   Good (Holy) Friday
vigilar   to watch over
el vigor   vigor, strength
  vigoroso, -a   vigorous
el vino   wine

la viña   vineyard
la violeta   violet
el violín (*pl.* **violines**)   violin
  caja de violín   violin case
el (la) violoncelista   violoncellist, cellist
el violinista   violinist
la virgen (*pl.* **vírgenes**)   virgin
  las Islas Vírgenes   Virgin Islands
la virtud   virtue
el visigodo   Visigoth
la visión   vision
visitar   to visit, call on
  ni siquiera se visitaban   (they) didn't even visit each other
la víspera   eve
la vista   sight, view; eyes, eyesight
  conocer de vista   to know (recognize) by sight
  hasta la vista   (I'll) see you later, until I see you
visto   *p.p. of* **ver**
visual   visual
vital   vital
la vitalidad   vitality
la vitrina   showcase, shopwindow
vivir   to live
vivo, -a   live, alive, living
el vocabulario   vocabulary
volar (ue)   to fly; *reflex.* to fly away
el vólibol   volleyball
el volumen   volume
  a todo volumen   at full volume
el voluntario   volunteer
volver (ue)   to turn, return, come back; *reflex.* to become, turn (around), return, go back
  volver a (explicar)   (to explain) again
  volverse (loco)   to become *or* go (crazy)
vosotros, -as *pron.*   you (*fam. pl.*)
el voto   vote
la voz (*pl.* **voces**)   voice
  en voz alta   in a loud voice, loudly
  en voz baja   in a low voice, softly
el vuelo   flight
  tomar vuelo   to take flight, take off in the air
  vuelo (de la mañana)   (morning) flight
  vuelo (de las dos)   (two-o'clock) flight
la vuelta   return; tour, run; change (*money*)
  boleto de ida y vuelta   round-trip ticket
  estar de vuelta   to be back
  la vuelta a (España)   the Tour (Run) of (Spain)
vuelto   *p.p. of* **volver**
vuesa merced   your grace, you
vuestro, -a *adj.*   your (*fam. pl.*) (of) yours

(el) vuestro, (la) vuestra, (los) vuestros, (las) vuestras *pron.* yours *(fam. pl.)*

y

y and

ya already, now; *sometimes used for emphasis and not translated*

    ¡ya lo creo! I should say so! of course!

    ya lo ves you can see

    ya no no longer

yo *pron.* I

    yo no not I

Yucatán Yucatan *(peninsula en eastern Mexico)*

el Yunque *rain forest in Puerto Rico*

z

el zaguán vestibule, entrance hall

el zapateado clog (tap) dance

la zapatería shoe store

el zapatero shoemaker

el zapato shoe

la zona zone

    Zuñi *tribe of Pueblo Indians in northern New Mexico*

vocabulary

English-Spanish

a

a, an   un, una; *often not translated*

able; be —,   poder

about   de, sobre, acerca de
    at about (one o'clock)   a eso de (la una)
    be about to   estar para

accept   aceptar

ache   doler (ue)
    his head aches   le duele la cabeza, tiene dolor de cabeza

acknowledge receipt of   acusar recibo de

acquainted: be (better) — with   conocer (zc) (mejor)

across: run —,   encontrarse (ue) con

address   dirigir (j)

advance: thanking you in —,   anticipándole las gracias

afraid: be — to   tener miedo de + *inf.*
    be afraid that   tener miedo de que

after   *prep.* después de; *conj.* después que
    after a short while   al poco rato
    day after tomorrow   pasado mañana
    it's a quarter after nine   son las nueve y cuarto

afternoon   la tarde
    (Friday) afternoon   (el viernes) por la tarde
    good afternoon   buenas tardes

afterwards *adv.*   después
    shortly afterwards   poco después

again   otra vez, de nuevo

agent   el agente

ago: (a week) —,   hace (una semana)

agree   estar de acuerdo

airline   la línea aérea
    airline office   oficina de la línea aérea

airmail *adj.*   de correo aéreo
    airmail stamp   sello de correo aéreo
    by airmail   por correo aéreo

airport   el aeropuerto

alarm clock   el despertador

all   todo, -a
    all day   todo el día
    all that   todo lo que, cuanto

alone   solo, -a

along   por

already   ya

also   también

a.m.   de la mañana

America   América
    South America   la América del Sur
    Spanish America   la América española

American: South-,   sudamericano, -a

and   y

Anne   Anita

announce   anunciar

another   otro, -a

answer   contestar, responder

any *adj.*   alguno, -a, *(after negative)* ninguno, -a (ningún); *often not translated*

anyone   alguien, *(after negative)* nadie

anything   algo, *(after negative)* nada

anywhere *(after negative)*   en ninguna parte

approach   acercarse (qu) (a + *obj.*)

approximately   más o menos

April   abril

Argentina   la Argentina

arm   el brazo
    his arm was hurting   le dolía el brazo

arrive   llegar (gu)
    arrive downtown   llegar al centro
    arrive home   llegar a casa

as   tan, como
    as + adj. or adv. + as   tan ... como
    as if   como si
    as much as   tanto como

ask *(question)*   preguntar
    ask *(fam.)* **Diane what**   pregúntale a Diana qué
    ask for   pedir (i,i)
    ask one permission to (for)   pedir permiso a uno para
    ask Michael a question   hacerle una pregunta a Miguel
    she asked Edward how . . .   ella le preguntó a Eduardo cómo . . .

asleep: fall —,   dormirse (ue,u)

at   a, en
    at about *(time)*   a eso de
    at midnight   a (la) medianoche
    at noon   al mediodía
    at once   en seguida

at (Paul's)   en casa de (Pablo)
attend   asistir a + *obj.*
attention   la atención
   pay attention to   prestar atención a
thanking you *(pl.)* **for your attention**
   agradeciéndoles (dándoles las gracias por *or*
   muy agradecidos por) su atención
August   agosto
aunt   la tía
   uncle and aunt   los tíos
avenue   la avenida
awaken   despertar (ie)
away: go —,   irse, marcharse
   right away   ahora mismo

b

back: be —,   estar de vuelta
bad   malo, -a, *(before m. sing. nouns)* mal
badly *adv.*   mal
bank   el banco
Barbara   Bárbara
bargain   la ganga
bath: take a —,   bañarse
be   estar, ser; encontrarse, quedarse
   be able   poder
   be about to   estar para
   be afraid that   tener miedo de que
   be at home   estar en casa
   be at (Paul's)   estar en casa de (Pablo)
   be back   estar de vuelta
   be (be supposed to)   haber de + *inf.*
   be good (bad) weather   hacer buen (mal)
   tiempo
   be . . . long   tener . . . de largo
   be necessary to   ser necesario (preciso) *or*
   haber que + *inf.*
   be right   tener razón
   be standing   estar de pie
   be time to   ser hora de
   be true   ser verdad
   be very eager to   tener muchos deseos de
   be very grateful for   agradecer (zc) mucho
   por
   be (very) lucky *or* **fortunate**   tener (mucha)
   suerte
   be (very) sorry   sentirlo (ie,i) (mucho)
   here are (the things)   aquí tienes *or* tiene(n)
   Ud(s). (las cosas)
   how fortunate we have been!   ¡qué suerte
   hemos tenido!
   isn't he? weren't you? etc.   ¿(no es) verdad?

   that's great!   ¡qué bueno!
   there is (are)   hay
   there will be   habrá
   we have been here an hour   hace una hora
   que estamos aquí (estamos aquí desde hace
   una hora)
   what fine weather it is!   ¡qué buen tiempo
   hace!
   what's new?   ¿qué hay de nuevo?
   what is the price of . . .?   ¿qué precio
   tiene . . .?
   you're welcome   de nada
beautiful   bonito, hermoso, -a
because   porque
become + *noun*   hacerse *or* llegar a ser
   become ill   ponerse enfermo, -a
   become rich   hacerse *or* llegar a ser rico, -a
before *prep.*   antes de; *conj.* antes (de) que
begin (to)   empezar (ie; c) (a + *inf.*), comenzar
   (ie; c) (a + *inf.*)
behind *prep.*   detrás de
believe   creer (y)
   believe so   creer que sí
bench   el banco
besides *adv.* además; *prep.* además de
best, better   mejor
   the best (one) *(f.)*   la mejor
Betty   Isabel
between *prep.*   entre
bill   el billete
   (twenty)-dollar bill   billete de (veinte) dólares
billfold   la cartera
birthday   el cumpleaños
black   negro, -a
book   el libro
bookstore   la librería
both   los (las) dos
boulevard   el paseo
box *(post office)*   el apartado (postal)
boy   el muchacho
branch *(of company)*   la sucursal
breakfast   el desayuno
   eat (take) breakfast   tomar el desayuno,
   desayunarse
bring   traer
broadcasting station   la emisora
brother   el hermano
brush *(something of one's own)*   cepillarse
bus   el autobús
   by bus   en autobús
business   los negocios; *adj.* comercial
   business trip   el viaje de negocios
busy   ocupado, -a
but   pero
buy   comprar

by por, de, en, *(time)* para; *not translated with pres. part.*

    by (bus) en (autobús)

    by four o'clock para las cuatro

    by no means de ninguna manera

    by return mail a vuelta de correo

    by the way a propósito

    come (pass) by pasar por

c

café el café

call llamar

    call by telephone llamar por teléfono

camera la cámara

    a 35-millimeter camera una cámara de 35 milímetros

    movie camera cámara de cine

can poder

capital la capital

car el coche

card la tarjeta

    (post) card la tarjeta (tarjeta postal)

Caroline Carolina

cash cobrar

castle el castillo

catch coger (j)

certainly: I shall — go! ¡claro que iré!

chair la silla

chamber la cámara

    chamber of commerce cámara de comercio

change *(money)* la vuelta

    change clothes mudarse de ropa

Charles Carlos

Charlie Carlitos

Charlotte Carlota

chat charlar

check el cheque

checkbook la libreta de cheques

children los niños

choose escoger (j)

city la ciudad

    Mexico City la ciudad de México

clean limpiar, *(something of one's own)* limpiarse

cleaners (cleaning shop) la tintorería

clerk el dependiente

clock: alarm —, el despertador

close cerrar (ie)

clothes, clothing la ropa

    change clothes mudarse de ropa

cloudy nublado, -a

club el palo

    golf club palo de golf

coat el saco

coffee el café

cold el frío

    be (very) cold *(weather)* hacer (mucho) frío

    have a cold drink tomar un refresco

come venir

    come by pasar por

    come in *(formal command)* pase(n) Ud(s).

    come this way *(pl. formal command)* pasen Uds. por aquí

commerce el comercio

    chamber of commerce cámara de comercio

company la compañía

compliment el favor

    you are paying me a great compliment es un gran favor que me hace

composer el compositor

composition la composición *(pl. composiciones)*

concert el concierto

condition el estado

    in good condition en buen estado

congratulate felicitar

continue continuar (ú), seguir (i,i; g)

corner *(street)* la esquina

    on the corner en la esquina

cost costar (ue)

could *imp., pret., or cond. of* poder

    if I could (speak) si (yo) pudiera *or* pudiese (hablar)

count contar (ue)

country el campo, *(nation)* el país

    country house casa de campo

course: of —! ¡claro (que sí)! ¡cómo no! ¡ya lo creo!

cousin el primo, la prima

cover: under separate —, por separado

cry llorar

custom la costumbre

cut cortar(se)

d

dance el baile; bailar

date la cita

daughter la hija

day el día

    a spring day un día de primavera

    all day todo el día

    by day de día

    day after tomorrow pasado mañana

    every day todos los días

daytime: in the —, de día

deal: a great —, mucho

dear   querido, -a; *for letters see section on letter writing, pages 333-341*
December   diciembre
decide   decidir
delay in   tardar en
delighted (to)!   ¡encantado, -a!
dentist   el dentista
desire   desear
desk   la mesa
develop   revelar
dial *(number)*   marcar (qu)
dialogue   el diálogo
Diane   Diana
difficulty   la dificultad
distinguished   distinguido, -a
do   hacer
    didn't they?   ¿(no es) verdad?
    what can I do for you *(pl.)*?   ¿en qué puedo servirles?
doctor   el médico
dollar *(U.S.A.)*   el dólar
    (twenty)-dollar bill   el billete de (veinte) dólares
door   la puerta
doorbell   el timbre
doubt   dudar
doubtless   sin duda
down: sit —,   sentarse (ie)
downtown   el centro
    (be) downtown   (estar) en el centro
    (go) downtown   (ir) al centro
    run across (Raymond) downtown   encontrarse (ue) con (Ramón) en el centro
dress   el vestido
dress *(oneself)*   vestirse (i,i)
drink: cold —,   el refresco
drive *(car)*   conducir (zc;j)
driver's license   la licencia para manejar

e

each   cada *(m. and f.)*
eager: be very — to   tener muchos deseos *or* tener muchas ganas de
early   temprano
easy   fácil
eat   comer
    eat breakfast   tomar el desayuno, desayunarse
    eat supper   cenar
    where one eats   donde se come
economics   la economía

education   la educación
Edward   Eduardo
eight   ocho
    at eight o'clock   a las ocho
    eight hundred   ochocientos, -as
eighty   ochenta
    eighty-nine   ochenta y nueve
either: nor I —,   ni a mí tampoco (gustar *understood*)
eleven   once
    at eleven o'clock   a las once
    it is eleven o'clock   son las once
embrace   abrazar (c)
employee   el empleado
enough   bastante
entrar   entrar (en + *obj.*)
    enter
    let's enter   vamos a entrar (en), entremos (en)
Europe   Europa
even though   aunque
evening   la noche
    every evening   todas las noches
    (Tuesday) evening   (el martes) por la noche
ever *(after negative)*   nunca
every   todo, -a
    every day   todos los días
    every evening   todas las noches
everybody   todo el mundo
everything *pron.*   todo
example   ejemplo
    for example   por ejemplo
excursion   la excursión *(pl. excursiones)*
excuse me   con permiso
expensive   caro, -a
experience   la experiencia
explain   explicar (qu)

f

fail: not to — to   no dejar de + *inf.*
fall   el otoño
fall asleep   dormirse (ue, u)
fall in love (with)   enamorarse (de)
family   la familia
far from *prep.*   lejos de
father   el padre, el papá
fear   temer
February   febrero
feel   sentir (ie,i)
    feel well (better)   sentirse bien (mejor)
few: a —,   unos, -as
fifteen   quince
    it is 9:15   son las nueve y cuarto
fifth   quinto, -a

fifty   cincuenta
   fifty-one   cincuenta y un(o), -a
film   la película
finally   por fin, por último
find   encontrar (ue), hallar
   find out   *pret. of* saber
fine: how —!   ¡qué bueno!
   what fine weather it is!   ¡qué buen tiempo
      hace!
finger   el dedo
finish   terminar
firm   la casa
first   *adj.* primero, -a, *(before m. sing. noun)*
   primer; *adv.* primero
   the first of March   el primero de marzo
fit   sentar (ie)
   fit one well (badly)   sentar bien (mal) a uno
five   cinco
   five hundred   quinientos, -as
   the five-o'clock plane   el avión de las cinco
flat   desinflado, -a
flight   el vuelo
   (two-o'clock) flight   vuelo (de las dos)
Florida   la Florida
flower   la flor
food   la comida
   where the food is very good   donde se
      come muy bien
football   el fútbol
   play football   jugar (ue;gu) al fútbol
for   para, por
   for a long time   hace mucho tiempo (que)
   for twelve years   desde hace doce años
forget   olvidar, olvidarse de + *obj.*
fortunate: be very —,   tener mucha suerte
forty   cuarenta
   forty(-seven)   cuarenta (y siete)
fountain   la fuente
four   cuatro
   by four o'clock   para las cuatro
   four hundred   cuatrocientos, -as
   it was four o'clock   eran las cuatro
   the four-o'clock flight   el vuelo de las
      cuatro
fourth   cuarto, -a
French *(language)*   el francés
   French teacher *(f.)*   la profesora de francés
Friday   el viernes
   on Friday   el viernes
   Friday afternoon   el viernes por la tarde
friend   el amigo, la amiga
from   de
   a week from yesterday   de ayer en ocho días
   take from (out of)   sacar de
   where is he from?   ¿de dónde es?

front: in — of *prep.*   delante de
fruit   las frutas

garden   el jardín *(pl.* jardines)
gentleman   el señor
   gentlemen   muy señores (Sres.) míos
      (nuestros)
George   Jorge
get   conseguir (i,i;g), obtener
   get into   subir a
   get ready for   prepararse para
   get up   levantarse
gift   el regalo
girl   la muchacha
give   dar, *(as a gift)* regalar
   give permission to   dar permiso para
glad: be (very) — to   alegrarse (mucho) de, tener
   (mucho) gusto en
   how glad I am to . . .!   ¡cuánto me alegro de
      de . . .!
   how glad I am that . . .!   ¡cuánto me alegro
      de que . . .!
gladly   con mucho gusto
go   ir (a)
   go away   irse, marcharse
   go by   pasar por
   (go) downtown   (ir) al centro
   go out into the street   salir a la calle
   go shopping   ir de compras
   go swimming   ir a nadar
   go to (Mary's)   ir a casa de (María)
   (go) to school   (ir) a la escuela
   let's be going   vámonos
   let's go (to)   vamos (a)
golf   el golf
   golf club   palo de golf
   play golf   jugar (ue;gu) al golf
good   bueno, -a, *(before m. sing. nouns)* buen
good-bye   adiós, ¡que lo pase(s) bien!
   say good-bye to   despedirse (i,i) de
grandparents   los abuelos
grateful: be very — for   agradecer (zc) mucho
   por, estar muy agradecido, -a por
great   gran *(used before sing. nouns)*
   a great deal   mucho
   ¡that's great!   ¡qué bueno!
   what a great surprise!   ¡qué gran sorpresa!
green   verde
   a green one *(f.)*   una verde
greet   saludar

h

half   medio, -a

> **a half hour (half an hour)**   media hora
> **it is half past one**   es la una y media

hand   la mano
hand (over)   entregar (gu)
handbag   la cartera
happen   pasar

> **what happened?**   ¿qué pasó?

hard *adv.*   mucho

> **work hard**   trabajar mucho

hat   el sombrero
have   *(possess)* tener, *(auxiliary)* haber, *(something to eat or drink)* tomar

> **for the many things he has to do**   para las mil cosas que tiene que hacer
> **have** *(causative)*   hacer *or* mandar + *inf.*
> **have** *(indir. command)*   que + *pres. subj.*
> **have a cold drink**   tomar un refresco
> **have a good trip!**   ¡buen viaje!
> **have a (very) good time**   divertirse (ie,i) (mucho)
> **have just** + *p.p.*   acabar de + *inf.*
> **have lunch**   (ir a) almorzar (ue), tomar el almuerzo
> **have (nothing) to do**   (no) tener (nada) que hacer
> **have the car parked**   hacer (mandar) estacionar el coche
> **have the opportunity to**   tener la oportunidad de
> **have time to**   tener tiempo para
> **have to** + *inf.*   tener que + *inf.*
> **he has (we had) little time left**   le queda (nos quedaba) poco tiempo

he   él

> **he who**   el que, quien

head   la cabeza

> **his head aches**   le duele la cabeza, tiene dolor de cabeza

headache: he has a —,   tiene dolor de cabeza, le duele la cabeza
hear   oír

> **hear that**   oír decir que

heavens!   ¡Dios mío!
heavy   grueso, -a
Helen   Elena
help   ayudar (a + *inf.*)
Henry   Enrique
her   *dir. obj.* la; *indir. obj.* le; *after prep.* ella
her   *adj.* su(s); su(s) *or* el (la, los, las) ... de ella
here   aquí

> **here are (the things)**   aquí tienes *or* tiene(n) Ud(s). (las cosas)

hers   *pron.* (el) suyo, (la) suya, (los) suyos, (las) suyas *or* el (la, los, las) de ella
high school   la escuela superior
him   *dir. obj.* lo, le; *indir. obj.* le; *after prep.* él
his   *adj.* su(s); su(s) *or* el (la, los, las) ... de él; *pron.* (el) suyo, (la) suya, (los) suyos, (las) suyas *or* el (la, los, las) de él

> **of his**   suyo, -a

home   la casa

> **(be) at home**   (estar) en casa
> **leave home**   salir de casa
> **return home**   volver (ue) a casa

hope   esperar

> **hope so**   esperar que sí

hour   la hora

> **a half hour**   media hora
> **an hour ago**   hace una hora

house   la casa

> **a country house**   una casa de campo
> **leave the house**   salir de la casa

how?   ¿cómo?

> **how long?**   ¿cuánto tiempo?
> **how many (much)?**   ¿cuánto, -a, -os, -as?
> **how old is Richard?**   ¿cuántos años cumple (tiene) Ricardo?
> **how** + *adj. or adv.!*   ¡qué ...!
> **how** + *verb!*   ¡cuánto ...!
> **how fine!**   ¡qué bueno!
> **how glad I am to . . .!**   ¡cuánto me alegro de . . .!
> **how glad I am that . . .!**   ¡cuánto me alegro de que . . .!

however   sin embargo
hundred: a (one) —,   ciento, *(before nouns)* cien

> **five hundred**   quinientos, -as
> **(nine) hundred**   (nove)cientos, -as
> **one hundred (sixteen)**   ciento (diez y seis)

hurry   darse prisa
hurt   doler (ue)

> **his arm was hurting**   le dolía el brazo

i

I   yo
ice   el hielo
if   si
ill   enfermo, -a

> **become ill**   ponerse enfermo, -a

importance   la importancia
in   en, por, de, con

> **come in** *(formal command)*   pase(n) Ud(s).
> **in the meantime**   mientras tanto

independence   la independencia

Independence Square   Plaza de la
  Independencia
industrious   trabajador, -ora
inform   informar
information   los informes
insist on   insistir en + *obj.*
  insist that   insistir en que
instead of *prep.*   en vez de
intend   pensar (ie) + *inf.*
interest   el interés
  have much interest in   tener mucho interés
    por (en)
interesting   interesante
  the interesting thing   lo interesante
interview   la entrevista
into: go out — the street   salir a la calle
introduction   la presentación
  letter of introduction   carta de presentación
invitation   la invitación (*pl.* invitaciones)
invite (to)   invitar (a + *inf.*)
invoice   la factura
island   la isla
it   *dir. obj.* lo (*m. and neuter*), la (*f.*); *usually omitted
    as subject* él (*m.*), ella (*f.*); *after prep.* él (*m.*), ella
    (*f.*)

jacket   la chaqueta
James   Jaime
Jane   Juanita
January   enero
job   el puesto
Joe   Pepe, José
John   Juan
Johnny   Juanito
Joseph   José
juice   el jugo
  orange juice   jugo de naranja
July   julio
June   junio
just: have — + *p.p.*   acabar de + *inf.*

k

kind   la clase
  every kind of   toda clase de
kiss   dar un beso a
knock   llamar a
know   (*fact*) saber, (*person*) conocer
  know how to   saber + *inf.*

l

large   grande
  this large one (*m.*)   este grande
last   (*just passed*) pasado, -a, (*in a series*) último, -a
  last night   anoche
  last (year)   el año (pasado)
  the last one (*m.*)   el último
late   tarde
  be late   llegar tarde
later   más tarde
Latin-American   latinoamericano, -a
latter: the —,   éste, ésta, -os, -as
lawyer   el abogado
learn (to)   aprender (a + *inf.*)
leave   salir (de + *obj.*), partir (de + *obj.*), irse,
    marcharse; (*behind*) dejar
  leave for   partir (salir, irse, marcharse) para
  leave home   salir de casa
  take leave (of)   despedirse (i,i) (de)
lecture   la conferencia
left   izquierdo, -a
  he has (we had) little time left   le queda (nos
    quedaba) poco tiempo
  they have five minutes left   les quedan cinco
    minutos
  to the left   a la izquierda
less   menos
  more or less   más o menos
lesson   la lección (*pl.* lecciones)
let   permitir, dejar
  let me   (*fam. sing.*) déjame *or* permíteme +
    inf.; (*pl.*) permítanme *or* déjenme Uds. + *inf.*
  let's be going   vámonos
  let's enter   entremos (en), vamos a entrar (en)
letter   la carta
library   la biblioteca
license   la licencia
  driver's license   licencia para manejar
lift   levantar
light   ligero, -a
like   como; gustar
  I should like   me gustaría, quisiera
list   la lista
listen (to)   escuchar
  listen (*pl. command*)   escuchen (Uds.), oigan
    (Uds.)
little *adj.* (*quantity*)   poco, -a
  he has (we had) little time left   le queda (nos
    quedaba) poco tiempo
live   vivir
long   largo, -a
  as long as *conj.*   mientras (que)

be . . . long tener . . . de largo

(for) a long time (hace) mucho tiempo

how long? ¿cuánto tiempo?

longer: no —, ya no

look at mirar

look for buscar

lose perder (ie)

Louise Luisa

love: fall in — (with) enamorarse (de)

lucky: be (very) —, tener (mucha) suerte

lunch el almuerzo

for lunch para almorzar, para el almuerzo

have lunch (ir a) almorzar (ue), tomar el almuerzo

m

madam señora, señorita

(my) dear Madam muy señora (señorita) mía

magazine la revista

mail echar (al correo)

by return mail a vuelta de correo

make hacer

make a (business) trip hacer un viaje (de negocios)

make a trip hacer un viaje (una excursión)

man el hombre

man! ¡hombre!

the (a) young man el (un) joven

manager el gerente

many mucho, -a

how many? ¿cuánto, -a?

many (thousands of) photos muchas (miles de) fotos

so many people tanta gente

the many things las mil cosas

map el mapa

March marzo

Margaret Margarita

market el mercado

Martha Marta

Mary María

may (wish, indir. command) que + subj.; sign of pres. subj.

may I . . . ? ¿me permites (permite Ud.) + verb?

May mayo

me dir. and indir. obj. me; after prep. mí

with me conmigo

meal la comida

means: by no —, de ninguna manera

meantime: in the —, mientras tanto

meet (a person for the first time) conocer, (encounter) encontrar (ue)

Mexican mexicano, -a

Mexico México

Michael Miguel

midnight: at —, a (la) medianoche

might sign of imp. subj.

Mike Miguel

millimeter el milímetro

a 35-millimeter camera una cámara de 35 milímetros

million: a (one) —, un millón de

(five) million (cinco) millones de

mine pron. (el) mío, (la) mía, etc.

of mine adj. mío, -a

minute el minuto

miss perder (ie)

Miss (la) señorita

model el modelo

moment el momento

at this (that) moment en este (ese) momento

Monday (el) lunes

money el dinero

month el mes

more más

more or less más o menos

morning la mañana

(tomorrow) morning (mañana) por la mañana

most más

most of (the children) la mayor parte de (los niños)

mother la madre, la mamá

mountains la sierra, las montañas

movie(s) el cine

movie camera cámara de cine

Mr. (el) señor, Sr.

Mrs. (la) señora

much adv. mucho

as much as tanto como

how much? ¿cuánto, -a?

so much tanto

music la música

must deber, tener que + inf.

one must hay que + inf., uno (se) debe, uno tiene que + inf.

my mi(s)

n

name el nombre

what his name is cómo se llama (él)

nap la siesta

take a nap dormir (ue,u) la siesta
narrow estrecho, -a
near *prep.* cerca de
necessary necesario, -a, preciso, -a
    be necessary to ser necesario (preciso) +
      inf., haber que + *inf.*
need necesitar
neighbor el vecino
    a true good neighbor un verdadero buen
      vecino
never nunca, jamás
nevertheless sin embargo
new nuevo, -a
    New York Nueva York
    what's new? ¿qué hay de nuevo?
newspaper el periódico
    no Spanish newspaper ningún periódico
      español
nice: how —! ¡qué bueno!
night la noche
    last night anoche
nine nueve
    it is a quarter after nine son las nueve y
      cuarto
    nine hundred novecientos, -as
    until nine o'clock hasta las nueve
ninety noventa
    ninety(-nine) noventa (y nueve)
no, not no
    by no means de ninguna manera
    no longer ya no
    no newspaper ningún periódico
    no one nadie
    not yet todavía no
noon el mediodía
    at noon al mediodía
    before noon antes del mediodía
nor ni
    nor I either ni a mí tampoco (gustar
      understood)
notebook el cuaderno
nothing nada
now ahora
    right now ahora mismo
number el número

obtain obtener, conseguir (i,i; g)
occasion la ocasión (*pl.* ocasiones)
occasionally de vez en cuando
o'clock: it is eleven —, son las once
    at about (one o'clock) a eso de (la una)

at (three) o'clock a las (tres)
    the (five)-o'clock plane el avión de las
      (cinco)
October octubre
of de
office la oficina
    airline office oficina de la línea aérea
    at (in) his office en su oficina
    post office la casa de correos
often a menudo, muchas veces
old: how — is Richard? ¿cuántos años cumple
    (tiene) Ricardo?
older mayor
on en, sobre
    on time a tiempo
once una vez
    at once en seguida
one un, una, uno; *indef. subject* se, uno
    at about one o'clock a eso de la una
    it's half past one es la una y media
    no one nadie
    the one that el (la) que
    (twenty)-one (veinte) y un(o)
    which one(s)? ¿cuál(es)?
only solamente, no . . . más que
open *adj.* abierto, -a; abrir
opportunity la oportunidad
    give one an opportunity to darle a uno la
      oportunidad de
    have the opportunity to tener la
      oportunidad de
or o
orange la naranja
    orange juice jugo de naranja
orchestra la orquesta
order el pedido
    place an order hacer un pedido
order: in — to *prep.* para
    in order that *conj.* para que
other otro, -a
    the other one *(m.)* el otro
    the other (one) *(f.)* la otra
our *adj.* nuestro, -a
ours *pron.* (el) nuestro, (la) nuestra, *etc.*
    of ours *adj.* nuestro, -a
out: find —, *pret. of* saber
    go out into the street salir a la calle
    take out sacar (qu)

pack *(suitcase)* hacer
package el paquete

pair   el par

   (thirty dollars) a pair   (treinta dólares) el par

pants   los pantalones

paper   el papel

   writing paper   papel de escribir

parcel: (by) — post   paquete postal

parents   los padres, los papás

park   el parque

park *(car)*   estacionar

pass (by)   pasar (por)

   pass this way   pasar por aquí

past: it is half — one   es la una y media

patio   el patio

Paul   Pablo

   at Paul's   en casa de Pablo

pay (for)   pagar (gu)

   pay (a lot of) attention to   prestar (mucha) atención a

   you are paying me a great compliment   es un gran favor que me hace

payment   el pago

   in payment of   en pago de

pencil   el lápiz *(pl.* lápices)

people   la gente; *indef. subject* se, uno

   people know   se sabe

   so many people   tanta gente

perhaps   tal vez, quizá(s)

permission   el permiso

   ask permission for   pedir (i,i) permiso para

   give permission (to)   dar permiso (para)

person   la persona

personal   personal

Peru   el Perú

Philip   Felipe

photo   la foto

   take photos   sacar fotos

photograph   la fotografía

pick up (one)   buscar (qu) a (uno)

picture   el cuadro

pity   la lástima

   it is a pity   es lástima

place   el sitio, el lugar; poner

   place an order   hacer un pedido

   place oneself at one's service   ponerse a su disposición

plan   el plan; pensar + *inf.*

plane   el avión *(pl.* aviones)

   by plane   en avión

   the (five-o'clock) plane   el avión (de las cinco)

play *(game)*   jugar (ue;gu) (a + *obj.*), *(music)* tocar (qu)

   play (football)   jugar al (fútbol)

player: record —,   el tocadiscos

pleasant   agradable

please + *inf.*   hága(n)me Ud(s). el favor de + *inf.*; *(after request)* por favor

pleased: I am — to   me place, me es grato

p.m.   de la tarde (noche)

   it's two p.m.   son las dos de la tarde

popular   popular

position   el puesto

possible   posible

post   postal

   (by) parcel post   paquete postal

   post card   la tarjeta (tarjeta postal)

   post office   la casa de correos

practice   practicar (qu)

prefer   preferir (ie,i), gustar más

prepare   preparar

present   presentar

president   el presidente

pretty   bonito, -a, hermoso, -a

price   el precio

   price list   la lista de precios

   what is the price of . . . ?   ¿qué precio tiene . . . ?

professor   el profesor *(m.),* la profesora *(f.)*

profitable   útil

program   el programa

projector   el proyector

promise   prometer

provided that *conj.*   con tal que

Puerto Rican   puertorriqueño, -a

purse   la cartera

put in   meter

   put on *(oneself)*   ponerse

   put on *(record)*   poner

q

quarter   el cuarto

   it is (was) a quarter after (ten)   es (eran) (las diez) y cuarto

question   la pregunta

   ask Michael a question   hacerle una pregunta a Miguel

quickly   de prisa

r

radio *(set)*   el radio

rain   llover (ue)

raincoat   el impermeable

rapidly   rápidamente

Raymond   Ramón

read   leer (y)
ready   listo, -a
    get ready for   prepararse para
recall   recordar (ue)
receipt   el recibo
    acknowledge receipt of   acusar recibo de
receive   recibir
receiver   el auricular
recommend   recomendar (ie)
record   *(phonograph)* el disco; grabar
    record player   el tocadiscos
recorder: tape —,   la grabadora (de cinta)
red   rojo, -a
reform   la reforma
    Reform Boulevard   Paseo de la Reforma
refreshment   el refresco
regards   los recuerdos
regret   sentir (ie,i)
relation   la relación *(pl.* relaciones)
remain   quedarse
    we remain, sincerely yours   *see section on letter writing, pages 333-341*
remember   recordar (ue)
reply   contestar
    in reply to   en contestación a
report   el informe
reservation   la reservación *(pl.* reservaciones)
rest   descansar
restaurant   el restaurante
return   volver (ue), regresar, *(give back)* devolver (ue)
    by return mail   a vuelta de correo
    return home   volver a casa
ribbon   la cinta
rich   rico, -a
    become rich   hacerse *or* llegar a ser rico, -a
Richard   Ricardo
right   derecho, -a
    be right   tener razón
    right now (away)   ahora mismo
    to the right   a la derecha
ring   tocar (qu)
Robert   Roberto
roll   *(film)* el rollo
room   el cuarto
run across   encontrarse (ue) con

S

saint   el santo
    saint's day   día de (del) santo
salesperson   *(m.)* el dependiente
same   mismo, -a

    at the same time   al mismo tiempo
Saturday   el sábado
    every Saturday   todos los sábados
save   ahorrar
say   decir
    how do you (does one) say?   ¿cómo se dice?
    say good-bye to   despedirse (i,i) de
school   la escuela
    (go) to school   (ir) a la escuela
    high school   la escuela superior
seat   el asiento
seated   sentado, -a
second   segundo, -a
secretary   la secretaria
see   ver
    I'll see you *(fam.)* **tomorrow**   te veo mañana
seem   parecer (zc)
select   escoger (j)
send   enviar (í), mandar
    send a telegram   poner un telegrama
    send for   enviar por
sentence   la frase
separate: under — cover   por separado
September   septiembre
serve   servir (i,i)
service: place oneself at one's —,   ponerse a su disposición
seven   siete
    at seven o'clock   a las siete
    seven hundred   setecientos, -as
seventh   séptimo, -a
seventy   setenta
    seventy(-three)   setenta (y tres)
several   varios, -as
shave *(oneself)*   afeitarse
she   ella
shipment   el envío
shoe   el zapato
    shoe store   la zapatería
shop: cleaning —,   la tintorería
shopping: go —,   ir de compras
short: after a — while   al poco rato
shortwave   de onda corta
shortly afterwards   poco después
should   *sign of cond. tense and imp. subj.*
    I should like   quisiera, me gustaría
shout   gritar
show   enseñar
show window   el escaparate
sick   enfermo, -a
    become sick   ponerse enfermo, -a
since   como
sincerely yours   *see section on letter writing, pages 333-341*
sir   señor

dear sir muy señor (Sr.) mío (nuestro); *also see section on letter writing, pages 333-341*
sister la hermana
sit down sentarse (ie)
  fam. command siéntate (tú)
six seis
  at about six o'clock a eso de las seis
sixteen diez y seis
sixth sexto, -a
size *(shoe)* el número
skate el patín *(pl.* patines)
ski el esquí *(pl.* esquíes)
sleep dormir (ue,u)
slide la transparencia, la diapositiva
slowly despacio
small pequeño, -a
  several small ones *(m.)* varios pequeños
snow la nieve
so *adv.* tan
  hope so esperar que sí
  so many people tanta gente
  so much *adv.* tanto
  so that *conj.* para que, de manera (modo) que
some unos, -as, algunos, -as, *(before m. sing. nouns)* algún; *often not translated*
someone alguien
something algo
song la canción *(pl.* canciones)
soon pronto
  as soon as *conj.* en cuanto
sorry: be —, sentir (ie,i)
  we are (they are) very sorry lo sentimos (sienten) mucho
south el sur
  South America la América del Sur
  South American sudamericano, -a
space el espacio
Spain España
Spanish *adj.* español, -ola; *(language)* el español
  Spanish America la América española
  Spanish teacher *(f.)* profesora de español
speak hablar
  how many years have you *(fam.)* **been speaking?** ¿cuántos años hace que hablas?
special especial
spend *(time)* pasar
sport el deporte
  winter sports deportes de invierno
spring la primavera
  a spring day un día de primavera
square la plaza
St. san, santo, -a
  St. Mary Santa María
  St. Paul San Pablo
stamp el sello

airmail stamp sello de correo aéreo
standing: be —, estar de pie
state el estado
  United States los Estados Unidos
station: broadcasting —, la emisora
stay la estancia; quedarse
still todavía
stop detenerse
store la tienda
  shoe store la zapatería
strange extraño, -a
street la calle
  go out into the street salir a la calle
strengthen estrechar
stroll pasearse
student el alumno, la alumna
study estudiar
style el estilo
such tal
sudden: all of a —, de repente
suddenly de pronto, de repente
suit el traje
suitcase la maleta
  pack the suitcase hacer la maleta
summer el verano
  summer vacation las vacaciones de verano
supermarket el supermercado
supper la cena
  eat supper cenar
sure seguro, -a
  be sure (that) estar seguro, -a (de que)
surprise la sorpresa
  what a great surprise! ¡qué gran sorpresa!
surprised: he is — that le sorprende que + *subj.*
  I am surprised to (see) me sorprende (ver)
swimming: go —, ir a nadar

table la mesa
take tomar, llevar
  take a bath bañarse
  take a nap dormir (ue) la siesta
  take a trip hacer un viaje
  take a walk dar un paseo
  take (an hour) to tardar (una hora) en + *inf.*
  take breakfast desayunarse, tomar el desayuno
  take from (out of) sacar (de)
  take leave (of) despedirse (i,i) (de)
  take photos sacar fotos
talk hablar
tall alto, -a

tango   el tango
tape   la cinta; grabar
    tape recorder   la grabadora (de cinta)
teach   enseñar
teacher   el profesor, la profesora
    the French teacher *(f.)*   la profesora de
      francés
    two Spanish teachers *(f.)*   dos profesoras de
      español
telegram   el telegrama
    send a telegram   poner un telegrama
telephone   el teléfono; telefonear
    call by telephone   llamar por teléfono
    telephone number   número de teléfono
television   la televisión
tell   decir
    I shall tell her (it)   se lo diré
temperature   la temperatura
ten   diez
    before ten o'clock   antes de las diez
    it was a quarter after ten   eran las diez y
      cuarto
    ten-dollar bill   billete de diez dólares
tennis   el tenis
    play tennis   jugar (ue;gu) al tenis
tenth   décimo, -a
Teresa   Teresa
than   que
thank one (for)   darle las gracias a uno (por),
    agradecerle a uno
    thanking you in advance   anticipándole las
      gracias
    thanking you *(pl.)* **for your attention**
      agradeciéndoles (dándoles las gracias por *or*
      muy agradecidos por) su atención
thanks: many —,   muchas (mil) gracias
that   *adj. (near person addressed)* ese, esa (-os, -as),
    (distant) aquel, aquella (-os, -as)
    that (one) *pron.* ése, ésa (-os, -as), aquél,
      aquélla (-os, -as), *(neuter)* eso, aquello;
      relative pron. que
    all that   todo lo que, cuanto
    so that *conj.*   para que, de manera (modo)
      que
the   el, la, los, las
their *adj.*   su(s); su(s) *or* el (la, los, las) . . . de ellos,
    -as
theirs *pron.*   (el) suyo, (la) suya, *etc., or* el (la, los,
    las) de ellos, -as
them   *dir. obj.* los, las; *indir. obj.* les, se; *after prep.*
    ellos, -as
then   luego, entonces
there   allí, *(after verbs of motion)* allá
    there is (are)   hay
these   estos, -as; *pron.* éstos, -as

they   ellos, -as
thing   la cosa
    the interesting thing   lo interesante
think   pensar (ie), creer (y)
    I think that   me parece que
    what do you think of . . . ?   ¿qué te (le, les)
      parece . . . ?
third   tercero, -a, *(before m. sing. nouns)* tercer
thirty   treinta
    thirty(-nine)   treinta (y nueve)
this   *(adj.)* este, esta;
    this (one) *pron.* éste, ésta, *(neuter)* esto
    come this way   pasar por aquí
Thomas   Tomás
    to Thomas's (house)   a casa de Tomás
those   *adj. (near person addressed)* esos, -as,
    (distant) aquellos, -as; *pron.* ésos, -as, aquéllos, -as
    those who   los (las) que, quienes
though: even —,   aunque
thousand: a (one) —,   mil
    have a thousand things to do   tener mil
      cosas que hacer
    thousands of   miles de
three   tres
    at three o'clock   a las tres
through   por
Thursday   el jueves
    Thursday evening   el jueves por la noche
ticket   el billete, el boleto *(Am.)*
tight   estrecho, -a
time   *(in general sense)* el tiempo, *(of day)* la hora
    a long time   mucho tiempo
    at the same time   al mismo tiempo
    at times   a veces
    at what time?   ¿a qué hora?
    be time to   ser hora de
    (for) a long time   (hace) mucho tiempo
    from time to time   de vez en cuando
    have a very good time   divertirse (ie,i) mucho
    have time to   tener tiempo para
    he has (we had) little time left   le queda (nos
      quedaba) poco tiempo
    how much time?   ¿cuánto tiempo?
    on time   a tiempo
    what time is (was) it?   ¿qué hora es (era)?
tire   la llanta
to   a, de, para, que, *(in time)* menos
    to (Thomas's)   a casa de (Tomás)
today   hoy
    a week from today   de hoy en ocho días
tomorrow   mañana
    day after tomorrow   pasado mañana
    tomorrow morning   mañana por la mañana
tonight   esta noche
topcoat   el abrigo

tree   el árbol
trip   el viaje, la excursión
    (have) a good trip!   ¡buen viaje!
    make a (business) trip   hacer un viaje (de
      negocios)
    make (take) a trip   hacer un viaje (una
      excursión)
trousers   los pantalones
true *adj.*   verdadero, -a
    a true good neighbor   un verdadero buen
      vecino
    be true   ser verdad
try   probar (ue)
    try on   probarse (ue)
    try to   tratar de + *inf.*
Tuesday   el martes
    Tuesday evening   el martes por la noche
tune in   sintonizar (c)
turn *(direction)*   doblar
turn off   apagar (gu)
turn on *(radio)*   poner
twelve   doce
twenty   veinte
    twenty-dollar bill   billete de veinte dólares
    twenty-one   veinte y un(o), -a
    twenty(-nine)   veinte (y nueve)
two   dos
    two hundred   doscientos, -as
    two-o'clock flight   vuelo de las dos
typewriter   la máquina de escribir

u

umbrella   el paraguas
uncle   el tío
    uncle and aunt   los tíos
under separate cover   por separado
United States   los Estados Unidos
university   la universidad
    University Avenue   Avenida de la Universidad
until   *prep.* hasta; *conj.* hasta que
up: get —,   levantarse
    pick up (one)   buscar (qu) a (uno)
    wrap up   envolver (ue)
upon + *pres. part.*   al + *inf.*
us   *dir. and indir. obj.* nos; *after prep.* nosotros, -as
use   usar

v

vacation   las vacaciones
    summer vacation   vacaciones de verano

very   *adv.* muy; *adj.* mucho, -a
visit   visitar

w

wait (for)   esperar
    wait a long time   esperar mucho
walk   el paseo
    take a walk   dar un paseo
want   querer, desear
wash   lavar; *(oneself)* lavarse
watch   mirar
way   la manera
    by the way   a propósito
    come this way   pasar por aquí
    in this way   de esta manera
we   nosotros, -as
weather   el tiempo
    be good (bad) weather   hacer buen (mal)
      tiempo
    what fine weather it is!   ¡qué buen tiempo
      hace!
Wednesday   el miércoles
    on Wednesday   el miércoles
week   la semana
    a week from (yesterday)   de (ayer) en ocho
      días
    last week   la semana pasada
weekend   el fin de semana
welcome: you're —,   de nada, no hay de qué
well *adj.*   bien
what   lo que, qué
what?   ¿qué? ¿cuál?
    what his name is   cómo se llama (él)
    what's new?   ¿qué hay de nuevo?
    what time is (was) it?   ¿qué hora es (era)?
what a . . . !   ¡qué . . . !
when   cuando
when?   ¿cuándo?
where   donde
where?   ¿dónde? *(with verbs of motion)* ¿adónde?
    where is he from?   ¿de dónde es (él)?
whether   si
which   que, el (la, los, las) que, el (la) cual, los (las)
  cuales
which?   ¿qué?
    which (one, ones)?   ¿cuál(es)?
while   el rato; *conj.* mientras (que)
    after a short while   al poco rato
white   blanco, -a
who   que, quien(es), el (la) cual, los (las) cuales, el
  (la, los, las) que
    he who   el que, quien

those who   los (las) que, quienes
who?   ¿quién(es)?
whom?   ¿quién(es)?
whose?   ¿de quién(es)?
   whose (tape) is (this)?   ¿de quién es (esta cinta)?
why?   ¿por qué?
will   *sign of future tense*
   will you (are you willing to) + *verb?*
   ¿quieres (quiere Ud.) + *inf.?*
window   la ventana
   show window   el escaparate
winter   el invierno
   winter sports   deportes de invierno
wish   querer, desear
with   con, de
   with me   conmigo
work   el trabajo, *(of music, art, etc.)* la obra; trabajar
   work hard   trabajar mucho
worry   preocuparse
   don't worry *(pl.)*   no se preocupen Uds.
worse, worst   peor
would   *sign of cond. tense*
   would that!   ¡ojalá (que)!
wrap (up)   envolver (ue)
write   escribir
writing paper   el papel de escribir

y

year   el año
   for twelve years   desde hace doce años
   this year's model   modelo de este año
yearly   al año
yellow   amarillo, -a
   the yellow ones *(m.)*   los amarillos
yes   sí
yesterday   ayer
   yesterday (afternoon)   ayer (por la tarde)
yet   todavía
   not yet   todavía no
you   *(fam. sing.)* tú; *dir. and indir. obj.* te; *after prep.* ti
   with you   contigo
you   *(formal) subject pron. and after prep.* usted (Ud.), ustedes (Uds.); *dir. obj.* lo, la, los, las; *indir. obj.* le, les, se; *indef. subject* se
young   joven *(pl.* jóvenes)
   the (a) young man   el (un) joven
younger   menor
your   *(fam.) adj.* tu(s); *(formal)* su(s) *or* el (la, los, las) de Ud. (Uds.)
yours   *(fam.) pron.* (el) tuyo, (la) tuya, *etc.; (formal)* (el) suyo, (la) suya, *etc., or* el (la, los, las) de Ud(s).
   of yours *adj.*   tuyo(s), -a(s); suyo(s), -a(s) *or* el (la, los, las) de Ud(s).

Index

(References are to page numbers)

495